DENENE MILLNER

# DU MÊME SANG

*Traduit de l'anglais (États-Unis)*
*par Valérie Le Plouhinec*

le cherche midi

Titre original :
*ONE BLOOD*
Éditeur original : A Forge Book ;
publié par Tom Doherty Associates/Tor Publishing Group


ISBN 978-2-266-34232-2
Dépôt légal : septembre 2024

À ma mère de naissance,
qui m'a aimée au point de se séparer de moi.
Et à ma mère, qui m'a trouvée, élevée et aimée
de toutes les fibres de son être.
C'est moi qui ai eu de la chance.

Le Sang.

Sang qui court dans mes veines, ma tête, mon cœur.

Le sang, la plus grande pièce du puzzle qui fait que je suis moi. Et seulement moi.

Je n'imagine pas la quantité de sang.

Ce même sang qui courait dans mes veines à l'heure de mon premier souffle. L'heure de ma première apparition, de ma première impression sur les miens. Sur ce monde.

Je n'imagine pas la quantité de sang.

Ce même sang qui n'est qu'une vaguelette, une onde infime, une petite cuillerée, dans la mer de sang.

Les litres et les litres par moi hérités.

Le grand corps de l'existence, dans lequel courent les vaguelettes, les ondes infimes et les petites cuillerées de tous.

De sorte qu'à la fin des millions de familles différentes ne font qu'une.

Je n'imagine pas le peu de sang.

Mais ma petite cuillerée porte le monde en elle.

Mon sang remonte jusqu'à la Somalie et l'Éthiopie il y a des siècles et des siècles.

Mon sang remonte à mes ancêtres en esclavage.

Mon sang court en tout, en tous.

Les êtres se croisent et se recroisent.

Le sang court et se mêle.

Et nous savons que nous sommes les mêmes.

C'est ainsi qu'il agit, le beau sang.

Le Sang.

Le sang des générations qui a trouvé le chemin jusqu'à tes veines.

Il est d'or.

Tout ce sang.

Goutte à goutte il arrive jusqu'en toi.

Cette petite cuillerée

Dans le corps de l'existence.

*Le Sang*, Mari Chiles

# LE LIVRE DE GRACE

1965-1969

# 1

Le sang n'avait jamais tellement dérangé Grace. Maw Maw Rubelle, sa grand-mère, l'y avait habituée tôt, bien avant ce jour où elle l'emmena à son premier accouchement – ce même jour où son premier sang coula le long de sa cuisse. Voilà qu'il arrivait, le sang menstruel : un filet rouge sombre passant sur son mollet et sa cheville avant de s'écouler dans la terre épaisse et fertile de Virginie, où elle avait fermement planté ses pieds pour tendre les bras vers les pinces à linge. Grace inclina la tête et l'observa avec curiosité, juste un instant, puis alla dans les cabinets au fond de la cour se confectionner une serviette, comme Maw Maw Rubelle le lui avait appris, avec des épingles et des morceaux de sac à fourrage. *Naturel et cracra comme des cochons à l'auge*, pensa-t-elle.

Pour sa meilleure amie, Cheryl, ça ne s'était pas passé comme ça. Elle avait poussé des hauts cris quand son sang était venu. Personne, ni sa mère, ni sa grande sœur, ni sa grand-tante, n'avait pris la peine de lui parler de l'inévitable. Elles avaient gardé ça serré sur leur cœur, comme un grand secret que Cheryl n'avait pas le droit de connaître. La pauvre sotte, elle avait failli se tuer en voyant la flaque rouge sur son banc d'école et en comprenant que ça venait de son poum-poum : elle avait renversé le bureau, dévalé les marches branlantes de l'école et était partie en courant vers le pré de Harley, braillant et hurlant comme un cochon acculé, poursuivie par les rires des garçons et les cris de Mlle Garvey, l'institutrice.

Mais Grace, elle, comprenait la puissance du sang. Maw Maw Rubelle y avait veillé : elle l'avait obligée à le regarder en face, par plaisir et par nécessité pratique. Maw Maw savait, après tout, que sa petite-fille aurait la vocation : elle en avait eu une vision claire comme le jour, un après-midi, en arrachant des racines de vigne de Judée au fond des bois, près de la rivière où elle s'était rendue pour herboriser, se tenir immobile et faire des offrandes aux esprits de sa mère et de la mère de sa mère. La vision montrait les mains de Grace – petites, délicates, fortes – tirant, en la tournant doucement, la tête d'un bébé qui émergeait entre les cuisses de sa mère. Les gestes, la manière dont les doigts de Grace voletaient autour des boucles de l'enfant, avaient fait battre plus vite le cœur de Maw Maw. Elle avait senti la joie de sa petite-fille dans le picotement au bout de ses propres doigts, dans ses mains entières. Elle était lentement tombée à genoux, brindilles et cailloux s'enfonçant dans l'épaisseur de sa jupe ; elle avait embrassé ses paumes et les avait pressées – chaudes, chargées d'énergie – contre ses joues. L'amour était là. Grace perpétuerait la tradition des femmes Adams. Les morts de Maw Maw n'avaient pas menti. *Montre-lui le sang*, avaient-ils murmuré dans la brise, dans les rais de lumière traversant les feuillages. *Montre-lui ce qu'elle sait déjà.*

Maw Maw avait sorti un torchon de son giron, y avait enveloppé la racine, les feuilles et les baies de la plante, et s'était appuyée de tout son poids sur sa canne pour se remettre debout. Elle avait clopiné aussi vite que ses jambes le permettaient, traversant les taillis, puis la terre et l'herbe, dépassant le grand poirier et le roncier, jusqu'à l'étroite bicoque en bois où elle vivait depuis l'époque où elle-même, petite fille, avait appris de sa grand-mère l'art d'être sage-femme.

Elle avait poussé la porte de derrière et fouillé du regard les deux pièces minuscules, ses yeux passant du lit et du petit bureau à la table de cuisine et aux trois tabourets – taillés par M. Aaron dans un chêne tombé, en échange de deux mois de repas du dimanche –, puis au poêle à bois rondouillard avec l'énorme bouilloire en fer posée dessus, jusqu'au coin sous la fenêtre qu'elle avait gardée ouverte pour laisser la brise apporter le parfum des gardénias plantés contre la maison. Grace était là : étalée telle une des poupées de chiffon que sa maman lui avait fabriquées pour Noël dernier, elle cousait de la layette pour une cliente dont le bébé était sur le point d'arriver.

« Viens ici, ma belle », lui avait dit Maw Maw en posant le torchon plein sur le buffet. Elle l'avait déplié avec soin et avait séparé les feuilles des racines et des baies pendant que Grace se levait. « Apporte à Maw Maw son sac. »

Grace, avec l'enthousiasme de ses huit ans, avait bondi vers la commode où Maw Maw rangeait son sac spécial. Quelqu'un allait accoucher et sa grand-mère devait se dépêcher d'y aller, elle le savait, car c'était son métier : Maw Maw attendait les bébés, et quand ils arrivaient on venait la trouver. Alors elle prenait son sac et ses chaussures de marche, et elle jouait avec le bébé jusqu'à ce que la maman soit prête à le faire elle-même. Ou quelque chose comme ça.

« Qui c'est qui va avoir un bébé aujourd'hui, Maw Maw ? avait-elle demandé avec ardeur, en soulevant le lourd sac noir pour le poser doucement sur la table à côté de sa grand-mère.

— Personne. » La chaise sur laquelle Maw Maw s'était laissée tomber avait grincé le temps qu'elle se cale dessus. Elle avait arraché un morceau de papier d'un journal qu'elle gardait dans le sac, y avait déposé quelques baies et avait rangé le tout dans une petite poche cousue par ses soins dans la doublure du cabas de cuir. Elle prévoyait de faire un crochet par chez Belinda en allant acheter un pain de glace le samedi qui venait, car la jeune future mère n'était qu'à deux semaines de son terme, et une femme dont le ventre est devenu presque aussi large qu'elle est haute a bien besoin d'un petit quelque chose pour lui rappeler qu'elle est encore femme, et digne d'être aimée. Digne d'être touchée. Jolie. Un peu de ces baies écrasées sur ses lèvres rappelleraient à Belinda qu'elle était belle – à Belinda *et* à son homme, dont Maw Maw avait entendu dire qu'il était là-bas, au Quarters, en train de boire, de fumer, de guincher et d'oublier qu'il avait une magnifique épouse enceinte à la maison. « Viens ici, ma jolie, avait dit Maw Maw en faisant signe à Grace. Viens là. »

Grace s'était faufilée entre les genoux de sa grand-mère et avait niché la tête entre ses mains.

« Un beau jour, ce sac que tu vois là et tout ce qu'il y a dedans, ça sera à toi », avait dit Maw Maw en regardant au fond de ses yeux marron.

Elle avait posé son pouce sur l'unique fossette de Grace, un creux subtil dans sa joue droite.

« Tu veux dire comme dans mon cinéma, Maw Maw ? »

Elle avait reculé la tête, étonnée. Grace se réveillait toujours à côté de sa grand-mère, pelotonnée sous son bras ; avant que toutes les deux aient posé les pieds par terre, avant qu'elles s'agenouillent et disent leurs prières du matin, puis disposent de l'eau et du pain pour leurs morts, la petite lui racontait ses rêves – qu'elle appelait « son cinéma », parce qu'elle imaginait que c'était comme ça quand on y voyait un film, ce qu'elle n'avait encore jamais eu le plaisir de faire, n'ayant ni l'argent ni la bonne couleur de peau. Maw Maw écoutait toujours avec attention, car elle savait le pouvoir des rêves – elle comprenait qu'ils n'étaient pas seulement des songes, mais une indication de ce qui allait advenir. Des messages. Parfois des mises en garde. Elle s'en serait souvenue, si Grace lui avait raconté un rêve dans lequel figurait son sac d'accoucheuse.

« Qu'est-ce que c'est que ce rêve dont tu m'as pas parlé, ma grande ?

— J'allais t'en parler, Maw Maw, avait gentiment répondu Grace. Je jouais avec un bébé, mais il avait du sang sur la figure. Ça faisait peur.

— Et c'est arrivé quand, ça ?

— Tout à l'heure, Maw Maw, quand tu étais à la rivière. »

Maw Maw aurait dû être étonnée par la vision de sa petite-fille et par le synchronisme de leur lien avec l'avenir, mais elle se gardait bien de contester ce qui était naturel et vrai. Le temps était venu.

« Y a rien à craindre du sang, avait-elle simplement dit. Dedans, il y a ta maman et ton papa, et aussi moi et ma maman. Avoir peur du sang, c'est comme avoir peur de toi-même. »

Grace sentait maintenant quelque chose dans son ventre, mais ce n'était pas du tout l'idée qu'elle se faisait de la joie. C'était plus proche, imaginait-elle, de la sensation de la hachette sur le cou d'un coq qu'on venait d'attraper, en route pour la marmite. Elle voulait annoncer tout de suite à Maw Maw que ses premières règles étaient arrivées – et elle voulait savoir ce qui l'attendait ensuite. Elle ne pouvait compter que sur sa grand-mère pour lui dire la vérité. Sa mère, Bassey, s'était depuis longtemps détournée des explications de Rubelle pour écouter plutôt ce que racontaient la Bible, le pasteur et tous les autres hommes, si bien qu'elle ne lâchait plus un mot sur le sujet. Tout ce que Grace avait pu tirer d'elle, c'est que les règles étaient le sort des femmes – la malédiction d'Ève. Mais Maw Maw, elle, ne voulait pas entendre parler de tentation, de désobéissance ni d'expiation, de pommes ou de serpents parlants à la langue fourchue. Sa certitude était celle des femmes depuis des générations : la menstruation était un cadeau. Le sang charriait les ingrédients de la vie : la purification. L'intuition. La syncope entre les rythmes du corps, de la nature, de Dieu. Il était devenu urgent qu'elle en parle à sa petite-fille, depuis que les hanches de cette dernière commençaient à tendre sa robe en toile à sac et que ses bourgeons devenaient pleins et ronds. « Ma mère, elle me disait : “Quand tu deviendras femme, la lune enverra les vagues se briser sur la grève en ton honneur”, lui avait-elle confié plus d'une fois. Elle me disait, “Simbi fera une danse dans ton ventre.” »

Maw Maw se dirigeait vers le fil à linge avec un drap fraîchement lavé lorsqu'elle vit sa petite-fille sortir lentement des cabinets, pratiquement pliée en deux ; elle sut d'instinct pourquoi Grace semblait avoir mal, mais posa quand même la question.

« Qu'est-ce que t'as donc, ma fille ? » En entendant la réponse, elle renversa la tête en arrière et partit d'un gros rire venu des tripes. « Viens là, dit-elle en ouvrant les bras pour serrer Grace contre son cœur. Oh, Simbi, y va danser ce soir ! Allez va, descends dans le bois chercher de l'écorce à crampes : Maw Maw va te préparer un p'tit quelque chose contre la douleur. »

Grace s'exécuta, et lorsqu'elle ressortit du bois ce fut pour voir un Blanc, à cru sur un cheval, pousser l'animal pratiquement jusque sous le nez de sa grand-mère. Il ne prit pas la peine de sauter à terre ; portant à peine les doigts à son chapeau, il entra tout de suite dans le vif du sujet :

« *Granny*, j'ai besoin de vous à la maison. On dirait bien que Ginny va l'avoir, ce petit.

— Bonjour, monsieur Brodersen », répondit calmement Maw Maw.

L'impolitesse de l'homme ne la perturbait pas le moins du monde ; au contraire, le ton direct et autoritaire que prenaient généralement les Blancs quand ils réclamaient ses services était une chose dont elle avait l'habitude – et qui l'amusait légèrement. Comme si elle était en dessous d'eux, alors même qu'ils se trouvaient dans sa cour, toujours pressés, toujours aux abois, à attendre qu'elle fasse irruption en plein miracle. En outre, la plupart étaient aussi démunis que les personnes de couleur qu'ils prenaient de haut : pas un radis, et à peine une fenêtre par où jeter les fanes. Ils payaient en poulets et en promesses, comme tout le monde, sauf qu'ils le faisaient avec autorité plutôt qu'avec gratitude. Maw Maw, cependant, ne s'arrêtait pas à ces détails. Tout ce qui comptait pour elle, c'était sa mission divine : aider une nouvelle vie à venir au monde. La couleur n'était pas précisée dans son contrat de l'âme.

« L'a perdu les eaux vers quelle heure ? demanda-t-elle poliment, la main en visière pour le regarder là-haut.

— Ça fait une demi-heure, à peu près.

— Et les douleurs ? Espacées de combien ?

— A s'est mise à brailler et je m'suis mis en route tout de suite.

— Bah, elle en est pas à son premier, donc pas moyen de dire si celui-là va prendre son temps ou se dépêcher de sortir voir le monde, hein, m'sieur Brodersen ?

— Faut croire que non, *granny*, répondit-il – car c'est ainsi que les Blancs appelaient les accoucheuses noires.

— Bon, je vais chercher mon sac. Je devrais pas mettre plus d'une heure à arriver, du moment que l'père Aaron est là et qu'y veut bien me conduire. En attendant, vous savez quoi faire, tout pareil que la dernière fois où j'suis allée attraper un de vos bouts de chou. Vous mettez de l'eau à chauffer, vous préparez les bouillottes et les draps, et vous faites en sorte que vot' charmante dame elle soit aussi bien installée que possible.

— Oui, m'dame », dit Brodersen en touchant son chapeau.

Et là-dessus, il repartit en direction de l'usine de Piney Tree – le plus gros employeur de la ville de Rose. Son cheval allait devoir prendre le pont sur la rivière Piney, puis contourner l'immense édifice en bois et acier où les arbres fraîchement abattus étaient écorcés, débités, broyés et réduits en pâte, où les Blancs travaillaient dur – et les Noirs aussi, sauf qu'ils recevaient soixante pour cent en moins au creux de leur main le vendredi soir. Les Blancs profitaient du surplus pour vivre dans le petit bourg derrière l'usine. Les Noirs, eux, ne s'y trouvaient que s'ils travaillaient pour les familles blanches, qui vivaient une existence ségréguée dans leur commune ségréguée aux idéaux ségrégués – et même ainsi, ils ne s'y attardaient pas à la nuit tombée. La seule qui n'y courait aucun danger, c'était elle, Rubelle Adams – la *granny* dont les mains avaient été les premières à toucher pratiquement trois générations d'habitants blancs de Rose. Elle n'en tirait ni orgueil ni honte. C'était comme ça.

Et à présent, sa petite-fille allait devenir l'autre Noire autorisée à se trouver de nuit dans le quartier blanc de Rose. Maw Maw fit signe à Grace, restée dans la cour en attendant que le Blanc s'en aille.

« Allez entre, ma belle, que je te fasse une tisane et que je te parle un peu. Il est temps. »

Du jour où elle avait eu la vision de Grace attrapant un bébé, Maw Maw s'était consciencieusement employée à l'initier aux pratiques des femmes qui, comme elle, servaient les miracles. Et maintenant, en ce jour où les esprits la jugeaient enfin digne d'accomplir elle-même le miracle, Maw Maw l'emmènerait assister à sa première naissance.

Elle lui prépara rapidement l'infusion, puis la fit asseoir pour passer une fois de plus en revue le contenu de son sac d'accoucheuse : ce qu'il devait contenir d'après l'Office de la santé, qui lui avait délivré sa licence presque vingt ans auparavant, et ce qu'il devait contenir d'après ses visions, son expérience et l'ordre naturel des choses pour les femmes dont les mains étaient sacrées, ointes. Ça, c'est du papier comme ci comme ça pour ceci et cela ; cette herbe, là, c'est pour calmer la maman, cette racine c'est pour soulager la douleur. Maw Maw avait montré le contenu du sac suffisamment de fois pour que Grace reconnaisse tout ; elle ne se lassait pas de l'examiner, et se réjouissait de ne plus avoir à regarder en douce quand sa grand-mère avait le dos tourné. Mais là, elle ne se tenait plus de joie à l'idée de voir enfin directement comment les corps et Dieu aidaient les mères à expulser les enfants de « l'endroit sacré » des femmes.

Au moment où Maw Maw lui agitait le flacon de teinture d'iode sous le nez, Bassey, la mère de Grace, grande, mince, et aussi chic que pouvait l'être une fille de la campagne ne possédant guère que ce qu'elle avait sur le dos et ce qu'elle pouvait porter dans un petit sac, passa la porte d'un pas fluide. Perdue dans ses pensées, elle s'apprêtait à laver ses vêtements, lisser ses cheveux puis retourner en vitesse chez Willis Cunningham avant que le soleil ait achevé sa danse à travers le ciel. Ce fut la voix de Maw Maw qui l'arracha à sa rêverie. Elle plissa les yeux en voyant le flacon dans les mains de sa mère.

« Maman, tu vas pas commencer ces histoires avec mon bébé, dit-elle d'une voix ferme. Elle a pas besoin de savoir tout ça.

— Et qu'est-ce que t'en sais, de ce qu'elle a besoin, cette petite ? riposta Maw Maw. On peut pas dire que tu sois beaucoup là pour t'en soucier.

— Écoute, Rubelle Adams, t'occupe donc pas de savoir si je suis là ou pas. Ce que je sais, c'est que tu te cherches quelqu'un pour courir partout en ville et passer ses journées à attraper des bébés pour trois sous, ou un poulet, avec un peu de chance. J'te l'ai déjà dit, je vais pas passer le restant de ma vie sur ces chemins de terre, à écouter ces pauv' pécores brailler et beugler en pondant des gosses qu'elles ont pas les moyens d'élever, et Gracie encore moins. »

Maw Maw remit soigneusement le flacon de teinture d'iode dans le sac, puis les bandes ventrales rouges, le papier journal, le sachet d'herbes, les baies, la pile de linges carrés taillés dans des draps de coton. Elle tchipa.

« Et tu voudrais qu'elle fasse quoi, alors ? demanda-t-elle en se levant avec effort de la chaise qui grinçait. Tu préfères la voir courir dans toute la ville après un homme qui veut pas d'elle ? Qui lui laisse un coquard en remerciement de son plaisir ? »

Bassey porta instinctivement la main à sa joue et grimaça en touchant sa chair meurtrie. Willis était de mauvais poil la veille au soir. Bassey l'avait calmé de son mieux, mais il lui avait quand même assené une de ses « leçons » pour son insolence.

« Vaut mieux qu'elle apprenne à faire la paix avec un homme qui s'occupera bien d'elle, plutôt que de courir derrière ces Blancs, à frotter leurs culottes sales pour quelques pennies ici et là pendant que toi tu aides ces nèg' à faire des petits qui finiront aussi par laver des culottes sales. Je souhaite pas ça à ma fille.

— Tu pourras jamais lui souhaiter plus que ce que les ancêtres lui réservent. »

Bassey savait qu'il était inutile de discuter. Si elle-même avait fui la profession héritée de sa mère et de la mère de sa mère et de tant d'autres femmes avant elles dans la lignée Adams, depuis avant même que les navires ne déversent le sang de leur famille sur les rives de la Virginie, elle n'avait aucune prise sur la manière dont Maw Maw choisissait d'élever Grace. Après tout, Bassey n'était pas de leur monde. Plus maintenant. Il y avait bien longtemps qu'elle avait renfoncé ses visions – avec celles de Maw Maw – tout au fond d'elle-même, là où les ténèbres avalaient les fantômes et leurs prophéties. Elle ne voulait pas en entendre parler, ne voyait aucun intérêt à écouter leurs murmures, à tendre l'oreille aux messages qu'ils lui laissaient en rêve. Ils ne lui servaient à rien, tout simplement. Elle avait choisi de s'occuper plutôt d'elle-même. Elle seule était responsable de son destin, c'était sa conviction, et son destin résidait entre les bras de Willis Cunningham, pasteur assistant à l'Église du Nazaréen, dont elle était une ouaille fidèle et dévouée ainsi qu'une première dame d'honneur. Elle n'en démordait pas : si elle s'accrochait fermement, si elle faisait tout ce qu'il disait, si elle prouvait la profondeur de son amour, Willis ferait ce qui était juste, ce qui était nécessaire, ce qu'avaient prévu Jésus, Dieu et l'Esprit saint en personne – il ferait d'elle une femme honnête. Elle tenait à lui, bien sûr, et encore plus à ce qu'il pourrait faire pour que jamais plus elle n'ait à toucher une planche à laver – ou du moins, à faire la lessive pour des Blanches mal embouchées. Le respect qu'il imposait, tant à l'église qu'à la plantation High, où il supervisait un ramassis de nègres indolents qui hachaient les tiges de tabac, rapportait suffisamment d'argent et de prestige pour lui assurer, à elle, une place au premier rang tous les dimanches au premier office du matin. Devant les diaconesses avec leurs chapeaux trop grands et leurs lèvres pincées, à côté de Lady Stewart, femme du révérend Stewart et première dame de l'Église du Nazaréen, et pile en face de Willis, dont le regard qui s'égarait parfois avait besoin d'un point d'ancrage depuis la chaire.

« Bon, maman, j'ai pas le temps d'en parler aujourd'hui », dit-elle d'un ton sec. Elle se tourna dans trois directions différentes, ne sachant plus par quoi commencer. « Faut que je me prépare pour l'étude biblique chez M. Cunningham, et je vais me mettre en retard si je reste à discuter de ça un jeudi saint. » Elle s'adressa ensuite à Grace en se radoucissant un peu : « Ma fille, fais-moi chauffer un bain. »

Une fois de plus, Bassey et Rubelle se tenaient comme deux boxeurs sur le ring – furieux, anxieux, chacun lorgnant l'autre en silence depuis son coin, le sang, la sueur et la morve trahissant la violence de leur rage. Il n'y avait guère que les os qui ne soient pas brisés entre mère et fille.

C’était ainsi, voilà. Et ce serait toujours ainsi. Ni l’une ni l’autre n’avait l’échine souple, et donc aucune ne plierait. Chacune était enracinée dans celle qu’elle était, ni plus ni moins. Rubelle ne recevait pas plus de respect de sa fille que de la communauté qu’elle servait. Bassey reconnaissait les talents d’accoucheuse et de guérisseuse de sa mère, mais, en femme assoiffée à la fois de modernité et d’un ancrage dans la parole de Dieu, elle avait du mal à accepter ses étranges pratiques. Elle était profondément scandalisée que Rubelle ne veuille même pas mettre les pieds à l’Église du Nazaréen : le lieu où commençait sa nouvelle vie, spirituelle et physique, elle en était convaincue. Franchement, elle avait honte de cette mère qui commerçait avec les esprits malins, vénérait l’eau vive des torrents et croyait qu’un sac de feuilles et de racines sales guérissait mieux que la main d’un médecin sorti des écoles. La communauté tolérait ses usages parce qu’elle n’avait pas tellement le choix : les hôpitaux ségrégués et les médecins de campagne blancs auraient plus volontiers soigné une truie qu’une femme noire, et la plupart des habitants du minuscule quartier coloré de Rose étaient de toute manière trop pauvres pour faire appel à des professionnels. Ils n’avaient que Rubelle.

Rubelle, de son côté, savait que sa fille n’avait qu’elle, et enrageait que celle-ci refuse de le comprendre. Bassey était si éblouie par ses ambitions, si occupée à tourner le dos à son destin, qu’elle restait aveugle à cette vérité, et encore plus à la trinité de dangers qui attendaient de la terrasser : les commères de l’Église du Nazaréen, qui ne voyaient en elle qu’une fille légère cherchant à attirer leur pasteur adoré dans la toile de débauche et de péché de la famille Adams ; les hommes, qui flairaient chez elle la rage du désespoir et s'y vautraient pour leur amusement ; et ce Willis, le plus sombre de tous, qui drapait ses mensonges dans d'éternelles promesses. Aucun de ces gens ne lui voulait de bien. Rubelle la mettait en garde, en vain. Bassey était Bassey, elle ne pouvait pas faire mieux.

Toutes deux gardèrent le silence le temps que Grace s'occupe de l'eau de Bassey ; elle la traitait comme s'il se fût agi d'un parfum précieux qu'on préparait pour une altesse royale. Comme Maw Maw le lui avait appris, elle alla prélever une branche dans le massif de gardénias et broya les feuilles tendres dans une poignée de sels d'Epsom. Une fois satisfaite de la senteur, elle en prit une pincée entre ses doigts minces, la saupoudra au fond du grand tub en tôle posé dans le coin entre la cuisine et la pièce à vivre, et versa l'eau lorsqu'elle eut atteint la température adéquate. Trois allers-retours de plus avec de l'eau chaude, quelques gardénias déposés à la surface, et voilà.

« Maman, ton bain est prêt », annonça-t-elle fièrement en s'écartant du tub.

Bassey hocha la tête, jeta son éponge dans l'eau et laissa tomber sa robe au sol. Le dos tourné à sa mère et à sa fille, elle ne vit pas l'horreur qui monta dans leurs yeux. Les bleus sur son dos et ses cuisses n'étaient pas une surprise pour elle ; toute à sa préoccupation de se préparer pour Willis, elle ne s'était pas laissé ralentir par la douleur ni par les marques, et elle n'avait aucune intention de perdre son temps à expliquer comment c'était arrivé. Non, cela ne regardait que Willis et elle, et il n'y avait rien à ajouter.

Grace avait les yeux rivés sur sa mère, mais elle ne la regardait pas se laver. Ce qu'elle contemplait, c'était le film – en Technicolor, grotesque – qui défilait soudain devant elle. Dans son cinéma, Bassey gisait sur une planche posée entre deux chaises, les bras le long du corps encadrant sa robe lissée – celle à fleurs jaunes, sa préférée. Maw Maw posait des pièces sur ses paupières et lui peignait les lèvres avec des baies écrasées. Bien que parfaitement immobile, elle n'était pas en paix.

Grace ne savait pas au juste ce qui se jouait dans ce film – ni même pourquoi elle en voyait un alors qu'elle était debout, reposée et bien éveillée. Mais Maw Maw, elle, savait.

Elle savait parce qu'elle regardait le même film.

« Il faut qu'on se mette en route », dit-elle, rompant enfin le silence. Sa voix se brisa, mais ni sa fille ni sa petite-fille ne virent l'eau qui lui montait aux yeux. « Le bébé de Miss Ginny va pas nous attendre. »

# 2

Grace avait déjà reçu un sermon pendant le trajet vers chez les Brodersen : elle savait qu'elle devait rester dans son coin sans rien faire, pas même respirer, et attendre les instructions de Maw Maw. Elle était là pour observer, apprendre et se tenir prête à garder les quatre autres petits de Miss Ginny, qui se faisaient discrets dans la cuisine en écoutant les gémissements de leur maman. Les enfants savaient que le bébé arrivait, mais les détails leur étaient inaccessibles, car il n'était pas possible de poser des questions. Leur père, sévère, bourru et du genre taiseux, aurait préféré distribuer les gifles plutôt que de répondre à des gosses. Ils devaient donc se contenter de leur imagination galopante, qui leur présentait des scénarios fantastiquement ridicules pour expliquer la fonction des bouilloires chauffant sur le poêle, des ciseaux que l'on plongeait dans les bulles énormes, des brosses et des carrés de coton que la *granny*, apparition tout de blanc vêtue, avait empilés sur un petit plateau. Ils s'efforçaient d'apercevoir quelque chose en tordant le cou chaque fois que la dame ou que

M. Brodersen ouvrait la porte grinçante pour entrer ou sortir de la chambre.

« Peut-être qu'ils vont y couper le ventre pour sortir le bébé », souffla l'aînée, âgée de sept ans, lorsque leur père fut trop loin pour entendre. « Et pis qu'après y vont lui rattacher le ventre avec les linges », ajouta un autre, cinq ans, en serrant contre lui l'enfant de trois ans qu'il avait sur les genoux. La lèvre inférieure de celui de quatre ans frémit à cette idée, puis se mit carrément à trembler lorsqu'une contraction arracha un hurlement guttural à sa mère.

« Pleure pas, lui dit sa grande sœur, la lèvre retroussée pour chuchoter à son oreille. Papa va venir et y va t'étriper si tu te tais pas comme il a dit. »

Le petit garçon plaqua une main sur sa bouche. Il avait déjà connu la morsure du ceinturon de papa plus tôt dans la journée, et il n'en voulait plus. La grande envisagea sérieusement de trinquer pour lui, décidant dans sa tête qu'une correction était un tarif acceptable pour essayer de comprendre ce qui lui valait d'être consignée à la cuisine comme un bébé, alors que la noiraude pouvait rester avec sa maman dans la chambre. Leur papa, occupé à bricoler un berceau avec un grand carton, des coussins et des couvertures, faisait la sourde oreille à leurs chuchotements, geignements et questionnements.

« Allons, allons », dit Maw Maw en aidant une Miss Ginny gémissante à se lever. La femme avait perdu les eaux, ses contractions étaient régulières, mais son corps n'exigeait pas encore l'expulsion. Maw Maw s'efforçait de lui apporter tout le confort possible alors que la douleur lui poignardait le ventre : comme elle l'avait fait avec toutes les autres mères en couches avant Miss Ginny, elle la faisait marcher, lui parlait et lui rappelait le bonheur qui l'attendait de l'autre côté de toute cette peine. « Ça va être magnifique pour vous, et vot' mari, et ce joli p'tit bébé. Vous en faites donc pas pour la douleur. Grâce à Dieu, on a déjà fait ça quatre fois, et regardez, y sont tous arrivés forts et pleins de santé. Ça va être pareil pour celui-là, vous inquiétez donc pas. On va encore assister à un miracle.

— Oui, madame. »

Ce fut tout ce que Miss Ginny put répondre. La peur se lisait dans ses yeux.

« Gracie, allez, il est temps de faire le lit, ordonna doucement Maw Maw. Tu fais comme je t'ai appris. Tu poses le plastique sur le matelas, ensuite le drap, et ensuite la grande alaise matelassée que Maw Maw a faite. Elle est dans le grand sac, là, toute propre. Tu fais ça, et ensuite tu apportes les bassines, une pour Miss Ginny, une pour moi, et une pour ce petit amour qui sera bientôt là.

— Tout de suite », dit Gracie.

Elle se mit à la tâche pendant que Maw Maw continuait à distribuer les instructions.

« Bon, monsieur Brodersen, je vais faire marcher un peu Miss Ginny pendant que ma petite-fille prépare le lit. Une fois que les bassines seront prêtes, Grace et moi on va aller rejoindre les enfants à la cuisine pendant que vous passerez un moment tranquille ici tous les deux, Miss Ginny et vous.

— Pas question », lâcha-t-il simplement en posant le berceau terminé à côté du lit conjugal.

Miss Ginny gémit, le ventre saisi d'une nouvelle contraction – une douleur si violente qu'elle irradiait jusqu'au bout de ses orteils. Elle se plia en deux, empoigna son ventre d'une main et serra le bras de Maw Maw de l'autre.

« Allons, monsieur Brodersen, c'est pas le moment de faire le timide avec moi ! Vot' belle dame et vous, vous étiez tout seuls pour le faire, ce bébé, et vous devriez être ensemble, rien que vous deux, quand il va venir au monde.

— J'ai dit non ! »

Le tonnerre de sa voix fit sursauter Grace. Elle en lâcha l'alaise, et sa maladresse rendit la langue de Maw Maw aussi tranchante et implacable que celle du Blanc.

« Ramasse ça tout de suite ! » cria-t-elle, même si Gracie avait déjà repris l'alaise dans ses bras, si vivement que seul un petit coin avait touché le tapis fraîchement balayé sur le plancher. « Tu sais le temps que ça nous a pris de stériliser le drap qui la recouvre. Fais voir ! » exigea-t-elle tout en tenant toujours Miss Ginny, qui passait d'un pied sur l'autre pour tenter de se décrisper après le choc de la dernière contraction.

Grace tendit l'alaise pour l'inspection. Immaculée.

« Faut faire plus attention, ma grande, dit Maw Maw d'une voix radoucie. Y faut que tout soit bien propre et stérile pour que le bébé et sa maman fassent pas d'infections, tu comprends ?

— Compris, répondit Gracie en hochant le menton. Je ferai plus attention, Maw Maw. »

Elle déploya l'alaise sur le lit, en plaçant le coin qui avait effleuré le sol du côté des pieds.

Maw Maw reporta son attention sur le mari bougon, mais renonça à le convaincre de faire ce qui aurait dû lui venir naturellement. Sa femme, nerveuse, les entrailles en feu, angoissée par le passage de son nouveau bébé, aurait eu besoin de sa tendresse pour compenser toute cette dureté. Mais il en était incapable ; quelque chose le rongeait, et l'amour était un baume trop faible pour ses blessures.

Maw Maw avait déjà vu ça : des maris dépassés et sur les nerfs, tranchant jusqu'à l'os tout ce qui les gênait pour réfléchir à la manière dont ils pourraient bien nourrir encore une bouche affamée. Si elle plaignait les mères, elle n'avait guère de pitié pour les pères. Ils n'y pensaient jamais, apparemment, lorsqu'ils poursuivaient leur femme le membre au garde-à-vous, exigeant leur plaisir sans attendre que le corps se soit remis de l'accouchement précédent. Ils se servaient. Résultat : encore un bébé, en plus de celui ou des deux qu'ils n'avaient déjà pas les moyens d'élever. À l'occasion, cela pouvait affecter plus que leur vie de famille : cela pouvait aussi déborder sur celle de Maw Maw. Prenez la pauvre Mary Patterson, par exemple. Son homme ne trouvait pas de travail et ils avaient déjà connu bien des nuits affamées, il y avait deux hivers de cela, vers l'époque où leur petit devait naître. Peut-être un peu de pain de maïs ici et là, quelques haricots si Mary trouvait l'énergie de prendre une ou deux charges de linge en échange de piécettes qui partiraient chez Bunch Cleary, l'épicier. Mais le plus souvent, ils se penchaient sur de petits bols de gruau avec un peu de graisse de lard pour que ce soit à peu près mangeable, blottis devant un poêle qui n'avait guère que deux bouts de bois dans le ventre, du moins si Joe Patterson en avait trouvé à ramasser. Mary était tellement mal nourrie pendant cette première grossesse que Maw Maw était allée faire une offrande spéciale pour eux à la rivière, implorant les ancêtres d'épargner la souffrance au bébé quand il mourrait, ce qui semblait inévitable. Hélas, Mary était entrée en travail pendant la nuit la plus froide de l'année ; la faim, l'épuisement et un début d'hypothermie avaient tellement diminué les parents que dans les instants les plus silencieux, leurs seuls signes de vie étaient les faibles nuages que dessinait leur souffle tiède dans l'air glacial. Maw Maw, alarmée par leur état – par tout ce vide – avant même d'avoir fait trois pas dans la maison, avait immédiatement demandé à un voisin de la reconduire chez elle pour prendre des provisions : une courtepointe molletonnée, quelques conserves de betterave, un sac de haricots, du café. Du savon. Elle avait déjà cousu une grenouillère en flanelle pour le bébé, mais elle avait attrapé des linges en plus, un cageot et six petites bouillottes pour lui faire un lit chaud, sachant que les os de sa mère ne suffiraient pas à le protéger du froid de l'hiver. L'accouchement de Mary Patterson avait été laborieux – l'un des plus difficiles que Maw Maw ait jamais connus, depuis le temps qu'elle faisait ce métier. Il n'est pas possible d'être une faible femme, de quelque manière que ce soit, lorsqu'on expulse un être humain de ses entrailles. Mary ? Elle avait été forte ce jour-là, et grâce à l'aide de Maw Maw elle s'était ressaisie pour son enfant, pour sa famille. Mais le mari, lui, était resté les bras ballants, inutile. À attendre. Incapable. C'était quelque chose, cet homme. Il avait exigé que sa femme encore endolorie se lève et fasse l'effort de lui préparer un repas avant même de donner le sein au bébé.

« Allons, Joe, faut laisser Mary se reposer », lui avait dit Maw Maw quand elle était passée quelques semaines plus tard prendre des nouvelles.

Elle avait trouvé le petit dans le cageot, mouillé et agité, tandis que Mary, devant le poêle, sa robe loqueteuse souillée par ses montées de lait, versait du gruau et plaçait une tranche de pain dans un bol.

« Oh, elle va très bien », avait répliqué Joe en attrapant la taille de sa femme d'une manière qui avait obligé Maw Maw à détourner les yeux. *On ne se comporte pas comme ça devant les gens*, avait-elle pensé. « Mary, le p'tit et moi, ça va au poil, pas vrai, ma belle ?

— Oui, Joe. »

Elle avait posé le bol sur les genoux de son mari tout en rajustant sa robe trempée qui lui collait au corps. Puis, s'approchant en toute hâte du cageot, elle avait collé son fils affamé et furieux contre son sein. Il tétait goulûment, en reniflant, lorsque Mary, épuisée et elle-même proche des larmes, s'était pratiquement effondrée sur le lit défait.

Trois semaines plus tard, elle était de nouveau enceinte. Encore huit mois, et elle avait une nouvelle bouche à nourrir. Joe Patterson devait toujours à Maw Maw les cinq dollars du premier accouchement lorsqu'il était venu frapper à sa porte pour lui dire que Mary la réclamait pour mettre au monde son deuxième : un enfant qui allait s'ajouter à la liste toujours plus longue des êtres qu'il ne pouvait ni ne voulait nourrir.

Les bébés étaient sacrés pour Maw Maw : jamais elle n'aurait utilisé son art des racines – un don transmis de génération en génération – pour arracher un bébé non désiré au ventre d'une mère. Elle ne voulait pas de ce poids sur son âme. Mais en voyant les Patterson, et bien trop d'autres couples comme eux, elle comprenait que certaines femmes fassent ce choix et qu'il ne soit pas difficile, loin de là, de trouver quelqu'un pour les y aider. La réprobation n'avait jamais sauvé un bébé du crochet de la faiseuse d'anges ni empêché un estomac de crier famine.

Par la fenêtre donnant sur la cour, Grace regardait M. Brodersen, la hache en main, ébrancher le tronc d'un robinier qu'il avait abattu pour en faire des bûches. Il semblait en colère, ce qui laissait Grace perplexe, car comment pouvait-on se fâcher qu'un bout de chou vienne au monde ? Les bébés, pour elle, étaient comme la citronnade des dimanches de Maw Maw : bourrés de délices, faits avec amour. Elle avait gardé deux ou trois fois le petit garçon de Nearest Dandy, Evermore, et elle raffolait de son odeur quand elle nichait le nez dans son cou et qu'il lui mordillait la joue avec ses gencives. Son haleine était si douce… Elle n'avait jamais rien connu de plus doux. Mme Dandy lui disait de ne pas trop le porter quand elle le gardait.

« Tu vas me le gâter s'il est tout le temps dans tes bras, et on ne veut pas de petits rois par ici. Pose-le, même s'il pleure. Il va devoir apprendre à se débrouiller dans le monde sans être dorloté en permanence.

— Bien, madame », répondait toujours Grace.

Mais Mme Dandy n'avait pas plus tôt passé la porte que l'enfant était de retour dans ses bras. C'était comme une drogue, et le bébé n'était même pas à elle. Elle ne comprenait donc pas du tout que M. Brodersen réagisse si bizarrement au sien.

Le hurlement de Miss Ginny la fit brusquement revenir à elle et à ce qui passait dans la chambre. Les genoux de la femme avaient cédé sous elle, et si Maw Maw n'avait pas été là elle serait sûrement tombée de tout son long.

« Rubelle, dit la femme en luttant contre le poids de son propre souffle. Il est temps. Il faut que je pousse.

— Encore un peu, Miss Ginny. Vous savez bien que vous pouvez pas pousser tant qu'on n'est pas certaines que c'est le moment. Allez venez, je suis là avec vous. »

Maw Maw ouvrit les draps pendant qu'elle se dandinait d'un pied sur l'autre, puis l'aida à monter sur le lit protégé par l'alaise. Consciencieusement et rapidement, elle alla chercher à la cuisine la bouilloire d'eau chaude qu'elle versa dans la cuvette blanche posée au pied du lit, sur une petite table où elle avait disposé tout le matériel de son sac.

« Bien, Miss Ginny, maintenant on s'allonge et on s'installe bien contre l'oreiller, ordonna-t-elle. Je vais regarder où vous en êtes. Quoi qu'il arrive, vous ne poussez pas encore, d'accord ? Faudrait pas que ce bébé reste coincé, et on veut surtout pas que vous vous fassiez du mal, vous m'entendez ? Vous vous rappelez comment on respire, n'est-ce pas ? »

Miss Ginny, les traits déformés par la douleur d'une contraction qui lui transperçait le bas-ventre, fit oui de la tête.

« Parfait, alors vous respirez bien, d'accord ? Ça aide avec la douleur. Je me lave les mains, et ensuite on y va. »

Pendant ce qui parut une éternité à Grace, Maw Maw resta devant la cuvette et, avec un soin et une précision extrêmes, se frotta les mains, les doigts, les ongles et les avant-bras à l'aide d'une brosse si dure que Grace fut certaine qu'elle allait s'écorcher jusqu'à l'os. Lorsqu'elle eut terminé, elle leva les mains en l'air, puis attrapa l'une des serviettes blanches stérilisées qu'elle avait posées à côté de la cuvette. Elle s'essuya tout en faisant du regard ses dernières vérifications. Ciseaux. Teinture d'iode. Vaseline. Savon. Linges stériles. Seau pour les déchets. Balance. Carton et layette pour le bébé. Elle fut satisfaite ; tout était en ordre.

« Bien, on ouvre les jambes pour voir ce qui se passe. »

Sur ces mots, elle souleva la chemise de nuit de Miss Ginny.

Et là, Grace se trouva nez à nez avec une chose qu'elle n'avait jamais aperçue en treize ans d'existence – et qu'elle n'était même pas sûre d'avoir le droit de regarder : les parties intimes d'une femme adulte. Le poum-poum d'une Blanche. Ce qu'elle avait vu de plus proche, c'était le sien, quand elle l'avait observé aux cabinets : il lui était déjà arrivé d'attendre que Maw Maw soit à la rivière pour piquer le vieux miroir à main terni et filer au fond de la cour, bien décidée à découvrir à quoi ressemblaient ses parties intimes, surtout depuis qu'elle avait commencé à voir des endroits plats et droits de son corps devenir ronds et charnus, signes que la petite fille maigre était sur le point de devenir une jeune femme réglée. Une grande. La première fois qu'elle avait regardé, elle avait huit ans. Curieuse de nature, elle voulait voir les replis, le rose, et ce qui lui faisait des guilis quand elle serrait son oreiller entre ses cuisses pour s'endormir, ou quand elle se frottait là du bout de l'index. Elle avait de nouveau piqué le miroir lorsqu'elle avait remarqué les poils fins et bouclés qui poussaient sur son pubis. Elle savait qu'elle en aurait un jour sous les bras, bien sûr, car elle l'avait remarqué sur des grandes à l'école, un après-midi où les garçons se moquaient de Mabel Tawny en l'accusant de sentir mauvais. « Tes touffes sous les bras, ça pue comme un tas d'ordures en plein cagnard ! » avait claironné Lewis Melton pendant la récréation, évidemment non pas pour informer Mabel du problème mais pour l'humilier devant une cour pleine d'élèves à la langue aiguisée, et bien peu indulgents. Mabel en avait pleuré toute la journée, et Grace, en s'efforçant de rester invisible pour Lewis, avait fait la prière muette de ne jamais avoir de poils sous les bras. Cet après-midi-là avait marqué le début de son obsession pour les poils : où ils poussaient, pourquoi ils poussaient là, ce qui arrivait quand on en avait, si tout le monde en avait ou si Mabel était juste la fille la plus malchanceuse du monde d'en avoir sous les bras qui sentaient les ordures chauffées à blanc. Grace, armée du miroir terni, allait découvrir quelques années plus tard que les aisselles et la tête n'étaient pas les seuls endroits où pouvait pousser une toison. À présent, il lui semblait que son poum-poum était à peu près inchangé, même si, comme l'avait dit Maw Maw, elle était officiellement devenue femme et pouvait concevoir elle-même un bébé. Elle se serait attendue à ce qu'il devienne plus grand : rond comme ses hanches et son derrière, épais comme ses cuisses, peut-être plus terne aussi, étant donné que seule la peau que le soleil embrassait devenait plus sombre, plus brillante, et bien plus jolie que les endroits qui restaient sous ses robes en toile à sac.

Mais là, c'était le poum-poum de Miss Ginny : d'une couleur complètement différente de sa peau blanche et pâle, avec des poils qui ressemblaient plutôt à ceux qui lui poussaient sur la tête, pas très bouclés. Et au milieu de ces plis et de ces replis, une masse de cheveux noirs frisottés, de sang et de matières visqueuses palpitait à l'orée du trou de Miss Ginny.

Grace se sentit toute faible. Il y avait un bébé là-dedans.

La voix de Maw Maw l'arracha à sa stupeur.

« Bien, vous allez sentir mes doigts là, sur le bord, Miss Ginny. Vous vous rappelez comment je vous ai massée pour les autres petits ?

— Oui, madame.

— Très bien. Ne bougez pas, je vais vous faire un petit massage. Ça vous soulagera un peu et ça arrêtera de brûler, histoire que ce petit sorte sans vous mettre en pièces. On ne veut pas de ça.

— Non, madame. »

Grace, aussi impressionnée qu'incrédule, regarda sa grand-mère masser sa patiente, lui frotter les cuisses du dos de la main et l'encourager à « pousser » quand une contraction lui étreignait le ventre. Elle savait ce qui se préparait, bien sûr ; Maw Maw ne l'aurait jamais laissée assister à un accouchement sans lui expliquer comment les bébés venaient au monde. Elle connaissait tous les détails. Mais c'était complètement autre chose de voir un être humain – ce que Maw Maw appelait

« un miracle entre une maman et son dieu » – surgir entre les jambes de quelqu'un.

« Allez, Miss Ginny, il est presque là, ce bébé », dit Maw Maw en plaçant ses mains devant le poum-poum luisant de vaseline, une au-dessus et l'autre en dessous, presque comme pour attraper un ballon.

Miss Ginny poussa un grognement grave, guttural, puis poussa avec toute l'énergie qu'elle pouvait rassembler – assez fort pour propulser hors de son corps une tête couverte de bouclettes serrées. Maw Maw prit doucement cette tête dans le creux d'une main et essuya prestement les yeux du bébé avec un linge stérile avant de verser un peu de teinture d'iode dans chacun. Elle n'avait pas plus tôt reposé l'iode sur la petite table que Miss Ginny fournit un ultime effort qui envoya le petit corps entier dans ses mains tendues.

« Et voilà, regardez-moi ce beau bébé ! s'exclama-t-elle par-dessus les cris de l'enfant. Une petite fille en pleine santé. Et jolie comme un cœur. Regarde, Gracie ! »

Maw Maw avait raison : elle était belle… plus jolie que tous les autres enfants des Brodersen, maintenant endormis sur les chaises de la cuisine.

« Montrez-la-moi », demanda Miss Ginny avec ardeur.

Maw Maw eut un infime sursaut.

« Un instant, Miss Ginny. Attendez un peu que je vous la lave, que vous je la pèse et que je vous l'habille. Il faut faire les choses dans l'ordre.

— S'il vous plaît », insista la femme, plus doucement cette fois.

Comme si quelque chose l'étonnait, Maw Maw observa longuement, durement Miss Ginny qui observait longuement, durement le bébé. Elle suivit son regard jusqu'à l'enfant, et c'est là, comme elle l'expliquerait plus tard à Grace, qu'elle comprit : la petite fille, âgée seulement de quelques instants, qui n'avait qu'une demi-minute d'air frais dans les poumons, portait déjà le poids du monde sur la pointe de ses oreilles. Elles étaient brunes. Pas tout à fait autant que celles d'un métayer noir, mais en tout cas bronzées comme celles d'un propriétaire terrien dont la famille s'est donné du mal pour éradiquer la faute du propriétaire d'esclaves, des générations plus tôt. Il n'en fallut pas beaucoup plus à Maw Maw pour saisir ce qu'elle voyait – et ce qui se jouait là.

« S'il vous plaît », souffla Miss Ginny d'un ton suppliant.

Maw Maw resta muette. Elle jeta un regard nerveux à Grace, qui était trop intelligente pour ne pas sentir la tension dans la pièce, mais trop fraîche et jeune pour comprendre que Miss Ginny, épouse blanche d'un homme blanc ne possédant qu'une petite ferme, six bouches à nourrir et l'orgueil de tous les Blancs avant et après lui, courait avec son bébé noir un grave danger.

« Allons, allons, dit Maw Maw en s'efforçant de rester calme, comme pour donner l'exemple. Vous savez bien qu'il faut encore sortir le placenta, et que je dois peser votre petite fille et l'examiner. » Miss Ginny ouvrit la bouche pour parler, mais Maw Maw leva une main pour l'en empêcher. « Tout ira bien, ne vous en faites pas, vous m'entendez ? Cette petite est en bonne santé. Elle est jolie comme tout. Et le monde entier saura que c'est une Brodersen, compris ? »

Elle se tourna vers Grace.

« Ma fille, prends le sac de Maw Maw, sors mes papiers et va les installer sur la table de la cuisine. Je les remplirai quand on aura terminé ici.

— Je peux les remplir, Maw Maw, proposa Grace, pressée de montrer qu'elle savait faire.

— Mais non, ma grande. C'est moi qui dois remplir ces papiers, c'est la loi qui le dit. » À l'intention de Miss Ginny, elle ajouta : « Et elle dit aussi que je dois être honnête sur l'acte de naissance. La vérité, c'est le plus important.

— Oui, madame, dit Ginny en hochant la tête. Et on sait ce que veut dire la vérité par ici, n'est-ce pas, *granny* ? »

Maw Maw hocha aussi la tête en terminant la toilette de l'enfant, qu'elle enveloppa dans la bande ventrale ; elle suspendit le tissu au crochet du peson, souleva la petite fille d'une main et se pencha en avant pour lire les chiffres indiqués par l'aiguille sur le cadran. Sept livres trois onces.

« Dame, on le sait bien, répondit-elle enfin en décrochant le bébé pour l'envelopper dans une couverture. Maintenant, je vais vous demander de pousser encore un bon coup, Miss Ginny, qu'on sorte ce placenta et que je le regarde voir si tout va bien pour vous et pour cette petite. »

Le placenta, sanglant mais intact, glissa facilement entre les jambes de Miss Ginny et tomba sur l'alaise, où Maw Maw l'examina à la recherche de déchirures ou d'autres indications que la patiente risquait des complications. Tout allait bien. Maw Maw y veillerait. Toutes les autres fois où les oreilles des nouveau-nés avaient trahi des mensonges, Rubelle Adams y avait veillé.

« Grace, ma grande, dit-elle à sa petite-fille revenue dans la chambre, tout en enveloppant le placenta dans plusieurs pages du journal du week-end. Prends ça et va le mettre sous le poirier, derrière dans la cour. Demande à M. Brodersen sa plus grande pelle, et ensuite tu vas là-bas et tu creuses un beau trou bien profond, tu m'entends ? Tu enterres ça, et tu recouvres soigneusement. Tu sais quoi faire, ma belle. On en a parlé, tu te rappelles ?

— Oui, Maw Maw, je me rappelle », répondit Grace en prenant le paquet dans ses bras.

En faisant demi-tour pour sortir, elle heurta de plein fouet le torse massif, large et dur de M. Brodersen. Il sentait la terre, la sueur et le robinier. La colère.

« Pas la peine d'aller enterrer ça, lâcha-t-il simplement, avec hargne.

— Oh, monsieur Brodersen, bien sûr que si, on va le mettre sous le poirier… Comme on a fait pour tous les autres. Vous vous souvenez ? dit Maw Maw. C'est l'ancienne coutume. Ma mère, et ma grand-mère aussi, disait que si vous enterrez le placenta sous l'arbre, vos bébés ne vous quitteront jamais. »

M. Brodersen la regarda dans les yeux et soutint son regard jusqu'à ce qu'elle se tortille de gêne : le grincement de sa surchaussure en caoutchouc vint percer l'air épais. D'une seule enjambée, il dépassa Grace pour aller se planter devant elle. Il lui prit le bébé des bras, sans la quitter des yeux. Ses longs doigts, forts, fermes, tirèrent sur la couverture pour dégager la petite tête et, à ce moment-là seulement, son regard quitta le visage de Maw Maw pour celui de l'enfant. Il l'observa longuement et durement, ses yeux passant sur les bouclettes noires et serrées, le front, le nez, les lèvres, le cou. La petite remua la tête et tira la langue.

M. Brodersen recula d'un pas et se tourna vers sa femme, puis vers Maw Maw, puis vers Grace. Sa voix lorsqu'il parla ne contenait aucune trace d'émotion, mais son ordre secoua Grace jusqu'au cœur.

« Prends ce paquet et va le brûler dans le poêle. Tout de suite. »

# 3

Ils s'en prirent à Maw Maw avant même qu'elle ait pu enterrer sa fille. Son cœur en miettes ne comptait pas, ni le corps meurtri de Bassey exposé sur la planche – encore étonné par son nouvel état –, ni le fait que Maw Maw et ses sœurs guérisseuses soient en train de chanter et de taper des pieds pour que l'esprit de sa fille s'en aille vers sa nouvelle demeure. Les hommes avaient là quelque chose à saccager, et ils s'en donnèrent à cœur joie.

Ils déboulèrent comme des sangliers, leurs bottes sales martelant le plancher qui tremblait déjà sous les dizaines de pieds glissant, tapant et sautant en rond autour du corps de Bassey. Les voix des hommes roulèrent comme un tonnerre par-dessus les chants aigus et plaintifs des femmes, mais échouèrent à pénétrer la transe dans laquelle le chant funèbre avait mis beaucoup d'entre elles. Alors les intrus, quatre en tout, passèrent à l'action. L'un, rouge, suant, hargneux, se força un passage dans le cercle, agrippa des bras, poussa des dos et des cuisses, renversa une femme sur sa voisine. Un autre, encore plus rouge, encore plus suant, renversa des chaises pour attraper les femmes par le menton.

« Bande de sauvages de merde ! Arrêtez ces blasphèmes. Au nom du Dieu vivant, arrêtez tout ça !

— C'est laquelle ? » cria le troisième au quatrième qui était resté à la porte.

Sur ces mots, lui aussi se jeta sur les femmes, dont les chants se muèrent en hurlements. Comme par jeu, il balaya du bras l'autel de Maw Maw, envoyant valser les assiettes pleines, les verres d'eau et d'alcool clandestin, les vases de fleurs, avant de s'arrêter devant le miroir en pied posé contre le mur du salon. C'était un homme du Sud, un homme de traditions, il savait donc très bien que le voile noir qui couvrait le miroir était là pour faire circuler l'esprit de la défunte, mais évidemment il n'avait rien à faire de l'âme de Bassey ni des femmes qui veillaient dessus. Il arracha le voile et se sourit dans la glace, tordant sa face édentée dans un écœurant rictus de triomphe. Sa grimace disparut, cependant, lorsqu'il remarqua le reste du reflet : il y avait là une jeune fille, menue, noire, stoïque, en sentinelle devant la grande table sur laquelle reposait le cadavre, allongé sur un battant de porte. Sans doute eut-il du mal à les distinguer l'une de l'autre tant la fille était proche de sa mère, une main posée sur la sienne qui serrait un bouquet de marguerites jaunes. La morte était vêtue d'une longue robe blanche à fleurs et couverte d'une courtepointe usée cousue à la main. Sa tête était posée sur un petit oreiller blanc au centre d'une auréole de gardénias blancs. Sur ses yeux, deux dollars d'argent luisaient contre sa peau. Calés dans les orbites enfoncées et meurtries, ils étaient étrangement restés en place alors que le tumulte avait secoué la table, dérangé la courtepointe et envoyé voler quelques gardénias. L'homme avait déjà vu des cadavres, et il avait eu son compte de veillées de campagne avant que sa famille amasse une fortune suffisante pour pleurer ses morts dans le funérarium moderne réservé aux Blancs. Mais ceci – le regard pénétrant de la jeune fille, le corps dérangé, le spectacle d'elles deux dans ce miroir qu'il avait découvert volontairement, cruellement… Cette image le hanterait sûrement pour le restant de ses jours misérables.

Grace resta sans bouger à regarder. Elle regarda tout, certaine que sa mère ne trouverait jamais le repos.

Bassey se serait attendue à tout sauf à se retrouver ainsi : étalée dans la poussière, sa jolie robe remontée jusqu'à la taille, les jambes écartées, la culotte à l'air, le crâne ouvert, les orbites explosées, les dents répandues comme des petits cailloux parmi les brindilles, les racines et les pierres qui avaient assisté en complices innocentes à sa mort violente. Elle croyait pourtant avoir tout arrangé. La soirée clandestine au Quarters était censée les réconcilier après une matinée catastrophique où Willis avait fini par tirer sa ceinture de son pantalon et lui lacérer le corps pour une faute qu'elle ne comprenait toujours pas. Jusqu'à la raclée, la matinée avait été absolument aussi parfaite que le chant des moineaux annonçant le nouveau jour, aussi belle que les teintes rose vif et orangées qui avaient lentement accompagné le lever du soleil. C'était l'heure qu'il préférait pour avoir des rapports, et c'était donc devenu la sienne à elle aussi, même si elle détestait lui laisser voir ses yeux, encore bouffis contre l'oreiller, et ses cheveux, humides et aplatis par le coït du soir et le sommeil de plomb. Dans les doux instants de ce petit matin, il lui avait dit qu'il n'avait jamais vu plus jolie femme, et elle y avait cru, car il la traitait habituellement à l'avenant – lui tirant sa chaise, lui frottant le dos dans la baignoire, se pâmant en la regardant si fort qu'elle ne pouvait que se tortiller et baisser les yeux. « Je tuerais un bœuf à mains nues pour toi, ma belle, tu le sais, ça, hein ? avait-il dit en s'approchant pour lui parler tout bas à l'oreille, comme s'il partageait un secret. Y a que pour toi que je ferais ça. »

Elle l'avait cru. Elle s'enracinait en lui plus profond qu'un chêne centenaire dans une forêt de Virginie. Elle était heureuse, à tel point qu'elle s'était levée et avait dansé nue dans la petite chambre, gloussant et se trémoussant, criant « Madame Cunningham ! » de toutes ses tripes.

C'est alors qu'il l'avait frappée. D'un seul geste fluide, il s'était simplement levé du lit, avait ramassé son pantalon par terre là où il l'avait jeté la veille dans le feu de la passion, avait vivement tiré la ceinture de ses passants, et avait fait claquer le cuir brun, avec la boucle, contre sa peau.

« Madame Cunningham, c'est *ma mère* ! » avait-il hurlé, hors de lui, frappant toujours.

La surprise de Bassey avait vite fait place à une terreur pure qui enflait comme les plaies et les bosses sur son dos, ses fesses et ses cuisses.

« Pardon, mon chéri ! »

Elle n'avait rien trouvé d'autre à dire, rien trouvé d'autre pour se défendre contre l'avalanche de coups qui tranchaient l'air avant de s'abattre sur sa peau nue.

« Comment oses-tu te lever comme ça toute nue, Jézabel, et crier ce nom sacré devant Dieu ?! beugla-t-il, frappant toujours.

— Pitié, Willis, je ne voulais pas ! »

Elle se recroquevillait sous les coups, les mains sur la tête pour se protéger.

Elle ne lui demanda ni explication ni excuses. Il lui donna pourtant les deux, aussi généreusement que les coups : « Satan s'est emparé de moi », « Mon père faisait pareil avec ma mère et c'est plus fort que moi », « Je fais ça parce que je t'aime, Bassey, faut bien que tu l'apprennes si tu veux devenir ma femme. » Elle gobait toutes les insanités de Willis, elle les cuisinait et les avalait comme un repas du dimanche. C'était plus rassasiant que l'idée de passer seule le reste de sa vie. Que le reste de sa vie sans lui.

Mais plus tard ce soir-là, après s'être rabibochée avec son homme, avoir lavé ses blessures et fait taire sa propre mère pour filer de nouveau chez lui, Bassey, plus éblouissante que Lena Horne elle-même, était entrée au Quarters pendue à son bras. Et là, elle s'était trouvée en butte à un manque de respect si énorme, si impénitent, si grossier et si impardonnable qu'aucune quantité de sucre ne lui aurait permis de l'avaler.

Le Quarters était censé être un havre pour Bassey et Willis : un endroit où aller danser un peu et boire un petit coup, sans le jugement qu'ils trouvaient le dimanche matin sur les bancs de l'église du Nazaréen. Le propriétaire qualifiait son établissement de *speakeasy*, comme ces clubs de jazz chics de Harlem dont ils entendaient parler, mais en réalité ce n'était guère qu'une version légèrement améliorée du bouge lambda : une cahute qui tenait debout grâce à de vieux clous rouillés et du bois usé. Le Quarters ne brillait pas tant par son aspect que par le sentiment qu'il donnait aux clients : une bonne lampée de ce qu'on servait derrière sa lourde porte de grange – whisky, gin, maïs –, et les hommes étaient tous égaux. Les circonstances et le péché se volatilisaient.

Ce que l'ambiance ne pouvait pas faire, en revanche, c'était calmer le caractère jaloux de Bassey. Elle s'était éloignée un instant – à peine le temps d'aller chercher à manger à l'autre bout du comptoir, puis de se frayer un chemin dans la foule afin de retrouver Willis avec une assiette de légumes et de pain de maïs pour deux –, et voilà qu'il tirait une femme par sa petite main vers la piste de danse, tous les deux hilares. Ce ne furent pas les rires qui lui firent voir rouge, ni la proximité de leurs corps tandis qu'ils se mettaient à danser langoureusement, sur un tempo deux fois plus lent que le groove rapide joué par l'orchestre. Non, ce fut la manière dont il la regardait, et dont elle réagissait à son regard. Identique au regard qu'ils avaient partagé tous les deux le matin même, quand il avait juré qu'il aurait pu tuer par amour pour elle.

L'espace et le temps disparurent ; Bassey était au comptoir, et soudain elle fut debout devant eux, sans savoir comment elle était passée de l'un à l'autre, et sans s'en soucier.

« Un bon conseil, t'approche pas de mon homme, fulmina-t-elle en tirant sur les cheveux de la femme, assez fort pour la jeter au sol tout en gardant une mèche de ses cheveux dans son poing.

— Femme, qu'est-ce que tu… » commença Willis tandis que les danseurs s'écartaient rapidement pour laisser ce type, sa compagne et sa maîtresse à leurs affaires.

Il n'acheva pas sa phrase : Bassey ne lui en laissa pas le temps. La gifle le prit de vitesse et claqua entre les murs qui, quelques instants plus tôt, absorbaient encore le son de la trompette, du saxophone, de la guitare, du piano et de la batterie, avant que les musiciens s'arrêtent pour observer la scène.

Bassey était hagarde de rage, mais cela ne dura pas. La main de Willis serrée sur son bras, aussi ferme, forte et furieuse que son regard, la rendit brusquement douce et frêle.

« Pitié, supplia-t-elle. Non, non, non, je ne voulais pas, chéri, pardon. Je ne sais pas ce qui m'a pris. »

Elle se recroquevilla tout en l'implorant, prête à recevoir les coups. Willis ne voulait pas de ses paroles. Il n'en avait que faire. Il la saisit par la gorge et la souleva presque du sol. Ses yeux étaient rouges, ses narines comme celles d'un taureau.

« Dehors », dit-il en la tirant par le cou, à travers la foule qui s'ouvrit devant lui comme la mer Rouge devant Moïse.

Bassey ne pouvait être sauvée. Nul ne songea à essayer. Ils laissèrent simplement l'homme faire ce qu'il avait à faire. Willis traîna Bassey dans les bois, juste derrière la clairière du Quarters et, sous la lune rouge, ensanglanta les yeux et les lèvres de la femme qu'il prétendait aimer.

Et lorsqu'il eut fini d'affirmer sa virilité, lorsqu'il jugea que la leçon était apprise, il remit Bassey debout et la tint devant lui, se servant de son autre main pour retirer la terre et les brindilles qui collaient à sa robe et à ses cheveux. Comme une poupée de chiffon qu'un enfant aurait laissée tomber et qu'il aurait ramassée.

« Tu peux pas être gentille avec moi, Bassey ? » Frotte, frotte. Brindille. « Tu l'sais bien, que je t'aime, hein ? » Frotte, frotte. Brindille. « Hein ? répéta-t-il, d'un ton plus impérieux.

— Oui », bafouilla-t-elle entre ses lèvres tuméfiées, sanguinolentes.

Incapable d'en dire plus, elle confirma d'un hochement de tête.

« Mais tu peux pas gifler ton homme comme ça, Bassey, tu l'sais bien, non ? »

Frotte, frotte. Brindille.

Elle fit oui de la tête.

« C'est le moment idéal pour te repentir, chérie. »

Frotte, frotte, brindille.

Puis soudain il la poussa.

Bassey était de nouveau au sol, mais cette fois à genoux. Willis passa légèrement le dos d'une main contre sa joue, tout en débouclant sa ceinture de l'autre.

« Willis, s'il te plaît…

— Tu veux devenir ma femme ? Hein ? fit-il en baissant sa braguette.

— S'il te plaît…

— S'il te plaît ? S'il te plaît quoi ? gronda-t-il, menaçant, en tirant sur son slip pour sortir son membre. De quoi tu me supplies ? Dis-le. »

Les larmes de Bassey étouffaient ses mots, et de toute manière ses lèvres tuméfiées faisaient barrage. Elle n'arriva qu'à pousser un petit cri lorsqu'il empoigna ses cheveux pour lui tirer la tête vers son entrejambe.

« Vas-y, supplie, pauv' chienne. Tu veux tellement devenir Mme Cunningham ! Supplie. »

Bassey essaya de crouler au sol, de se faire à nouveau toute petite, mais elle devait pour cela se dégager de sa main, ce qui ne le rendit que plus furieux. Elle sentit le premier coup, vit venir le deuxième. Et soudain, il n'y eut plus que le visage de sa fille, l'adorable Gracie, encore bébé, riant et marchant vers elle, une marguerite jaune fraîchement cueillie dans son petit poing, un champ de ces fleurs dans le dos.

Au-delà, il y avait le soleil.

Grace sut qu'il était arrivé malheur à sa mère avant même que le vieux Jussie Mack ne monte les marches du perron des Brodersen pour apporter la nouvelle. Elle était aux cabinets, en train de vider le seau de Miss Ginny, lorsque son cinéma lui avait montré le corps de Bassey : gisant au milieu des bois, dans une nuit d'encre, vêtue de son éclatante robe blanche, avec des fleurs dans les cheveux et deux pièces sur les yeux, scintillant comme des étoiles dans un ciel nocturne limpide. Grace ne comprit pas bien ce que signifiait tout cela, ni même comment sa mère se retrouvait là. Mais elle sut que Bassey, si paisible qu'elle en ait l'air, n'avait pas trouvé le repos.

Maw Maw terminait de remplir l'acte de naissance de la petite lorsque Jussie Mack arriva avec son chariot. Miss Ginny était en train d'épeler ses prénoms

– « Sandy avec un *y*, et Annabelle, avec deux *n* et deux *l* » – lorsque M. Brodersen sortit sur le porche pour voir ce qu'il voulait. Aussitôt qu'elle entendit claquer la porte-moustiquaire, Miss Ginny se redressa tant bien que mal pour plaider sa cause à mi-voix.

« *Granny*, écoutez. Elle va passer pour blanche, non ? Elle est assez claire pour être de mon mari. Dites-moi que oui.

— Sûr que c'est une belle petite, répondit Maw Maw tout aussi discrètement. Mais tout ce que j'peux garantir, moi, c'est que le soleil se lève le matin et qu'il se couche le soir. C'est tout, Miss Ginny.

— Mais vous pouvez cocher la bonne case sur le certificat : marquer que mon mari est le père et qu'elle est blanche, insista la femme, agitée, larmoyante.

— Je peux. Mais ça serait pas la vérité, et si je mens sur un document officiel comme ça, je peux aller en prison, Miss Ginny, vous le savez bien. »

Seulement, elles connaissaient toutes les deux l'alternative – ce qui arriverait si Maw Maw cochait « nègre » sur l'acte de naissance de cette enfant. Cela reviendrait à signer une condamnation à mort. Maw Maw l'avait entendu raconter une multitude de fois, et l'avait vu de ses yeux aussi : des nouveau-nés trop foncés abandonnés sur le bord de la route par les maris des femmes infidèles, laissés à la merci des éléments ou des bêtes, selon ce qui les emportait en premier, ou déposés à l'orphelinat pour gens de couleur, où les enfants sans mère avaient la vie dure. On lui avait parlé d'une famille qui avait mis son bébé de couleur avec une pierre dans un sac de jute et l'avait laissé couler au fond de la rivière Sussex ; le jour où l'enfant était revenu s'échouer sur la rive, les Blancs avaient haussé les épaules et continué de vivre, comme si c'était sa faute d'avoir existé puis d'avoir péri. Les Noirs n'avaient pu que le pleurer.

« *Granny*, j'aurais besoin que vous veniez tout de suite », dit M. Brodersen, apparaissant à la porte.

Il était moins bourru que tout à l'heure, quand il s'était énervé contre Gracie.

« J'arrive ! répondit rapidement Maw Maw en cachant le stylo derrière son dos, comme pour dissimuler le secret dans son linge amidonné. Je finis l'acte de naissance, j'attends que ma petite-fille revienne m'aider à tout installer pour le bébé, et je suis à vous, monsieur Brodersen.

— Non, *granny*, je vous demande de venir maintenant. J'ai un Noir du nom de Jussie sur le porche, et il a quelque chose à vous dire.

— Jussie ? C'est pas vrai, me dites pas que Belinda est déjà en travail ? Elle avait encore bien deux semaines.

— Ce n'est pas ça, Rubelle », la détrompa M. Brodersen, avec douceur cette fois.

Jamais il ne l'avait appelée par son prénom. Elle ne savait même pas qu'il le connaissait. Elle regarda l'acte de naissance et Miss Ginny, puis de nouveau M. Brodersen. Il était arrivé quelque chose. Quelque chose de terrible, de tragique. Elle le sentait aux battements de son cœur qui s'emballait dans sa poitrine. Elle lâcha le stylo et l'acte de naissance, remonta sa jupe et partit en courant. Elle sortit de la chambre, traversa la cuisine, passa devant Brodersen et Jussie sur le porche et dévala les marches pour filer tout droit à la carriole de ce dernier.

C'est là qu'elle retrouva Grace, le seau suspendu tout au bout de ses doigts. Derrière sa petite-fille gisait le corps de Bassey, une masse ensanglantée à l'arrière de la carriole de Jussie.

« Maw Maw, dit Grace, le regard perdu au-delà de sa grand-mère. Y a maman qui dort. »

Brodersen se tenait à la porte, indifférent à la profanation de la maison de Rubelle Adams et à la manière dont les hommes – des adjoints au shérif de la ville de Rose – avaient traité la vieille dame, ses amies, et le corps qu'elles s'apprêtaient à mettre en terre. Rubelle avait commis contre lui le péché ultime, il voulait donc qu'ils fassent leur office, peu lui importait comment, du moment que c'était fait. Il pointa le doigt, et au bout il y avait Maw Maw, celle dont les mains avaient été les premières à toucher la tête de chacun de ses enfants, mais qui avait aussi profité de sa position de sage-femme pour essayer de lui fourguer un bébé noir. C'était là le pire cauchemar des Blancs : que des générations de ce bon sang, ce sang pur, soient souillées par une seule goutte du sang des sauvages. Des impurs. Maintes fois auparavant, les bons Blancs de Rose avaient su traiter les trahisons de ce genre. Les arbres en racontaient encore l'histoire. Brodersen, cependant, se voulait plus évolué en ce qui concernait Rubelle, compte tenu du fait qu'elle était l'accoucheuse de la famille et que sa fille venait d'être battue à mort. Il avait donc fait preuve de clémence et suggéré aux adjoints de lui épargner le nœud coulant. Mais elle paierait. Il le fallait. Car là, sur l'acte de naissance de cette petite bâtarde, elle avait cosigné le mensonge, jurant à l'encre et en vertu de ses fonctions officielles que le nouveau-né était l'enfant d'un Blanc. Le sien.

C'était un mensonge. C'était interdit par la loi. Et même s'il avait déjà traîné hors de chez lui et banni de son existence sa femme avec la petite négresse et toutes leurs affaires, il n'était pas encore satisfait. Il lui en fallait plus. L'accoucheuse complice de la trahison devait souffrir pour son mensonge intolérable.

« C'est elle, là », dit-il.

Il indiquait Maw Maw, encore au milieu des femmes de racines[1] jetées en tas au sol, dans leurs robes blanches maculées de traces de pas et de larmes, qui se débattaient contre le poids de leurs compagnes et la précarité de l'instant. Il n'arrivait jamais rien de bon aux Noirs qui se trouvaient au bout du doigt pointé d'un Blanc.

« Je vous en prie, monsieur Brodersen, je comprends pas ce qui se passe, mais je vous promets qu'on peut tout arranger », dit-elle en se remettant péniblement debout. Elle voulut rajuster sa robe, mais deux des hommes la saisirent par les bras. « Dites-moi, qu'est-ce que j'ai donc fait ?

— Vous le savez très bien, fulmina-t-il en brandissant l'index dans sa direction.

— Monsieur, je…

— La ferme ! » lui cria l'un des hommes. Puis, à Brodersen : « Comment elle te parle, cette négresse ? J'vais te dire, on peut régler ça tout de suite, comme

1. L'ensemble de pratiques et croyances spirituelles auxquelles s'adonnent ces femmes, répandues chez les anciens esclaves du Sud des États-Unis et issues des traditions africaines, est appelé *hoodoo* ou *rootwork* (travail des racines). *(N.d.l.T.)*

on faisait avant quand y avait des négros qui passaient les bornes. »

Maw Maw se raidit. Brodersen leva une main comme pour faire taire ses comparses, et le silence se fit. On n'entendait plus que les sanglots de Grace, effondrée sur sa mère défunte.

« Pitié, n'emmenez pas ma Maw Maw, pitié ! criait-elle, cramponnée au corps de Bassey.

— Assez parlé, allons-y », lâcha Brodersen, qui agrippa Maw Maw pour la faire avancer vers la porte.

Elle ne put que se soumettre.

« Prenez soin de ma Grace, dit-elle à ses compagnes tandis que les hommes la traînaient et la poussaient.

— Oui, répondirent-elles toutes ensemble.

— Et occupez-vous de ma Bassey ! cria-t-elle encore en se faisant entraîner dans la cour.

— Compte sur nous ! » répondirent-elles alors que la moustiquaire se refermait en claquant.

# 4

Grace gardait les yeux rivés sur la fourmi noire, et surtout sur ses pattes grêles, minces comme un fil. L'effort que fournissait ce minuscule insecte pour ramer dans l'eau la fascinait. Elle calculait que, sur la terre ferme, la fourmi aurait facilement traversé le monticule de terre amassé sur le corps de Bassey et serait déjà à mi-chemin du roncier. Elle aurait pu se gorger de mûre sucrée et en rapporter un peu à sa reine, si seulement elle avait eu la jugeote de ne pas grimper comme une idiote dans la timbale d'eau que Grace avait laissée en offrande à sa mère. Elle s'était probablement déjà gavée du pain de maïs également laissé en offrande, se dit Grace en la fusillant du regard. Quelle que soit la manière dont elle allait mourir – par noyade, ou lentement brûlée par le soleil –, c'était bien fait pour elle. Ça lui apprendrait à prendre ce qui n'était pas à elle.

C'était tout ce que pouvait lui souhaiter Grace pour le moment. Tout ce qu'elle trouvait en elle. Elle n'allait certainement pas la sauver. Maw Maw ne l'avait pourtant pas élevée ainsi : elle lui disait toujours de prendre soin de tous les êtres vivants, d'en être responsable, car chacun remplissait une fonction critique dans la chaîne de l'existence. Les coqs font démarrer la journée, annonçant le soleil, réveillant tout le monde ; les abeilles et les araignées embrassent les fleurs pour que la nourriture puisse pousser et que les moustiques trouvent autre chose à grignoter. Même les serpents méritent de vivre.

« Arrête donc de brailler ! » avait-elle crié un jour à Grace, tapant dans ses mains pour faire revenir sa petite-fille qui s'enfuyait du potager en hurlant.

Les pois gourmands qu'elle venait de cueillir s'étaient envolés de son tablier quand elle avait pris ses jambes à son cou, effrayée par une couleuvre noire qu'elle avait vue ramper tout près de ses pieds nus.

« Mais Maw Maw, y a un serpent énorme, là ! avait-elle lancé, le doigt pointé, reculant toujours, les yeux écarquillés.

— Et alors, c'est une raison pour te carapater ? avait demandé Maw Maw en agitant une mauvaise herbe punie pour avoir voulu se marier avec les soucis. Tu devrais le remercier, ce p'tit serpent, de se pavaner dans notre jardin, tout joli et tout fier. Y nous aide.

— Mais Maw Maw, il était long comme mon bras. C'est les pois gourmands qui l'intéressent.

— Il aide les plants de pois en faisant fuir les souris. Les souris s'enfuient, elles emportent quelques graines avec elles, et comme ça quelqu'un va avoir des pois qui vont pousser juste là où il en a besoin. Ou alors un aigle va manger la souris, devenir bien fort, voler tout là-haut dans les arbres et faire tomber une graine, qui fera un nouvel arbre où les oiseaux et les écureuils pourront jouer. L'écureuil, c'est très bon en ragoût. Et le massif de pois, eh ben, le serpent il aide les pois, et les pois ils nous aident, en nous donnant à manger. Et si je mange, je peux aider les mamans à mettre les bébés au monde, et en grandissant ils seront gentils comme toi. Y vont aider leurs mamans à planter des fleurs et à faire du ragoût d'écureuil, dit Maw Maw, penchée en avant pour chercher d'autres mauvaises herbes entre ses soucis. Et comme ça, le monde est bien gras et bien beau. Ça nous fait sourire et remercier dame Nature de nous donner la vie à tous. C'est un grand cercle. Pour moi, ce serpent, c'est la vie. Remercie le serpent. Et cueille les pois. »

À présent, Grace pressait sa joue, sa poitrine, son ventre, sa hanche et ses paumes contre la terre qui recouvrait son cercle à elle. Bassey ne comptait pas plus pour ce monde qu'une souris emportée sous terre par un serpent, ce serpent que les gens laissaient ramper jusqu'en haut de la chaire à l'église, énorme et noir, effronté dans sa présence, dans son absence de peur. Ils gobaient ses mensonges sur la Jézabel – sans prendre la peine de réfléchir le moins du monde lorsqu'il se justifiait d'avoir tué une femme à mains nues. Elle était la luxure. Une menace contre toutes les vertus de leurs jardins impeccables et productifs, et donc « tu retourneras à la poussière », c'était tout ce qu'elle aurait. Tout ce qu'elle méritait. Idem pour sa folle de mère, à la Jézabel, celle qui concoctait des potions et qui parlait aux arbres, qui parlait aux cours d'eau, comme s'ils pouvaient l'entendre. Comme s'ils pouvaient lui répondre. Un péché contre le Dieu vivant, le Tout-Puissant, voilà ce que c'était. Son vice l'avait rattrapée, disaient-ils. Et tant pis si elle était l'accoucheuse la plus active de la ville : les bébés avaient bien réussi à naître avant elle. Ils continueraient de le faire sans elle, sûrement. Il n'y avait qu'à briser le cercle.

Couchée sur la tombe de sa mère, l'estomac grondant, Grace, qui subsistait depuis cinq semaines en grappillant du travail et de la nourriture ici et là, ignorait tout des Saintes Écritures par lesquelles les voisins justifiaient leurs propres turpitudes – cette rage sanglante qui poussait les Blancs à lui refuser les paquets de linge sale dont Maw Maw se chargeait depuis des années pour gagner quelques pennies de plus, ou qui incitait les amies de sa grand-mère à raconter que cette petite n'avait pas besoin de leur aide. Ces dernières étaient même devenues carrément méchantes : on aurait dit qu'elles se fichaient complètement que Grace respire le bon air de Dieu ou qu'elle suffoque sous Sa bonne terre. Elle demandait pourtant bien peu : un dollar ou deux pour nettoyer les tapis, récurer les planchers, faire les poussières, chasser les toiles d'araignées, afin que madame n'abîme pas ses jolies mains. Elle le faisait d'ailleurs avant que Maw Maw soit emportée, avant que Bassey soit emportée. Et elle devrait continuer jusqu'à la fin de ses jours, supposait-elle, à présent que tout était détruit.

« Quoi que tu cherches aujourd'hui, tu vas devoir le trouver ailleurs, je le crains. »

M. Horowitz était le chef d'une des familles pour lesquelles Maw Maw avait souvent travaillé : elle faisait leur lessive, leur préparait des repas, ce genre de choses. Grace elle-même avait eu la chance de garder leurs enfants chaque fois que Mme Horowitz devait se rendre à une de ses mondanités, ou plus généralement se faire bien voir. Dans une ville comme Rose, en effet, les femmes ne comprenaient ni n'appréciaient sa religion particulière, et seuls sa peau blanche et le chéquier de son mari la rendaient fréquentable. Elle déposait toujours une pièce d'argent dans la main de Grace pour avoir torché les fesses de ses petits et accompli les tâches qui incombent aux mères, même et surtout quand elles n'en ont aucune envie.

« Je te l'ai déjà dit hier et avant-hier, tu ne peux plus travailler ici.

— Mais m'sieur Horowitz, je demande pas la charité. Je veux juste aider comme quand ma grand-mère travaillait ici, répondit-elle, suppliante. Je... je le ferais juste pour un p'tit quelque chose à manger. N'importe quoi. »

Derrière l'épaule de l'homme, elle apercevait Arlie Stephenson, une amie de Maw Maw, qui s'activait avec raideur devant le fourneau et s'efforçait en vain de ne pas la regarder implorer de quoi survivre – un petit quelque chose pour sauver sa vie même. Quelques semaines avant que les Brodersen ne se déchaînent contre la famille de Grace, Miss Arlie était encore sur le porche de Maw Maw, en train de supplier de manière presque identique, tripotant son balai, expliquant en long et en large qu'elle avait perdu son travail pour n'avoir pas assez bien poli l'argenterie au goût de sa maîtresse. Aussitôt que Maw Maw lui avait donné une cuillerée de gruau et une louche de fayots, elle n'en avait fait qu'une bouchée et était repartie sur la route comme si elle avait un rendez-vous urgent. La honte donne des ailes. Elle savait très bien ce que vivait Grace en ce moment.

M. Horowitz suivit son regard jusqu'à Miss Arlie, qui subitement s'intéressa profondément au rôti qu'elle avait sur le feu.

« Écoute, petite, il faut que tu t'en ailles de mon porche.

— Mais m'sieur Horowitz, s'il vous plaît, écoutez-moi… »

Avant qu'elle ait pu finir sa phrase, il la saisit par son col sale et la secoua devant lui pour qu'elle l'écoute bien.

« Tu vas descendre de mon porche avant de m'obliger à faire un scandale », dit-il en jetant des coups d'œil vers les jardins voisins. Personne ne regardait, mais il était clair qu'un seul doigt pointé pouvait bouleverser le délicat écosystème que sa famille et lui avaient créé au prix d'un travail acharné pour éviter les croix en feu sur leur pelouse et les briques à travers leurs carreaux. Il était essentiel pour lui que la petite-fille de celle qui serait saignée à blanc disparaisse de son porche. « Va-t'en ! », cria-t-il en la repoussant d'un geste qui la fit dégringoler au bas des marches.

Grace se releva tant bien que mal et partit en courant sans un regard en arrière. Elle savait ce qu'il en coûtait de résister à un patron. Son amie Bobbie avait passé l'année de ses quinze ans au centre de formation Barnwell pour les faibles d'esprit après avoir commis la faute de répondre à sa maîtresse. Elle ne demandait pourtant qu'une petite pause avant de récurer le poêle, car elle s'était brûlé la main en voulant nettoyer à l'eau bouillante la huche à pain et les poubelles. La dame ne s'était pas émue un instant de voir une cloque couvrir la moitié de sa paume droite ; c'était jeudi, donc la cuisine devait être briquée à l'ammoniaque, même si le liquide piquait ses mains noires.

« Oh, arrête donc de faire ta délicate ! avait-elle lancé en entendant le cri de douleur de Bobbie.

— Mais ça fait mal ! Je ne vais pas faire ça !

— Qu'est-ce que tu viens de dire ?

— Je-ne-vais-pas-faire-ça. »

La dame en avait eu un hoquet, interloquée, en état de choc. Au bout d'un instant, elle avait montré la porte et, entre ses dents écartées, avait grondé : « Dehors. » À peine deux heures plus tard, un panier à salade faisait irruption sur l'herbe devant la bicoque des parents de Bobbie et ses occupants allaient chercher la jeune fille dans la maison pour la traîner de force dans le véhicule. À ce jour, les voisins parlaient encore à voix basse du cri de détresse qu'avait lancé sa maman.

C'était comme ça, avec les Blancs ; ils comptaient sur les parties du corps des Noirs – des mains pour la lessive, des dos pour labourer la terre, des seins pour nourrir leurs bébés –, mais ils ne supportaient pas les corps entiers ni les âmes qui les habitaient. Ces âmes qui, tous les matins, devaient rassembler leurs forces fragiles pour convaincre le corps de se soumettre au labeur, encore et toujours, sans avantages ni pauses ni droit de se plaindre.

Grace eut le bon sens de s'éloigner : elle ne placerait plus sa confiance entre les mains de gens qui aimaient mieux voir pleurer sa grand-mère que remplir un ventre noir.

Les amies proches de Maw Maw s'étaient révélées encore plus décevantes. Au début, après avoir mis toutes ensemble en terre le corps de Bassey enveloppé dans une toile de jute, quelques-unes avaient tenu à se rappeler qu'une gamine de treize ans était seule dans cette maison, sans argent ni moyen de subsistance. Elles étaient venues de temps en temps avec un petit quelque chose : un pot de haricots, un peu de gras de cochon et de gruau de maïs, du babeurre frais, du bois pour le poêle. Mais elles ne pouvaient pas continuer bien longtemps à aider l'enfant d'une morte et d'une accoucheuse jetée en prison, accusée d'avoir souillé la lignée d'un homme blanc. Leur ventre vide et leur réputation en auraient trop souffert. Elles n'avaient pas tardé à faire comme les autres : garder leur nourriture pour elle, abandonner la famille comme Pierre avait abandonné le Christ-Emmanuel. Pour elles, Grace n'était déjà plus qu'un fantôme. Aussi morte que sa mère.

Consumée par le chagrin et par la faim, Grace n'entendit pas M. Aaron arriver de son jardin et contourner la tombe de Bassey. Ce fut le craquement de ses genoux lorsqu'il se baissa à côté d'elle qui l'alerta : elle redressa la tête.

« Dis donc, mignonne, lança-t-il en lui posant sa main noueuse dans le dos. Si tu te levais de là ? Les fourmis rouges vont te grimper dessus, et après, qu'est-ce que tu feras ? »

Grace se repoussa lentement de la tombe et essuya ses larmes, laissant des traînées de terre de Virginie sur ses joues d'un gris de cendre. Il y avait des semaines qu'elle n'avait pas vu M. Aaron. Elle n'eut ni l'énergie ni le courage de lui demander où il était passé. Ses yeux et son estomac parlèrent pour elle.

« Quand est-ce que t'as mangé pour la dernière fois ? » s'enquit-il en regardant son ventre d'un air soucieux.

Grace ne répondit rien.

M. Aaron observa la cour, le terrain envahi de mauvaises herbes et pourtant nu. Le tas de bois, dans le même état.

« Ça fait pas une minute que j'suis rentré de Richmond. J'ai un petit congé, mais j'dois retourner dans quelques jours poser les rails du chemin de fer. T'as besoin de quoi, petite ? »

Elle resta muette.

« Je sais bien que t'es pas allée voir ta grand-mère. J'imagine qu'elle te manque. »

De nouvelles larmes coulèrent jusqu'à ses lèvres épaisses. Elle n'allait pas expliquer à M. Aaron qu'en réalité elle avait vu sa grand-mère, de nombreuses fois, dans son cinéma. Toutes les nuits, juste avant que ses yeux soient bien fermés, la même image la hantait jusqu'aux tréfonds de son âme : Maw Maw roulée en boule sur le ciment, la tête enfouie dans le creux de ses bras. Il y avait alors un bruit de bottes sur de la terre et des pierres, puis une série de chocs sonores, métal contre métal. Maw Maw relevait vivement la tête, délirante, hagarde, grotesque – les traits bouffis, un œil tourné vers ses pieds, une balafre sur le front montrant la chair blanche sous l'épiderme et le gras. Sa robe, encroûtée de sueur, de poussière et de fluides corporels variés, était trempée de rouge au niveau des cuisses. Chaque fois, Grace ressentait sa terreur. Elle en sentait le goût de bile à l'arrière de sa langue.

Elle n'avait pas besoin d'être à la prison pour voir sa grand-mère. Mais elle avait besoin d'y aller pour prendre de ses nouvelles.

« Vous pourriez m'emmener ? la voir en vrai ? demanda-t-elle faiblement.

— Écoute, une petite chose tendre comme toi n'a rien à faire à la prison. C'est pas un endroit pour les jolies p'tites filles. Surtout les jolies p'tites filles qu'ont de la famille en cellule. »

Grace n'y tint plus. Ses sanglots et ses hoquets partirent dans le vent, par-dessus les herbes et les pissenlits, montant dans l'espace entre les feuillages.

« Je sais, petite. Vas-y, lâche tout. Mais y faut que tu m'écoutes. On n'a pas beaucoup de temps. »

Il lui dit de se replier dans le petit espace. Conseil gentil mais superflu : de toute manière, c'était le seul moyen de tenir dans cette cache souterraine minuscule. Un trou humide et poussiéreux dont les parois étroites contraignaient sans pitié le corps de Grace, qui avait des formes malgré sa petite taille.

« Bon, je sais que c'est pas confortable là-dedans, et quand je vais couvrir le dessus avec ce tonneau, tu vas avoir l'impression que tu peux plus respirer. Mais le tonneau a des trous dans le fond, il est vide et il a pas de couvercle, donc t'auras de l'air. C'est le seul moyen de te protéger, lui assura-t-il en faisant descendre derrière elle un petit pichet d'eau et un sac qui contenait deux pommes et un demi-pain. Y a plein d'autres gens qui sont passés dans ce trou avant de filer vers le Nord, et ça s'est bien passé. Pour toi aussi ça va aller, tu m'entends ? »

M. Aaron parlait comme s'il doutait de ses propres paroles, mais Grace voyait autre chose dans ses yeux : une certaine dureté qui la rassurait. Il avait regardé Maw Maw de la même manière quand elle lui avait appris qu'on avait trouvé le corps de Johnny Payne déchiqueté et éparpillé jusqu'à Piney Road. Un mari en colère et la meute de ses amis avaient lancé leurs chevaux au grand galop dans le centre du quartier noir de Rose en le traînant derrière eux. Et tant pis si Johnny, qui vivait dans une petite cahute à quatre portes de chez Maw Maw, était en train de réparer la toiture de l'église au moment où on l'accusait d'avoir forniqué avec une femme mariée. La femme s'était écriée : « C'est lui qui m'a violée ! » Le mari avait besoin de croire que le nègre qui avait filé de chez lui quand il était rentré déjeuner en avance était là par effraction et non sur invitation. Et surtout, il avait besoin que les bonnes gens du Rose blanc y croient : il fallait donc traîner un cadavre noir dans les rues. Un message et un avertissement. Le genre de message qui déchiquetait non seulement les corps, mais aussi les familles. Une communauté. La paix. Maw Maw et tout le monde dans le Rose noir savaient que quand la meute avait le goût du sang noir sur la langue, elle ne s'arrêtait plus tant que son appétit n'était pas rassasié. N'importe quel cou faisait l'affaire, et la peur s'emparait des épouses, des enfants, des maris, des pères et de tout ce qui respirait et qui avait deux jambes brunes, jusqu'à ce que les Blancs soient repus. Maw Maw avait peur. « Vous en faites pas pour moi, lui avait dit M. Aaron le jour où ils avaient reconstitué Johnny et l'avaient inhumé derrière l'église qu'il aimait tant. C'est bientôt fini, toutes ces tueries.

Ces cochons doivent apprendre qu'on se sert pas de nos fusils que pour tuer les écureuils. Qu'ils viennent, on les attend. »

Et quand ils étaient arrivés à cheval dans la nuit pour profaner l'église de Johnny et tous les corps noirs qu'ils pourraient trouver en chemin, M. Aaron et un groupe d'hommes, adultes et prêts à se défendre comme à mourir, étaient là, certains le pistolet déjà armé, d'autres chargeant leur fusil et le refermant dans un claquement. M. Aaron était en première ligne, vêtu de rouge de la tête aux pieds, une machette au bout des doigts – elle pendait juste en dessous de sa cuisse musclée. Peu de mots furent échangés, mais il y eut une conversation quand même. D'homme à homme.

Le temps avait passé depuis cette nuit-là, mais M. Aaron était toujours présent, et les hommes du Rose noir aussi, prêts à en découdre à nouveau avec les Blancs. Cette fois, ce seraient Brodersen et ses comparses. La nouvelle avait voyagé jusqu'à Richmond, où M. Aaron l'avait apprise : la guérisseuse et accoucheuse qui parlait aux arbres et vénérait les eaux refusait de courber l'échine, quoi qu'ils fissent pour la briser. Ils comptaient donc lui déchiqueter le cœur, aussi sûrement qu'ils avaient déchiqueté Johnny sur les cailloux de la route. Ce n'était pas difficile : il suffisait de s'en prendre à Grace.

« Quoi que tu fasses, quoi que tu entendes, même si tu as très peur, ne sors pas de là tant que t'as pas entendu ma sœur siffler et dire ton nom, et enlever ce tonneau d'au-dessus de ta tête, tu m'entends, Gracie ? Ça doit se passer dans cet ordre.

— Oui, m'sieur, gémit-elle, les joues striées de larmes.

— Elle s'appelle Anna. Elle viendra quand y aura pas de danger et elle t'emmènera là où ils peuvent pas t'attraper.

— Mais Maw Maw ? demanda Grace, paniquée. Je peux pas la laisser. Elle a besoin de moi !

— Chut, chut, tais-toi. » M. Aaron s'allongea sur le ventre pour pouvoir la regarder dans les yeux et essuyer ses larmes. Ses paumes couvertes de cals et de cendre étaient rêches : elles racontaient l'histoire des blessures infligées par le manche du maillet lorsque M. Aaron, aspirant par ses larges narines un air chauffé à près de quarante degrés, mobilisait ses cent kilos pour enfoncer des clous de chemin de fer dans le métal et dans la terre. « T'en fais pas pour Rubelle. Elle s'en sortira, compte là-dessus. Elle est forte. Et ses ancêtres ? Encore plus forts. Alors laisse-moi être fort pour toi. Faut pas faire un bruit, là-dedans, tu m'entends ? »

Grace gémit encore un peu, mais fit oui de la tête.

« Et tu bouges pas d'un poil jusqu'à ce que t'entendes ma sœur siffler, t'appeler par ton nom et déplacer ce tonneau. Tu vas y arriver ?

— Oui, monsieur Aaron », souffla-t-elle.

Et là-dessus, M. Aaron se remit debout, les yeux plongés dans ceux de Grace, ceux de Grace dans les siens, jusqu'à ce que le dernier rai de lumière ait disparu derrière le tonneau.

Le noir rampa autour de Grace, suivi par des insectes, puis la sueur, puis une terreur inextinguible, pendant qu'elle restait assise, aussi immobile que possible. Tout devint plus intense lorsque, le soleil ayant lentement disparu à l'horizon, criquets et grenouilles se mirent à chanter. Grace se couvrit les oreilles et enfouit la tête dans sa jupe, ses larmes et sa morve coulant librement dans les plis du tissu tandis qu'elle retenait ses sanglots, attendant toujours. S'interrogeant. Essayant de susciter un film de Maw Maw – pour voir si vraiment elle s'en sortait à la prison. Essayant de se remémorer le visage de Maw Maw au bord de la rivière : elle léchait des pommes et les jetait dans l'eau tandis que Bassey regardait depuis la rive, une main en visière, secouant la tête et riant à cœur joie, réprimant son jugement et même son désir pour faire plaisir à sa mère et à sa fille, pour s'adonner à l'amour, réel, pur et honnête. L'amour vrai. Le souvenir fit du bien au cœur de Grace, il apaisa un peu sa respiration, calma les grondements de son ventre, et lui sécha même quelques larmes.

Ce furent les bruits de roues et de sabots qui l'arrachèrent à sa méditation ; les clameurs, le cliquetis des fusils et l'odeur de la térébenthine brûlant au bout des bâtons qui lui retournèrent l'estomac. Grace n'avait pas besoin de voir le feu des torches lécher le ciel nocturne, la poussière monter des roues et des sabots, les flammes s'agiter dans l'air ou derrière les capuchons blancs soulevés par le vent. Quand la Confrérie était en virée, toutes ces choses-là étaient aussi inévitables que le tonnerre après l'éclair. Perçantes. Persistantes. Grace pressa une main sur sa bouche pour retenir son hurlement et se pinça la cuisse pour forcer son corps à rester immobile. Mais elle ne pouvait rien contre les battements de son cœur, qui lui semblait prêt à se fracasser contre ses côtes. Elle était convaincue qu'elle allait mourir dans ce trou, et que M. Aaron mourrait au-dehors, et que Maw Maw mourrait dans son propre trou, qu'avec Bassey cela ferait quatre morts et que le monde, son monde, ne serait plus.

Mais si par un fait étrange elle avait pu s'élever jusqu'au-dessus des arbres et regarder entre les feuillages, elle aurait vu les débuts de sa nouvelle vie. Une compréhension nouvelle. Elle aurait assisté à la conversation téméraire et coûteuse qu'avaient M. Aaron et ses hommes – les braves du Rose noir, qui n'en pouvaient plus de voir leurs femmes, enfants, frères et pères sous la botte de l'impitoyable ennemi – avec les croquemitaines, lesquels étaient courageux sous le manteau de la nuit, mais réduits à des caricatures grotesques une fois forcés à affronter des adversaires aussi formidables que dénués de peur. Elle aurait aussi pu apercevoir des Noirs portant leurs propres toges et capuchons – noirs, dans leur cas –, leurs propres fusils chargés et leurs propres torches léchant le ciel. Elle aurait pu en voir un particulièrement déchaîné, à l'avant, tenir au-dessus d'un chaudron bouillant sur un grand feu un poulet fraîchement décapité dont le corps s'agitait encore : il frottait le sang qui dégouttait de l'oiseau sur sa face, son cou et son torse nu badigeonnés de goudron, le blanc de ses yeux brillant sur le fond noir. Grace aurait vu que pour chacune des lamentables caricatures, il y avait au moins trois braves, debout et prêts à mourir.

Elle n'aurait pas connu la peur.

Le timbre grave et riche des clameurs des hommes emplissait l'atmosphère, derrière les détonations et les sifflements des fusils et des pistolets, l'écho des claquements et des grognements lorsque des poings et des pieds rencontraient des ventres, des dos, des joues. Du trou où elle se cachait, cela faisait un bruit de guerre.

Puis on siffla juste au-dessus de sa tête.

« Grace. C'est Anna. »

Elle se cacha plus fort encore dans ses mains, enfonçant ses ongles dans ses joues au point de faire perler le sang. Des larmes jaillirent de ses yeux lorsque le tonneau racla le plancher et qu'apparurent un soulier, puis un pantalon, puis une chemise, et enfin une femme, l'index collé aux lèvres, qui plissait les yeux pour essayer de distinguer la toute petite silhouette pelotonnée au fond du trou.

« Allez ma belle, donne-moi la main », dit Anna en descendant son bras dodu et en remuant les doigts pour l'encourager à les agripper. Grace empoigna son sac et se laissa attraper, plaquant les pieds contre la paroi pour aider Anna à la hisser. Elle retomba directement sur l'ample giron de la femme et renifla plusieurs fois avant de crier, tel un nouveau-né prenant son premier souffle. « Écoute-moi, dit fermement Anna en la secouant un peu pour mieux se faire entendre. On n'a pas le temps, là. Faut qu'on s'en aille d'ici pendant qu'y sont par là-bas, expliqua-t-elle en indiquant la maison de Johnny, où M. Aaron et ses hommes avaient attiré un petit groupe de membres de la Confrérie. On va prendre le cheval. Ça sera plus facile pour couper par les bois et rejoindre la gare de Reidsville sans se faire remarquer. Mais y va falloir que tu te dépêches. Tu me suis, tu fais ce que je te dis, et tout se passera bien, d'accord ? »

Anna prit Grace par la main et la tira vers l'ouverture de la cahute. Elle sortit d'abord la tête pour jeter un coup d'œil, puis courut jusqu'au cheval, la main serrée sur le poignet de Grace. Avec la rapidité et l'aisance d'une personne qui connaît les chevaux et qui les aime, elle sauta sur l'étalon brun chocolat et tendit la main pour hisser Grace derrière elle.

« Tu t'accroches à ma taille, petite, et tu lâches pas, d'accord ? Tout va bien se passer. »

# 5

« Ne reste donc pas plantée là à gober les mouches ! Viens embrasser ta tantine. »

Grace entendit l'ordre, mais ses pieds pesaient comme du plomb sur le ciment, au bas des marches qui montaient vers la maison la plus grandiose qu'elle ait jamais vue – et surtout, la plus grandiose qu'ait possédée une personne noire parmi toutes celles qu'elle avait rencontrées en treize années d'existence. La *brownstone* couleur terre cuite de la tante Hattie, avec ses superbes arches elliptiques et ses colonnes byzantines qui montaient vers les sombres nuages gris, lui faisait l'effet d'un lieu interdit, un endroit dont les gamines campagnardes n'avaient même pas la permission de rêver, sans parler d'y entrer avec un tant soit peu d'aplomb. Même sur autorisation. Même à la demande expresse de Hattie. Il ne lui échappait pas que si les lèvres souriantes de la femme l'invitaient à monter, ses yeux, durs, implacables, avaient immédiatement rendu un jugement bien différent sur elle et sur sa légitimité à recevoir une telle invitation. Elle vit les yeux de Hattie jauger les tresses grossières nouées sur son crâne, puis passer lentement sur sa peau sèche et ses épaisses lèvres gercées, pour descendre le long de la robe loqueteuse jusqu'aux chaussures trop petites qui trahissaient ses origines – qui racontaient tout le chemin parcouru, mais aussi la stagnation de la vie au fin fond de la Virginie, où le temps était figé et où ceux qui choisissaient de rester prenaient leur mal en patience. Ce voyage, Hattie l'avait fait une douzaine d'années auparavant – pas nécessairement pour s'éloigner de quelqu'un en particulier, mais plutôt pour fuir cet endroit-là, pour se débarrasser de cette patine, de ce relent. Pour être quelqu'un d'autre que ce que lui permettait la ville de Rose.

Grace se raidit en voyant son rictus réprobateur, et quand, osant enfin croiser son regard, elle trouva les yeux de sa mère – une version vert ambré, alors que ceux de Bassey étaient brun foncé –, elle chercha instinctivement la main d'Anna. Cette main qui l'avait apaisée pendant toute cette semaine de voyage entre la Virginie et Brooklyn, tandis qu'Anna la consolait, l'informait et la préparait. « Hattie est la p'tite sœur de ta Maw Maw. Du même père, mais pas de la même mère. Une mulâtresse, tu sais. Pourtant, elle ressemble énormément à ta maman. Elle a le même âge, aussi. L'a toujours été snob. On l'aimait tout pareil, mais enfin personne l'a retenue quand elle a quitté le Sud. Elle a pas d'enfants. Pas d'homme. Aux dernières nouvelles, elle faisait coiffeuse. Toujours aussi méchante. Toujours aussi snob. T'es de la famille, alors elle veut bien donner un coup de main, c'est déjà ça. Garde la tête baissée, te mets pas dans ses pattes. Fais ce que font les Noirs là-bas à la ville : réussis. Promets-le-moi. »

Anna pressa la main de Grace tandis que toutes trois restaient plantées là sans bouger et que la ville tournoyait autour d'elles : la circulation, les voisins qui passaient sur les trottoirs en lançant leurs « Bonsoir ! » et les enfants, oh, les enfants et leurs rires et leurs jolis vêtements, et les cheveux bouffants, bouffants, et les gens partout.

« Anna, dit Hattie, accueillant son ancienne camarade avec un pincement des lèvres et un léger hochement de tête.

— Hattie », répondit Anna sur le même ton.

Hattie tourna les yeux vers Grace sans cesser de s'adresser à l'adulte.

« Qu'est-ce qu'elle a, celle-là ? Elle a avalé sa langue ? »

Anna passa les doigts sur les cheveux crépus de la petite.

« Elle est juste fatiguée, je pense. Elle en a bavé, tu sais.

— Oui, il paraît, dit Hattie, un peu moins glaciale cette fois. Je suis désolée pour Bassey, paix à son âme. Et pour ma pauv' sœur aussi. Je comprends pas qu'elle ait tout pris pour ce cochon de Blanc. Elle aurait dû les laisser s'occuper de leurs affaires entre eux, plutôt que d'aller s'en mêler et de leur faire croire qu'ils ont le sang pur. Regarde où elle en est, maintenant. Elle s'est mise dans un sacré pétrin.

— Elle a rien fait, répliqua sèchement Anna. Tu vas pas me dire que t'as oublié les sales manières des Blancs, depuis le temps que t'es dans le Nord. Tu vas croire un Blanc qu'a surpris sa femme à le tromper, plutôt que ta grande sœur ?

— Ce qu'on croit ou pas, de toute manière, ça compte pas, hein ? lâcha Hattie avec dédain. Elle est en prison dans le Sud sous les lois Jim Crow. Ça veut dire le juge, le jury et la condamnation tout ensemble, là où elle est, c'est tout c'que je sais…

— Hattie ! la coupa Anna en faisant un petit signe de tête en direction de Grace. C'est pas le moment de discuter de ça. » Puis, d'une voix un peu plus aimable : « On fait tout ce qu'on peut pour elle, mais en attendant c'est bien gentil à toi de t'occuper de Gracie, le temps qu'on règle le problème de sa grand-mère.

— Oui, oui, tu as raison. Voilà que j'oublie les manières, à discuter d'histoires d'adultes devant une enfant ! » Elle tendit les mains pour faire signe à Grace d'approcher. « Viens ici, que ta tantine te regarde. N'aie pas peur. Je t'ai vue quand tu étais haute comme trois pommes. Je t'ai même gardée de temps en temps pendant que Bassey était occupée à ces choses qu'elle fait. Enfin, qu'elle faisait. »

Anna jeta à Hattie un nouveau regard meurtrier, mais poussa quand même Grace vers sa grand-tante.

« Allez, monte. T'as rien à craindre. Hattie est de la famille. Elle prendra bien soin de toi », lui assura-t-elle, sans grande conviction.

Grace, les jambes raides, gravit le superbe escalier. Quand elle fut à sa portée, Hattie lui attrapa le bras et l'attira à elle, assez près pour que l'enfant flaire le poulet frit qu'elle avait mangé pour le déjeuner, peu avant leur arrivée. Son estomac réagit à ce fumet par un gargouillement lent mais sonore.

« Approche, ma fille, que je te voie bien », dit Hattie en se penchant sur elle.

Quelque chose dans la manière qu'avait Grace de se tenir là, les yeux ronds, avec sa peau sombre brûlée par le soleil de Virginie, rappela à Hattie une photo qu'elle avait sortie d'un album de famille et frottée entre ses doigts à peine quelques jours plus tôt. Elle avait approché cette photo de ses yeux, avait contemplé son jeune visage et celui de sa nièce Bassey : ses yeux à elle, d'un gris crémeux sur le cliché en noir et blanc, ceux de Bassey identiques mais noirs ; son corps à elle, mince et raide, celui de Bassey plein de courbes qui tendaient l'étoffe de sa robe. Au dos de la photo, quelqu'un avait griffonné « 1952 ». Bassey était alors enceinte de deux mois, elle portait l'enfant d'un garçon dont elle se contrefichait, si ce n'est qu'il faisait la cour à Hattie jusqu'au jour où elle était arrivée, drôle et vive, et le lui avait piqué. Furieuse, un peu éméchée après ses lampées vespérales d'alcool de maïs, Hattie avait jeté cette photo dans le placard du sous-sol pour ne plus la voir, pour ne plus avoir à se rappeler cette époque. Et voilà que toute cette histoire survenait, et que le drame capté par la photo – le problème invisible à l'œil nu – déboulait sur son perron. Hattie fit la grimace en observant les traits de Grace.

Grace aussi la regarda bien. Hattie était le portrait craché de Bassey, une révélation qui lui fit de nouveau monter les larmes aux yeux.

« Allons allons, pas de manières, insista Hattie en lui lissant les joues. Entre donc, et va te débarbouiller. Je te prépare à manger pendant ce temps. Quand tu auras fini, tu pourras faire connaissance avec mes petites élèves.

— Tes élèves ? s'étonna Anna. Tu fais la classe, maintenant ? Chez toi ? Je savais pas que t'étais devenue maîtresse. Je croyais que t'étais coiffeuse. Ils n'ont donc pas d'écoles dans ce beau quartier ?

— Voyons, Anna, bien sûr que si, ils ont des écoles ! Je leur apprends pas à lire ni à compter. J'enseigne aux jeunes filles de notre communauté quelque chose de bien plus précieux que ça.

— Et quoi donc ? » fit Anna, les bras croisés.

Hattie la transperça du regard, puis ses yeux retombèrent sur Grace.

« Eh bien, j'apprends aux demoiselles de notre beau quartier à devenir de vraies dames, dit-elle avec un demi-sourire, le nez pointé en l'air. À se tenir dans la vie. Je les aide à se préparer pour les beaux partis d'ici, les fils d'infirmières, de professeurs et d'hommes d'affaires qui feront des études et réussiront dans la vie. Quelque chose de bien. Pour nous tous. » De nouveau, elle toisa Grace de la tête aux pieds. « Allez, entre, dit-elle en la prenant par le bras. Ouvre grand tes oreilles, et tu apprendras peut-être quelque chose.

— Bon. Grace, prends bien soin de toi, d'accord ? lança Anna.

— Au revoir, madame Tucker », répondit Grace en écrasant une larme, agitant la main tandis que sa grand-tante la traînait vers l'intérieur de sa maison.

Hattie, elle, ne s'embarrassa pas de politesses. Elle fit un vague petit signe et claqua la porte derrière elle et sa nouvelle pupille.

Le travail ne faisait pas peur à Grace ; elle avait toujours plutôt bien aimé aider Maw Maw à tenir la maison, balayer et repasser, aller chercher du bois et jardiner, repriser les vêtements et les courtepointes usées par leur double fonction : réchauffer les corps et décorer les lits, le canapé, les chaises, toutes ces choses-là. Elle avait tendance à accomplir joyeusement ces tâches – ou du moins la plupart –, parce que sa grand-mère y tenait beaucoup.

« Faut être fière des choses qui sont à toi, faut en être fière, disait-elle. T'as pas travaillé dur pour ce bol de p'tits pois, là ? Cette robe qui te tient chaud ? Ce lit qui fait que ton dos cassé le soir va mieux le matin ?

— Si, disait Grace en portant le bol de pois à ses narines pour renifler leur parfum terreux, mêlé à celui des gombos et parfois du maïs, si elles en avaient, voire d'un petit bout de jarret de porc si quelqu'un avait expulsé un bébé et remercié les mains qui l'avaient attrapé en y mettant une ou deux portions de viande salée.

— Tant mieux. C'est bien, ma belle. Y a rien de tel que le travail et le respect pour ce qu'il rapporte.

— Oui », disait encore Grace, avec douceur.

Avec reconnaissance.

À présent, elle s'efforçait d'appliquer cette même philosophie à ses responsabilités chez Hattie, mais celle-ci avait une tout autre définition du travail. Elle considérait comme son devoir et sa responsabilité d'extraire de Grace autant de labeur qu'il en fallait pour couvrir les coûts de son séjour : une sorte de servitude implicite, aussi cruelle qu'épuisante. Dans son monde, aucune besogne n'était trop basse, aucune tâche trop lourde pour la jeune fille de treize ans.

« T'es presque adulte, et t'es une fille de la campagne : tu peux te charger de ça », disait-elle en lui donnant ses instructions pour une corvée de plus : vider le sous-sol, ranger le matériel de coiffure qu'elle utilisait dans son salon improvisé, préparer le déjeuner pour les filles du quartier à qui elle enseignait à être « de jeunes dames ».

L'idée que Grace ait le potentiel d'en devenir une elle-même – qu'elle puisse parfaitement convenir à un jeune homme – ne lui venait pas à l'esprit. Ni même qu'elle puisse aller à l'école ou progresser en quoi que ce soit. Une mule osseuse et loqueteuse, faite pour être exploitée au maximum, c'était tout. Un héritage de la maison de la morte – pas vraiment désiré par sa nouvelle propriétaire mais accepté quand même parce qu'il faut bien trouver une place à ces choses-là, et que ce serait du gâchis de les jeter. Parfois, Hattie le lui signifiait d'une petite tape ou d'un pinçon tournant si Grace n'allait pas assez vite – moitié rappel, moitié avertissement quand elle prenait du retard ou qu'il fallait lui répéter une fois de trop comment entretenir son intérieur. Elle ne perdait pas une occasion de lui rappeler que chez elle, on faisait comme elle l'entendait. Et elle comptait bien éradiquer tout relent campagnard de sa nièce, avec l'aide de Dieu, car il en allait de sa propre survie. Après tout, elle-même s'était réinventée il y avait bien longtemps, avant même que quiconque dans sa nouvelle vie ait pris la peine de connaître son nom. Elle avait commencé par mettre au rebut sa machine à coudre : une étape cruciale de son immersion dans la société noire de Brooklyn. Hattie était capable de dessiner et de coudre la garde-robe d'une saison entière avec le soin et l'attention d'une couturière de haute volée : un talent qui lui avait bien servi au fin fond de la Virginie rurale, où les beaux vêtements du commerce lui étaient absolument inaccessibles, mais qui n'avait aucune chance d'impressionner les dames de la Ligue des femmes noires. Plus précisément, elle s'était obligée à dissimuler ses talents à dater du jour où Mme Spencer avait vu l'étiquette COUSU MAIN PAR HATTIE ADAMS sur une veste qu'elle avait posée sur sa chaise, réchauffée et impatiente d'attraper une coupe d'ambroisie avant qu'elle disparaisse du buffet, lors de sa première réunion de la Ligue. « Mon Dieu, comme c'est… pittoresque », avait dit Mme Spencer à la cantonade, en passant ses doigts délicats sur l'étiquette noir et rose à motifs cachemire cousue dans le dos de la veste en jacquard de soie. L'étoffe, spécialement commandée chez Sears, avait coûté la recette de sept séances de coiffure à Hattie, qui s'était nourrie pendant presque un mois de pain de maïs et de babeurre au petit déjeuner et de flageolets sans viande aux autres repas. Le fier sourire qui illuminait ses traits lorsqu'elle avait enfilé cette veste avant la réunion s'était envolé en une seule phrase, déposée du bout de la langue par Mme Spencer : « Hattie coud ses vêtements elle-même, il faut prévenir le magasin Bergdorf ! » Les gloussements et les murmures de l'assemblée allaient lui coller aux épaules pendant des années – et les preuves reposaient désormais dans le placard du sous-sol où s'entassaient ses machines à coudre et à broder, son nécessaire à couture, et une quantité de tissu propre à habiller tout le banc des diaconesses d'une église de taille moyenne. Hattie s'était poliment excusée, avait salué tout le monde et pris congé. Ignorant le frottement de ses cors contre le cuir verni de ses escarpins, elle avait précipitamment regagné sa *brownstone* à quatre rues de là, gravi les marches et claqué la porte derrière elle, si fort que les tasses parfaitement disposées dans le vaisselier en avaient tremblé. Elle s'était alors juré en silence de ne plus porter de vêtements cousus main jusqu'au jour de sa mort – et même là, elle serait capable de se ressusciter pour sortir de la tombe et aller enfiler quelque chose de plus seyant. Ce soir-là, dans son placard, tout avait été jeté pêle-mêle : vêtements, tissu, boutons, fermetures éclair, et même des photos d'elle se pavanant dans des tenues qu'elle avait crues raffinées. Les disques de Moms Mabley, les albums de Muddy Waters et d'Elmore James étaient partis à la poubelle. Ensuite, elle était restée debout, pantelante, les mains sur les hanches, les yeux rivés sur la petite table à l'entrée de la cuisine. Elle s'en était approchée d'un pas décidé, s'était arrêtée devant, avait lentement passé les yeux sur les fleurs fanées qu'elle avait cueillies dans son jardin, la photo en noir et blanc de ses morts, le petit pochon gonflé de terre de la tombe de sa mère, le vieux blaireau de son père, les bols, l'un empli de feuillages frais, l'autre d'eau. L'autel qu'elle avait construit, à l'époque, plus par habitude que par allégeance. Un rappel des anciens usages. De ce qu'elle avait été. De ce qu'elle s'efforçait de ne plus être. Alors Hattie avait levé le bras et, d'un seul grand geste, avait balancé au sol ce bazar et ces souvenirs. Le coup de balai avait suivi, puis la poubelle – elle y avait versé tous les morceaux cassés, et avec eux ses derniers liens avec son pays. Sauf l'alcool de maïs. Ça, elle l'avait gardé.

Il n'était pas question que Grace vienne souiller sa maison avec ce qu'elle apportait de la campagne.

« Viens ici, ma fille ! » avait-elle braillé le jour où elle avait découvert son petit autel – une patte de lapin, une timbale d'eau, une brosse, un sac rempli de tout un bric-à-brac – ménagé sur la chaise en bois de sa chambre au sous-sol. Grace, toujours pas habituée à se faire crier après, avait sursauté en entendant sa voix, puis s'était précipitée dans l'escalier, si vite que son talon avait glissé de l'avant-dernière marche et qu'elle avait atterri en tas aux pieds de sa tante.

« Qu'est-ce que je t'ai donc dit ? » s'était époumonée Hattie, dont l'accent naturel du Sud revenait quand elle se mettait en colère, en la toisant de toute sa hauteur.

Gracie s'était vite relevée en lorgnant les objets que sa tante lui fourrait sous le nez, tellement près qu'elle avait dû reculer la tête. Elle avait de nouveau glissé.

« Debout, feignasse ! » avait crié Hattie. Grace avait obéi, et ses yeux s'étaient agrandis de terreur lorsqu'elle avait compris ce que brandissait sa tante. « Qu'est-ce que je t'ai dit sur cette saleté de *hoodoo* dans ma maison ?

— Que c'est interdit, s'était-elle empressée de répondre. Mais c'est pas ça !

— Tu me prends pour une idiote, en plus ?! Je sais très bien ce que c'est !

— Je… je… je voulais juste les regarder un peu parce que maman et Maw Maw me manquaient », avait soufflé Grace. Elle se languissait de voir sa grand-mère dans son cinéma, mais elle avait beau fermer les yeux très fort, rester sans bouger, se concentrer, les visions ne venaient pas. Ces objets étaient son téléphone à elle : le moyen qu'elle comptait employer pour appeler sa mère à l'aide, provoquer un signe de Maw Maw. Jamais elle n'aurait osé en parler à Hattie, et jamais Hattie n'aurait laissé quiconque savoir qu'elle s'y connaissait. « Je travaille pas les racines, je le jure !

— Ne jure pas ! C'est un péché contre le Seigneur !

— Oui. Pardon, tante Hattie.

— Ne t'excuse pas, ma fille : amende-toi », avait tranché Hattie en lui collant les objets dans les bras. Puis elle avait promené son regard dans la chambre. La pièce était propre, bien tenue. Mais quand même. « Jette-moi ces horreurs, avait-elle lâché. Je ne veux plus jamais les voir. »

Et donc, Grace s'efforçait de se faire toute petite : une ombre fuyant constamment la source lumineuse pour ne pas se faire remarquer ni piétiner. Elle n'avait pas tardé à comprendre que devenir invisible lui épargnait les gestes et les mots durs de Hattie ; quand le petit déjeuner apparaissait simplement sur la table, quand la poussière semblait s'envoler toute seule du sol vers la boîte à ordures, quand les lits se faisaient et que les chambres se rangeaient comme par magie, le calme régnait. C'était ce qu'il lui fallait, du calme. C'est dans ces moments-là qu'elle pouvait chercher sa lumière. Elle la cherchait quand la lune projetait sa lueur sur Brooklyn et quand le soleil rouge étirait dans le ciel ses rayons orange brûlé, rose fumé et gris, avant que les oiseaux ne lancent leurs premiers chants ; entre les gémissements, les promesses chuchotées et les larmes essuyées, elle cherchait son cinéma en serrant les paupières : une connexion avec sa grand-mère, ou un signe de sa maman, quel qu'il soit, pour lui expliquer ce qui se passait. Pour lui dire si elle était condamnée à rester seule, triste, privée d'instruction et d'amour.

C'est un mercredi que le ciel lui donna une réponse. Grace était sur le perron, en train de balayer les marches, lorsqu'un rayon de soleil vint frapper d'une manière particulière l'œil du coq multicolore perché dans le vitrail. Depuis le jour où elle avait posé le pied chez Hattie, Grace était fascinée par ce coq, par les rouges sang, les bleus et les violets profonds de ses plumes hérissées, éclatantes, entre les lignes de plomb qui lui donnaient sa forme. L'oiseau se tenait dressé, sûr de lui, comme un joyau dans l'imposte, s'annonçant en souverain des lieux. Il lui rappelait Jeremiah, le coq qui se pavanait dans la basse-cour de Maw Maw, annonçant le lever du jour, courant après les poules, leur rappelant qui régnait en ces lieux, mais faisant les yeux doux à toutes celles qui passaient à sa portée. Il effrayait Grace, avec sa manière de se ruer vers elle et de la poursuivre chaque fois qu'elle avait un petit quelque chose à manger dans les mains. Quelques mûres, un peu de pain de maïs. Un chewing-gum. Jeremiah voyait tout et déboulait à toute allure, envoyant voler ses plumes, bouleversant l'ordre des choses en caquetant tandis qu'elle hurlait, tous deux courant en rond et en zigzag dans la cour jusqu'à ce que Grace lui cède ses friandises ou parvienne à rentrer avant lui dans la maison. Mais que quelqu'un, n'importe qui, essaie de la malmener : alors Jeremiah la protégeait mieux qu'un chien de garde, mieux qu'un pistolet chargé. Maw Maw riait en secouant la tête.

« Ce vieux Jeremiah, il en pince pour toi, c'est tout. Y se prend pour ton homme.

— Mon homme et celui des poules, alors ! » disait Grace en riant pour chasser sa frayeur.

Il n'y avait nulle peur, rien que de la beauté, dans le coq rutilant de la porte de Hattie. Comme Jeremiah, il veillait sur elle, ce coq multicolore. Ce jour-là, il lui renvoya le même éclat lumineux les trois fois où elle regarda vers la porte pour déloger les araignées et leurs toiles des recoins. Grace finit par cesser de balayer et par mettre sa main en visière, en se demandant pourquoi le Jeremiah du vitrail lui faisait de l'œil avec tant d'insistance. Lorsqu'elle se retourna vers le soleil, elle trouva la réponse, juste devant ses yeux, dans toute sa splendeur : un halo. Elle n'avait jamais rien vu de si joli, à part sa maman quand elle écrasait du rouge sur ses lèvres pulpeuses, ou la poitrine de Maw Maw quand elle riait et que le bruit résonnait dedans et courait dessus. L'étoile la plus brillante de l'univers, tout en haut des nuages gris, ceinte d'un arc-en-ciel complet qui paradait autour d'elle. C'était si stupéfiant que Grace en cessa de respirer : elle refusait de cligner des yeux, de peur que le phénomène disparaisse en ne lui laissant, comme les deux femmes qu'elle aimait le plus au monde, que des souvenirs. Rien.

Alors elle regarda. Elle regarda si fort que les rayons du soleil devinrent des piques acérées de lumière jaune et vive, rebondissant en tous sens entre le rouge, l'orange, le jaune, le vert, le bleu, l'indigo et le violet qui encerclaient le soleil.

« C'est beau, hein ? »

Le son de cette voix l'arracha à sa contemplation. Elle sursauta d'abord, croyant instinctivement que la tante Hattie avait jailli de la maison avec une injure ou un ordre de plus. Puis ses yeux et son cerveau trouvèrent d'où venaient les mots et qui les avait prononcés. Elle fit passer le balai dans sa main gauche et s'abrita les yeux de la droite. Sur le perron de la belle *brownstone* d'à côté, une dame, petite, corpulente, à peu près de l'âge de Maw Maw, astiquait la rampe de l'escalier. Rien à voir avec les femmes chics que cherchait à fréquenter Hattie, rien à voir avec la maîtresse de cette maison, qui, depuis un mois que Grace était à Brooklyn, n'avait fait que regarder dans sa direction d'un air réprobateur. Cette femme-ci, avec son tablier noué à la taille et son chignon caché sous un linge blanc, lui rappelait… là-bas, chez elle.

« Tu vois les nuages qui passent devant ? J'aime bien ça, toutes ces formes et ces dessins qu'ils font. Y rendraient presque le gris joli. »

Grace détacha lentement ses yeux de l'inconnue pour se tourner à nouveau vers le ciel ; cette fois, elle s'intéressa moins aux couleurs qu'aux taches de gris formées par les nuages.

« Va encore pleuvoir », continua la femme en flairant l'atmosphère.

Grace aussi savait reconnaître cette odeur : elle avait appris ça de Maw Maw, qui ne perdait pas une occasion de répéter à quel point il était bon de savoir prédire les pluies d'orage, pour empêcher que le linge se fasse tremper sur le fil, éviter de perdre son temps à tirer de l'eau pour arroser le potager, etc. Elle hocha la tête en considérant le ciel :

« Oui, m'dame. Y pleut tout le temps en ce moment, on dirait.

— Ah, mais c'est le gris qui fait ressortir les couleurs. Il promet tout autant que l'arc-en-ciel. Du gris aujourd'hui, c'est de la joie demain matin. Il faut aimer le gris autant que les couleurs. On n'a pas l'un sans l'autre. »

Grace acquiesça et leva le menton plus haut. Elle laissa les rayons colorés et les ombres grises passer sur elle.

Le claquement du portillon et une cascade de rires étouffés la ramenèrent au présent. Puis :

« Grace, pousse-toi de là, que mes jeunes filles puissent entrer par ce bel après-midi, cria Hattie, une main en visière contre le soleil mais passant clairement à côté du miracle produit par sa lumière, et regardant plutôt les nuages qui se formaient à l'opposé. Ouh là là, ça sent la pluie. Entrez, mesdemoiselles, avant qu'elle ne vous tombe dessus. Il ne faudrait pas qu'elle aplatisse ces jolies boucles, n'est-ce pas ? »

Hattie poussa le balai dans les mains de Grace.

« Allez, active-toi avant que l'averse ne mouille le perron, tu m'entends ? Si mon balai revient trempé dans la maison, ça va barder.

— Oui, m'dame, répondit Grace en rentrant le menton.

— Et pas de "Oui, m'dame" avec moi, ma fille. Ça fait campagne. »

Du coin de l'œil, Hattie aperçut la femme qui les observait.

« Bonjour ! » lança cette dernière en agitant son chiffon dans leur direction.

Hattie se renfrogna. On aurait dit que l'existence même de cette personne était un affront direct contre sa sensibilité. Elle ferma les yeux, les rouvrit, puis se retourna vers Grace.

« On dit “Bien, madame”, assena-t-elle, lentement, comme si sa nièce était trop sotte pour la comprendre.

— Bien, m... »

Hattie ne la laissa pas terminer : son attention était attirée vers le portillon, où un visiteur arrivait. Grace, encore éblouie d'avoir trop regardé le soleil, y voyait à peine, mais elle entendit le changement de ton de sa tante et perçut à quelle vitesse son sourire revenait. Elle battit plusieurs fois des paupières pour retrouver la vue et, lorsque son regard tomba sur le visage du nouveau venu, eut un hoquet qui se termina en quinte de toux.

Hattie la bouscula pour aller accueillir le jeune homme.

« Eh bien, si ce n'est pas Dale Spencer ! Comment vas-tu, par cette belle journée ? s'enquit-elle, douce et polie.

— Bonjour, Miss Hattie, lança-t-il en agitant la main. Il semble bien qu'il va pleuvoir, non ?

— J'étais en train de le dire ! répliqua-t-elle en s'approchant encore un peu. Je le sens dans l'air. »

Le Dale en question ferma les yeux et inhala profondément. Cette longue inspiration souleva son torse musclé et tendit sa chemise ajustée à rayures vertes : un spectacle que Grace aurait mieux vu s'il n'y avait eu l'épaule de Hattie, qui s'était faite ronde et souple comme sa voix.

« J'adore l'odeur de la pluie, dit-il. Mais vous savez ce que j'aime encore plus ?

— Quoi donc ? »

Il leva la tête vers les cieux et pointa un doigt vers le soleil.

« Regardez ce qu'elle amène, la pluie. C'est quelque chose, hein ? Un arc-en-ciel circulaire. Ça s'appelle un halo.

— C'est vrai ? fit Hattie en s'abritant les yeux.

— Oui, en sciences naturelles nous apprenons justement les phénomènes liés à la pluie. Ce qui la provoque, le rôle que jouent les nuages, leurs différents types… enfin vous voyez, quoi. Et les halos solaires. On a eu un cours là-dessus la semaine dernière.

— Ça alors ! lâcha Hattie, la tête inclinée sur le côté, comme si cette posture précise pouvait l'aider à comprendre un peu mieux.

— J'adore quand il y a un arc-en-ciel après une grosse averse, intervint Grace. Je trouve qu'ils ressemblent à de jolis rubans. »

Dale se désintéressa alors du ciel et posa les yeux sur elle, comme s'il la remarquait pour la première fois depuis son arrivée devant la maison. Ils restèrent tous deux parfaitement immobiles à prendre connaissance l'un de l'autre – lui observant ses lèvres, épaisses et parfaitement dessinées, comme si quelqu'un avait pris un crayon brun pour tracer sur son visage la bouche même que Dieu avait voulu créer ; elle, ses yeux, ronds comme ceux d'un lièvre, si noirs et si brillants que ses épais sourcils et ses cheveux impeccables, divisés par une raie parfaitement rectiligne, semblaient flotter au-dessus de sa peau. En Virginie, on l'aurait certainement surnommé « Red », son teint ayant la couleur d'une cuillerée de cannelle fraîchement moulue. Tous les garçons surnommés « Red » étaient remarqués pour leur beauté. Et Dale ne faisait pas exception.

« Tais-toi donc, ma fille, la rabroua Hattie, dont la voix éclata comme un coup de tonnerre au beau milieu de leurs observations respectives. Un ruban, je vous demande un peu !

— Je suis assez d'accord », lâcha Dale sans quitter Grace des yeux.

La tête renfrognée de Hattie montrait clairement sa contrariété à l'idée que Grace puisse être vue. Entendue. Grandie. Remarquée.

« Alors, Dale, qu'est-ce qui t'amène ? s'enquit-elle en déplaçant son poids comme pour s'interposer entre les jeunes et les empêcher de se regarder. Tu es là pour voir l'une des demoiselles ? Bettye, peut-être ? Ou Roe ? Elles sont à l'intérieur.

— Oh, non, madame, répondit-il en rougissant. Je ne suis pas là pour les filles. Ma mère voulait que je vous rende ceci. Votre cocotte, avec sa louche. Vous nous l'avez fait porter la semaine dernière, vous savez ? Elle ne voulait pas vous en priver trop longtemps.

— Mais bien sûr, où avais-je la tête ? dit-elle en prenant le sac des mains de Dale. Comment va-t-elle, ta maman ? C'est terrible de perdre une mère.

— Oui. Ma grand-mère me manque. Beaucoup. Et elle manque aussi à maman. Mais elle s'accroche, elle prend les choses au jour le jour. Elle essaie de tenir le coup.

— Je n'en doute pas, commenta Hattie, qui tchipa en secouant la tête. Ce ne sera plus pareil sans Mme Hilliard mère, mais je sais que je parle pour toute la communauté quand je dis que nous tenions beaucoup à elle, et que nous lui sommes reconnaissants du travail qu'elle a fait pour l'embellissement du quartier. » Puis elle ajouta, à l'intention de Grace : « Tu serais bien inspirée de te renseigner sur le travail des Spencer et des Hilliard dans cette communauté, Grace. Ce Dale, il est de bonne souche.

— C'est ton nom ? Grace ? demanda-t-il en contournant gauchement Hattie pour lui tendre la main. Moi, c'est Dale. J'habite à deux rues d'ici. »

Grace regarda sa main, aux doigts longs et aux ongles propres et soignés, puis la prit dans la sienne après un petit coup d'œil à sa tante. C'était doux. Électrique.

« Oui, confirma Hattie, c'est ma petite-nièce. Elle nous arrive de Virginie. C'est la première fois qu'elle vient dans le Nord.

— Enchanté, Grace, dit Dale, qui n'avait pas lâché sa main.

— Ench…

— Tiens, v'là la pluie ! brailla soudain Hattie tandis que de grosses gouttes d'eau s'abattaient sur eux trois. File vite chez toi, Dale, avant de te faire tremper et d'attraper froid. Grace, autant que tu rentres tout de suite. Tu peux commencer à préparer le déjeuner pour mes jeunes filles.

— Oui, m'dame, souffla Grace sans quitter Dale des yeux.

— À la prochaine, Grace ! » lui lança encore Dale.

Prononcé par ses lèvres, son prénom sonnait comme du miel coulant sur un morceau de pain de maïs tout frais.

Grace ne savait que penser de ce voisin vivant à deux rues de là, et ignorait pourquoi son regard lui faisait battre le cœur. Elle avait envie de rire tout haut en se rappelant la sensation de sa main dans la sienne, et la manière dont il l'avait regardée, transpercée du regard, comme s'il ne voyait pas ses vêtements pas très présentables, ses cheveux qui ne l'étaient guère plus, ni sa façon de parler qui l'était encore moins, comme si ce qu'il voyait valait la peine d'être regardé. Pas parce qu'il la trouvait jolie, non. Mais parce qu'elle comptait à ses yeux.

Et tout en remuant la casserole, puis en versant les louchées de haricots dans les jolis bols pour les jolies demoiselles de Hattie, elle imagina que Dale et elle étaient des rubans encerclant le soleil.

# 6

Que savait-elle de l'amour – cet instinct qui ordonne au cœur, parfois contre le battement même de la logique, de jouer avec le feu ? Elle aimait sa maman, bien sûr. C'était aussi naturel qu'obligatoire : un marché équitable en échange du sang, des os, des tendons, de la chair, des nutriments et de l'air que le corps de Bassey avait rassemblés pour elle dans ses entrailles. Ce que sa mère avait fait ou non, qu'elle ait été plus ou moins que parfaite pour elle, n'entrait pas en ligne de compte : cette enfant, petite ou grande, serait toujours du côté de sa mère. Bassey lui avait donné la vie, et elle l'en repayait de son amour. Quant à Maw Maw… Oh, Maw Maw. Aux yeux de Grace, elle était l'essence même de l'amour. Elle l'aimait jusque dans la moelle de ses os ; elle aurait pu trancher dans cet amour et en tartiner le temps et la raison. Il était épais. Roboratif. Inconditionnel. Il se méritait.

Mais cette façon de se pâmer pour un garçon, ça, c'était nouveau. Bien qu'elle ait désormais quinze ans, un âge où elle aurait dû connaître un peu mieux les choses de la vie, Grace n'avait encore jamais eu l'occasion de voir de près à quoi ressemblait réellement un flirt, et encore moins comment l'amour passait d'un garçon à une fille, d'une fille à un garçon. À l'époque de ses onze ans, elle avait bien eu le béguin pour Isaiah Wright, un crâneur qui, à en croire ses copines, avait aussi un faible pour elle. Il se faisait un plaisir de tirer sur ses tresses à la moindre occasion, et Grace, naïve et pas particulièrement ravie à l'idée qu'on touche son épaisse tignasse crépue, n'aurait jamais songé à trouver ça agréable si son amie Lucy ne lui avait ouvert les yeux.

« T'as compris que tu lui plais, hein ? » avait-elle dit en gloussant, un après-midi où elles deux et trois autres filles de la classe passaient la récréation cachées dans l'ombre d'un sycomore, à se limer mutuellement les ongles et à jouer avec leurs cheveux.

« Qui ça ? Isaiah ? avait demandé Grace en plissant le nez avant de jeter un discret coup d'œil dans sa direction.

— Ben oui ! avait lâché Lucy, le cou tendu, en remuant la tête. Y fait tout pour attirer ton attention. J'ai comme l'impression qu'y s'intéresse à toi, vous trouvez pas, les filles ? »

Les têtes des autres s'étaient mises à hocher furieusement, évoquant des pommes ballottées dans un baquet d'eau.

« Regardez-le ! » avait dit Angeline en indiquant du menton la bande des garçons qui jetaient des cailloux par terre, le jeu consistant à les faire rebondir contre les chevilles des copains. Isaiah était justement en train de regarder les filles. « Il est mignon.

— Mmm-hmm, avait renchéri Lucy. Ça me dérangerait pas qu'il me tire les cheveux, à moi ! »

À ces mots, les autres avaient éclaté de rire et s'étaient tapé dans les mains.

« Et toi, tu le trouves mignon ? » avait demandé Angeline.

Grace avait pris une seconde pour bien l'observer. Même si elle n'y avait jamais songé, elle devait reconnaître qu'il n'était pas mal. Jusque-là, la seule chose qu'elle avait réellement remarquée chez lui était qu'il avait la peau sèche, comme si sa famille ne trouvait pas important de lui faire frotter un peu de graisse sur ses coudes et ses joues de temps en temps. Mais il avait des fossettes. Grace aimait bien ses fossettes. Elle avait haussé les épaules.

« Oui, il est mignon.

— Vas-y, va lui dire, puisque t'es amoureuse ! avait lancé Lucy.

— Amoureuse ?

— Vous allez bien ensemble. Vous ferez de jolis bébés, avec des fossettes et tout, avait renchéri Angeline.

— Si c'est oui, c'est de la romance… » avait commencé Lucy. Puis, à l'unisson, toute la petite bande avait repris la chanson : « … Si c'est non, c'est de la souffrance… » avant de s'écrouler de rire.

Les garçons, visiblement las de se faire bombarder les chevilles de cailloux, avaient entendu leur vacarme et s'étaient tournés vers le sycomore, ce qui avait fait redoubler les rires et les gloussements. Isaiah s'était approché le premier, suivi de près par les autres.

« Alors les filles, on joue à se coiffer ? » avait-il demandé.

Il aurait sans doute voulu avoir la voix plus grave, mais elle partait de temps en temps dans les aigus, trahissant son statut à mi-chemin de la virilité.

« Mmm-hmm, s'était empressée de répondre Lucy en attrapant une des mèches de Grace.

— Il te faudrait au moins une mule et une charrue pour natter Grace, avait-il lâché du tac au tac. Vu le boulot qu'il y a, c'est pas avec un peigne normal que tu vas y arriver. »

Les garçons avaient éclaté de rire, mais Grace avait bien vu que les filles étaient piquées au vif.

« Si tu trouves qu'elle a les cheveux trop crépus, pourquoi t'arrêtes pas de les toucher ? avait répliqué Lucy.

— J'essayais juste de les démêler un peu », avait-il répondu sans ciller, déclenchant de nouveaux rires aux dépens de Grace.

Mortifiée, elle s'était levée tant bien que mal mais avait marché sur l'ourlet de sa jupe, si bien que tout le monde avait vu sa culotte. Elle avait essuyé des larmes brûlantes sur ses joues, laissant une traînée de terre sur sa peau. Les garçons avaient ri de plus belle quand elle les avait bousculés pour passer, sa bande de copines sur les talons.

Ce soir-là, sa manière de tortiller sa fourchette dans son bol avait trahi son trouble, mais Maw Maw n'avait rien dit jusqu'à ce que Grace mette le coude sur la table et pose la tête dans sa paume.

« Qu'est-ce que tu as donc ?

— Hein ? »

Maw Maw était restée calme.

« Eh bien, avait-elle dit lentement, tu dois avoir quelque chose sur le cœur, car tu viens de mettre ton coude sur la table et de répondre “hein ?” à ta grand-mère. »

Grace avait vivement retiré son coude et posé la main sur ses genoux.

« Tu vas me dire ce que tu as, ou chipoter toute la nuit dans tes haricots ? »

Grace avait posé sa fourchette dans le bol et rentré le menton. Puis, enfin :

« Est-ce que papa et papi sont partis parce qu'ils trouvaient qu'on n'était pas belles ? »

Maw Maw avait failli en recracher ses haricots. Grace savait que sa grand-mère ne s'était pas attendue à parler de Sonny et d'Amos en s'asseyant à table, mais c'était sans doute une conversation à laquelle elle se préparait depuis longtemps. Une quasi-adolescente curieuse comme l'était Grace devait connaître l'histoire de son sang, même si ce n'était pas un conte de fées : ça, Maw Maw le savait bien, quoi qu'en pense sa fille.

« C'est pas en étant jolie qu'on garde un homme, avait-elle simplement répondu. J'en ai connu des tas qui étaient assez belles pour les avoir tous à leurs pieds, et elles en faisaient, des conquêtes. Mais c'est pas pour autant qu'ils restent.

— Alors qu'est-ce qui les fait rester ? avait bredouillé Grace.

— C'est pas la bonne question, ma grande. La question, c'est pourquoi ça ne dérange pas les hommes de faire des bébés et de s'en aller. Le seul début de réponse que j'ai, c'est que ce n'sont pas des hommes, c'est tout. »

En voyant Grace baisser le nez encore plus, Maw Maw avait compris qu'elle ne s'en tirerait pas en répondant à des questions par d'autres questions. Le temps était venu.

« Ton père, Sonny, il n'était pas bon à grand-chose, à part faire croire à ta mère qu'il était un type bien. Il l'a embobinée avec de belles promesses, comme quoi il allait se trouver une ferme avec assez de terres pour gagner sa vie, nourrir la famille et tout. Ta mère est tombée dans la gueule du loup. » Elle avait tchipé en secouant la tête. « Elle avait besoin de croire à ses mensonges pour faire ce qu'elle faisait toujours quand un homme se pointait avec de belles paroles et de belles promesses. Elle se retrouvait vite en train de faire la popote et de laver ses slips sales, puis de faire la popote et de laver les slips sales des autres, pendant qu'il dormait la moitié de la journée et passait ses nuits dehors. Mon Dieu, quand elle t'avait dans le ventre, j'ai cru qu'elle allait se briser. » Maw Maw s'était penchée en avant et avait remué sur sa chaise, comme si elle attendait un commentaire de Grace. Il n'y en avait pas eu. « Mais j'allais pas le laisser faire. Tu comprends, nous, les femmes Adams, on est trop fortes pour ça. On aime fort, comme toutes les femmes qui veulent fonder une famille, élever des enfants. Maïs notre amour, tu sais quoi ? On le réserve à ce qui compte. À *ceux* qui comptent. Et jamais un bonhomme qui sème les bébés mais qui refuse de faire ce qu'y faut pour les garder en vie n'a compté pour nous, par ici. C'est pour ça que ton père, il a dû partir. C'est pour ça que le père de ta maman a dû partir. C'est pour ça que mon père à moi, il a dû partir. C'était mieux pour moi. Et c'est mieux pour toi. »

Grace, qui ajoutait toujours des questions aux questions jusqu'à en avoir la tête farcie, ne disait toujours rien. La grand-mère, sachant que sa petite-fille n'était pas encore rassasiée, avait continué.

« Ça fait trois générations qu'on vit sans hommes pour nous dire quoi faire alors qu'on s'occupe de tout, dans cette maison qu'on a construite de nos mains. Personne pour prendre ce qu'est pas à lui, pas besoin de se rabaisser pour qu'un autre se sente plus grand, personne pour faire des promesses qu'il tiendra pas, personne pour mettre ses pattes là où y faut pas. Trois générations bien vécues, comme on l'a voulu. Je pense qu'on s'en sort pas trop mal. T'es pas d'accord ? »

Grace ne savait rien des promesses brisées par les hommes, et ignorait si la fuite de son père, de son grand-père et de son arrière-grand-père était la bonne solution pour réparer les foyers brisés ; elle ignorait si l'explication tiendrait à la longue. Si elle suffirait. Pour le moment, elle ne voulait pas réfléchir à ça. Ce qu'elle voulait savoir, c'était si elle connaîtrait un jour le genre d'amour où un garçon lui tirerait les cheveux parce qu'il la trouverait jolie.

Elle avait soupiré, inspiré profondément, puis donné dans un souffle la vraie raison de sa question.

« Isaiah m'a traitée de moche aujourd'hui. »

Maw Maw avait rentré le menton dans son cou, s'était adossée contre sa chaise et avait croisé les bras.

« Tu parles de ce petit m'as-tu-vu qui habite dans Clifton Street ? Celui dont la mère vend ses œufs à l'épicerie ?

— Oui, c'est ça.
— Isaiah qui a une voix de canard ?
— C'est ça. »

Maw Maw s'était penchée pour lui attraper le menton, lui avait relevé la tête et l'avait regardée au fond des yeux.

« Que je ne te reprenne jamais à te tourner les sangs pour un petit crasseux qui gaspille sa salive à dire des mensonges. » Elle avait repoussé une tresse égarée sur le front de Grace et passé la main sur sa joue. Son regard et sa caresse avaient suffi à ce que la jeune fille se sente écarlate. « Tu connais la vérité. Crois-y jusqu'au fond de tes os. »

Depuis ce moment-là, Maw Maw avait toujours activement veillé à ce que Grace accorde à sa valeur autant de considération qu'à son propre souffle. Et pourtant, ce même esprit qui permettait au souffle et à la considération d'exister se noyait à présent dans les conjectures : que devait-elle faire à ses cheveux pour que Dale la remarque ? À ses vêtements ? Y avait-il un parfum qui lui plaisait particulièrement ? Préférait-il les filles intelligentes ? Celles qui étaient cultivées, comme la tante Hattie et ses « demoiselles » ? Serait-il sensible au fait qu'elle pense toujours à déplier sa serviette sur ses genoux après le bénédicité mais avant de prendre sa fourchette, ou plutôt au fait qu'elle lui cuisine du poulet bien croustillant, ou à la quantité de beurre qu'elle mettrait dans la pâte pour que la croûte de ses tartes s'effeuille parfaitement ? Se formaliserait-il si, en dehors de sa mère et de Maw Maw, elle n'avait jamais embrassé que son oreiller ? Fallait-il qu'il sache que lorsqu'elle embrassait son oreiller, c'était à lui qu'elle pensait ? Et si elle s'offrait une de ces jolies robes trapèze, peut-être une jaune vif ? Princess en portait une la fois où le regard de Dale s'était attardé sur ses jambes pendant qu'elle gravissait le perron pour se rendre à un cours des « demoiselles »… Ses yeux s'attarderaient-ils aussi sur ses jambes à elle ? Melissa lui plaisait, à ce qu'il disait. Pourrait-elle lui plaire, elle aussi ?

« Tu comptes creuser un trou dans mon buffet avec ton chiffon, ou tu as l'intention de finir les poussières à un moment donné ? demanda la tante Hattie, interrompant son questionnement interne.

— Hein ? fit Grace, tout en le regrettant aussitôt.

— Qu'est-ce que je t'ai dit ? Si tu es capable de faire "hein ?", tu es capable d'entendre. Non mais vraiment, depuis que tu es là, la seule chose qui ait progressé chez toi, c'est ton appétit. Comment veux-tu aller à l'école et apprendre des leçons si tu es incapable de faire les choses les plus simples ici ? Les écoles du Sud ne valent pas tripette… »

Et elle parlait, elle parlait, encore et toujours… toujours sur ce ton, régulièrement, sautant sur la moindre occasion pour critiquer la manière dont Grace avait été élevée, sa structure familiale, son éducation, les choix de Bassey, les choix de Maw Maw. Leur humanité. Elle avait raconté à Grace des bribes de son histoire : elle vivait à Brooklyn depuis plus d'une décennie, s'étant élancée dans le courant de la Grande Migration pour ne pas sombrer comme elles dans la domesticité en Virginie. « Rien de ce qui existe sous le soleil de Dieu et dans ses océans ne pourrait me persuader de repasser le petit orteil de l'autre côté de la ligne Mason-Dixon », avait-elle dit un soir en regardant tour à tour le journal télévisé, dans lequel une communauté de Noirs dévots, bras dessus, bras dessous, se faisait renverser par des lances à incendie, et les ongles de ses orteils, sur lesquels Grace appliquait un vernis transparent. Hattie refusait même de sortir de Brooklyn. C'est dire si elle avait profondément planté ses racines, et elle n'avait pas de mots assez durs pour celles et ceux qui choisissaient activement d'être domestiques plutôt que professeurs, métayers plutôt que boutiquiers, ouvriers plutôt qu'agents d'assurances. Elle était arrivée dans ce quartier de Bedford-Stuyvesant la tête emplie de grands rêves semés dix ans auparavant, après qu'un jeune voisin, récemment rentré de la guerre avec une jambe en moins, lui avait raconté le jour où l'actrice glamour dont le beau visage enviable garnissait les casiers de pratiquement tous les soldats noirs s'était produite devant les « gars » en service actif de l'autre côté de l'Atlantique.

« Ahhh, cette Lena Horne, c'est quelque chose, avait-il dit avec un long sifflement. Paraît qu'elle a grandi dans la richesse à New York. Elle était déjà pleine aux as avant même d'avoir vu sa première scène. L'aristocratie noire !

— New York ! avait répondu Hattie avec regret. Elle venait d'une de ces belles maisons chics, hein ?

— Pour sûr. Je l'ai vue de mes yeux dans le magazine. On dirait un manoir, tout en brique. Prop' comme un sou neuf. Elle habite plus là-bas, maintenant : elle se la coule douce à Hollywood. Mais paraît qu'elle y retourne de temps en temps avec ses amis célèbres.

Imagine un peu ! Une bande de nèg' avec autant de beauté et autant de fric !

— Lena Horne, c'est pas une négresse, s'était-elle offusquée. Ces beaux cheveux, cette peau ! Cet argent… Cette famille… Elle mérite le nom de lady, et rien d'autre.

— Ouais, bon, sûr que c'est une lady, je reconnais. Quand elle était juste devant nous, là-bas en Allemagne, y avait pas de doute là-dessus ! »

Hattie n'avait pas entendu la suite : elle réfléchissait déjà à la manière dont elle irait à Brooklyn pour gagner sa petite part de Lena Horne. Son petit bout de liberté. Et quand elle y était enfin arrivée, une fois qu'elle avait eu son premier boulot, puis son affaire, puis son argent, et ensuite sa chance, puis sa maison, puis sa réputation et enfin son cercle, elle ne s'était plus jamais retournée, de peur de subir le sort de la femme de Loth : passer l'éternité à regarder derrière elle, maudite et figée. Ceux qui apportaient l'odeur fétide de la ségrégation sur leurs vêtements, dans leur haleine… elle n'en avait rien à faire, fussent-ils de son sang. Ils lui étaient aussi inutiles qu'une statue de sel.

« J'vais te dire une chose, et je vais te la dire de manière à bien me faire comprendre : débrouille-toi, fillette, lâcha-t-elle en reprenant, pour l'emphase et pour l'injure, l'accent du Sud qu'elle avait chassé aussi énergiquement que la boue sur ses semelles, aussitôt franchies les portes du Nord. Si tu veux rester ici, surtout avec moi, va falloir que tu voles de tes propres ailes, et vite. Les gens qui vivent ici, y sont malins. Ils iront loin, et moi aussi. Y n'ont pas de temps à perdre avec une gamine qui se contente d'obéir aux ordres.

Un-peu-de-respect-envers-toi-même ! » conclut-elle en tapant des mains entre chaque syllabe.

Ce bruit fit sursauter Grace ; elle se mordit la lèvre pour tâcher de ne pas pleurer, sachant que les larmes ne la protégeraient pas du mépris ni du dégoût de sa tante. Hattie était imperméable aux émotions.

« Allez, dépêche-toi de finir les poussières avant que mes demoiselles arrivent. Et quand tu auras fini, monte enfiler ma robe, celle avec la rayure blanche sur le devant. J'ai besoin que tu fasses une livraison chez les Spencer, et Dieu sait que je te laisserai pas à la porte de cette femme fagotée comme si tu sortais d'un wagon de marchandises. »

Grace resta clouée sur place, mais sa tête était en proie à des calculs frénétiques. Sa tante lui disait de se faire belle pour aller frapper chez la mère de Dale. Où Dale serait présent. Où elle avait une chance de le revoir, peut-être même de lui parler. Où le garçon qui occupait entièrement ses pensées pourrait bien poser sur elle un regard entièrement neuf.

« Tu m'entends, ma fille ? brailla Hattie, tapant encore dans ses mains. Remue-toi donc un peu et finis ton ménage, pour pouvoir porter ce carton d'affichettes chez les Spencer ! »

La voix la fit passer à l'action, mais dans sa tête, elle calculait toujours.

« Mais que tu es jolie », dit Mme Spencer en la toisant de ses chaussures à son accroche-cœur. Grace, à la porte, vacillait sous le poids du carton de programmes pour le bal des débutantes. Mais surtout, elle priait pour que la femme, tirée à quatre épingles, soit trop éblouie par les boucles parfaites sur ses tempes et par la hauteur et la symétrie de son chignon afro pour remarquer que ses petits pieds flottaient dans les chaussures empruntées à la tante Hattie – bien moins râpées, moins usées, moins péquenaudes que les siennes. Son instinct lui hurlait de s'incliner, de faire la révérence ou autre chose de chic pour saluer la femme élégante, qui s'habillait en dimanche même un mardi, chez elle, où il n'y avait sans doute que son mari et son fils pour la voir et donc la juger. Mais elle restait plantée là, godiche et fascinée, sans savoir que dire ni que faire à part un sourire de travers. « Entre donc, suggéra Mme Spencer en s'écartant pour lui tenir la porte. Dieu du ciel, cette boîte a l'air lourde. Dale ! Viens, s'il te plaît ! »

Une seconde et une éternité plus tard, Dale était là, apparu comme par magie devant elle, les yeux rivés dans les siens pour une danse muette. Mais Grace ne le voyait pas, en tout cas pas en cet instant. Elle avait des visions fugaces : Dale la regardant comme s'il pouvait voir jusqu'au fond de son âme, Dale touchant sa joue, ses lèvres sur les siennes, tous deux riant de ce qui n'était drôle que pour eux, Dale la touchant encore, un éclat de lumière vive, si vive, si vive et pleine de passion et de joie qu'il était le soleil levant.

« Donne, je m'en occupe », dit-il en lui prenant sans effort le lourd carton des mains.

Sa voix et l'action dissipèrent le cinéma intérieur de Grace.

« Je ne comprends pas pourquoi Hattie ne m'a pas simplement appelée, lâcha Mme Spencer. J'aurais pu envoyer Dale les chercher, ces programmes. C'est bien trop lourd pour qu'une jeune demoiselle les porte sur deux pâtés de maison. C'est gentil de ta part, ma belle.

— Euh… merci, madame », répondit Grace, choisissant ses mots avec soin pour prononcer exactement ceux qu'il fallait, fidèle au conseil de sa tante lui disant de ravaler son accent campagnard devant cette femme qu'elle, Hattie, vénérait pour tout ce qu'elle était, tout ce qu'elle-même aurait voulu être. Admirée. Entourée. Importante. Grande.

« Veux-tu boire quelque chose de frais ?

— Non, merci. Il faut que je rentre.

— Attends un instant. » Mme Spencer se tut et regarda dans le vague, comme si elle appelait à elle le souvenir de ce qu'elle avait à faire. « Il faut que j'envoie mon grand faitout à ta tante. Elle a proposé de préparer le ragoût pour le dîner du cotillon, mais je suis sûre qu'elle n'en a pas d'assez grand pour le monde que nous attendons. Tu veux bien le prendre avec toi ? Ce serait adorable.

— Oui, madame.

— Dale, chéri, pose les programmes dans le bureau de ton père et va chercher mon faitout. Celui dans lequel ta grand-mère faisait le gumbo.

— D'accord, m'man », dit-il avant de disparaître dans le fond de la maison. Grace resta plantée à côté de la porte tandis que Mme Spencer regardait encore dans le vague, son silence s'installant au-dessus de la tête de Grace comme un nuage gris, chargé d'une pluie d'orage. Dale réapparut peu après avec le pot et son couvercle. « Tu sais quoi ? C'est lourd, ce truc, observa-t-il. Je pourrais le porter jusque chez Mme Adams, pour épargner ça à Grace. »

Il s'adressait à sa mère, mais ses yeux avaient une tout autre conversation avec ceux de Grace.

« Ah, tiens, oui, ce n'est pas une mauvaise idée. » Mme Spencer semblait prendre note de l'énergie qui passait entre son fils et la petite rustaude crépue aux chaussures trop grandes, boudinée dans une robe qui n'était pas à elle, tirée d'une armoire qui n'était pas non plus la sienne, dans une maison à des centaines de *miles* de la bicoque d'où elle avait fui, à tout juste deux rues de son fils unique. Un beau garçon intelligent, à la tête bien faite et bien pleine, qui allait entrer au Morehouse College, l'université des intellectuels noirs les plus prestigieux de leur génération, et qui n'avait pas de temps à perdre avec une péquenaude poussiéreuse pas même bonne à lui faire couler son bain. « Ne traîne pas, Dale, lâcha-t-elle enfin. J'aurai besoin que tu me fasses une course en rentrant.

— Ça roule.

— Ça quoi ? le reprit-elle, le sourcil froncé.

— Je voulais dire : oui, maman, je me dépêche », répondit-il, adoptant le parler plus châtié que sa mère voulait clairement lui faire employer pour impressionner les visiteurs – ou pour leur donner un bon coup de massue quand elle avait besoin de faire comprendre ou de rappeler à tous que la famille Spencer était de La Nouvelle-Orléans, d'une bonne souche non souillée par l'esclavage bétailler et son emprise sur les lignées jaillies des champs et de ceux qui les surveillaient. Cela lui accordait un standing particulier, un luxe auquel elle prenait grand plaisir. Le standing réservé aux gens comme elle.

Mme Spencer s'approcha de la porte et la tint ouverte pour son fils, mais sans jamais détourner les yeux de Grace, qui les sentit forer un trou au milieu de son front. Elle balbutia un « au revoir » et se fit toute petite en passant à côté de la maîtresse de maison, manquant trébucher en sortant derrière Dale, qui semblait ne rien percevoir. Elle dévala le perron et se replia sur elle-même, marchant plusieurs pas en arrière, se sentant parfaitement ridicule. Elle sursauta légèrement lorsque la porte claqua dans son dos. Elle s'obligea à ne pas se retourner.

« Alors, tu vas au cotillon ? » lui demanda Dale.

Ces mots vinrent dissiper son silence, mais pas sa honte.

« Hein ? fit-elle distraitement avant de se ressaisir. Pardon, tu disais ? »

Il ralentit pour qu'elle puisse le rattraper.

« Le cotillon. Je sais que tu n'es pas dedans : je t'aurais vue aux répétitions. Au moins, toutes ces heures passées dans la salle de réception en auraient un peu valu la peine », dit-il en pivotant pour la regarder en face.

Occupée comme elle l'était à crisper ses orteils dans les chaussures de la tante Hattie pour les empêcher de claquer contre le trottoir, elle ne savait comment recevoir ses compliments : celui qui venait de sa bouche, et celui qui se devinait dans son regard brillant.

Elle resta muette.

« Enfin bref, continua-t-il sans se démonter. Tu ne rates pas grand-chose à rester chez toi. Les cotillons, c'est une forme de torture que je ne souhaite à personne.

— C'est quoi, un cotillon ? finit-elle par demander.

— Ahhh ! Elle parle ! fit Dale, radieux comme dans les visions qu'elle avait eues. Je pourrais avoir un petit sourire en coin pour aller avec ? »

La timidité lui fit baisser la tête encore un peu plus, mais son cœur… ce fut lui qui fit naître le sourire réclamé par Dale. Elle extirpa quelques mots de sa gorge :

« C'est une soirée chic ? »

Dale tchipa.

« C'est de la torture. »

Grace regarda de nouveau vers lui, perplexe cette fois. Il donna spontanément les explications.

« Tous les ans, les femmes de l'antenne de Bed-Stuy de la Ligue des femmes noires forcent leurs enfants à enfiler des tenues qui piquent et des chaussures trop serrées, et à se produire comme des petits singes devant les familles, les amis, la communauté et tous ceux qui se fendent d'un billet. Elles disent que c'est pour lever des fonds pour des bourses d'études, mais nous, les jeunes, on sait bien que c'est juste pour nous donner en spectacle.

— Donc vous avez la chance d'aller à une soirée de gala pour que vos parents montrent comme ils sont fiers de vous ? »

Cette fois, ce fut Dale qui parut perplexe.

« Enfin, ce n'est pas tout à fait ça…

— Je dois dire que je ne comprends pas vraiment…

— C'est nul, tu vois, avec tout ce qui se passe dans le monde. Les Noirs vivent un enfer, se font mordre par des chiens, cracher dessus, chasser à la lance à eau parce qu'ils ont des revendications basiques. Enfin quoi, des bébés se font massacrer dans les églises ! Des Noirs sont tués devant chez eux, sous les yeux de leurs enfants. Ils ont tué le Dr King ! Bobby Kennedy vient d'être enterré, pour avoir osé nous aider ! » s'emporta Dale, de plus en plus échauffé. Il fit volte-face et marcha à reculons, de manière à continuer de la regarder en parlant. « Et ici même, à Brooklyn, il se passe la même chose… »

Grace en resta interdite.

« La même chose ?

— Un peu, oui ! Les écoles sont ségréguées, les flics matraquent nos frères à la moindre occasion. On ne peut pas aller où on veut.

— Tu peux aller au lycée, apprendre des choses, rentrer chez toi faire tes devoirs…

— Et ça sert à quoi, si les profs blancs ne nous traitent pas comme les élèves blancs ? Ou… ou… ou si les deux toilettes qu'il y a pour mille élèves sont hors service ? Ou si les livres dans les écoles noires tombent en morceaux pendant que, dans les écoles des Blancs, ils en ont des neufs tous les ans ?

— Alors tu voudrais aller là-bas, avec les Blancs ?

— Mais enfin, Grace, la question n'est pas d'être en classe avec des Blancs. C'est d'avoir accès aux mêmes choses qu'eux. D'être traités pareil.

— Et tu penses que tes parents ne veulent pas de ça pour toi ?

— Je pense que nos parents ne savent rien de ce qui se passe réellement, parce qu'ils ne sont plus dans le Sud. Au lieu de descendre dans la rue pour aider notre peuple, ils nous font faire les marioles, en bons oncles Tom. “On est juste contents d'êt' là, m'sieur !” » ajouta-t-il en imitant l'accent du Sud.

Grace le regarda fixement sans rien dire. Son silence, elle le savait, fit rapidement comprendre à Dale à quel point sa moquerie était insultante.

« Pardon… Ce n'est pas ce que je voulais dire…

— Alors qu'est-ce que tu voulais dire ?

— Que certains d'entre nous veulent accomplir plus pour notre peuple que se pointer à des soirées mondaines en faisant comme si le monde n'était pas en feu autour de nous.

— Mais si participer à cette soirée mondaine permet à quelqu'un d'aller à l'école, pourquoi ça serait mal ? »

Dale se retourna et repartit en avant, comme s'il réfléchissait intensément à la question.

« Bon, dit-il enfin, quel est l'intérêt d'aller en cours si les gens comme nous ne peuvent rien faire de ce qu'ils apprennent ? Quel est l'intérêt d'une éducation s'il n'y a pas d'égalité ? Et même si on reçoit une bonne éducation, qu'est-ce que ça nous apporte si c'est pour finir concierge ?

— Quel mal il y a à être concierge ? »

Grace sentait ses joues chauffer à mesure que sa déception, face à ce garçon avec qui elle avait vu en rêve une vie entière, effaçait lentement les belles images qui lui avaient permis de construire une muraille autour des laides : l'emprisonnement de Maw Maw, la mort de sa mère, sa nostalgie d'un foyer.

« Mince, je ne voulais pas… Je… » Dale commençait et s'interrompait, visiblement tiraillé entre la prudence et la volonté d'être précis. Il était contrarié de ne pas trouver les mots justes. Il appréciait, en revanche, que cette humble fille du Sud, aux chaussures trop grandes mais à la repartie rapide, le mette sur le gril. « Écoute, ce n'est pas ce que je voulais dire. On peut repartir de zéro ? » Il se persuada que le silence de Grace voulait dire oui. « Tout ce que je dis, c'est que ce qui arrive à notre peuple ne concerne pas seulement le Sud. Ça concerne tous les Noirs, où qu'on soit. On devrait se battre pour la liberté ici même, à Brooklyn, comme ils le font là-bas.

— Qu'est-ce que tu connais du Sud ? le moucha Grace. À part ce que tu en vois à la télé ?

— Je sais que la ségrégation tue.

— Et c'est tout ?

— Je sais que ça se passe ici aussi, et que partout où ça arrive, on a la responsabilité de protester.

— Tu penses que, parce qu'un Blanc te regarde de travers dans le métro le matin, c'est aussi dur à Brooklyn qu'en Virginie ? En Caroline du Sud ? En Louisiane ? Dans le Mississippi ? Dans l'Ala…

— Mais tu ne comprends pas, Grace ? Je ne te parle pas de regards de travers. Le problème c'est la ségrégation effective, même quand elle n'est pas dans la loi, et le manque d'opportunités pour les Noirs, où qu'ils soient.

— Toi, tu vas dans un bon lycée. Tu vis dans une belle maison et tu vas à des fêtes super-chics dans tes beaux vêtements. Ton père et ta mère vivent avec toi dans ta belle maison. Et d'ici deux mois, tu seras dans une bonne fac pour faire tes études, qui te serviront à aider les autres. Les nôtres. Faire tout ce que tu veux. » Grace s'arrêta devant le perron de sa tante. Elle se haussa vers Dale et lui dit entre ses dents serrées : « Tu ne sais rien du Sud. »

Hattie était à la porte lorsque Grace, traînant ses semelles trop larges, arriva en haut des marches. Elle fut tentée de passer sans rien dire, mais eut la sagesse de se raviser ; elle s'arrêta devant le corps sec de sa tante, les yeux rivés sur le rang de perles autour de son cou. Plusieurs fois, elle s'était autorisée à imaginer, juste un instant, ce que ça ferait de les serrer – les perles et la gorge qu'elles ornaient – entre ses mains nues.

« Dale ! Ta mère m'envoie son faitout, c'est parfait ! » lança Hattie.

Sa voix exprimait la joie, sa tête un mélange d'inquiétude et de « Qu'est-ce que Grace a encore fait ? »

Dale eut un sourire forcé.

« Oui, madame. Elle m'a dit que vous alliez préparer votre fameux gumbo, et comme Grace passait chez nous, elle a pensé à vous le faire parvenir. Je ne voulais pas laisser Grace le porter. C'est un peu lourd.

— Décidément, quel gentleman ! se rengorgea Hattie en s'écartant et en faisant signe à Grace de passer. Tu n'as qu'à l'apporter à l'intérieur. Pose-le donc sur la table de la salle à manger.

— Oui, madame. »

Il gravit le perron au pas de course, heureux de cette chance d'apercevoir Grace encore une fois avant de rentrer chez lui. Quelque part entre les avenues Lafayette et DeKalb, il était tombé amoureux de cette fille du Sud aussi belle que passionnée. Elle n'était pas comme les filles du cotillon. Non, elle, c'était autre chose. Il avait bien l'intention de voir quoi, au juste.

# 7

Il y avait du tulle, du satin et de la dentelle, de longs gants montant jusqu'aux coudes, et beaucoup de rangs de perles sortis des boîtes à bijoux et des mouchoirs de fières grands-mères ; les filles chuchotaient et riaient doucement dans les coins en s'entraînant à la révérence et en valsant dans le vide. Elles veillaient à ne pas déranger les accroche-cœurs et les boucles délicates façonnées au fer, lissées et coiffées tels de sculpturaux monuments à la gloire des mères – ces femmes qui, la veille au soir encore, juchaient leurs filles sur de gros livres, des oreillers entre les genoux, pour manier avec amour des peignes chauffés à blanc sur des oreilles roussies et des nuques hirsutes. Les filles suivaient tant les encouragements que les avertissements : une demoiselle de la bonne société se montre délicate et réservée. *Ce soir, n'oublie pas qui tu es. Songe bien à ce que tu n'es pas.*

Grace trouvait le brouhaha ambiant presque insoutenable. Arrachée à un samedi soir tranquille qu'elle se faisait une joie de passer seule sur les marches de la *brownstone*, préservée pour une fois de la langue acérée et des exigences sans fin de Hattie, elle se retrouvait au sous-sol du YMCA pour personnes de couleur de Fort Greene, où sa tante l'avait convoquée pour lui faire « apprendre un peu quelque chose sur la grâce et la classe » en aidant les filles à se préparer pour le cotillon. Comme si Hattie leur avait spécifiquement appris à exploiter Grace telle une mule au printemps, les filles – vingt-cinq en tout, issues des familles de couleur aisées du quart nord-ouest de Brooklyn – avaient vite pris le pli de la houspiller sans relâche. « Ajuste ma robe. » « Aide-moi à enfiler mes chaussures. » « Cours me chercher un collant de rechange : le mien est filé. » « Épingle ma boucle ici, elle est mal placée. » « Rajuste mes fleurs de corsage – et sans me piquer comme tu as fait à Cassandra. » « Tu vas aller chercher de l'eau pour tout le monde, oui ? Tu crois que Barbara est la seule à avoir soif ? »

Grace aurait voulu être ailleurs, n'importe où plutôt que parmi ces pimbêches, qui trouvaient le moyen de se montrer encore plus odieuses que chez la tante Hattie, quand elles venaient pour leur cours de maintien. Elle entendait des bribes de ses leçons lorsqu'elle servait les repas, déplaçait les meubles pour leurs répétitions de danse ou rangeait pendant qu'elles notaient leurs devoirs et promettaient de « se dépasser physiquement, mentalement et dans le service aux autres », leur devise. Mais elle ne se rappelait pas avoir entendu dire que plus elles étaient jolies, plus il fallait être méchantes. Et pourtant.

Elle était devenue experte dans l'art de se rendre invisible. C'est ainsi qu'elles l'appréciaient. C'était aussi ce qu'elle préférait. Plus grande, plus voyante, plus tapageuse, elle aurait attiré l'attention, et pas le genre d'attention qu'on a intérêt à s'attirer dans cette clique qui vous étripait et vous dévorait pour le plaisir. Il n'y avait pas une chaussure, un vêtement, une coiffure, une école, un statut social, une histoire familiale qui soit à l'abri face à ces filles-là, et donc se replier sur soi-même, n'être ni vue ni entendue, était le seul salut pour quelqu'un qui avait la stature et les origines de Grace. Elles l'avaient fait très clairement comprendre. Grace s'y pliait sans problème.

Dale, lui, s'en offusquait. « Pourquoi tu te laisses traiter comme ça ? » avait-il demandé à Grace un soir où elle était assise sur le perron, sous le coq, à regarder le soleil descendre lentement dans le ciel. C'était là qu'il la trouvait d'ordinaire, les pieds remontés sous ses genoux, les coudes poussiéreux, égratignés et piqués par les gravillons qui s'enfonçaient dans sa peau lorsqu'elle s'accoudait aux marches en ciment derrière elle. Il arrivait l'air de rien, des livres, un ballon de basket ou autre chose entre les mains. Elle savait bien qu'il faisait un détour pour tomber sur la fille qui, lorsqu'il était seul avec ses pensées, était aussi colorée que les traînées rose et orange dans le sillage du soleil. Ce soir-là en particulier, elle était plus stoïque que d'habitude, plus muette que ce à quoi il s'était accoutumé. Lorsqu'ils étaient seuls sur les marches et qu'il n'y avait personne pour la houspiller et lui donner des ordres, Grace était intéressante et introspective, réfléchie. Vivante. Exactement comme dans ses rêves à lui.

Elle avait agité la main et tchipé, un geste indiquant clairement son avis sur la question avant même qu'elle prenne la peine de prononcer les mots.

« Je ne veux rien savoir de ces filles, Dale », avait-elle dit en fronçant les sourcils.

Elle avait senti qu'elle parlait comme une vieille matrone du Sud, plus sage que ses quinze ans.

Plus mûre, en tout cas, que les pipelettes du cotillon, avait pensé Dale. Il lui trouvait de la profondeur. Il adorait ça chez elle ; elle lui donnait du fil à retordre, et ça ne le dérangeait pas. Pas le moins du monde.

« Elles recrachent mon gruau de maïs, et alors ? C'est elles qui ont faim toute la journée après, avait-elle ajouté avec un haussement d'épaules.

— Mais c'est vrai que Melissa a jeté le sien par terre ? »

Elle s'était détournée du couchant pour le regarder.

« Comment tu sais ça, toi ? »

Elle s'efforçait de ne pas faire ça trop souvent – le regarder dans les yeux. De peur qu'il y lise qu'elle avait eu une vision de l'éternité avec lui. De peur que lui, de son côté, n'ait pas cette vision – ou n'en veuille pas – et qu'il la prive de son unique petit plaisir depuis son arrivée à Brooklyn : le voir sourire, appuyé à la rampe, le couchant dessinant un halo – une auréole – autour de sa tête.

Il avait soufflé par le nez.

« Tout se sait, par ici.

— Elles ne me connaissent pas.

— Oublie-les. Moi, j'aimerais apprendre à te connaître, vraiment », avait-il affirmé en s'asseyant une marche en dessous d'elle.

Quelque chose dans la manière dont il la regardait – le visage tourné vers le haut, les yeux souriants, sincères – avait mis Grace à l'aise tout en faisant palpiter son cœur. Elle avait souri, puis levé de nouveau les yeux vers le ciel.

« Les couchers de soleil de chez moi me manquent. C'est pas aussi beau, ici. Il y a les immeubles qui gênent, et les lampadaires qui ternissent les couleurs. » Elle s'était tue un instant avant de continuer. « À la maison, Maw Maw et moi, on les regardait tous les soirs. Parfois on jouait à un jeu : on regardait le soleil, on fermait les yeux, on comptait jusqu'à dix et on les rouvrait. On voyait quelque chose de nouveau.

— Un souvenir vraiment précieux. »

À l'insu de Grace, Dale avait joué à son jeu : il avait fermé les yeux et compté. Quand il les avait rouverts, elle était le levant et le couchant, l'étoile et la lune. Une galaxie qui l'emmenait loin du soleil brûlant de Brooklyn.

« Elle me manque. Et ma mère aussi. Les gens ne peuvent plus me faire aussi mal que quand elles sont parties, tu sais. Melissa, la tante Hattie, toutes ces filles qui sont horribles avec moi. J'ai l'habitude.

— Ce n'est pas une chose à laquelle il faut s'habituer », avait dit Dale en chuchotant presque.

Grace avait gardé le silence. Puis :

« L'eau me manque. La poussière sous mes pieds et la sensation de l'herbe sur mes orteils. Même les serpents… Eux aussi, ils me manquent. Les petits verts. Ils aident. Les serpents d'ici, à Brooklyn ? Ils vous tuent si on les laisse faire. Je le sais, maintenant.

— Ne laisse pas ces filles te maltraiter, Gracie. »

Il avait prononcé son prénom comme si c'était du miel sur sa langue.

Elle s'était de nouveau tournée vers lui.

« Qu'est-ce que ça peut te faire, à toi ?

— Je tiens à ce que tu saches que je ne suis pas comme elles. »

Grace avait retenu son souffle, pour faire en sorte que le temps et l'espace s'arrêtent. Il la regardait d'en bas, avec émerveillement et désir, comme le Dale de ses rêves diurnes. Son cœur avait eu du mal à garder son rythme.

« Et pourquoi tu y tiens ?

— Parce que tu comptes pour moi, Grace, exactement telle que tu es, avait-il dit simplement, rapidement. Et que je veux compter pour toi. »

Le cœur de Grace s'était épanoui tandis que le dernier rayon de ce soleil d'été flottait dans les yeux du garçon.

C'est pourquoi, aussitôt qu'elle entendit prononcer le nom de Dale au cotillon, elle devint un éléphant : tout en oreilles, et prête à charger.

« Ils ont répété ensemble et tout. Je comprends qu'elle soit dans tous ses états, disait l'une des filles, assise sur une banquette, les chevilles chastement croisées.

— Tu imagines, tout ce boulot pour qu'à la fin ton cavalier te pose un lapin ? renchérit une autre en regardant ses amies tour à tour afin de récolter leurs hochements de tête approbateurs.

— Dale m'étonne, pour tout dire, ajouta encore une autre. Il a été élevé mieux que ça. Sa mère, c'est pratiquement la famille royale. Ça ne se fait pas, de planter une jeune fille le soir de son cotillon.

— Et d'ailleurs, où est-elle, Melissa ? » s'interrogea la première.

Tandis que les filles haussaient les épaules en feignant l'inquiétude, Grace se glissa discrètement dans la bibliothèque, où les mères anxieuses mettaient les touches finales au programme de la soirée. La mère de Dale présidait le comité ; quelque chose disait à Grace que la rumeur qui courait en bas trouverait son explication ici. Lorsqu'elle entra, la tempête faisait rage.

« Mais où peut-il bien être ? » s'impatientait Mme Spencer.

Sa robe de soirée, une exquise petite chose noire, moulante et sans bretelles, avec une traîne attachée juste en dessous de ses délicates omoplates, se souleva comme une cape lorsqu'elle se précipita vers le canapé chesterfield et se jeta quasiment en vrille sur le rembourrage glissant.

« Il va arriver », prédit Ellen, la mère de Melissa.

Une affirmation optimiste, mais qui glissa tièdement sur sa langue. Personne dans la pièce ne savait que penser de la disparition de Dale, même si certaines soupçonnaient que le fils de Lucinda Spencer, l'enfant-roi de Bedford-Stuyvesant qui, depuis des années, se lamentait d'être paradé contre son gré au motif que la réputation de la famille l'exigeait, avait simplement décidé de leur fausser compagnie – et au diable les conséquences.

Mme Spencer se tordait les mains tandis que les autres mères interprétaient une symphonie de désarroi factice : elles lui frottaient les épaules, lui tapotaient les genoux et tchipaient avec réprobation en échangeant des coups d'œil entendus, toutes sachant évidemment ce qu'il en était des garçons de dix-sept ans et des mères qui les portaient aux nues.

« Et si on vous apportait un peu d'eau ? suggéra l'une d'elles, une main sur son bras, en pivotant le torse vers les quatre points cardinaux comme si un verre pouvait apparaître par magie. De l'eau ? Quelqu'un ? »

Ses yeux finirent par se poser sur une domestique qui, bien que chargée de la tâche intense de satisfaire tous les caprices du comité de planification, était collée à l'écran du petit téléviseur en noir et blanc installé dans un recoin de la bibliothèque (un cadeau glané quelques années auparavant dans un gala de bienfaisance de la Ligue des femmes noires). À l'évidence, ni elle ni le valet chargé de plier les serviettes et de les poser bien droit sur les assiettes n'avaient conscience de la salle pleine d'yeux rageurs, quoique délicatement fardés, qui leur transperçaient maintenant le dos.

« Tu sais qu'y vont continuer de tuer des Noirs tout l'été, dit le valet en croisant les bras sur sa poitrine.

— C'est ben vrai, renchérit sa collègue en secouant la tête, hypnotisée par ce qu'elle voyait à l'écran. Ils auraient pu leur enlever les flingues après ce qui est arrivé au Dr King. Ça fait à peine deux mois, et v'là les flics qui remettent ça. Y seront pas contents tant qu'ils auront pas démoli toute la ville jusqu'à la dernière brique. »

Grace tordit le cou pour essayer de comprendre ce qui se passait à la télé. Un picotement dans le bout de ses doigts – sensation qu'elle n'avait plus jamais eue depuis qu'elle avait laissé derrière elle la Virginie et Maw Maw – lui indiquait que l'absence de Dale, d'une manière ou d'une autre, était liée à cette affaire. Comme les deux corps plantés devant l'écran lui bouchaient la vue, elle les contourna en se faufilant pour constater par elle-même ce qu'elle avait déjà compris dans la moelle de ses os : Bed-Stuy brûlait. Dale était en danger.

« Tu ferais bien d'aller le trouver », lui dit la domestique sans quitter l'écran des yeux.

Grace tourna vivement la tête vers cette voix : c'était la femme qui nettoyait le perron d'à côté le jour où il y avait eu un halo dans le ciel. Celle-ci la regarda et lâcha un ordre qui la fit frémir de tout son être :

« Va le chercher. Tout de suite.

— Mais je ne sais pas où… »

La femme prit ses deux mains dans les siennes. Ensemble, elles regardèrent le même film intérieur : Dale dans la tourmente d'une foule assoiffée de sang, les traits déformés par la rage autant que par la peur.

Grace retira ses mains comme si elle avait touché du feu.

« Comment avez-vous…

— Je n'ai rien fait qui ne soit déjà en toi, répondit la femme à voix basse. Fais ce que tu sais faire et va chercher ce garçon tout de suite.

— Qui êtes-vous ? Comment vous appelez-vous ?

— Je suis Miss Ada Mae. » L'accent campagnard de cette femme était un baume, comme le jour de leur rencontre sous l'arc-en-ciel. « On est des âmes sœurs. Je t'ai sentie avant de te connaître. Allez, file, vite ! »

Hattie fit irruption dans leur espace comme un taureau furieux.

« On ne vous paie pas à vous prélasser devant la télévision ! » brailla-t-elle d'une voix stridente qui fit sursauter Grace, Ada et le serviteur, lequel était jusque-là resté totalement inconscient de ce qui se passait autour de lui.

Grace, de nouveau petite, sortit à reculons et disparut dans le couloir pour s'enfoncer dans la nuit. Dale avait besoin d'elle. Il fallait qu'elle soit là pour lui.

Il était brisé et courbé – trop faible, même, pour franchir le portillon de la *brownstone*, qui, si superbe soit-il, exigeait quand même force et finesse pour soulever et tirer son loquet. Et donc, Dale s'effondra sur place, accroché par l'aisselle aux angles aigus du fer forgé, une main couverte de sang séché et crispée sur la cuisse qui, un quart d'heure plus tôt, avait rencontré la matraque de l'agent de police Mike Humbert. Dale, ayant réussi à produire suffisamment d'adrénaline pour échapper au flic juste au moment où la foule déchaînée s'avançait et lançait un barrage de cocktails Molotov contre le magasin Wilson's Goods and Sundries, avait eu de la chance de pouvoir fuir dans le capharnaüm ambiant, mais il savait qu'il devait rentrer chez lui, à l'intérieur, à l'abri des regards inquisiteurs, à l'abri des voitures de police qui filaient, à l'abri du regard des petits Blancs terrifiés, prompts à pointer du doigt tous les Noirs qu'ils voyaient. Leurs magasins brûlaient ; leurs marchandises avaient des jambes et s'enfuyaient vers les rues Lexington et Quincy, Kosciuszko et Lafayette. Nègres ingrats, tous autant qu'ils étaient. Déjà, ils calculaient et exigeaient : quelqu'un devrait payer, et la rançon clignoterait sûrement comme une enseigne au néon au-dessus du pauvre bougre plié en deux qui saignait devant le portail de ses parents.

« Dale ! cria Grace en se ruant vers lui pour aussitôt s'efforcer de soulever le loquet de fer. Oh Seigneur ! Oh Seigneur ! » Sans écouter ses gémissements, elle se glissa prestement sous son épaule pour soutenir son corps mince mais dense et musclé. « Tiens-toi à moi. Faut que j'arrive à ouvrir ce portillon », dit-elle, les doigts crispés sur le loquet.

Enfin, elle souleva et tira, franchit l'obstacle avec sa charge, et puisa en elle la force de devenir le socle dont Dale avait besoin pour négocier chacune des seize marches qui menaient à la porte.

Une fois à l'intérieur, elle le laissa tomber sur le canapé et courut à la cuisine lui chercher un verre d'eau froide. Elle farfouilla dans les tiroirs à la recherche d'un torchon qu'elle mouilla, puis se précipita de nouveau vers le garçon qui s'était étendu en travers du canapé, la main toujours serrée sur sa jambe.

« Je crois qu'il me l'a cassée, dit-il avec une grimace tandis qu'elle lui tamponnait le front.

— Quoi ? Qui t'a fait ça, Dale ?

— Ces foutus flics ! Ils abattent les Noirs comme des chiens en pleine rue, et ils voudraient qu'on encaisse sans bouger !

— De quoi tu parles ? J'y comprends rien », gémit Grace.

Chaque fois qu'elle frôlait sa peau, elle ressentait sa colère, son mal-être, et elle partageait son sentiment d'impuissance.

« Je te l'avais dit ! Je te l'avais dit, Grace ! Ça va mal, ici. Ils ont fait croire à tout le monde que le problème, c'était le Sud, et qu'à New York on s'entendait tous. Mais c'est faux. Les Blancs d'ici ne valent pas mieux. Ils nous jettent des pierres à la tête, puis se cachent les mains et font chanter la paix et l'harmonie au monde entier. Mais on n'est pas dupes. Ce sont les pires. Les pires !

— Je ne comprends pas, Dale. Dis-moi ce qui s'est passé !

— T'as pas vu la nouvelle ?

— Quelle nouvelle ?

— La nouvelle !

— Tu vas me donner une crise cardiaque à me crier comme ça dans la figure ! Dis-moi ce qui s'est passé, c'est tout !

— Ils l'ont descendu. Comme ça, comme si ce n'était rien. Comme s'il n'était rien. Pour un soda qui ne valait pas vingt-cinq cents. »

Grace se sentit chanceler.

« Qui a descendu qui ?

— Darnell. Mon ami, mon frère. On était copains de classe depuis toujours. C'est un gamin. C'était. Comme nous tous. Et les flics l'ont descendu parce que Wilson l'accusait d'avoir volé un soda.

— Il est… il est… mort ? »

La manière dont Dale laissa retomber sa tête la fit frissonner jusqu'aux os. Elle resta muette. Elle se tordait les mains, se frottait les avant-bras ; la douleur de Dale était la sienne. Encore un flirt avec la mort qui l'entraînait dans les ténèbres. Dale, voyant ses mains trembler, les prit dans les siennes et les caressa doucement. Tous deux restèrent assis en silence jusqu'à ce que leurs cœurs aient fini leur course folle.

Enfin, Grace :

« T'étais là ? Quand c'est arrivé ?

— Non, je n'y étais pas. Mais mon copain Roger, oui. Il m'a dit que Darnell avait soif, c'est tout. Alors il a ouvert le soda et l'a bu devant la glacière tu vois, pour se rafraîchir. Mais il avait l'argent en poche. » Les larmes de Dale trouvèrent leur chemin jusqu'à ses yeux, puis ses joues, puis son menton et son cou. « Il allait payer. D'après Roger, il a mis la main dans sa poche pour prendre l'argent, mais Wilson s'est mis à brailler et à hurler. C'est là que le flic est entré et l'a buté. » Dale se cognait la tête avec ses poings fermés, chacun de ses coups faisant tressaillir Grace comme si elle les recevait aussi. « Il se foutait que quelqu'un se prenne une balle perdue. Il a juste tiré dans le tas, et quand il a terminé, Darnell était… il était…

— Mais je ne comprends pas comment tu t'es fait tabasser si tu n'y étais pas.

— Grace ! Ouvre les yeux ! À force de renifler derrière tous ces gens de la haute, tu ne vois même plus ce qui se passe autour de toi ?

— J'en ai su assez pour venir te chercher !

— Comment… comment tu as fait ? »

Grace hésita, calculant combien d'explications elle devrait donner pour calmer la peur et le jugement qui lui tomberaient dessus si jamais elle parlait du film que lui avaient montré les mains de Miss Ada Mae. Elle-même n'avait pas encore eu le temps de digérer ce qu'il s'était passé : le retour soudain de ce don qui s'était envolé depuis qu'on lui avait enlevé sa Maw Maw, le fait qu'elle ait pu voir avec Miss Ada Mae… Et qui était cette femme, d'ailleurs ? Elle décida de faire simple :

« Une dame, au cotillon, m'a dit que tu étais en danger.

— Quelle dame ?

— Elle s'appelle Miss Mae. »

Dale plissa les yeux pour fouiller sa mémoire.

« Ah ! La femme de ménage super louche ? Celle qui fait tous ces trucs étranges dans le parc ?

— Quels trucs étranges ? demanda Grace, qui se doutait déjà de la réponse.

— Tu sais, elle tient une sorte d'office religieux dans le parc, mais elle fait des choses bizarres dans l'herbe et près des arbres. Ma mère pense qu'elle pratique le vaudou. » Puis : « C'est quand même marrant : elle savait ce qui se passait, elle, alors que ni toi ni personne au cotillon n'y faisait attention.

— Mais c'est moi qui suis ici avec toi ! C'est moi qui suis venue te chercher ! Tu crois que ça me plaît, d'être là-bas avec les filles du cotillon ? Avec ma tante Hattie ? Tu crois que j'ai le choix ?

— On a tous le choix, Grace. Tu peux choisir de t'intéresser à ce qui se passe autour de toi, ou devenir comme elles et te raconter que tout va bien.

— Je le sais, que tout ne va pas bien !

— Alors pourquoi tu ne savais pas qu'il y avait des émeutes d'un bout à l'autre de Nostrand ? Que tout le quartier brûle ? Tu ne sens pas la fumée ? »

Dale grimaça de douleur et passa ses doigts sur sa joue et sa tempe gauche, qui avaient pris une teinte noir violacé. Comme les bleus que Grace avait vus sur le corps de Bassey lorsque Maw Maw et ses amies l'avaient lavé à l'eau tiède et parfumé avec des gardénias, des roses, du thym et des feuilles de la menthe poivrée qui poussait, sauvage, près de la rivière. Là où Grace et sa grand-mère faisaient des offrandes dans l'eau et demandaient des faveurs aux ancêtres. Sa mère avait beau n'être plus là depuis presque trois ans, l'odeur de ces fleurs et de ces herbes en particulier lui faisait toujours monter la bile au fond de la gorge. Un peu comme les hématomes de Dale en ce moment.

« Gracie, pardon. Pardon. Ça va s'arranger », dit-il d'une voix plus douce.

La main qu'il avait passée sur ses bleus, il s'en servait maintenant pour sécher ses larmes à elle.

Elle ne dit rien.

« Gracie, ça va aller. Je vais bien. »

Toujours rien.

« Gracie. »

Il lui releva le menton et regarda au fond de chacun de ses yeux, en les étudiant avec une intensité aussi hypnotique que le rythme de son souffle. Il écrasa une larme sous son pouce. Puis une autre. Et encore une autre avec son autre pouce, jusqu'à tenir tout son visage entre ses mains. Leurs poitrines se soulevaient à l'unisson sur le même rythme profond. Il laissa son regard descendre vers ses lèvres, puis remonter vers ses joues, puis de nouveau vers ses yeux, avant de revenir à ses lèvres. Et là, il l'attira à lui.

Grace, incertaine de ce qu'elle faisait mais sûre de son désir, ne résista pas. Au contraire, elle se pencha et laissa Dale, ses mains, ses lèvres, la guider. Elle était reconnaissante de sa tendresse, une chose dont elle était privée depuis la dernière fois que sa grand-mère l'avait tenue dans ses bras. Tous les fragments de son être – sa capacité à aimer, à être amour, à être aimée – étaient déconnectés depuis si longtemps qu'elle avait presque oublié ce que cela faisait d'être à la fois humaine et lumière. Et voilà que soudain elle était à nouveau les deux, transfigurée par le baiser de Dale.

Ni lui ni elle n'entendirent la clé tourner dans la serrure ni la porte s'ouvrir. M. et Mme Spencer entrèrent en coup de vent, dans un état de panique qui, à mesure qu'ils reprenaient leurs esprits en regardant dans la pièce, se mua en incendie de rage.

« Theodale Thomas Spencer ! Qu'est-ce qui se passe, ici, bon sang ? commença par crier Mme Spencer. Lève-toi immédiatement de ce canapé avec cette fille ! »

Grace bondit la première, s'écartant du canapé et heurtant la table basse, ce qui fit tomber les délicats éléphants de cristal posés dessus, leurs défenses pointées vers la porte.

« Et toi ! dit Mme Spencer en tournant les yeux vers une Grace aux abois qui lissait sa robe et essuyait la salive de Dale sur ses lèvres. Déguerpis immédiatement… de… chez… moi !

— Oui, m'dame. »

Ce fut tout ce que put prononcer Grace en s'enfuyant. Dans sa hâte de prendre la porte, elle marcha sur la cape de la femme ; toutes deux trébuchèrent et se rattrapèrent l'une à l'autre pendant leur chute au ralenti.

« Ne me touche pas avec tes sales pattes ! s'égosilla Mme Spencer.

— Maman, non ! » cria Dale.

M. Spencer tenta de retenir sa femme, mais elle se débattit avec une force impressionnante. Elle agrippa le bras de Grace et le serra si fort, en la jetant dans l'escalier, que la jeune fille sentirait encore ses doigts des heures plus tard, quand, assise dans le sous-sol de chez Hattie, elle essaierait de s'expliquer comment elle en était arrivée là. Comment elle s'était retrouvée sur le canapé des Spencer, à embrasser un jeune homme moulu et endolori qui aurait dû être en train de valser avec Melissa en smoking. Melissa, que Mme Spencer, conformément à l'obsession familiale pour le bon cercle social, la bonne école, les bonnes villégiatures, le bon teint de peau et ainsi de suite, avait désignée depuis quatre ans comme cavalière de son fils au bal des débutantes.

Grace, aveuglée par les larmes, dévala trois marches avant de songer à se rattraper à la rambarde. Elle retint son souffle en dévalant le reste, en franchissant le portillon, en déboulant dans la rue, et ce n'est que lorsque son pied eut touché le trottoir qu'elle entendit les sirènes, flaira la fumée et s'arrêta net, paralysée par la peur. L'émeute qu'elle n'avait pas vue lorsqu'elle avait volé au secours de Dale avançait comme un feu de brousse dans les rues de Bedford-Stuyvesant, intense comme sa dernière nuit dans le Rose noir. Si Mme Spencer n'avait été debout sur son perron, à lui lancer des obscénités tonitruantes et à maudire le sol même sur lequel elle marchait, Grace serait tombée à genoux, se serait pris la tête à deux mains et aurait hurlé jusqu'à ce que sa gorge, son cœur et ses entrailles se consument.

Mais elle plaqua une main sur sa bouche, ravalant son cri impérieux.

Et elle disparut dans le noir.

# 8

Maw Maw n'avait jamais été pour la fessée. Elle était même ouvertement contre : elle trouvait cela tellement primaire qu'elle ne donnait même pas une petite tape sur les fesses d'un nouveau-né pour entendre son premier cri. C'était sa mère qui lui avait appris à aspirer le liquide amniotique dans les narines des bébés et à dégager leur petite gorge d'un simple geste du doigt. Si cela ne suffisait pas, rien de tel pour les ouvrir à leur vie toute neuve que de passer deux doigts repliés entre leurs omoplates et de chuchoter « Bienvenue au monde, gentil bébé » au creux de leur petite oreille. « Ils ont l'haleine sucrée comme de la canne, disait-elle. Si tu t'approches tout près et que tu écoutes de l'intérieur, ils te diront des secrets, ces bébés. Ce que les ancêtres les envoient nous dire. Il suffit d'écouter. »

Le fouet des maîtres avait annihilé les anciens usages – la considération pour les enfants, la façon de les aimer –, et il ne restait dans la marmite qu'un immonde ragoût de pratiques visant à obtenir la soumission. Lanière, badines, chaussures, cuillers, règles, mains ouvertes, poings, peu importait : tout était bon pour rappeler constamment aux enfants de se taire en présence des adultes. Un entraînement pour quand ils seraient grands et qu'il y aurait des Blancs. On les conditionnait à devenir des ombres. Toutes choses pour lesquelles Maw Maw n'avait que mépris, et qu'elle avait appris à Bassey et Grace à mépriser aussi.

Mais détester cela, préférer revenir aux anciens usages, n'avait pas empêché les autres pères et mères de battre leurs enfants. Grace avait vu ça de près : les stries sur les cuisses de ses camarades de classe, le noir sous leurs yeux, leur lumière ternie lorsqu'ils essayaient de se concentrer sur leurs leçons ou de manger leur déjeuner. Lorsqu'ils avaient l'air de mâcher de la sciure. Elle ressentait leur vide, flairait leur terreur. « J'ai peur pour lui, Maw Maw », avait-elle dit un soir au dîner en racontant que le père de Noah, une lanière à la main, avait déboulé à l'école spécialement pour soulever son fils de son banc et le tenir en l'air par le cou. Sa faute : avoir oublié de refermer le poulailler.

« Bah, fallait bien qu'il paie pour sa négligence, j'imagine, avait commenté Bassey en prenant délicatement des haricots pinto dans sa cuiller. Noah, il pèse quoi, trois cents livres les semaines maigres, quand y a pas grand-chose à se mettre sous la dent ? Tu l'imagines en train de courir après les poules ? »

Elle avait pouffé, mais ça n'avait pas amusé Maw Maw. Vraiment pas. Celle-ci avait repoussé son bol et tapé dans ses mains, faisant sursauter Bassey et Grace.

« Mais c'est horrible ! Quelle idée, frapper un petit qu'on aime ! En quoi ça peut arranger les choses ?

— Eh bien, avait dit Bassey en continuant de manger ses haricots, ce n'était peut-être pas idéal de le soulever par le cou, mais il faut bien qu'ils écoutent, parfois.

— Bassey, si je t'avais tapé dessus chaque fois que j'ai voulu que tu m'écoutes, t'aurais même plus la peau sur les os.

— Je reconnais, avait acquiescé Bassey. Je suis contente que tu m'aies pas battue et tout ça, mais je suis désolée : le père de Noah sait qu'il doit le tenir, ce garçon, sinon c'est un autre qui le fera. Ça fait quoi, à peine deux semaines qu'un Blanc a giflé la petite de Bobbie Jean, en plein sur la bouche, pour lui avoir répondu, à l'épicerie ?

— Et cet homme n'avait aucun droit de faire ça non plus ! s'était emportée Maw Maw.

— C'est sûr. Mais les Blancs, y font ce qu'ils veulent. Elle a eu de la chance de ne prendre qu'une claque. Elle n'a pas été maligne. Sa mère aurait dû lui expliquer. Et parfois, c'est avec une raclée qu'on apprend, c'est tout.

— On descend bien bas quand on fait à son gosse ce qu'un Blanc lui ferait. Les enfants, c'est un cadeau, et on voit les parents les cogner comme des chiens. Jusqu'à en chasser le divin. »

Il était clair que Hattie ne voyait pas le divin en Grace. Elle était sincèrement convaincue qu'à chacun de ses coups elle chassait le démon du corps de sa nièce et restaurait son propre statut vis-à-vis des femmes du quartier, qui l'avaient bannie tels les fils de Bélial. Elle en voulait à Grace pour cette excommunication. Embrasser ce garçon, provoquer la fureur des Spencer, refuser de garder ses petites fesses de pécore à leur place : toutes choses qui rappelaient à ces femmes ce que Hattie avait tant travaillé à leur faire oublier. La honte de n'avoir rien, de venir de rien, de n'être rien. Il ne lui serait jamais venu à l'esprit qu'elle était également coupable, que son choix de tourner le dos aux anciens usages et à ses morts ne pouvait que la handicaper et non l'aider à obtenir les moyens, le standing, le respect qu'elle convoitait tant. Hattie s'était mis des bâtons dans les roues d'entrée de jeu. Et ce fragile château de cartes qu'elle avait édifié pour elle-même venait d'être renversé d'un souffle. Par la faute de Grace. Hattie voulait qu'elle paie. Elle ne pensait plus qu'à ça, c'était devenu une idée fixe.

« Et toi qui te pavanes comme une petite Marie-couche-toi-là ! » braillait-elle, laissant revenir son accent virginien du Sud tandis que le ceinturon tranchait l'air et la chair. Voilà ce que Grace avait trouvé en se réveillant : la fureur que Hattie avait laissée mijoter toute la nuit, après avoir reçu coup de fil sur coup de fil lui racontant le calamiteux incident de la veille. À entendre les gens, Grace était responsable à elle seule d'avoir entraîné Dale dans ces histoires de droits civiques, de l'avoir directement jeté entre les mains de la police, d'avoir mis en péril ses chances d'entrer à l'université, et d'avoir utilisé son sexe pour l'arracher aux bras d'une fille de couleur cultivée, de bonne famille, aux valeurs solides et qui gardait ses jambes fermées. Et le pire : Mme Spencer avait informé tous les membres de son cercle que cette Hattie et sa petite bâtarde de nièce étaient mortes pour eux. Il ne fallait plus leur parler, et encore moins perpétuer la mascarade grotesque selon laquelle Hattie serait qualifiée pour donner des cours de maintien aux jeunes filles de Bed-Stuy. Hattie était finie. Et elle comptait bien le faire payer à Grace. « Qu'est-ce qui te donne le droit de prendre ce qui ne t'appartient pas ? martela-t-elle en maniant le ceinturon.

— Je… je voulais juste m'assurer qu'il allait bien, je le jure, tante Hattie ! » cria Grace en essayant d'esquiver le coup suivant.

Ses tentatives étaient vaines : où qu'elle se tourne, où qu'elle place ses mains et ses bras pour préserver son visage, ses cuisses, sa tête, son ventre, la ceinture lui entrait dans la peau, laissant des balafres et des meurtrissures partout sur son corps. C'était une douleur – vive, tranchante – qu'elle n'avait jamais ressentie et que jamais elle n'oublierait.

« Tu réponds, en plus ? » s'époumona Hattie en faisant pleuvoir les coups de plus belle.

Quand son bras se fatigua, elle jeta le ceinturon et serra le poing. Elle plaça un coup en plein dans l'œil droit de Grace, si fort que celle-ci tomba à genoux et poussa un hurlement strident qui fit reculer sa tante, par réflexe. Grace pleurait sans pouvoir s'arrêter. Hattie la regarda, longuement, puis cria, longuement, et hésita entre laisser sa nièce en tas sur le parquet et exiger qu'elle explique comment diable elle s'était crue autorisée à embrasser Dale dans le salon de sa mère, à le distraire de ses obligations et, plus important, à retourner Mme Lucinda Spencer contre tout ce pour quoi elle travaillait depuis l'instant où elle avait mis le pied à Brooklyn : le respect, le statut, son gagne-pain. Sa place.

Enfin :

« Vraiment, je ne comprends pas ce qui t'est passé par la tête, lâcha-t-elle en se laissant tomber sur le canapé, l'adrénaline cédant la place à la grande fatigue qui succède aux séances de fouet – pour le donneur comme pour le receveur. Tu savais que ce garçon aurait dû être là-bas. Au lieu de quoi tu le coinces chez lui. Et sa mère et les autres qui se faisaient un sang d'encre, sans compter la honte ! Elle a l'air de quoi, à présider l'événement alors que son propre fils lâche une débutante le soir de son grand lancement ? »

Grace renifla mais ne dit rien.

La voix de la tante Hattie tonna comme un éclair de foudre contre un pylône électrique :

« Réponds-moi, bon sang ! »

Le cœur de Grace cessa de battre.

« Je… je… je l'ai pas empêché d'aller au bal. J'étais là pour l'aider, tu te rappelles ?

— Tu parles ! Sa mère est persuadée que tu lui avais donné rendez-vous chez lui. Et elle pense que c'est toi qui l'as envoyé à la manif.

— Quoi ? souffla Grace en essuyant douloureusement ses yeux bouffis, meurtris.

— La manif. Tu y étais avec lui. À lui monter le bourrichon à coups de mensonges sur le mouvement. Qui d'autre aurait pu lui dire de se mêler de tout ça ? T'as apporté toutes ces histoires de marches et de combat quand tu es arrivée du Sud, où les Noirs mendient pour avoir des droits alors que nous, à Brooklyn, on a une bonne vie. On avance. Ce garçon est en route pour Morehouse, et ensuite, l'école de médecine. Il n'a rien à faire dans les rues, à se faire renverser par des chiens et des lances à eau, et à se faire arrêter par les Blancs. Et voilà que tu arrives, et que tu l'encourages à démolir tout ce que ses parents ont construit pour lui. Tu te crois donc tout permis ?

— Mais non ! protesta Grace avec véhémence. Non, j'y étais pas, tantine, je le jure. Je savais pas qu'il y avait une manif. Je savais juste qu'il était blessé, et j'ai couru l'aider.

— Et comment tu savais ça ? »

Grace hésita, ne sachant pas bien comment sa tante réagirait à sa vérité.

« Comment ?!

— Je… je… je l'ai vu dans un film…

— Un film ? Parce que tu es allée au cinéma, en plus ? Mais qu'est-ce que…

— Non, un film à moi. Je l'ai vu blessé dans mes rêves, lâcha Grace, se disant qu'il valait mieux ne pas évoquer Miss Ada Mae. Quand les filles du cotillon ont remarqué qu'il n'était pas là, j'ai su grâce à mes rêves où le trouver. »

La tante Hattie, hébétée, commença à parler par à-coups, mais fut incapable de terminer un mot. L'expression dans ses yeux fit lentement éclore la terreur dans ceux de Grace. Seules leurs poitrines bougeaient – l'une soulevée par la peur, l'autre par la colère et le dégoût. Après ce qui parut une éternité, les yeux de Hattie se réduisirent à deux fentes, et ses paroles sortirent entre des lèvres pincées et des dents serrées.

« Tu vas bien m'écouter, maintenant : que je ne t'entende plus jamais parler de cette magie noire, ma pauvre fille, tu m'entends ? Je te l'ai déjà dit, je ne te laisserai pas faire entrer ces diableries sous mon toit, et surtout je ne te laisserai pas prononcer un mot là-dessus au nord de la ligne Mason-Dixon. Une partie de ces horreurs sont enterrées avec ta mère, et le reste peut bien pourrir en cellule avec ta grand-mère, en ce qui me concerne. »

La seule mention de Maw Maw précipita le souffle de Grace. La tante Hattie était avare de nouvelles, et son humeur s'aggravait encore quand Grace demandait – parfois en suppliant – des détails sur sa grand-mère : où elle se trouvait, comment elle allait. Si même elle était encore en vie. Hattie gardait jalousement ces informations, comme si la réponse était sous clé dans un coffre, profondément enfouie dans les recoins d'un fort invisible, inaccessible, dont Grace n'avait pas le droit de s'approcher, même si elle aimait Maw Maw de tout son cœur. L'espace d'un instant, lorsque Hattie laissa échapper qu'elle était bien en vie et toujours en prison depuis tout ce temps, Grace faillit lui poser plus de questions. Mais ses blessures – du moins celles qu'elle portait à l'extérieur – lui rappelèrent aussitôt qu'elle avait beau se languir d'en savoir plus, ce n'était pas le moment.

« Laisse-moi te dire une chose, continua Hattie. Il n'est pas question que tu débarques ici, où je me suis construit une vie et une communauté, pour qu'à la fin ces gens m'enterrent avec les sorcières. Ces histoires de *hoodoo* n'ont rien à faire ici. Est-ce que c'est bien clair ? »

Elle se leva du canapé et toisa Grace de toute sa hauteur. Grace tressaillit et leva ses bras meurtris pour protéger son œil, qui avait sa propre pulsation.

« Est-ce que c'est bien clair ? insista sa tante sur un ton menaçant.

— Oui, souffla Grace.

— Alors vire tes fesses d'ici. » Hattie plongea la main dans sa robe, puis dans son soutien-gorge, et en sortit un billet d'un dollar humide. « Va me chercher un paquet de Camel. »

Grace prit lentement l'argent dans la main de sa tante. « Mais les émeutes…

— Personne te dit d'aller les acheter chez Wilson. Va deux rues plus loin, au Blue Moon, achète-moi mes cigarettes et dépêche-toi de rentrer. Personne ne s'intéresse à toi. Tout ira bien. Et fais vite !

— Bien, madame. »

C'était tout ce que Grace pouvait dire sans craindre de reprendre un coup. Elle se leva tant bien que mal, toujours dominée par la silhouette de sa tante. Elle clopina jusqu'à la porte, chacun de ses pas faisant vibrer ses plaies comme si elles étaient encore en train de s'ouvrir.

Il était tôt et le silence régnait encore, un silence lugubre qu'elle accueillit avec soulagement. Même si la tante Hattie ne s'inquiétait pas de savoir si c'était dangereux pour elle de traverser un quartier qui, la veille au soir, était encore une zone de guerre active, Grace craignait que le lever du soleil ne fasse aucune différence pour les Noirs tapis au bord des toitures, prêts à faire pleuvoir briques, cocktails Molotov ou morceaux de ciment – n'importe quoi du moment que cela pouvait être lancé – sur la tête des policiers et des passants. Brique ou matraque, Grace était sûre qu'elle tâterait de l'une ou de l'autre, peut-être des deux, aussitôt descendue du perron – ou du moins sur le trajet jusqu'à un magasin encore ouvert malgré les dégâts. Mais elle se trompait : l'agitation avait cessé, vaincue par une série d'arrestations pendant la nuit, par un appel au calme des leaders de la communauté qui penchaient plus vers la tactique de Martin que vers celle de Malcolm, et par une raison plus bassement pragmatique : les Noirs devaient aller au boulot, et la reprise des manifs attendrait la fin de leur journée. Grace fut heureuse de ce répit. Elle contourna les décombres et se força à lancer un bouquet de « bonjour » aux hommes et femmes de couleur qui hochaient la tête, poussaient leur balai et lui répondaient « bonjour, petite sœur » en remplissant des bennes à ordures, en ramassant des éclats de verre, en faisant le compte de ce qui avait été perdu dans l'incendie de la nuit. Par un jour plus propice, elle aurait peut-être tâché de comprendre ce qui poussait les gens à saccager leur propre quartier – à craquer une allumette dans les magasins de leurs semblables, où ils travaillaient, à côté ou au-dessus desquels ils habitaient. Mais pour l'instant, sa priorité était d'acheter les cigarettes et de vite rentrer avant que quelqu'un voie la honte et la colère que sa tante avait imprimées sur son corps.

« Qui t'a arrangée comme ça ? »

Grace, les yeux fixés sur ses chaussures, ne vit pas celui qui posait la question, mais elle reconnut sa voix. Elle gémit et continua d'avancer vers la porte du magasin.

« C'est arrivé quand tu es partie de chez moi hier soir ? Qui t'a fait ça ? C'est arrivé où ? C'étaient les flics ?

— Je ne peux pas te parler, là, dit-elle en tirant la porte réduite à un cadre sans vitre. Ni jamais.

— Qu'est-ce que tu racontes ? Grace ! » Dale, en lui agrippant l'épaule, fit jaillir un cri de douleur. Il retira sa main comme s'il avait touché des braises. Voyant cette réaction, elle s'arrêta net. C'est ainsi qu'ils se retrouvèrent dans le passage, Grace se massant l'épaule, Dale s'efforçant de masquer l'horreur qu'il éprouvait à la voir ainsi. Un bruit de détritus jetés à l'arrière d'un camion poubelle vint rompre le silence. « Gracie », dit Dale à mi-voix, comme il l'avait fait la veille, lorsque leurs lèvres s'étaient touchées.

Elle se résolut enfin à le regarder dans les yeux ; ils se tenaient là, moulus et meurtris, tels deux boxeurs au centre du ring, attendant d'apprendre lequel remportait la ceinture. Grace ferma les yeux et se pressa contre sa paume lorsqu'il lui caressa la joue en lui demandant une fois de plus qui avait levé la main sur elle.

« Ma tante ne veut plus que je te voie, dit-elle simplement, en espérant que son élocution rapide remplacerait les détails que Dale réclamait, mais qu'elle avait peur de lui donner.

— C'est Mme Hattie qui t'a fait ça ? s'étonna-t-il.

— La tante Hattie, ta mère, tes copines là-bas… elles m'ont toutes fait ça, Dale, fulmina-t-elle.

— Mes cop… Maman… Quoi ?

— Tout ce que je sais, c'est que j'ai voulu t'aider et que j'ai récolté un œil au beurre noir. Tout le monde a raconté à ta mère que c'était ma faute si tu avais pillé le magasin et si tu m'avais embrassée, et maintenant ma tante est sur le sentier de la guerre parce que tout ce qu'elle a construit, c'est parti en fumée. Disparu.

— Hein ? fit Dale, sidéré. Mais j'y suis allé pour Darnell ! Tout seul ! Qu'est-ce qu'ils en savent, les autres ? Ils passent leur temps à jouer les bons Noirs, à se cacher, et à nous laisser risquer notre vie… »

Il avait baissé la voix, et elle resta abasourdie par son discours. Tout ce qu'elle savait, c'est qu'elle avait besoin de protection, de tendresse, et voilà que ce garçon, face aux traces de coups, à la condamnation infligée par les préjugés, les stéréotypes et les mensonges de sa mère, ne se préoccupait que de son activisme. Il parlait de son ami. Du manque d'empathie de ses proches pour le mouvement. L'égoïsme de Dale était comme des ongles sales dans ses plaies à vif.

Elle coupa court à sa tirade.

« Écoute, je ne peux pas rester ici avec toi, dit-elle fermement en entrant dans le magasin.

— Grace. Bébé, attends. Pardon. Je suis désolé. C'est ma faute. Tout ça, c'est ma faute. »

Elle se traîna jusqu'au distributeur de cigarettes et défroissa le billet de Hattie.

« Je n'aurais jamais dû t'entraîner là-dedans », ajouta-t-il.

Grace inséra le dollar dans la machine et actionna la tirette des Camel, mais au lieu de prendre les cigarettes, elle appuya ses paumes contre la machine et inspira lentement par le nez, puis souffla par la bouche, exactement comme Maw Maw l'avait appris à Mme Brodersen quand elle paniquait, quand les douleurs de l'accouchement menaçaient de l'avaler entièrement et qu'elle avait besoin de trouver un peu de calme.

« Grace, insista doucement Dale, posant ses mots avec délicatesse entre ses respirations à elle. Je suis désolé. Regarde-moi, Grace. Je te demande pardon. »

Elle se laissa faire lorsqu'il toucha son menton et le tourna doucement vers le sien ; lorsqu'il observa son œil qui palpitait encore, les égratignures et les balafres, et que ses épaules s'élargirent soudain. Il était sincère. Son cœur le lui disait.

« Hé, ho ! Foutez le camp de mon magasin ! » cria quelqu'un. À ces mots, ils sursautèrent. D'instinct, Dale poussa Grace derrière lui et se tourna vers la voix furieuse. « Je vous vois, tous les deux, vous v'là beaux, tiens ! Les flics vous en ont collé une bonne. C'est ce qui arrive quand on fait des histoires pour un rien, dit l'homme qui arrivait vers eux depuis le fond du rayon des sodas, où il balayait les débris du pillage de la veille. Si vous voulez mon avis, ils auraient dû vous envoyer au trou. Alors tirez-vous avant que j'appelle les poulets. »

Grace s'empara des cigarettes dans le distributeur alors que déjà Dale la tirait par le bras pour sortir. Ils coururent en boitillant le long de Nostrand, prirent le premier virage qu'ils virent, puis un autre, jusqu'à être certains d'être assez loin pour ralentir le pas.

« Je dois rentrer, dit Grace, légèrement essoufflée par la course et par la peur.

— Je sais, mais écoute, Grace, il faut que je te voie. Ce soir. » Elle secoua la tête, mais il la fit taire avant qu'elle ait pu dire un mot, en posant l'index sur ses lèvres. « Écoute-moi. Mes parents vont m'envoyer chez un ami de la famille à Atlanta, jusqu'à ma rentrée en fac. Ils ont peur que les flics comprennent qui je suis et viennent me cueillir pour avoir manifesté hier. »

Il y eut d'abord les picotements dans le nez, annonciateurs de larmes. Puis les larmes. En dehors de

Miss Ada Mae, Dale était le seul à voir réellement Grace – le seul qui, malgré une obsession pour des choses qui figuraient à peine sur sa liste de problèmes à elle, prenait la peine de dire et de montrer qu'il se souciait d'elle. Elle suffoquait sans sa mère, sans Maw Maw, sans place à elle, sans amour. Dale était sa bouffée d'air.

« Ce soir je serai chez mon copain James. Mes parents ont la trouille que je quitte la maison, mais j'ai obtenu qu'ils me laissent aller lui dire au revoir avant de partir. Ce qu'ils ne savent pas, c'est que toute la famille est descendue pour quinze jours dans le Sud, pour voir des cousins. J'y vais histoire de trouver un peu de calme. Je veux que tu viennes avec moi.

— Je ne sais pas, dit Grace en se tordant les mains. Tante Hattie est furieuse contre moi. Elle m'a juste laissée sortir pour lui acheter ses cigarettes. Faut que je rentre, Dale, elle m'attend.

— Viens au 432 Williams Street. Neuf heures. Promets-moi d'essayer.

— Mais…

— Promets-le-moi. »

Elle appuya la tête dans ses mains en coupe pendant qu'il s'imprégnait d'elle. Elle devina dans son haleine le sirop d'érable sous lequel il avait noyé ses pancakes avant de sortir par la porte du sous-sol voir ce qui se passait dans les rues encore fumantes. Elle eut envie de sentir le sucre sur ses lèvres, et c'est ce qu'elle fit, savourant le goût, s'attardant sur la partie charnue, attendant sa langue.

« Promis, dit-elle en se reculant. J'essaierai. »

Grace, debout à la porte de la cuisine, observait fixement la poitrine de Hattie qui se soulevait lourdement, retombait, remontait, retombait. La tante était affalée n'importe comment sur le canapé, une jambe et un pied pendant sur le côté, un bras dépassant tout droit derrière sa tête appuyée sur un coussin en velours. Ses ronflements – sonores, catarrheux, réguliers – faisaient grincer son corps contre la housse en plastique du canapé, une symphonie accompagnant le grondement d'air et de mucus qui se forçait un passage à travers sa gorge, sa poitrine et ses narines. Grace regardait cela le front plissé, en se pinçant le nez, certaine que les conduits de celui de Hattie brûlaient comme du charbon. Noirs, comme son cœur.

Hattie était épuisée, ayant passé la journée pendue au téléphone pour tenter de se racheter et de sauver sa réputation comme son affaire. Il avait suffi à Grace de recevoir une bonne claque sur la joue pour comprendre que le mieux était de se terrer au sous-sol, aussi loin que possible, pendant que sa tante argumentait, suppliait, promettait, et niait toute culpabilité dans le désastre que la mère de Dale avait déposé devant sa porte. Hattie avait beau embellir la vérité, la présenter sous son meilleur jour, cela ne suffisait pas à ceux qui pointaient le doigt. Lorsqu'elle avait compris que des alliances avaient été conclues et que l'opinion publique n'allait pas l'épargner, elle s'était mise à chercher le salut dans l'alcool de maïs. Aux trois quarts de la bouteille, l'effet sédatif avait commencé à agir, offrant à Grace une ouverture pour s'évader et trouver un répit entre les bras de Dale. Elle avait peur : peur que sa tante se réveille et constate sa disparition, peur d'être happée dans les émeutes, qui avaient repris de plus belle aussitôt le soleil couché. Mais son désir de retrouver sa bouffée d'air, son Dale, surpassait la peur. Et donc, une fois certaine que sa tante dormait à poings fermés, elle alla chiper un pull léger dans l'armoire de cette dernière, redescendit en évitant les marches qui grinçaient, tira sans bruit la porte de derrière qui donnait sur le petit jardin et sortit au grand air.

Elle vit presque immédiatement la silhouette sombre pressée contre la brique. Son hurlement n'aurait peut-être pas été perçu par sa tante, mais les voisins l'auraient entendu si Dale ne l'avait étouffé avec sa paume : ils étaient tous dehors, en train d'échanger des commentaires par-dessus la clôture, de dire que le vacarme et la fumée qui saturaient l'air de Brooklyn leur rappelaient la guerre. La peur envoya de la bile brûler la gorge et les narines de Grace, mais lorsque la silhouette sombre dit : « Chhht, Gracie, c'est bon, c'est moi, du calme », elle fondit instantanément pour n'être plus que souffle chaud et adrénaline.

« Écoute-moi, Gracie, tout va bien. Ne t'en fais pas, chuchota-t-il rapidement. Je suis venu te chercher parce que je ne voulais pas que tu ailles chez James à pied toute seule. C'est dangereux.

— On ferait mieux de ne pas y aller, dit-elle aussitôt qu'il eut retiré la main de sa bouche. Et si on se fait prendre par les flics ? Si ma tante se réveille ? S'ils ne nous tuent pas, c'est elle qui s'en chargera. »

Dale la fit taire et lui attrapa le bout des doigts.

« Grace, tu me fais confiance ? »

En cet instant, elle se fiait à lui plus qu'à n'importe qui. Elle fit oui de la tête.

« Elle est où, ta tante ?

— Sur le canapé, elle dort. Ivre morte.

— Bon. Tant mieux. Tiens-toi à moi. Je sais comment on peut y aller sans être vus, et je te ramènerai bien avant qu'elle se rende compte de quoi que ce soit. »

Sans qu'ils échangent un mot, Dale les fit slalomer entre les allées, les cours et les ruelles couvertes par la nuit, conséquence de la négligence municipale. Malgré des demandes répétées pour que les lampadaires soient entretenus dans ce voisinage principalement noir, le département des Transports de la Ville de New York était trop occupé à satisfaire les besoins de ceux qui vivaient dans le quartier réellement cossu de Brooklyn Heights, à quelques kilomètres de là. N'importe quel autre soir, Dale se serait lancé dans un soliloque d'une demi-heure sur ladite négligence – un discours pour lequel un public de choix se trouvait à quelques rues de là, en train de lancer des pierres et de se faire mordre par les chiens et les matraques des flics –, mais ce soir-là il ne songeait qu'à se mettre en sûreté avec Grace.

Enfin, ils franchirent un trou dans un massif de buis qui séparait les jardins de deux modestes *brownstones*. Dale regarda par-dessus ses deux épaules tout en courant jusqu'à un pot de fleurs posé sur la terrasse arrière. Il en sortit prestement une clé dont il se servit pour entrer dans la maison, plongée dans le noir à l'exception d'une lumière dans la cuisine, laissée allumée par les occupants pour faire croire qu'ils étaient chez eux et non à Orangeburg, en Caroline du Sud. Grace ne respira pas tant que Dale n'eut pas regardé dans tous les coins et conclu : « C'est bon. »

« Viens ici, dit-il en la prenant dans ses bras. On y est arrivés. Je t'avais dit de ne pas t'en faire. »

Ils restèrent debout, chacun à respirer l'autre, oscillant sur un rythme qui ne s'entendait pas mais se ressentait clairement.

« Ah, attends ! J'ai quelque chose pour toi ! » dit soudain Dale en s'écartant d'elle.

Il sortit de sa poche un collier de bonbons multicolore. Grace sentit ses lèvres s'étirer d'une oreille à l'autre.

« J'adore te voir sourire », fit-il en levant son menton vers le sien.

Il caressa son coquard du dos de la main ; elle eut un mouvement de recul, mais il toucha l'endroit quand même. Doucement. Et puis il l'embrassa. Doucement.

Elle prit le collier et se le passa autour du cou.

« Merci, dit-elle, simplement.

— Dis, on devrait descendre au sous-sol. On ne sait jamais qui peut voir par les fenêtres, et je ne voudrais pas que des voisins indiscrets croient à un cambriolage. Ce serait bête que quelqu'un vienne frapper. » Grace essaya de masquer son inquiétude, en vain. « Ne t'en fais pas, poursuivit Dale comme s'il lisait dans ses pensées. C'est bien, en bas, et c'est sûr. Personne ne devinera qu'on est là. »

C'était en effet l'une des inquiétudes de Grace, mais elle ne le dit pas tout haut. Elle prit sa main tendue et le suivit dans l'escalier.

La pièce du bas était modeste mais plus jolie que tout ce que Grace avait vu chez elle, même dans les maisons où elle avait fait les poussières, astiqué les cuivres et gardé les enfants. Tous les murs étaient lambrissés, ainsi que le devant du bar installé dans un coin. Une série de miroirs en losange formaient un motif imposant sur le mur du fond, reflétant en vue plongeante les tabourets de bar marron, un moelleux sofa vert citron, une table basse chargée de jeux de société et de cendriers, et deux adolescents qui n'étaient pas à leur place en ces lieux et que cela mettait mal à l'aise. Grace tritura son collier de bonbons en observant d'abord la pièce, puis elle-même, puis Dale, qui la regardait prendre connaissance de l'endroit.

« C'est chouette, hein ? dit-il. James et moi, on vient ici avec les copains. Ça ne dérange pas ses parents, du moment qu'on ne fait pas de dégâts. Une fois, Elison s'est battu avec Tommy et ils sont rentrés dans le mur, juste là, avant de s'écrouler sur un tabouret. Ils ont cassé net un des pieds. Je ne sais pas comment on a réussi, mais on s'est grouillés d'aller acheter de la colle et de le réparer. Tout allait bien jusqu'au moment où le grand frère de James s'est assis dessus : il s'est brisé en mille morceaux. Ses parents croient toujours que c'est lui qui l'a cassé. » Dale rit doucement à ce souvenir. Grace baissa les yeux vers ses chaussures. « Enfin bref, ajouta-t-il comme pour alléger l'atmosphère. Tu veux jouer à un jeu ? »

Il s'approcha de la table basse et en énuméra les trésors.

« Voyons, ils ont un Monopoly, un Jeu de la vie, un jeu d'échecs. » Puis il éclata de rire. « Ohhh ! Un Twister !

— Qu'est-ce que c'est ? demanda Grace en s'approchant pour regarder la boîte.

— Tu fais tourner la flèche, et selon la couleur sur laquelle elle tombe, c'est là que tu dois mettre tes mains et tes pieds. » Grace sentit bien la confusion qui envahissait ses traits. « Ça paraît bizarre, mais c'est super marrant. Tu verras. »

En un rien de temps, Dale et Grace ne furent plus qu'un embrouillamini de rires et de membres entremêlés, pieds et mains glissant sur le tapis en plastique, leurs corps se frôlant, sa chemise à lui et sa jupe à elle se relevant, exposant de la peau, de la gêne et, quelque part en chemin, un désir qui tournoyait aussi vite que la flèche de plastique sur le plateau en carton – air, légèreté, cible. Et quand ils tombèrent en tas, le pied de Grace ayant glissé en travers du tapis, son corps sur celui de Dale, lèvres contre les siennes, langue léchant la sienne, main sur sa cuisse, sa main à elle caressant le torse musclé, doigts caressant le rose de sa culotte, souffle lourd contre elle, ses parties intimes sur les siennes, cri étouffé dans son cou, sueur coulant toujours plus bas, sur son front, sa joue, sa gorge, ses entrailles descendant sur la dureté, gémissements sonnant l'alarme à son oreille, son sang courant là où ils reposaient, elle vit des étoiles, l'espace et le temps – une bouffée d'énergie laissant retomber en pluie une lumière divine… parfaite.

Elle sut.

Grace sut que ce qu'ils avaient créé, tous les deux, c'était de l'amour.

# 9

D'aucuns diraient, bien sûr que c'est simplement par malchance que Grace tomba enceinte dès son premier rapport, alors qu'elle n'essayait pas et ne voyait même pas bien comment un jeu innocent avec Dale avait pu la mettre en chemin de devenir maman. Hattie, elle, aurait appelé ça de l'idiotie, ni plus ni moins. La première chose qui était sortie de sa bouche le jour où Grace était arrivée chez elle avait été un chapelet de menaces et d'avertissements : « Être ici, c'est une chance, lui avait-elle dit, plus hargneuse qu'accueillante. Tu as intérêt à ne pas l'oublier. Garde la tête baissée et les jambes serrées. Des petites sottes de la campagne arrivent ici tout le temps, naïves comme des oies, et aussitôt, enfin neuf mois plus tard, elles retournent dans la poussière dont elles étaient sorties. La seule qui amènera des bébés dans cette maison, ce sera moi, compris ? »

Mais pour Grace, le mariage de l'œuf avec la semence, son voyage jusqu'à la matrice et sa croissance dans le ventre – un bébé, la vie –, c'était un miracle. Elle l'avait compris en regardant œuvrer Maw Maw, bien sûr, mais aussi à partir des explications réticentes que celle-ci lui avait données sur ces choses-là, le sexe et la vie. Elle devait avoir sept ou huit ans ; elle était tombée par hasard sur Ben Charles rendant visite à Bassey dans la remise à bois – le genre de visite qui n'était pas pour les enfants. Le genre de visite qui exigeait une explication.

Maw Maw lui ayant promis une part de tarte à la mélasse toute chaude, elle était pressée de terminer ses corvées d'avant-dîner pour arriver plus vite au dessert. Elle était donc allée à la remise chercher quelques bûchettes pour le poêle, et avait trouvé sa mère penchée sur le tas de bois, la robe relevée jusqu'à la taille, braillant comme si M. Charles lui fouettait le derrière avec sa ceinture. Mais il avait le pantalon sur les chevilles, la ceinture encore dans les passants, donc ce n'était pas ça, avait déduit Grace, s'efforçant de concilier ce qu'elle voyait et ce qu'elle croyait voir. C'était Bassey, en tordant le cou pour agripper les fesses de Ben dans un élan de passion, qui l'avait vue la première.

« Dégage, toi ! » avait-elle beuglé.

Ben, saisi de stupeur, avait rapidement suivi son regard ; il avait froncé les sourcils mais son corps continuait, comme si une partie de lui ignorait que c'était mal de faire des choses d'adultes devant une fillette. Quant à Bassey… Apparemment, aucune partie de son corps n'avait jamais envisagé de s'arrêter. Grace avait vu ce qu'elle avait vu, mais les petites filles qui grandissaient dans la cambrousse du Sud voyaient beaucoup de choses qui n'étaient pas pour elles, et elles apprenaient à s'en remettre. Rapidement.

Elle était partie en courant, plus inquiète pour la sécurité de sa mère que de la colère de cette dernière. Elle avait trouvé refuge dans les bras de Maw Maw.

« Qu'est-ce qu'il y a, ma grande ? avait demandé celle-ci en l'écartant de son giron pour l'inspecter de la tête aux pieds à la recherche d'une blessure, d'un bleu, de sang.

— Y a un monsieur qui bat maman », avait dit Grace.

La terreur était passée de ses cils à ses pupilles, puis à son nez et à ses épaisses lèvres roses.

« Quel monsieur ? »

Maw Maw avait empoigné son fusil et était à la porte avant même d'avoir achevé la question. Mais elle s'était arrêtée tout aussi vite en distinguant les deux silhouettes – l'une lissant sa jupe, l'autre rebouclant sa ceinture, pouffant toutes les deux, essuyant la sueur, encore essoufflées. Quand Bassey avait relevé les yeux et vu sa mère à la porte, un fusil entre ses mains calleuses, elle avait pris Ben par le bras et l'avait entraîné dans la direction opposée, vers la rue. Là d'où il venait.

Maw Maw avait inspiré à fond et s'était lentement tournée vers sa petite-fille. La vérité, aussi nuisible ou gênante fût-elle, était sa vertu. Simplement, elle ne s'était jamais imaginée racontant cette vérité-là à une gamine de huit ans. C'est pourtant ce qu'elle avait fait.

« Il ne faisait pas de mal à ta maman, chérie, avait-elle dit simplement en rangeant son fusil. Ils faisaient juste ce que font les grandes personnes.

— Je ne comprends pas, Maw Maw.

— Eh bien, quand un homme et une femme veulent se montrer qu'ils s'aiment beaucoup, ils s'embrassent et se font des câlins.

— Comme tu fais avec maman et moi ?

— C'est un peu différent, ma belle, avait dit Maw Maw en l'attirant contre elle. Installe-toi, Maw Maw va te raconter une histoire. »

Les yeux comme des soucoupes. Les sourcils froncés. Elle se tordait les mains. Des poum-poums et des zizis. Des trous dans lesquels on s'introduit. Des graines, des œufs et des petits bébés qui poussent dans les ventres et tombent entre les mains de Maw Maw, puis deviennent grands et forts et cherchent quelqu'un à aimer et qui les aime aussi, et se servent des poum-poums et des zizis pour faire encore des bébés comme les abeilles et les petites bêtes font pousser les fleurs. Une explication de cinq minutes, mais qui balayait autant de terrain qu'un cours magistral.

Enfin, une fois que tout avait été dit et que le silence s'était épaissi, Grace avait posé la question évidente :

« Et maman, elle l'aime, le monsieur ? »

Maw Maw avait bien des talents, mais expliquer le sexe et le plaisir hors du contexte du mariage à une enfant de huit ans, ça, elle ne savait pas faire.

« Allez, va me chercher ce bois, tu m'entends ? avait-elle dit en se levant de sa chaise. Le dîner va être prêt, et t'as pas envie de te laver à l'eau froide, si ?

— Non…

— Alors va me chercher le bois pour chauffer l'eau. »

Bassey, en apprenant que Maw Maw avait expliqué à sa fille les abeilles et les oiseaux, avait râlé.

« T'as pas le droit de parler de ça à cette petite ! Elle a pas besoin de savoir ces choses-là !

— Elle a pas besoin de les voir non plus, mais voilà, avait simplement répondu Maw Maw, indifférente au ton de sa fille.

— J'ai des besoins, maman. »

C'était tout ce qu'elle avait trouvé à répondre.

Elles étaient loin d'imaginer l'influence qu'aurait cet incident sur Grace sept ans plus tard, ainsi que la portée des paroles de Maw Maw sur les bébés comme preuves d'amour entre un homme et une femme, qui dansaient la gigue dans sa tête après son rendez-vous avec Dale. Elle était réveillée par des rêves érotiques, que ce soit au milieu de la nuit ou au petit matin, quand les oiseaux commençaient à lancer leurs chants et que les coccinelles chatouillaient les boules des hortensias violets qui remuaient contre le carreau ; elle se frottait contre les coussins et l'accoudoir du canapé de Hattie, la culotte trempée par l'attente, par les souvenirs et par le désir. Maw Maw n'avait pas mentionné cette partie-là : le désir. Mais il était bien réel, tout comme la nausée qui s'installa rapidement entre les deux côtés de sa cage thoracique, aussi tangible que la vibration subtile qui s'installa derrière son nombril : son ventre lui faisait le même effet qu'à Thanksgiving, quand elle repoussait l'assiette dont elle avait avidement englouti le riz, les haricots, le pain de maïs et le supplément de jarret de porc. La plénitude, la preuve de l'évidence, ce fut immédiat. Grace connaissait son corps. Elle connaissait son cœur. Elle savait qu'elle voulait à la fois Dale et son bébé – qu'elle les aimerait avec la même ferveur qu'elle avait aimé Maw Maw et Bassey, la sensation de la terre sous ses pieds et la manière dont les arcs-en-ciel dansaient autour du soleil.

Elle aurait voulu le prévenir, seulement elle ignorait comment. Il était parti, Dale : cela, elle en était certaine après être passée deux ou trois fois devant chez lui, espérant le voir, espérant qu'il la voie, sauf que la dernière fois elle était arrivée juste à temps pour voir ses parents l'installer avec ses valises dans une Buick bleu pâle immatriculée en Géorgie. Leurs adieux larmoyants les occupaient trop pour qu'ils la remarquent ; elle-même avait les yeux trop noyés pour se rendre compte que quelqu'un – Miss Ada Mae – s'était approché d'elle. Ce fut son parfum qu'elle perçut en premier : des gardénias, comme à la maison. La femme lui toucha le bras, et Grace sursauta.

« Chhht… ne dis rien. Viens avec moi, ajouta-t-elle en la tirant doucement par le bras jusque dans une étroite ruelle entre un bar désert et un magasin de meubles à la vitrine palissadée, qui était resté ouvert pendant les émeutes.

— Il faut que je rentre, protesta Grace en retirant son bras. Je vais avoir des ennuis si je reste ici.

— Allons ma jolie, ne t'en fais pas, je ne vais pas te garder longtemps. Ce garçon m'a fait promettre de te donner ceci. » Elle glissa une enveloppe entre les mains de Grace. Puis elle posa les deux mains sur les siennes et l'attira tout près, laissant son regard errer sur les balafres et les bleus qui marquaient le visage de Grace, descendre sur son cou, sa poitrine et son ventre, puis remonter à ses yeux. Alors elle sut, elle aussi, et la joie vint remplacer l'inquiétude sur ses lèvres. « Oh, voilà Simbi qui danse ! dit-elle en posant les mains sur son ventre. Oh ma belle, ma jolie, c'est une bénédiction ! »

Elle attira Grace contre sa poitrine et lui donna une embrassade comme celle-ci n'en avait pas reçu depuis qu'elle avait franchi la limite de l'État de New York. Il y avait longtemps que Grace était en manque de cet amour spontané. Mais elle en était tellement privée dans la maison froide de Hattie qu'il avait commencé à pâlir, à disparaître de ses rêves, jusqu'à ce qu'il ne reste que du vide là où l'amour avait jadis été si naturel, si pur que ce n'était même pas la peine d'y penser : il était là, simplement.

Tout d'abord, Grace résista à ce qu'elle avait oublié. Mais la mémoire musculaire est puissante et rapide, et bientôt elle dut s'avouer vaincue. Contre Miss Ada Mae, elle laissa son corps et ses larmes capituler.

« Maintenant, écoute-moi bien, tu veux ? Ça ne va pas être une promenade de santé. Mais tu n'es pas seule. Rappelle-toi ce que tu sais déjà. Tout ce dont tu as besoin, tu l'as déjà en toi. Appelle les tiens à toi, chérie, ils ne veulent que ton bien. » Elle écarta Grace de sa poitrine et, une main posée sur chacune de ses épaules, la regarda au fond des yeux, au fond de l'âme. « Fais confiance à tout ce que tu as en toi, c'est compris ?

— Oui, m'dame, bredouilla Grace.

— Allez, file. »

Elle lui donna une dernière caresse sur la joue, qui manqua à Grace lorsque ce soir-là, couchée au sous-sol, ayant réussi à échapper à la colère de Hattie, elle lut le message simple et succinct de Dale, qui disait : « Je pars pour Morehouse, Grace. Je regrette qu'on n'ait pas eu plus de temps. » Ces mots étaient des flèches qui lui transpercèrent le cœur.

Et Grace fut à nouveau seule. Mais cette fois, c'était différent. Un bébé – son bébé – arrivait, et elle savait que ce petit et tout l'amour qu'il lui donnerait la sauveraient.

Elle n'eut pas grand mal à dissimuler son ventre qui s'arrondissait à Hattie ni à quiconque voulait bien la regarder. C'était l'avantage d'être devenue une solide fille de la campagne, toute en fesses, en cuisses et en petits bourrelets. Le ventre ne jurait pas sur une adolescente de seize ans débarquée de sa cambrousse virginienne. Hattie le remarqua, mais réagit avec ses injures et son agressivité habituelles : « Ton appétit te rattrape, faudrait peut-être y aller mollo sur les repas de temps en temps », dit-elle un soir où Grace levait les bras d'une manière qui fit remonter sa chemise, exposant son ventre. Hattie aperçut la bosse du coin de l'œil, puis contempla la nourriture accumulée dans l'assiette de Grace. « Tu manges comme si tu avais un travail à plein temps. »

La nausée, les seins douloureux et palpitants qui débordaient de son soutien-gorge déjà usé, les battements d'ailes de papillon se métamorphosant en petits pieds, en petites mains, en petit derrière qui pointaient, pendus à ses côtes, laissant leur empreinte contre son estomac… cacher tout ça, c'était une autre affaire. Elle tâchait de se remémorer ce que Maw Maw gardait à portée de main pour les futures mamans quand le bébé leur retournait l'estomac, et elle en grappillait un peu pour elle quand elle pouvait le faire sans être vue. Quelques feuilles de menthe en poche, à mâcher quand elle sentait son repas remonter vers son œsophage. Un zeste de citron à gratter une bonne fois ou deux, pour que le parfum reste sous ses ongles : une bouffée de temps en temps lui faisait du bien. Mais elle savait que le moment viendrait où elle ne pourrait plus rien cacher – un moment où elle ne serait plus qu'un ventre, une démarche de canard et cette douleur qui avait poussé Mme Brodersen à implorer son dieu et à agripper les bords du lit si fort que les jointures de ses doigts étaient devenues blanches comme du coton. C'était le sort qui l'attendait. Elle avait peur. Pas d'avoir mal, non, mais d'être découverte. Des réactions. Du jugement : les chuchotis et les yeux baissés, puis les regards fixes dévorant son gros ventre. Le refus de comprendre le miracle, de reconnaître qu'un bébé conçu dans l'amour est la définition même du bien.

En attendant, elle savait ce qu'elle avait à faire. Alors qu'il lui restait à peine deux mois avant de mettre au monde l'enfant de Dale, qu'elle ne possédait quasiment rien et qu'elle avait à peine autorité sur son propre corps, son instinct maternel s'activa. Elle se prépara, chercha refuge, se répéta jusqu'à plus soif les paroles de Miss Ada Mae. Elle pria comme elle savait le faire. Il ne lui fallut pas longtemps pour rassembler le nécessaire : il y avait la photo pâlie de Hattie et Bassey qu'elle avait repêchée dans un carton au sous-sol, la pipe de Maw Maw, emplie de tabac soigneusement récupéré dans les mégots de sa tante, le mouchoir à fleurs dans lequel M. Aaron avait enveloppé cette pipe avant de la confier à Grace, dans le petit sac de nourriture, pour son voyage vers le nord. Un verre d'eau. Un quignon de pain de maïs. Des prières. Des prières. Des prières et des secrets, chuchotés dans le coin du débarras où les araignées et les souvenirs de Hattie allaient pour mourir, mais aussi où Grace négociait la vie de son enfant. Elle demandait à ses ancêtres conseils et faveurs, comme Maw Maw lui avait appris à le faire alors qu'elle était toute petite :

« Tu disposes la nourriture d'abord, tu vois ? avait-elle gentiment dit en déposant sur la terre lisse qui recouvrait la simple boîte en pin dans laquelle reposait sa propre mère une assiette en fer-blanc garnie de haricots et de quelques cuillerées de riz. Et ensuite, tu prends quelque chose de spécial – une chose qui doit les faire venir à toi et te rappeler la personne qui te manque. Tu poses ça là, et puis ton eau à côté. Tu vois comment fait Maw Maw ?

— Oui. »

Elle avait tripoté sa jupe en regardant sa grand-mère disposer les articles comme un bouquet sur la tombe.

« Maintenant, tu les remercies de veiller sur toi et d'ordonner tes pas. Ils ne te veulent que du bien. Il faut juste leur faire savoir que tu le sais, et être sincère. Tu comprends ?

— Oui, Maw Maw, avait-elle répondu, les yeux rivés sur la pipe qui pendait à ses lèvres.

— C'est une conversation, avait ajouté Maw Maw tandis que la fumée s'élevait de sa bouche et de son nez, flottant sur ses paroles. Parle à tes morts. Fais-le à voix haute. Les tiens te répondront et te guideront vers la lumière. »

Le temps et la pratique lui apprendraient que l'heure importait peu pour ces conversations ; on n'attendait pas le dimanche et les bancs de l'église, ni les chapiteaux des retraites estivales. Les pipes étaient allumées le mardi à l'aube, ou à minuit quand les cœurs avaient besoin d'être soignés ; le *potlikka*[1] versé dans des bols,

1. Le *pot liquor*, parfois orthographié phonétiquement comme ici, est un bouillon confectionné avec l'eau de cuisson de légumes verts, parfois parfumé à la viande fumée. Consommé à l'origine par les esclaves, qui l'appréciaient pour sa concentration en nutriments

avec un peu de biscuit de maïs émietté, quand arrivait un anniversaire. Peu importait : c'était toujours le moment de parler avec les morts. Mais Maw Maw avait prévenu : avant ces conversations à voix haute, mieux valait s'assurer de l'absence de compagnie indésirable. Les chrétiens dévots ne voyaient rien d'hypocrite à tomber à genoux pour prier un Blanc mort qui n'existait qu'entre les pages d'un vieux livre poussiéreux tout en vouant aux gémonies ceux qui parlaient avec les esprits dont leur cœur se languissait. De ce fait, le commerce avec les morts était une affaire solitaire ; leur demander de l'aide, une proposition discrète et personnelle. Et donc, pour s'épargner la colère de Hattie et de tous ceux qui préféraient Jésus à leur propre sang, Grace faisait ce qu'on lui avait appris : elle disait ses secrets dans les coins.

Elle disposa soigneusement ses offrandes, puis craqua l'allumette et inhala profondément, tirant sur la pipe comme elle se rappelait que Maw Maw le faisait quand elle allait sur ses tombes et parlait à la terre, à l'eau, aux arbres. La fumée du tabac lui brûla la poitrine, déclenchant une quinte de toux qu'elle s'efforça rapidement de calmer pour ne pas réveiller sa tante. Celle-ci, ivre morte sur le sol au-dessus de sa tête, avait déjà établi les règles dans ce domaine. « Ne t'imagine pas que tu vas amener ces horreurs sous mon toit, tu m'entends ? » avait-elle dit la première fois qu'elle avait trouvé quelques marguerites jaunes et un reste de gruau de maïs dans une assiette posée sur une petite table au

---

et vitamines, il demeure un classique de la cuisine du Sud des États-Unis.

sous-sol. Hattie était de la famille. Elle était convaincue, pourtant, que les anciennes coutumes du Sud n'avaient pas leur place dans ses nouvelles manières du Nord. Elle avait balancé l'assiette en papier et son contenu au fond de la boîte à ordures en tôle dans la cour, puis était remontée à l'étage en traînant derrière elle une Grace en larmes.

Mais à présent que Grace était enceinte, le besoin de communion prenait le dessus sur sa peur de Hattie. L'enfant allait la rapprocher de Bassey, de sa grand-mère Lizbeth et de tous les ancêtres qui prenaient soin de son être spirituel. Elle avait l'intention de les remercier pour le miracle, et aussi de leur demander une faveur. Pour elle. Pour son enfant – ce prodige obligé de traverser un terrain périlleux auquel il n'était pas censé survivre, d'écarter tous les obstacles physiques et une montagne de détresse émotionnelle pour devenir un être vivant. Devenir quelqu'un pour Grace. Elle n'avait qu'une prière simple : qu'en toute chose cet enfant trouve la joie qu'elle-même avait connue, et dont elle se languissait. La famille, le foyer dont elle avait besoin comme de l'air qu'elle respirait.

Aussitôt qu'elle eut plaidé sa cause, un film, flou, granuleux, vint palpiter dans son champ de vision. Elle eut du mal à distinguer ce qui se passait au début, puis Bassey fut là, avec son joli sourire, dans sa robe préférée, la blanche à fleurs, se tenant le ventre d'une main, montrant celui de Grace de l'autre. Radieuse, fière, Grace le sentait. Elle reconnut le picotement au bout de ses doigts, dans les pointes de ses seins gonflés et dans ses orteils. Son bébé aussi le sentit : il se mit à bouger dans son ventre comme s'il remontait l'espace et le temps en dos crawlé pour sourire à sa grand-mère. Bassey renversa la tête en arrière et eut un grand rire venu de la poitrine.

« Maman, dit gentiment Grace, où est Maw Maw ? »

Le rire de Bassey était une fleur relevant la tête et s'étirant vers le soleil matinal ; il faisait trembler ses épaules. Elle ne dit mot, mais l'éclat dans ses yeux était une lumière – un volume entier de messages précis que Grace attendait depuis des années : *Elle est forte. Les ancêtres la soutiennent. Ne t'inquiète pas pour elle. Ne t'en fais pas. Consacre-toi à ta joie.*

C'est dans son effort pour suivre la directive de sa mère que Grace, au milieu de sa trente-deuxième semaine de grossesse, fut enfin découverte, trahie par la layette qu'elle cousait dans des chutes de tissu et qu'elle rangeait dans le placard du sous-sol. Hattie, toute à sa hâte de réintégrer lentement la communauté qui l'avait expulsée l'été précédent, cherchait à se coudre une nouvelle tenue, d'après un patron qu'elle avait trouvé chez Woolworth's. C'était élégant, raffiné. Parfait pour elle qui n'avait plus les moyens de s'acheter du prêt-à-porter. Un humble retour au passe-temps qu'elle avait abandonné. Il y avait longtemps qu'elle avait jeté sa machine à coudre et ses étoffes au fond du placard, mais les temps étaient durs, et son bannissement n'avait pas touché que son orgueil : il avait aussi vidé ses poches. Fini le shopping, fini l'argent dépensé en tenues et chaussures chics, achetées pour impressionner. Elle devait revenir à ce qu'elle connaissait. Ce jour-là en particulier, elle s'éveilla de sa cuite prête à se coudre quelque chose de bien. Quelque chose d'ajusté, qui lui collerait au corps – car ce n'était pas la pudeur qui allait lui tenir chaud la nuit.

L'ordre qui régnait dans le placard fut la première chose qui attira son attention. Elle était en furie lorsqu'elle avait jeté dans ce trou ce qu'elle aimait : elle avait tout balancé en vrac, avec un ou deux albums photo qui constituaient une preuve de son ancienne vie, celle qu'elle avait laissée derrière elle, dont elle avait tout fait pour nier l'existence. Elle avait tout flanqué là-dedans et claqué la porte, en faisant comme si le placard non plus n'avait jamais existé. Mais voilà qu'elle retrouvait ses coupons bien pliés et rangés par couleur, empilés sur les machines. Et posés dessus, des vêtements qu'elle n'avait pas cousus. Des petites choses minuscules dont elle n'avait pas l'usage. À côté, un assortiment d'objets, précisément disposés et dont l'aspect et l'odeur lui rappelaient… chez elle.

Elle passa ses doigts sur la timbale et aussi sur la pipe, qu'elle porta à son nez. Une grande inspiration, et elle fut transportée jusqu'au Rose noir, jusqu'aux bois, aux tombes de terre et à la fraîcheur de l'eau sur ses chevilles quand elle était petite et que Bassey et elle se tenaient par la main tandis que Rubelle parlait aux vents pour s'attirer leurs faveurs. Le souvenir était apaisant – il se peut même qu'il ait provoqué chez elle un sourire infime. Mais ce ne fut qu'un instant fugace : les coins de sa bouche retombèrent rapidement lorsqu'elle vit la layette. Elle souleva les petits vêtements entre le pouce et l'index, comme s'ils étaient pourris, répugnants. Elle fit de même avec la photo en noir et blanc, celle où on voyait Bassey et elle côte à côte, qu'elle avait pourtant dit à la petite tête de mule de jeter… et qui lui revenait maintenant en pleine face. Qui lui rappelait ce qu'elle avait perdu en Virginie, ce qu'elle s'était efforcée d'oublier à Brooklyn. Alors, elle vit rouge.

Furieuse, elle s'empara de la pile de layette, de la pipe et de la photo et remonta l'escalier quatre à quatre, impatiente de mettre la main sur Grace. Lorsqu'elle la trouva dans la cuisine, engoncée dans une robe à fleurs trop grande et un gros cardigan, en train de tremper une serpillière dans de l'eau savonneuse, elle lui jeta les objets dans le dos de toutes ses forces, puis, avant que Grace puisse ne fût-ce que commencer à comprendre ce qui se passait, la fit pivoter, ouvrit son cardigan d'un geste sec et lui pressa le ventre. La bosse, petite mais ronde sous le tissu et sous ses doigts, poussa dans l'autre sens, opposant la force à la force.

Hattie recula d'un bond, regarda Grace bien en face et, avec un temps de retard, la gifla si fort du dos de la main qu'un jet de salive fut projeté en l'air et atterrit sur la vaisselle du petit déjeuner que la future mère venait de laver.

Si elle avait eu les idées claires, si elle avait appliqué la logique et la stratégie qui lui avaient permis de construire sa nouvelle vie dans le Nord, Hattie se serait abstenue de faire ce qu'elle fit ensuite. Mais la rage et la jalousie forment une mixture entêtante qui peut pousser à négliger la subtilité pour adopter une approche plus directe et moins avouable. Sans manteau, et alors qu'il faisait moins six dehors, ses pantoufles claquant contre le trottoir encore mouillé par une averse matinale, Hattie partit d'un pas décidé, glissa, repartit à grandes enjambées dans la rue, traînant derrière elle sa petite-nièce qui ne songeait même pas à se débattre, terrifiée par ce qui l'attendait. Lorsqu'elles tournèrent au coin de Nostrand en direction de chez les Spencer, Grace essaya, mais en vain, d'échapper à sa poigne. « Non, non, non, non… » Elle ne trouvait rien d'autre à dire alors qu'elle se tortillait sous les doigts de Hattie. Mais rien n'y fit. Elle n'y couperait pas.

« Lucinda Spencer ! brailla Hattie depuis le pied des marches, sous le regard d'une Grace mortifiée qui cherchait toujours à se dégager. Lucinda Spencer, je sais que vous m'entendez ! Sortez tout de suite ! »

Il y eut un mouvement infime dans les rideaux – subtil, mais indéniable. Cela fit redoubler les clameurs de Hattie, qui commença à monter tandis que Grace se débattait de plus belle.

« Lucinda Spencer, si vous n'ouvrez pas cette porte, tout le quartier saura les saletés qu'a faites votre béni-oui-oui de fils avant de filer. Je vous conseille de sortir ! »

Peu après, la porte s'ouvrit sur Mme Spencer, sans maquillage et en bigoudis, drapée dans un élégant peignoir en soie qui lui descendait aux chevilles, une cigarette au bout de ses doigts délicats et manucurés. Tout en regardant Hattie droit dans les yeux, elle prit une longue bouffée et souffla la fumée, par la bouche et par le nez, à la face de son importune et bruyante visiteuse. Sans se démonter, Hattie traîna Grace devant elle et ouvrit son cardigan d'un seul coup. Mme Spencer dévisagea Hattie pendant une éternité avant de laisser enfin tomber ses yeux vers ce que lui montrait son ennemie jurée. Elle observa en tirant une nouvelle bouffée de sa cigarette, puis observa encore en laissant la fumée rouler sur sa langue et s'échapper de ses narines. Elle laissa ses yeux remonter lentement du ventre de Grace vers ses seins enflés, puis vers son large visage, son nez épaté, sa peau boutonneuse, et jusqu'à ses yeux, bouffis de peur et de chagrin. Elle souffla avec dédain, jeta son mégot, fit un pas délicat en arrière et leur claqua la porte au nez.

# 10

Personne ne chante de berceuses aux filles noires de seize ans qui ont un bébé dans le ventre. Pas de mélodies pleines de promesses suspendues aux étoiles et de baisers au clair de lune, et pas un mot sur l'aube, sur le soleil qui se lèvera et brillera, brillera, brillera sur les mamans et les enfants qui prennent des forces et rendent le monde plus solide. Elles ne sont ni un foyer ni l'avenir, elles ne sont le rêve heureux de personne. Leur ventre trahit leur faute. Ce sont des sauvages. Elles doivent être matées. Quoi qu'il en coûte, elles le seront.

Hattie s'en chargea avec zèle. Elle courait partout pour conter sa tragique histoire à quiconque avait une seconde à lui accorder : comment elle avait ouvert son cœur par piété familiale, et se l'était fait arracher du corps et piétiner par une petite-nièce bonne à rien qu'au fond elle connaissait à peine. « Cette fille a déboulé ici comme un charançon du cotonnier pour ruiner toute ma récolte. Et je devrais être responsable de son bâtard, maintenant ? » cria-t-elle du perron à une connaissance qui s'était arrêtée à son portail pour échanger des ragots. Ses paroles flottaient dans l'air froid de mars, traversaient fentes et fissures, et filaient tout droit dans les oreilles de celles qui se délectaient de glousser en médisant de la Jézabel, la pécheresse dépravée.

Aucune de ces commères ne se rendait compte que Hattie les utilisait comme marchepieds vers sa propre rédemption. Le malheur voulait qu'elle doive répondre des penchants sexuels de sa nièce. Mais avec le bon dosage d'air et d'eau, elle pourrait à la fois alimenter et circonscrire l'incendie du scandale pour le plier à sa volonté, un talent qui lui permettrait d'extirper sa réputation de ses cendres. Le ventre rond de Grace, empli des preuves de ses manières scabreuses et parfaitement indécentes, absolvait Hattie après l'humiliation publique qu'elle avait affrontée quelques mois plus tôt. On ne contrôlait pas une gourgandine de province qui avait le feu aux fesses, tout le monde le savait bien. Lucinda Spencer, pressée de présenter son fils comme une victime plutôt qu'un participant volontaire et futur papa, y veilla. « Mon Dieu, cet enfant pourrait être de n'importe qui », avait-elle dit et répété tel un disque rayé tout en agitant la main avec un dédain nonchalant : « Allez savoir avec qui elle a couché, et combien il y en a eu. »

Recadrer la version de Grace avait été facile. Les simagrées de Lucinda et de Hattie n'étaient même pas nécessaires, au fond. Dieu le Père en personne aurait pu faire avec Grace comme avec Marie et annoncer le second avènement, Grace serait quand même restée une paria. Voisins, connaissances, inconnus, personne n'avait une once de douceur à lui consacrer. Même les infirmières à la clinique, pourtant tenues par serment d'accorder soins et gentillesse à leurs patientes, remballèrent les deux lorsque Grace et son ventre furent devant elles.

« Elle vous a mis dans les ennuis jusqu'au cou, pas vrai ? dit l'une d'elles à Hattie en jetant une blouse d'hôpital sur la table d'examen, sans un regard pour les mains tendues de Grace.

— Ça, vous pouvez le dire, répondit Hattie, qui l'avait emmenée se faire examiner – non par souci de sa santé, mais plutôt parce que c'était une nouvelle occasion de jouer les martyrs. Vous n'imaginez pas ce que j'ai traversé.

— Oh, je sais bien ! Toutes ces filles qui arrivent ici, qui jettent leur bonnet par-dessus les moulins et entraînent leurs pauvres parents dans le ruisseau avec elles… Ça sait à peine se torcher le derrière, et ça pond des petits dont il faut bien que quelqu'un s'occupe. »

Grace restait là à encaisser, son moral sombrant dans le dur similicuir de la table d'examen. Elle sentait son cœur tambouriner dans sa poitrine et sa langue s'épaissir. Elle se garda bien de dire autre chose que « Oui, m'dame » et « Non, m'dame », donna les renseignements que l'infirmière lui demanda d'inscrire sur la fiche, mais son corps en exigeait davantage d'elle. Son bébé bougea et s'étira, lui enfonça son pied dans l'aine comme s'il entendait toutes les injures. Comme s'il partageait la douleur de sa mère, son stress. Tous deux se tortillaient de gêne.

« Eh bien, ne reste pas plantée là comme une gourde, déshabille-toi et enfile la blouse », la pressa Hattie. Elle fit un bref sourire à l'infirmière et secoua la tête. Percevant l'hésitation de Grace, elle insista lourdement. « Tu ne vas pas faire ta timide maintenant ! Ça ne t'a pas posé de problème de te mettre toute nue il y a quelques mois, avec ce garçon. »

Le bébé cala un pied contre les côtes de Grace et étira ses fesses contre son estomac, formant un cercle saillant dans son ventre bulbeux. En le massant doucement, elle le fit battre en retraite, mais la douleur était forte. Elle prit quelques grandes inspirations purifiantes, pour oublier ne fût-ce qu'un instant les coups psychologiques portés par les adultes.

La porte s'ouvrit à la volée alors qu'elle s'efforçait d'enfiler la blouse. Elle tira rapidement le tissu sur son corps nu pendant que le médecin prenait la fiche à l'infirmière, la parcourait du regard, puis regardait Grace, la fiche, Grace encore.

« Et c'est la première fois qu'elle voit un médecin pour sa grossesse ? demanda-t-il.

— Oui, répondit Hattie. Elle me l'a cachée pendant des mois, sinon je l'aurais amenée plus tôt.

— Franchement, elle serait mieux à l'Armée du Salut », commenta-t-il en la repoussant sur la table. Comme un objet inanimé. Comme si son corps ne lui appartenait pas. « Ils s'occupent des filles, là-bas, ils les aident à accoucher. Ils les guérissent dans leur tête. Elle pourra mettre le passé derrière elle, et les enfants ont au moins une chance d'avoir un avenir. Une bonne vie. Renseignez-vous auprès de l'infirmière en sortant. » Puis, à Grace : « Mets tes pieds dans les étriers », dit-il en tapotant les repose-pieds en métal froid. Et à Hattie : « Si vous voulez bien m'excuser. »

Grace avait vu la collection de crochets, de couteaux et de pinces disposés sur une petite table à côté du docteur : elle tâcha en vain de contrôler les tremblements de son corps allongé sous des doigts inquisiteurs et un regard mort. Il n'expliqua rien, ne dit pas un mot. Sous sa main, le corps de Grace était un incubateur, une machine qu'on explorait mais dont on ne parlait pas. Pas avec elle. Sur le papier, pour la forme, bien sûr. Mais il avait déjà décidé de son histoire avant même d'avoir passé la porte, avant de savoir quoi que ce soit d'elle, elle le sentait. C'était aussi palpable que le claquement des gants lorsqu'il inséra ses doigts dans le latex, c'était tout aussi tangible, aussi choquant que la sensation de ces doigts en elle. Elle remua. Le bébé aussi. Le docteur vit ses larmes. Pas un mot ne fut prononcé. Leur échange se résuma à cela.

Grace tint la blouse serrée en regardant le crépi du plafond pendant que le médecin retirait les gants, se lavait les mains, rassemblait la paperasserie et sortait. Ne sachant pas s'il y aurait encore des examens, elle resta couchée à respirer profondément en se massant le ventre pour calmer le bébé. Et se calmer elle-même. Quelques instants plus tard, la porte se rouvrit brusquement et une Hattie frénétique fit irruption, son sac dans une main, une poignée de brochures dans l'autre.

« Lève-toi, ma fille. Qu'est-ce que tu fais encore couchée là ? Il faut qu'on parle. »

Hattie ne dit pas un mot pendant tout le trajet du retour en métro : elle se choisit un siège dans le wagon bondé et resta là avec son sac et les brochures pendant que Grace se tenait debout, accrochée à la barre, son ventre remuant à chaque grincement des roues sur les rails. Ne sachant que penser de la bouche pincée de sa tante, elle retournait les questions et les constatations dans sa tête. *Est-ce que mon bébé va bien ? Et moi ? Pourquoi Hattie veut-elle me parler ? Elle m'a à peine dit un mot depuis qu'elle est au courant. Tout le monde me regarde. Il y a des yeux partout. J'ai mal au ventre.* Elle passait la main sur son abdomen. La voisine de siège de sa tante le reluqua, puis la regarda droit dans les yeux et secoua la tête. Grace, en promenant son regard dans le wagon, en vit d'autres : des hommes dont l'œil lascif dégoulinait sur son corps, des femmes serrant plus fort la main de leurs enfants, des claquements de langue réprobateurs. *Allez, petit bébé. Ça va aller. On va s'en sortir.*

Elle avait à peine franchi le seuil que déjà Hattie passait à l'attaque.

« Il est temps que tu penses à ce que tu vas faire de cet enfant, dit-elle en jetant son sac et les brochures sur le guéridon avant de déboutonner son manteau. C'est un fardeau que tu n'es pas prête à porter.

— Mais je peux m'en occuper, tantine. J'ai cousu plein de vêtements et de couches, et à la maison je m'occupais de beaucoup de bébés, et Maw Maw, elle…

— Rubelle n'est pas là. Moi, si. »

Grace s'adossa contre la porte et se fit toute petite. Il y avait longtemps qu'elle n'avait pas entendu le prénom de sa grand-mère. C'était seulement la nuit, quand le silence tombait dans le noir et que le bébé remuait dans son ventre, qu'elle s'autorisait à songer à Maw Maw, tant son absence était aiguë, douloureuse. Quand elle serrait les paupières et appelait la douceur de ses vœux, elle sentait les doigts de Maw Maw dans ses cheveux, flairait la sueur terreuse de son cou, voyait sa manière de s'appuyer sur sa hanche droite pour observer les alentours depuis son perron. Depuis des mois, Grace suppliait sa grand-mère de lui venir en rêve, de lui donner des conseils. Le reste du temps, il n'y avait que le silence et les souvenirs. Son prénom, formel et rageur sur la langue de Hattie, déposa la réalité aux pieds de Grace : elle était seule avec son bébé. Mais elle se renseigna quand même.

« Est-ce que… Maw Maw est encore… encore en vie ?

— On est au milieu d'une discussion importante, qui engage ta vie entière. Qu'est-ce que tu viens me parler d'elle ? »

Grace baissa la tête.

« Je… Je me demandais juste si elle…

— Elle va bien, d'accord ? Aussi bien que possible pour une Noire en prison avec cinq ans à tirer. Mais on ne va pas parler de ça maintenant. Je te l'ai dit dès que tu as passé ma porte : ne ramène pas de bébés dans cette maison. Et toi, qu'est-ce que tu fais, Grace ? Qu'est-ce que tu as fait ? Je t'ai ouvert mon foyer, et tout ce que tu me rapportes, c'est de la honte. » Hattie restait imperméable à la peur de Grace, à sa tristesse. Elle la regarda serrer les bras sur son ventre et secoua la tête. « Je vais te dire : demain, on va aller là-bas, affirma-t-elle en reprenant une brochure pour l'agiter en l'air, et on va s'arranger pour que tu y restes jusqu'à l'arrivée de cet enfant. Ils t'aideront à recouvrer tes esprits, lui trouveront une bonne maison… »

Une douleur tranchante déchira les entrailles de Grace, comme un couteau à dents cisaillant la peau d'une pastèque. Elle prit son ventre à deux mains et chancela.

« Tante Hattie, pitié, ne me renvoyez pas. Je le veux, ce bébé. Je m'en occuperai, je le jure, dit-elle, les dents serrées par la douleur.

— Tu vois ? Regarde-toi. Tu sais même pas comment avoir un bébé, et c'est certain que t'es pas capable d'en élever un non plus. Et je ne vais pas te laisser tergiverser sous mes yeux. Je n'ai pas signé pour ces fadaises, moi.

— Mais je peux y arriver. Je... je pourrais trouver du travail, quelque chose, et...

— Où ça ? Où est-ce que tu comptes travailler, avec ton petit sanglé dans le dos et ton instruction limitée ? demanda Hattie avec un sourire narquois. Les champs, ça ne court pas les rues à Brooklyn.

— Je... J'espérais que vous...

— Je te conseille d'arrêter tout de suite. Il n'y a pas d'espoir pour une fille mère par ici. Rentre ça dans ta grosse caboche. » Ni les pleurs de Grace ni la douleur qui lui coupait le souffle ne l'émouvaient. « Demain. On y va demain, annonça-t-elle en tapotant la brochure. Alors descends préparer tes affaires, qu'on puisse y être à la première heure. L'infirmière m'a dit qu'il leur restait quelques lits, et je compte bien t'y mettre avant l'heure du déjeuner. »

Là-dessus, elle flanqua la brochure sur le guéridon et rentra dans sa chambre sans un mot ni un regard de plus.

Grace, encore pliée en deux par la douleur résiduelle et les coups du bébé, regarda la brochure comme s'il s'était agi d'un serpent dans le jardin de sa grand-mère. Elle dut se forcer à la toucher, à lire les mots, à comprendre ce que comptaient faire Hattie et ce « foyer ». L'angoisse, en revanche, lui venait toute seule.

Le sang n'avait jamais tellement dérangé Grace. Maw Maw Rubelle l'y avait habituée tôt, bien avant de l'emmener à son premier accouchement, le jour où son premier sang avait coulé le long de sa cuisse. Ça y était : d'abord l'épanchement d'eau éclaboussant le carrelage de la salle de bains, avançant le long des fentes et entrant dans les trous autour du lavabo et du siège des toilettes dont Hattie ne se servait plus depuis longtemps, puis le sang, écarlate sur le blanc du papier toilette et sur le côté pâle des doigts de Grace. Elle regarda ce sang couler, goutter de ses entrailles, épais, fertile et regorgeant de la vie qui s'étirait, gargouillait, annonçait son arrivée. Grace s'arrêta, inclina la tête et contempla le sang avec émerveillement juste un instant, avant que la douleur ne la mette à genoux. *Respire*, lui chuchota Maw Maw à l'oreille, et c'est ce qu'elle fit, par le nez et par la bouche, nez, bouche, puis du ventre elle poussa des halètements, brefs, rapides. Là, il y eut une nouvelle douleur, puis une autre, si vive, si brûlante qu'elle n'eut plus rien à exhaler hormis de longs bruits gutturaux, dents serrées, front plissé. De toute la force de ses doigts, elle s'accrochait au siège des toilettes et au lavabo, les seules choses, semblait-il, qui l'empêchaient de tomber la tête la première dans la flaque d'eau et de sang qui stagnait autour de ses orteils. La douleur ne cédait pas. *Respire*, répéta Maw Maw, et Grace obéit, une fois de plus. Lorsqu'elle eut un peu repris son souffle, elle ferma les yeux et vit Maw Maw comme en plein jour, en train de se récurer les mains en regardant autour d'elle… Elle rassembla ses forces pour appeler Hattie, mais c'était peine perdue : sa voix était bien trop petite pour sortir de la salle de bains, traverser le sous-sol, monter les marches, franchir la porte fermée, tourner le coin, dépasser la cuisine et franchir une seconde porte fermée derrière laquelle Hattie était assise à sa coiffeuse, en train d'imprégner sa peau de crème purifiante Noxzema tout en fredonnant « Good Morning Heartache » de Billie Holiday. Grace et son bébé étaient seuls au monde.

Elle lâcha le lavabo et fit pivoter son corps entier vers la baignoire ; concentrant son attention sur la serviette soigneusement pliée sur le rebord, elle tendit les doigts tout en endurant une nouvelle contraction, si intense, celle-là, si écrasante, qu'elle posa les deux mains à plat dans la flaque d'eau et de sang et appela tout ce qu'elle aimait, tout ce qu'elle avait jamais aimé : « Maw Maw ! Maman ! Pitié, pitié ! »

*Pousse.*

La pression sur ses parties intimes était presque insoutenable ; Grace renonça à la contrôler et fit ce qui est naturel et beau, ce miracle pour tous les êtres vivants : elle s'accrocha et poussa à fond.

*Pousse*, répéta Maw Maw.

Son poum-poum n'était plus que feu et flot et peau déchirée, soulevée, étirée en tous sens. Lorsqu'elle tendit la main entre ses jambes, ses doigts glissèrent sur le monticule sanglant qui luttait pour aller vers la lumière, pour se libérer. Encore une poussée, et ce monticule devint des yeux clos, un nez, une bouche, des joues, des cheveux frisés noyés de fluides. Grace se hissa pour s'accroupir. Tenant le contenu de ses entrailles entre ses deux mains, elle poussa encore une fois de toutes ses forces en s'accrochant au petit corps qui glissait de son cocon de chaleur et de sécurité vers un monde froid. Un monde qui, à la seconde où il constaterait que cet enfant respirait, s'emploierait à le lui voler.

Grace, en sanglots et pantelante, s'assit par terre et prit la serviette sur la baignoire ; elle en enveloppa le tout petit être, qu'elle embrassa sur la tête pendant qu'il pleurait contre ses seins. Elle essuya le sang et les matières sur son visage, aspira ses narines afin que sa fille – car c'était une petite fille – puisse absorber de l'air entre deux hurlements.

« Je t'aime tant, mon bébé, dit-elle en la tenant comme s'il n'était pas question de s'en séparer.

— Éteins en bas ! » brailla Hattie de l'autre côté de la porte en haut de l'escalier, totalement inconsciente du miracle que Grace venait d'accueillir sous son toit. Obnubilée par le rai de lumière qui passait sous la porte et qu'elle mettait sur le compte du dédain de sa petite-nièce pour les factures, elle hurla de plus belle et commença à descendre. « Tu ne m'entends donc pas, ma fille ? Ou tu es devenue sourde, par-dessus le marché ? »

Elle entra dans la salle de bains au moment précis où Grace, à quatre pattes, attrapait le placenta qui glissait de son corps. La petite était par terre à côté d'elle, ensanglantée, emmaillotée dans la belle serviette blanche de Hattie.

« Seigneur Jésus, ça y est ? demanda-t-elle malgré la réponse évidente qu'elle avait sous les yeux. Pourquoi tu m'as pas appelée ? Comment t'as fait, toute seule ? »

Grace ne pouvait pas parler. Elle ne voulait pas. Elle posa le placenta entièrement intact, ramassa son bébé, le regarda, émerveillée, tourner la tête vers son sein, le trouver et se mettre à téter.

« Dieu du ciel ! Reste ici. Ne bouge pas, je vais chercher des serviettes et t'aider à te mettre au lit. Tu restes là, hein ? »

Grace fit oui de la tête.

Dans les instants qui suivirent, ce fut une Hattie toute neuve, elle aussi, qui manipula Grace avec douceur et attention, l'aidant à se laver et à enfiler un pyjama propre, puis berçant le bébé dans ses bras en roucoulant et en inspectant ses cheveux frisés, ses joues rebondies, ses petits doigts et ses petits pieds potelés.

« Va donc te coucher », dit-elle doucement. Grace ne l'avait jamais entendue s'adresser à elle de cette voix-là, pas une seule fois en deux ans passés à Brooklyn, sauf dans ses rêves. Cette tendresse, venant d'elle, la désarçonna. Elle comprenait à peine les mots. « Allez, je vais t'aider. La petite a mangé, elle a le ventre plein. Va t'allonger et repose-toi. Je la surveille pendant que tu dors.

— Mais si elle a besoin…

— Je serai là, ne t'inquiète pas, répondit Hattie en faisant tressauter l'enfant dans ses bras. Elle ne risque rien. Je vais la laver et la langer comme il faut. Quand elle aura faim, je te la ramènerai. À voir l'état de cette salle de bains, tu as dû en baver. Je vais t'aider. »

Grace passa le dos de la main sur la tête et la joue de son bébé et l'embrassa sur le front. Elle n'ajouta pas un mot, mais ne quitta pas la petite des yeux pendant que Hattie remontait l'escalier. Elle continua de regarder fixement la porte jusqu'à ce que ses paupières tombent et qu'elle ne puisse plus combattre le sommeil.

Le soleil chassait paresseusement l'aube lorsque Grace rouvrit les yeux d'un seul coup et s'assit toute droite dans son lit. Elle croyait avoir entendu un claquement de mains unique et sonore au-dessus de sa tête, mais elle constata qu'elle était seule dans la pièce. Comme un brouillard remuant lentement devant des phares, les événements datant de quelques heures à peine lui revinrent, la douleur, le sang, les grognements, les poussées. La voix de Maw Maw. Sa fille. Elle essaya de se lever rapidement, mais son corps ne voulut rien entendre de cette folie. Au lieu de cela, elle bougea à la vitesse d'une personne qui, moins de douze heures plus tôt, avait expulsé un être humain de ses entrailles.

Tout en essayant de se soulever du lit, elle nota à quel point tout était rangé – voire nu. À mieux y regarder, c'est l'absence de tout qui la frappa : son peigne, son petit bonnet, sa lotion, son pull, ses chaussures. Il n'y avait qu'une robe et une paire de gros souliers – la tenue dans laquelle elle était arrivée chez Hattie – posées bien en ordre sur la chaise en face du lit. Perplexe, elle se rendit à la salle de bains, se nettoya du sang de la nuit, enfila les vêtements disposés pour elle, se lava le visage et, constatant que son dentifrice et sa brosse à dents n'étaient plus là, retourna en titubant dans la chambre et resta à fixer la porte en haut des marches.

Il lui fallut un bon moment pour clopiner jusqu'à l'escalier. Pour gravir les marches pas à pas. Pour tirer sur le battant. Pour pénétrer dans le salon. Hattie, assise sur le canapé dans le coin, tranquille comme tout, soufflait doucement sur son thé. Grace regarda dans ses yeux et vit la mort. Frénétique, elle clopina jusqu'à la cuisine, puis jusqu'à la petite salle à manger et à la salle de bains, puis emprunta le couloir vers la chambre de Hattie. Elle hurla.

« Où est-elle ? Où est mon bébé ? Qu'est-ce que tu as fait d'elle ? »

Hattie buvait son thé à petites gorgées.

« Mon bébé ! Je t'en prie ! Elle est où ? »

Hattie posa doucement sa tasse sur la soucoupe restée sur la table basse et appuya le menton dans sa main.

« Tu sais, un de ces jours, tu y verras clair. Et tu me remercieras de t'avoir sauvé la vie. »

Une expression d'horreur lui monta au visage en même temps que l'air quittait ses poumons – son cœur qui se brisait.

« Allons, allons, inutile de t'inquiéter, elle est en de bonnes mains, j'y ai veillé personnellement » dit Hattie tranquillement, factuellement. Elle pinça ses lèvres, souffla sur le liquide, reprit une gorgée prudente. « J'ai même fait une petite requête pour elle, comme on faisait chez nous. Tu dois te rappeler, non ? Je suis sûre que Rubelle t'a montré ça. Toujours en train de fourrer des choses dans des petits sachets, celle-là. »

Grace resta figée sur place, réduite au silence comme un enfant qui vient de recevoir une grosse gifle, tellement choqué qu'il ne peut plus reprendre le souffle accumulé dans sa poitrine et que tous ses organes vitaux restent immobiles, immobiles, jusqu'à ce que les orteils picotent, que ses poumons le brûlent et qu'il pense : ça doit être comme ça que la mort s'annonce avant que le noir n'arrive.

« J'ai utilisé le petit sac que le père Aaron a envoyé avec toi. Et la patte de lapin. Le mouchoir de ta grand-mère. Je t'avais dit de les jeter, mais tu n'écoutes rien », continua Hattie. Elle souffla, reprit une petite gorgée. « Ça fait rien, n'importe comment. Ça m'a bien servi. Ta gosse a un petit souvenir de toi avec elle. Elle aura une vie douce, protégée et prospère. C'est ce que j'ai souhaité pour elle, de ta part, bien sûr, mais je le lui souhaite aussi. J'ai prié pour elle, mais à l'ancienne ; ça peut pas faire de mal, j'imagine. »

Enfin, l'air se libéra, les paroles frénétiques de Grace, les cris accompagnant le flot.

« Où est mon bébé ? » répéta-t-elle encore et encore et encore pendant que Hattie se levait du canapé… et prenait le sac et le manteau de Grace… et lui agrippait l'épaule… et ouvrait la porte… et indiquait une vieille Chevrolet bleue qui attendait devant le portillon. « Non, non, non, non, non, où est mon bébé ?! Vous êtes *obligés* de me rendre mon bébé ! » hurla Grace tandis que sa grand-tante la poussait dehors.

Sur le perron, Hattie lui flanqua le manteau et le sac dans les bras et prononça des mots dénués d'émotion comme de volume, que sa nièce continuerait d'entendre toute sa vie :

« Je suis obligée de faire que dalle, à part rester noire et mourir. Elle aura une bonne vie. Je te conseille de faire de même. »

Sur ces mots, elle contourna Grace, lui fit signe de déguerpir et, avec l'aisance tranquille d'une personne qui vient de ramasser le journal et qui rentre boire son café du matin, referma la porte derrière elle.

# LE LIVRE DE DELORES

1967-1999

# 11

Il faisait une chaleur à crever dans la Juste Église de Dieu et de la Fraternité, et LoLo, en nage, poisseuse, ressentait une démangeaison atroce là où son collant serrait la partie charnue de ses cuisses. Elle avait beau se tortiller et agiter son vieil éventail en carton orné d'une image biblique, rien n'y faisait. C'était bien fait pour elle, pensa-t-elle. Dieu n'aimait pas les affreux comme elle, il voulait qu'elle se sente mal. Car après tout, elle avait menti à son Tommy – le seul qui la traitait bien, qui l'aimait, qui aurait fait n'importe quoi pour elle. Celui pour qui elle s'était mise à genoux et avait prié le Christ-Emmanuel quand le soleil montait dans le ciel, quand la lune faisait de même, et tant de fois entre-temps. Elles étaient humbles mais précises, ces prières, tombées de ses lèvres de femme noire, donc pauvre, impuissante et privée de choix : « Seigneur, je sais que vous êtes un Dieu de bonté, un Dieu généreux, qui m'a gardée parmi les vivants quand j'étais sûre de mourir et que je le voulais. Je viens à Vous en toute humilité pour Vous demander de m'envoyer un homme. Quelqu'un de bien, de travailleur, qui me protégera des peines, des douleurs et du danger, et qui voudra bien me soulager de ces fardeaux. Au nom de Jésus-Christ le Bien-Aimé. » Elle était si fidèle à ce rituel, à cette supplication, qu'elle avait dû soigner ses genoux à la vaseline pour empêcher qu'ils deviennent noirs et durs sur le linoléum usé de sa petite chambre en sous-sol, chez cette chrétienne bonne mais stricte qui l'avait recueillie quand elle avait fui vers l'État de New York. Ces prières, cette demande, c'était pour empêcher que son cœur aussi devienne dur et noir. Et puis un jour, elle avait été exaucée. Thomas Lawrence s'était présenté devant elle, avec sa bague, son salaire régulier et son amour. Sa protection. Il lui avait promis qu'avec lui elle n'aurait plus jamais faim, ne s'inquiéterait plus jamais de savoir où elle se coucherait. Il lui avait promis que c'était pour toujours, et elle l'avait cru. Et ensuite, qu'avait-elle fait ? *Qu'avait-elle fait ?* Il n'y avait pas six mois qu'ils s'étaient dit « Jusqu'à ce que la mort nous sépare », et voilà qu'hier LoLo avait menti effrontément à Tommy, son amour, son mari. Ce matin, aussitôt levée, elle était venue poser ses fesses sur ce banc d'église, assise bien droite dans la maison du Seigneur comme si elle n'était pas infectée jusqu'à la moelle par le Diable en personne. Un crime et une honte.

Elle chassa du dos de la main les perles de sueur sur son front et contempla le grand Jésus blanc aux bras ouverts peint derrière la chaire, qui dardait sur elle son regard bleu. Elle se balançait et s'éventait, se balançait et s'éventait, s'épongeait le front, contemplait Jésus. *Ne pleure pas, petit bébé*, se dit-elle à elle-même. *Ne pleure pas. Pardonnez-moi, Seigneur.*

Elle avait ses raisons de mentir. De bonnes raisons. Il fallait qu'elle s'accroche à Tommy. Après tout, elle avait connu son lot d'histoires d'amour calamiteuses : une série d'hommes qui s'empressaient de lui déclarer leur flamme et qui, tout aussi vite, dégénéraient en collages distordus – images disparates d'hommes au cœur petit, aux poings énormes, au beau visage, aux laides manières, dans des costards chics aux poches cousues par la pingrerie. Aucun désir d'être des hommes, des vrais. De perpétuer l'échange de bons procédés enchaînés depuis des millénaires aux chevilles des humains en fonction de leur sexe : l'homme gagne, la femme préserve. Elle avait eu beau se contraindre pour entrer dans leur idéal – la cuisine, le ménage, le rangement, la décoration, la maternité, être l'alpha et l'oméga –, aucun n'avait eu la motivation de devenir l'œuvre d'art parfaite dont elle serait le cadre. Tout ce qu'ils avaient à offrir, c'étaient les leçons ; les hommes prenaient volontiers, mais on ne pouvait compter sur eux pour donner, pour tenir leur part du marché. Une fois, en disant oui à Sharpe Williams qui voulait l'épouser, elle avait cru pouvoir s'extirper de cette chambre sordide où elle suffoquait depuis qu'elle avait fui la maison de son cousin et filé au nord. Mais même lui, le meilleur parmi les hommes qu'elle avait connus dans sa recherche d'un sauveur, n'avait pu renoncer à la seule part de ce marché qu'elle ne pouvait pas tenir.

« Comment ça, tu peux pas avoir d'enfants ? s'était-il étonné en la repoussant de ses genoux, où elle était assise, quand elle lui avait annoncé la nouvelle l'air de rien.

— Je… ne peux pas, c'est tout.

— Comment tu le sais ? Et c'est maintenant que tu me le dis ? On se marie dans moins de deux semaines, tu n'as pas pensé qu'il faudrait que je le sache plus tôt ? »

C'était une conversation – une explication, plutôt – qui pesait sur toutes ses histoires d'amour. Elle avait l'impression que ses amants la lui écrasaient sur la tête ; que son incapacité à faire germer leur semence et à faire pousser leurs fleurs était trop lourde à porter pour eux. C'en était trop pour leur virilité, laquelle exigeait que son corps – son utérus – garantisse leur postérité.

« Chéri, je ne pensais pas que ça ferait toute une histoire, tu comprends ? Tu as voyagé partout pendant la guerre, tu as vu des tas de beaux endroits où la plupart d'entre nous n'iront jamais », avait répondu LoLo, retrouvant sa voix, se rasseyant directement là d'où il l'avait poussée, assez près de lui pour qu'il sente son souffle tiède. Elle avait baissé les yeux et lentement battu des cils. Elle espérait qu'il se ferait peu à peu à l'idée, plutôt que de partir en vitesse comme tous les autres avant lui. Elle ne voulait pas le perdre. Impossible. « Tu ne vois pas ? C'est une bénédiction ! On pourrait voyager partout ensemble. Sans être encombrés d'une marmaille, sans fil à la patte. Sans enfants, on gagne des ailes.

— Donc depuis le début tu me mens comme une arracheuse de dents, alors que tu sais que tu es stérile ?

— Je… je n'ai pas menti, chéri, simplement… j'ai gardé ça pour moi. Je comptais te le dire, Sharpe. Je te le jure, mon cœur.

— Mais tu sais ce que ça représente, les gosses, pour un homme. Pour moi. Tu sais que je veux une famille.

— C'est moi, ta famille », avait-elle objecté. Puis elle s'était levée, avait redressé les épaules. « Je ne te suffis pas ?

— Mais qu'est-ce que tu racontes, femme ? » Elle connaissait la douceur de Sharpe – son âme emplie de gentillesse et de considération pour ceux qu'il aimait. Elle était témoin aussi de sa rage : elle l'avait vu défoncer des murs à coups de poing et courir entre tables et chaises pour attraper ceux qui osaient lui montrer ne fût-ce qu'une once d'irrespect. Ses yeux, déjà noirs, perçants, portaient en eux ce minuit, quelque chose d'obscur. Qui était là, tapi dans ses prunelles, tandis qu'elle défendait sa cause. Elle avait senti ses bras se hérisser. Cru qu'il allait la frapper. Il n'en avait rien fait. En revanche, il avait disparu. Moins d'un an plus tard, elle le voyait se précipiter vers la porte de l'épicerie du coin, la main dans le bas du dos d'une autre femme, jolie et pimpante avec son ventre rond, qui franchissait le seuil d'un pas de canard tandis que le soleil faisait briller son alliance.

LoLo s'était promis de ne pas répéter l'erreur avec Tommy. Il était bon vivant, mais il se démenait pour réussir. Fiable, rapide. Marrant. Exigeant. Son exigence pouvait à l'occasion être difficile à suivre, mais elle lui donnait bien volontiers tout ce qu'il voulait – un repas chaud, des tiroirs propres, même la promesse d'une partie de jambes en l'air –, car elle lui avait vite appris à faire en sorte qu'elle-même ait toujours ce qu'elle souhaitait : un homme qui subvienne à ses besoins et qui la protège, dans un monde qui aurait mieux aimé clouer une femme noire sur une croix plutôt que de lui accorder la capacité fondamentale de se nourrir, se loger, s'habiller et s'occuper d'elle-même. Il ne s'agissait pas tant de leur bonheur réciproque que de l'ordre des choses. Gagner. Préserver. Elle avait été très claire là-dessus la première fois qu'il l'avait déçue – quand elle avait fait irruption chez lui, en se fichant complètement de qui était là avec lui, et l'avait incendié pour lui avoir posé un lapin.

« Je ne sais pas pour qui tu te prends, mais je vais te dire une chose, t'es pas aussi extraordinaire que tu le crois », avait-elle dit, debout sur le seuil, la porte moitié tôle moitié moustiquaire appuyée contre son dos.

Elle n'avait aucune intention d'entrer dans sa petite maison, et donc aucune raison de laisser le battant se refermer. Elle était folle de rage et avait décidé, avant même d'avoir atteint le perron, qu'elle lui dirait son fait et s'en irait aussitôt.

« Holà, holà ! » avait lancé Tommy.

Son cœur était remonté dans sa gorge, propulsé par l'apparition soudaine d'une intruse à sa porte et par la joie de la voir là, chez lui, cette grande fille jolie et saine qu'il avait draguée quelques jours auparavant en se rendant au Corner pour parier cinquante cents sur le 976, le numéro qu'il jouait toujours quand il rêvait de la mort. Il avait sifflé. Elle avait souri. Il s'était arrêté. Elle aussi. Il avait dit des choses pour la faire rire. Elle avait ri et l'avait regardé avec ses grands yeux. Il l'avait invitée à sortir. Elle avait accepté. Il avait promis de venir la chercher à sept heures du soir le vendredi pour qu'ils attrapent le train de sept heures et demie et aillent voir un film à Manhattan. Elle l'avait attendu jusqu'à neuf heures dans la robe noire moulante qu'elle avait cousue spécialement pour l'occasion, son collant irritant ses longues jambes, ses pieds de taille 41 douloureusement serrés dans ses escarpins pointure 40. Elle fulminait un peu plus à chaque minute de s'être laissé avoir par un petit mec qui croyait pouvoir se permettre de donner rendez-vous à deux femmes le même soir et lui préférer l'autre.

« Pas de "holà" avec moi ! Lana m'a dit que tu comptais sortir ce soir avec elle, son mec et une autre nana, mais écoute-moi bien, avait-elle dit en dodelinant de la tête et en remuant l'index. Aussi sûr que je m'appelle Delores Whitney, tu ne vas pas me ridiculiser dans tout le quartier ! T'as rien de si spécial, avait-elle encore persiflé en le toisant lentement, remontant de ses chaussettes à son caleçon puis à son torse nu en tonneau, et jusqu'à sa tête sculptée, d'un brun profond.

— Non, non, je vais t'expliquer…

— Je me fous des explications. Ce qu'il me faut, à moi, c'est un homme qui fait ce qu'il dit. Le reste, tu peux te le garder.

— C'est déjà fini.

— Quoi ? Qu'est-ce qui est fini ? » avait-elle demandé en croisant les bras pour mimer la colère.

Elle voulait être en colère. Mais il était si joli garçon… Plus joli que dans ses souvenirs, quand il l'avait sifflée et qu'elle l'avait remarqué. Son cerveau exigeait qu'elle reste concentrée sur l'affront. Mais son cœur, lui, riait.

« Elle et moi, c'est fini. Maintenant c'est toi et moi.

— Comment tu veux que ça soit toi et moi, si tu ne tiens même pas le compte de tes rencards ? Je ne suis pas une poule que tu peux te garder sous le coude en attendant d'en avoir fini avec l'autre. Tu te trompes de femme.

— Non, c'est toi la bonne », avait insisté Tommy, les yeux brillants.

Il aimait sa fougue. Elle annihilait toute intention qu'il pouvait avoir avec les autres femmes qui voletaient autour de lui comme des abeilles autour d'un rayon de miel. À dater de ce moment, elle avait été la seule à briller dans son firmament.

LoLo s'était trituré les ongles, la bouche tordue, pendant que Tommy débitait un flot de paroles pour l'inciter à monter dans sa voiture. Manhattan, c'était exclu ; il était trop tard pour trouver une place assise dans un club de jazz. Et il eut le bon sens d'éviter la fête où il avait eu l'intention de se rendre, car il n'avait pas besoin de tomber sur Billy et sa copine grande gueule, Lana, qui risquait de lui casser sa baraque.

« Si on allait se balader, rien que toi et moi ? »

LoLo avait aimé sa manière de dire « rien que toi et moi », comme une prière. Elle avait cédé. Et par cette tiède soirée, lors de cette parfaite promenade sur Long Island, ils s'étaient arrêtés dans une petite rue secondaire où les moustiques et les lucioles se brûlaient les ailes contre les réverbères et où les criquets lançaient leur chant. Ils s'étaient gavés de roulés cannelle au caramel, de Coca-Cola et de cigarettes Kool en se racontant leur triste histoire, échangeant leurs chagrins, s'apitoyant sur leur sort.

« Ma mère avait de très beaux cheveux, vu qu'elle était en partie indienne, tu sais ? Je courais la trouver avec la brosse et elle s'asseyait par terre, bien bas, pour que je puisse partir du haut et brosser des racines jusqu'en bas de son dos », avait dit LoLo en suivant du doigt le contour du goulot de sa bouteille de Coca.

C'était le souvenir tout fait qu'elle gardait sous la main s'il fallait ajouter un peu d'assaisonnement au récit volontairement abrégé de ses origines, de ses raisons de quitter la Caroline du Sud, de la manière dont elle s'était retrouvée à New York. « Maman est morte, une parente m'a recueillie. J'ai toujours voulu monter à New York. La Juste Église m'a trouvé de la place au sous-sol, en me faisant travailler pour gagner mon pain. J'ai économisé pour avoir une chambre à moi. Je suis couturière. Je me débrouille. » Le reste, elle préférait le garder pour elle. Elle ne pouvait pas le dire. Le secret, la honte : les deux continuaient de serrer un nœud dans sa gorge. Elle était comme tous ceux qui ont vu l'indicible, et que ce nœud empêche de raconter, de revivre, d'oser.

Mais Tommy, lui, en voulait davantage. LoLo le voyait dans ses yeux : la manière dont il tournait son corps entier vers elle et regardait ses lèvres pendant qu'elle parlait, comme si elle était un film qu'il analysait, qu'il disséquait, curieux des choix de l'actrice, de ses motivations. Elle appréciait qu'il l'écoute vraiment. Qu'au lieu d'attraper sa chair tendre ou de la forcer à ce pour quoi elle n'était pas prête, il montre cette curiosité sincère. En elle, l'acier trempé était remplacé par des papillons. LoLo avait déployé ses ailes : elle avait volé jusqu'à son passé pour Tommy, jusqu'à certains endroits où elle n'avait jamais emmené aucun homme.

« J'avais six ans quand ma mère est morte, à la naissance de mon petit frère, Freddy. Mon père n'en a pas été un pour moi. Ni pour Freddy, d'ailleurs. À la mort de maman, il nous a simplement abandonnés dans la maison. Il nous a laissés mourir. Mes trois grands frères, ils ont fait ce qu'ils pouvaient, mais c'étaient des gamins, tu comprends ? Ils ont trouvé des endroits où aller dormir, mais Freddy et moi, on est restés dans cette maison après l'enterrement de maman. Mon père avait laissé un peu à manger, un peu de lait en poudre pour le bébé. Mais ces quelques jours où on est restés seuls… ça m'a paru une éternité, surtout quand Freddy s'est mis à pleurer. Je crois que mes frères ont réussi à prévenir la meilleure amie de maman. Elle faisait quasiment partie de la famille. En apprenant que Freddy et moi on était tout seuls à la maison, elle est venue nous chercher. Plus tard, mon petit frère a été envoyé chez des parents quelque part à Blacksburg, en Caroline du Sud, et moi je me suis retrouvée chez des cousins à Columbia. »

Elle avait mordu sa lèvre pour l'empêcher de trembler, mais elle ne pouvait pas se cacher, pas à Tommy. Il avait fait le geste de lui prendre la main. Elle l'avait laissé faire.

« Quand ma mère est morte, avait-il confié, mon père a fait comme le tien. Il s'est débarrassé des petits, mais nous a gardés sous le coude, nous, les grands. Il nous battait. Il nous faisait faire tout le boulot – réparer la toiture, couper le bois, conduire sa fourgonnette, assurer les livraisons, tout ça. Il m'a même obligé à arrêter l'école. Il n'a pas été un père pour moi.

— Ton père ne valait rien. Le mien non plus. Et pourtant nous voilà, hein ? » avait dit LoLo. Elle avait resserré le nœud dans sa gorge. « On est toujours debout. »

Elle avait fait tinter sa bouteille de Coca tiède contre la sienne et avait bu une gorgée.

« Toujours debout », avait-il répété avant de boire à la sienne. Puis, à mi-voix, il avait ajouté : « Je veux faire mieux que ça avec ma famille. Mes frères ont des gosses – enfin, les plus grands. Et une de mes petites sœurs aussi. C'est ce que je veux. Une famille à moi. Une femme, deux enfants. J'ai l'intention de devenir le père et le mari que mon père n'a jamais su être.

— Tu aimes beaucoup les enfants, alors ? » avait lentement demandé LoLo.

Tommy n'avait pas semblé remarquer sa gêne lorsqu'elle avait rajusté sa position sur son siège.

« J'adore, avait-il répondu sans hésiter.

— C'est ton rêve ? D'être papa ?

— J'en ai beaucoup, des rêves, mais ils compteront pour rien si je ne peux pas les partager avec ceux que j'aime.

— Qu'est-ce qui te fait croire que tu peux faire mieux ? À première vue, ta mère et la mienne aussi pensaient être tombées sur des hommes bien. Et tout ce qu'elles ont eu en remerciement de leurs efforts, c'est une marmaille et un enterrement précoce.

— Je ne suis pas mon père », avait lâché Tommy avec humeur. La manière dont il l'avait regardée, comme s'il lisait directement dans son âme, l'avait un peu embarrassée. Il était sincère, elle le sentait. « Ma famille, je la traiterai bien. Je m'occuperai de mes gosses. Je ferai comme les Blancs, je m'arrangerai pour que ma femme et mes enfants ne soient jamais dans le besoin. C'est la vie que je te promets. Et je tiens mes promesses.

— Ah bon ? C'est pour ça que je t'ai trouvé devant ta commode, en train de repasser ton costard pour ta prochaine conquête ?

— Il n'y a plus d'autre fille. Rien que toi. »

Et il en était ainsi depuis. LoLo était bien consciente que Tommy n'était pas comme les autres ; il ne la battait pas comme faisait le mec de Cindy, ne lui donnait aucune raison de se déchaîner comme faisait Lana quand son homme la trompait ouvertement, déballant toute cette noirceur aux coins de rues et devant les maisons de tout Amityville. Il sortait ses poubelles, lui achetait du lait et des cigarettes. Il lui avait fait fermer les yeux quand il l'avait emmenée dans sa nouvelle maison, et lui avait dit de les rouvrir après lui avoir glissé dans la main un morceau de métal froid. Une clé. Sa clé. LoLo avait tâché de respirer lentement pour empêcher son cœur d'éclater. C'est à elle qu'il avait promis le monde, c'est elle qu'il avait emmenée jusqu'à Midtown pour choisir une alliance. Tommy avait réellement l'intention de la traiter comme il faut ; et elle comptait bien s'accrocher à lui de toutes ses forces.

« Je veux qu'en arrivant au boulot demain, tu ailles tout droit trouver ton patron et lui dire d'aller se faire foutre. Dis-lui qu'à partir de maintenant, c'est ton homme qui gère. Tu lui dis comme ça. »

C'est ce qu'elle avait fait. Et chez le juge de paix, moulée dans une robe qu'elle avait mis des semaines à coudre – une de ces robes qu'affectionnait Dorothy Dandridge, comme un gant de satin sur sa peau d'ébène –, LoLo avait dit oui avec un si large sourire que le clerc à l'autre bout du couloir avait vu ses dents du fond. Ils allaient avoir une bonne vie. Il l'avait promis. Elle y croyait.

En retour, LoLo laissait Tommy rêver à voix haute, et tirait un petit coup sur sa chaîne quand il s'égarait.

Il aimait cela, son soutien. Sa loyauté, son dévouement. Il lui disait souvent qu'elle était le battement même de son cœur. « On ne peut rien faire si le cœur ne fait pas bien tic-tac », disait-il. C'est pourquoi il l'appelait parfois Tick. LoLo jugeait que c'était un petit prix à payer pour tout ce qu'il avait à offrir.

Elle n'avait aucune intention de se faire piquer cet homme précieux – ni par la copine effrontée de Lana ni par aucune autre, ni par les rues, ni par les flics pourris qui enfermaient les hommes de couleur pour le plaisir. Et surtout pas par ses entrailles vides. Sa stratégie était de l'obliger à ne jamais se relâcher tout en lui donnant raison sur tout. D'alimenter sa virilité, depuis le moment où le Blanc de la mairie avait dit « Je vous déclare mari et femme » jusqu'à son dernier souffle.

Mais pour cela, encore devait-elle mentir. Lui soumettre son corps, encore et toujours, mois après mois, en prétendant que cette fois ça allait prendre, qu'au bout du compte il y aurait un petit bébé, son bébé à lui, en train de prendre forme, de grandir et de prospérer dans son ventre. Elle devait feindre la surprise devant le résultat, qui, à l'insu de Tommy, serait toujours le même. Toujours contraire à ce qu'il désirait de toutes ses forces. Toujours aussi vide que ses entrailles. Pour preuve que le problème venait de lui, et pas d'elle, elle présentait son sang, ses règles.

« Mais comment tu peux être sûre que ça vient de moi, LoLo ? » avait-il demandé d'une voix tremblante.

Ils étaient assis au salon, côte à côte sur le canapé en velours vert pomme qu'ils avaient trouvé sur un trottoir à deux rues de chez eux. Leurs genoux touchaient presque la table basse ovale aux pieds branlants ; un petit téléviseur noir et blanc posé sur trois cageots empilés, aux antennes en V au moins deux fois plus larges que l'appareil lui-même, hurlait devant eux. À l'écran, une publicité montrait une petite fille blanche dans une baignoire pleine de bulles, passant un linge sur son bras potelé. Le narrateur expliquait que ce savon en particulier flottait sur l'eau et produisait une mousse crémeuse assez douce pour la peau des bébés.

LoLo triturait ses mains sur ses genoux, les yeux rivés sur les lignes enfouies dans les plis de ses paumes. Elle avait répété ce rôle, mais en disant sa réplique elle n'avait pas pu le regarder dans les yeux, Tommy, cet homme qui désirait désespérément des enfants : elle aurait craqué et risqué de perdre son amour à jamais.

« J'ai mes règles, avait-elle soufflé. Ça veut dire que mon corps marche normalement. »

Ensuite, elle n'avait plus ajouté un mot.

Tommy, pas très au fait des complexités de la biologie féminine, avait posé le front sur ses mains et massé d'abord ses sourcils, puis ses tempes. Enfin, il avait balbutié :

« Je suis désolé, Tick. C'est ma faute. C'est mon malheur, et je t'y ai entraînée. Quel genre d'homme ne peut pas compter sur Dieu pour combler sa femme avec un bébé ? Quel… »

Il n'avait pas pris la peine de terminer sa phrase. Il s'était levé si brusquement que la table basse s'était renversée à grand fracas. LoLo avait cru mourir de peur. Il s'était rué vers la porte et était sorti. Elle l'avait laissé faire.

LoLo était tellement absorbée dans la contemplation de ce Jésus blanc derrière le pasteur qu'elle faillit en rater sa bénédiction. Elle revint sur terre lorsqu'une femme assise sur le banc derrière elle secoua son tambourin, dont les cymbales miniatures sonnèrent à son oreille droite. Elle changea de position sur son propre banc et actionna de plus belle son éventail, en jetant des regards de tous côtés pour voir si les autres ouailles avaient remarqué son stress.

« Oh, laissez venir à moi les petits enfants ! » cria le pasteur Wright d'une voix qui lui fit l'effet d'un écho dans un tunnel. Il s'éloigna du micro, savourant les tintements des tambourins, les « Amen ! » et les « Prêchez, prêcheurs ! » qui montaient vers sa vieille chaire branlante. LoLo se redressa, tendit l'oreille. « Dieu a été très clair sur son amour pour les enfants et sur notre devoir chrétien envers eux, continua le pasteur. Proverbes, chapitre quatorze, verset trente et un : Qui opprime le pauvre… écoutez-moi bien ! J'ai dit : qui opprime le pauvre… outrage son Créateur… mais… mais… celui-là l'ho-nooore… qui a pitié du nécessiteux. »

LoLo eut un picotement dans le dos ; elle se redressa, perturbant le délicat équilibre de sa Bible, de son sac et de son châle de prière déplié bien comme il faut sur ses genoux. Elle prit le tout dans ses mains moites en se penchant vers la chaire, l'oreille tendue. Ce n'était certainement pas une coïncidence, se dit-elle : juste au moment où elle implorait le pardon de Jésus pour avoir caché à son mari son incapacité à concevoir, voilà que le pasteur Wright se servait du saint Évangile de Dieu pour encourager ses ouailles à adopter. Son estomac fit un petit bond. « Gloire ! » cria-t-elle, assise du bout des fesses au bord du banc.

Convaincue que le sermon était un message du Tout-Puissant en personne, elle s'éclipsa de l'office et, ses chaussures de messe à la main, fit un trou dans son collant en courant avec son idée divine vers le 333 Penny Drive.

« Chéri ! » lança-t-elle en s'asseyant de trois quarts sur le canapé, essoufflée.

Elle contempla son mari qui contemplait la télé, où les Mets se faisaient remonter alors qu'ils menaient par quatre à zéro contre les Astros.

La télé, sa bière ; c'étaient là les seuls réconforts de Tommy depuis des jours et des jours, depuis qu'il avait pris conscience d'une réalité qu'il n'était pas prêt à affronter, et encore moins à évoquer, même avec sa femme. Il continua de regarder l'une en sirotant l'autre.

« Chéri, écoute-moi, l'implora LoLo, une main posée sur son genou. Regarde-moi. S'il te plaît. »

Tommy, enfin, tourna lentement sa face morte, vide, pour la regarder dans les yeux, ce qu'il évitait de faire depuis l'instant où il avait compris qu'ils n'auraient jamais un enfant à eux et que c'était probablement sa faute à lui.

« Quoi ? demanda-t-il d'une voix morose.

— Il faut que je te parle de la Société pour l'enfance noire », dit-elle en prenant sa main libre, celle qui ne tenait pas sa troisième bière tiède de la matinée.

Les yeux brillants d'enthousiasme, ses lèvres gercées envoyant voler des postillons, desséchées d'avoir avalé de l'air chaud pendant sa course vers son homme, LoLo laissa les mots adéquats se déverser entre ses dents du bonheur, un flot si rapide qu'elle sifflait pratiquement lorsqu'elle arriva à la fin. Tommy entendit tous les mots-clés : « moins privilégiés », « bénédiction », « la volonté de Dieu », et « la famille c'est la famille, indépendamment des liens du sang », mais il n'était pas encore prêt à assimiler l'idée, même si tout sonnait juste. Comment un homme viril, un homme digne de ce nom, pouvait-il être incapable de fabriquer un bébé ? Était-il vraiment homme, s'il ne parvenait pas à donner un enfant à sa femme ? Un homme qui se respectait pouvait-il accepter de voir sa propre descendance se flétrir et mourir sur le pas de sa porte ? Tommy n'était pas du genre à prier, mais Dieu sait que ça, c'était important pour lui. Toutes ces fois où il Lui avait promis de devenir meilleur que son propre père et que celui de LoLo, toutes ces fois où il avait confié aux nuages son intention d'emplir la maison d'enfants et de les élever avec la droiture et l'amour que sa femme et lui n'avaient jamais reçus eux-mêmes… tout ça, pour rien. Ce dieu n'avait rien de plus à offrir que le ventre vide de LoLo, que son cœur brisé à lui. Le boniment du charlatan là-haut sur la chaire ? Il ne voulait pas l'entendre.

Son humeur maussade, cependant, ne faisait pas le poids face à l'enthousiasme de LoLo et à son pouvoir de persuasion. Elle savait pratiquement tout obtenir de son homme, et ceci en particulier ne ferait pas exception. Il le leur fallait, ce bébé. Et ils l'auraient.

Plusieurs longues semaines s'écoulèrent avant que Tommy se fasse à l'idée. Le discours de LoLo était parfaitement sensé, mais c'est chez leur amie Sarah que son cœur finit par céder. Le pasteur Wright était là :

costume neuf, front humide, poche de poitrine remplie d'argent grâce au chèque des Services de l'enfance et de la famille. Un fils.

« Oui, c'est mon petit gars, Samuel », dit le pasteur. Il sortit un mouchoir de cette poche pleine d'argent et s'épongea la lèvre supérieure en regardant l'enfant de quatre mois passer de bras en bras. « C'est quelque chose, d'avoir un nouveau cadeau du ciel dans la maison juste au moment où mes aînés sont sur le point de quitter le nid.

— Vous avez des enfants à vous ? » demanda Tommy pendant que Sarah pinçait les joues potelées du bébé en murmurant de douces paroles.

Le pasteur plissa le front.

« Eh bien, ma femme et moi avons eu deux fils ensemble, et nous avons recueilli la fille de sa sœur lorsqu'elle est décédée. Samuel est notre quatrième.

— Donc, les deux aînés sont de votre sang. »

LoLo, qui se penchait vers le bébé et tirait un peu la couverture pour mieux voir sa tête de chérubin, lança un regard tranchant à Tommy, mais il était trop occupé à exiger une réponse franche pour prêter attention à sa gêne.

« J'ai mis au monde les deux aînés, oui, mais Samuel n'en est pas moins mon enfant, intervint Sarah. Les bébés sont toujours une bénédiction. Peu importe comment ils arrivent dans nos bras. »

LoLo, comprenant d'instinct que Tommy fourbissait ses armes, souleva l'enfant avant qu'il puisse faire une remarque désagréable. Elle le logea au creux de son bras gauche et le berça en tapotant son petit derrière, comme elle avait appris à le faire dans une autre vie, à l'époque où savoir calmer un bébé, savoir le réconforter, avait sauvé sa peau. « C'est qui le gentil bébé ? C'est qui le gentil bébé ? » roucoula-t-elle en nichant son nez contre la joue de l'enfant. Elle ferma les yeux et inhala profondément. Oui, songea-t-elle, un bébé comme celui-ci, un fils que Tommy pourrait apprendre à considérer comme le sien, arrangerait tout entre son homme et elle. Il les unirait pour toujours. Elle le lui ferait comprendre.

Il y avait quelque chose dans la délicatesse des mains de LoLo, dirait Tommy plus tard : la manière dont ses doigts, durcis par les champs de coton où elle avait travaillé enfant, avaient pressé le bébé contre son sein. Il l'avait regardée faire sauter le petit dans ses bras et s'était senti, en effet, un homme neuf.

# 12

« Qu'est-ce qu'il y a, en bas ? » demanda Tommy en désignant un étroit escalier devant lequel l'assistante sociale le faisait passer d'un pas rapide.

Lolo, dont il tenait la main moite dans sa paume sèche et calleuse, traînait un peu en arrière : elle marchait à tout petits pas malgré ses longues jambes. À les voir, on aurait pu croire qu'il la traînait de force dans les couloirs de la Société pour l'enfance noire. De sa main libre, elle se massait la tempe droite. Les petits talons de l'assistante sociale résonnaient sur le carrelage entre les murs vides et gris ; ils résonnaient aussi dans son crâne et lui donnaient une migraine sourde qui augmentait à chaque pas. Elle faisait son possible pour retenir ses larmes. Elle avait déjà du mal avec un bébé : que ferait-elle avec deux ? Avec une fille qui, sûrement, la tuerait d'inquiétude ?

Et voilà qu'elle se trouvait dans un orphelinat, et qu'elle se retenait de hurler. Pour leur premier enfant, le garçon, il n'y avait pas eu besoin d'en faire autant. Sous l'impulsion du pasteur Wright, la Juste Église de Dieu et de la Fraternité avait passé un accord avec la Société pour l'enfance noire, qui comptait sur la bonne volonté des églises noires pour sauver les petites âmes en mal d'un bon foyer chrétien. Le pasteur n'aurait jamais imaginé que ce serait si facile de convaincre ses ouailles de recueillir des enfants pourtant défigurés par les coups, abandonnés par des mères toxicomanes, déposés par des familles mortifiées que leur fille ait perdu sa vertu. Dès lors qu'il avait évoqué les méthodes contestables de la Société – laquelle fournissait aux enfants le lit, le manger, des vêtements, en échange de quoi elle les louait à des familles comme serviteurs à demeure pour qu'ils gagnent leur pain, apprennent un métier, se rendent utiles –, il n'avait eu aucun mal à convaincre ses fidèles d'accueillir ces pauvres âmes, que ce soit à titre temporaire ou en adoption plénière. Nul ne pouvait dormir sur ses deux oreilles sachant que des petits Noirs innocents étaient enrôlés de force dans un esclavage moderne, juste là, à deux pas. Bonus : pour chaque enfant placé, il y avait à la clé une indemnité mensuelle, bien utile dans le cas de ces pauvres gosses qui auraient toujours du mal à trouver un emploi stable. Et l'avantage n'échappait pas non plus au pasteur Wright : en tant que collecteur et organisateur de la distribution, il s'octroyait dix pour cent de l'allocation. Une fois tout le monde clairement motivé, obtenir un bébé de la Société avait été simple comme bonjour : un jeudi soir, Tommy et LoLo s'étaient joints à une demi-douzaine de familles pour feuilleter un album où figuraient les noms et les caractéristiques des enfants disponibles, et ils avaient fait leur choix. Environ un mois plus tard, en trois heures tout rond – moins de temps qu'il n'en fallait à Tommy pour réparer la chaîne de fabrication à la pâtisserie industrielle où il travaillait –, ils sortaient de la Société pour l'enfance noire avec un petit garçon, leur fils, un enfant prénommé John qu'ils allaient rebaptiser Tommy Junior sur son nouvel acte de naissance – TJ pour faire court. Tommy était heureux, et LoLo s'en félicitait. En tant que mère, en revanche, elle n'était pas ravie de ce qui l'attendait. Prendre un second enfant, une fille, à peine deux ans plus tard, c'était une idée folle qui l'avait mise à genoux. *Seigneur, donnez-moi la force*, avait-elle prié le soir où Tommy était venu la trouver pour lui fourrer dans les mains un catalogue de petits corps qui attendaient de sortir de l'institution.

« Je pense qu'il est temps que TJ devienne grand frère », avait-il dit. Il avait souri largement en se renversant en arrière, les genoux écartés, dans le canapé. « On peut encore avoir la famille qu'on a toujours voulue, pas vrai ? On peut avoir une maison pleine d'enfants si on veut. »

LoLo avait fait sauter le petit TJ sur sa hanche. Elle l'avait nourri, lavé, mis dans un pyjama tout chaud, bercé, lui avait donné du lait, et pourtant il ne se calmait toujours pas. Il n'arrêtait pas de chouiner et de se cramponner à elle alors qu'elle n'avait qu'une idée : faire la vaisselle du dîner et s'asseoir enfin.

Elle l'avait fait sauter encore un peu, par nervosité. Par peur de ce qu'il se passerait si elle disait la vérité à Tommy : elle n'avait pas la force de tenir sa part du marché, d'être une femme d'intérieur et une mère modèle, surtout si une fille entrait dans l'équation. Elle était convaincue qu'il n'y avait pas assez d'ombre, pas assez de coins sombres ni de cachettes suffisantes pour préserver une fille des problèmes de ce monde qu'elle n'avait pas les muscles ni l'habileté pour boxer avec le facteur humain.

*Je sais ce que je Vous ai demandé, Seigneur*, avait-elle prié en silence. En regardant Tommy, elle s'était forcée à sourire. Avait encore fait sauter le bébé. *J'en appelle à ta puissance, Jésus.*

Apparemment, Dieu était plus en phase avec Tommy. Celui-ci avait décidé qu'il voulait une fille, donc il l'aurait. Comme il n'était pas question d'attendre la prochaine campagne d'adoptions dans six mois, il avait traîné LoLo dans le train de sept heures du matin pour Manhattan afin d'être sûr qu'ils soient en temps voulu devant la grande porte de cette relique des institutions d'avant-guerre, froide, stérile, où il était certain de la trouver. C'est ainsi que LoLo se retrouvait à trottiner dans la Société pour l'enfance noire en murmurant pour elle-même : « Ne pleure pas, petit bébé » et en évitant les coins sombres, le cœur battant lorsqu'elle passait devant des portes fermées et des enfants au regard vide. Elle marchait d'un pas raide. Tommy ne remarquait rien. Il y avait beaucoup de choses qu'il ne remarquait pas.

« Oh, en bas, il y a encore des enfants, répondit l'assistante sociale, voyant que Tommy s'était retourné pour regarder dans l'escalier sombre. Vous avez de la chance, Mme Lawrence et vous ! Nous en avons reçu beaucoup depuis un mois. On a fait le calcul : on dirait bien que tous ces petits polichinelles ont été mis dans le tiroir après la mort de Bobby Kennedy. Ça ne fait pas un pli : qu'il arrive un événement traumatisant, et, neuf mois après, voilà ! » dit-elle avec un petit sourire.

LoLo ne voulait pas mettre les pieds au sous-sol.

« Je vais ressortir, regarder un peu les enfants dans la cour. »

Elle tourna les talons et partit en toute hâte dans le couloir, sans laisser à son mari le temps de protester.

Tommy ne s'en soucia pas.

« Ça vous ennuie si je jette un coup d'œil ? »

Il commença à descendre avant que l'assistante sociale ait pu répondre.

Celle-ci se renfrogna en le regardant disparaître.

« Vous savez, ce sont généralement les épouses qui sont impatientes », lança-t-elle à LoLo qui avait déjà parcouru la moitié du couloir.

LoLo s'arrêta, hésita, se retourna lentement vers elle.

« Oui, bah, il vient d'une famille nombreuse, il a toujours voulu beaucoup d'enfants, répondit-elle simplement.

— Ah, mais c'est charmant, ça. Dommage que vous ne puissiez pas les faire vous-même, lâcha l'assistante sans ménagement.

— Qui a dit que c'était moi ? » répliqua sèchement LoLo. Aussitôt, elle se radoucit et chercha à arrondir les angles : « Vous pouvez m'indiquer les toilettes ? »

La femme plissa les yeux.

« Les vôtres, c'est au fond du couloir, derrière le coin à droite, après le placard à balais.

— Merci. »

Elle se précipita vers le panneau PERSONNES DE COULEUR UNIQUEMENT. Une fois dans la pièce exiguë, à peine assez grande pour contenir le siège et un lavabo, elle fit les cent pas, ce qui revenait à décrire des cercles minuscules. *Ne pleure pas, petit bébé. Je t'en prie, ne pleure pas*. Elle repassa ces mots dans sa tête, les répéta lentement pour qu'ils emportent au loin les piques de l'assistante sociale. Mais ils étaient impuissants à laver la crasse de la vérité, des souvenirs, des cicatrices.

*1953*

LoLo avait appris à s'occuper des bébés dès l'âge tendre de six ans, dans un endroit tout à fait semblable à la Société, avant même de savoir nouer ses lacets – avant d'avoir une bonne paire de chaussures à elle, pour tout dire. Les dames de ce foyer n'auraient pas permis qu'il en aille autrement. Elles se faisaient appeler les « Mères », et elles étaient difficiles : elles n'aimaient ni le bruit ni les enfants, ces petits négrillons sans âme nés de ceux qui forniquaient comme des sangliers et laissaient les autres élever leurs portées. Leur générosité découlait uniquement de la Bible : le Deutéronome était clair à propos de leurs devoirs envers les petits sans père, donc elles veillaient à ce que les bâtards aient de quoi manger et un lieu où dormir. Mais ce verset de la bonne parole qui les guidait ne parlait ni d'amour ni de soutien, et elles n'avaient aucune tendresse à donner ; uniquement des exigences aussi dures que leurs badines, dont elles faisaient un usage intensif.

La petite LoLo l'apprit pratiquement dès la porte, jusqu'à laquelle elle avait joyeusement gambadé, un grand sourire sur ses lèvres poissées par la sucette dont sa tante Bessie s'était servie pour l'attirer dehors, sans se douter qu'un adulte à qui elle se fiait allait encore la trahir et l'abandonner. Elle se tenait là en silence, les doigts salés de sueur, à retirer de ses molaires le sucre épais qu'elle avait choisi de croquer plutôt que de lécher, parce que c'était la chose à faire avec une friandise si rare et merveilleuse, lorsqu'elle commença peu à peu à écouter puis à comprendre l'échange entre Bessie et les femmes. Comprendre que ce n'était pas une visite de courtoisie mais une destination pour elle et Freddy, son frère nouveau-né, une démission de la seule adulte qui avait bien voulu s'occuper d'eux pendant les semaines qui avaient suivi l'enterrement de leur maman, alors que personne d'autre, ni leur père ni leurs grands frères, ne le faisait.

Sa réalité brumeuse se précisant soudain, elle se tortilla pour échapper à la poigne ferme de Bessie et recula, sa poitrine se soulevant à chacun de ses pas maladroits. Elle trébucha sur un caillou aussi gros que son pied et vit sa sucette mâchée rebondir sur le gravier, qui s'enfonçait aussi dans ses paumes et dans ses genoux égratignés d'où perlait le sang. À la place du sucre sur sa langue, elle sentait maintenant de la bile et le sel de ses larmes.

« Pitié, tata Bessie, ne me laisse pas ici », plaida-t-elle en secouant furieusement la tête.

Elle s'écroula, sonnée par le choc qui lui traversait l'estomac et irradiait jusqu'à ses pieds.

« Je sais, mon enfant, c'est un triste jour. Mais tata Bessie a fait tout ce qu'elle pouvait », répondit sa tante en tendant le petit Freddy à la femme grise et ridée pour l'aider à se relever.

LoLo se cramponna aux jupes de sa tante. Dans sa tête, elle voyait défiler certains moments des derniers jours où elle n'avait peut-être pas eu un comportement exemplaire. Elle se pressa entièrement contre Bessie, et la douleur qui fusa de sa main et de son genou écorchés lui arracha une grimace. Les yeux vitreux, elle regarda sa tante en montrant ses dents pour essayer d'être jolie, attendrissante. Comme elle le faisait à l'église quand sa maman était encore sur la terre, pas dessous, et que la tante Bessie lui pinçait les joues, lui demandait un baiser et disait : « Oh la la, quelle petite mignonne, celle-là. Un si beau sourire ! » Elle se triturait les méninges. *Qu'est-ce que j'ai fait de mal ? Elle est fâchée contre moi ! C'est Freddy qui a trop pleuré. Non, non, j'aurais dû laisser le gras du lard. Elle m'en veut parce que j'ai pas demandé avant d'en mettre sur mon biscuit, comme faisait maman.*

La petite LoLo, en effet, avait entendu par bribes les reproches que le mari excédé de Bessie avait criés encore la veille au soir, alors que Freddy hurlait et qu'elle, assise dans un coin, tentait de le consoler tout en retirant de ses dents des restes de biscuit salé. Les deux enfants de Bessie – un garçon qui devait avoir dans les neuf ans et une fille de l'âge de LoLo –, figés de l'autre côté de la pièce, n'émettaient pas un son.

« Enfin, Bessie ? Tu voudrais que je me soucie de gosses qui sont pas à moi, plutôt que des deux nôtres ? Nos enfants à nous ?

— Qu'est-ce que tu veux que je fasse, Georgie ? Je peux pas les jeter à la rue, quand même. C'est les gosses de ma plus proche amie… »

George ne voulait rien entendre.

« Exactement, c'est les gosses de Lila Mae et Ford Whitney, pas les nôtres. Il a qu'à les nourrir, leur père. Il est où, çui-là, hein ? Abandonner son propre sang !

C'est pas digne d'un homme, tiens, faire une chose pareille.

— Il… il travaille, chéri. C'est temporaire, je te l'ai dit.

— C'est ça, ouais. C'est le mot : temporaire. Ça fait deux semaines que je ramène le peu que je gagne pour nourrir des gosses que leur propre père a laissés aux autres. C'est pas mon problème, à moi. Il est temps. Je veux qu'ils soient à l'orphelinat avant que je sois rentré du boulot demain. C'est tout. »

LoLo avait entendu le mot « orphelinat ». Elle n'avait pas bien compris ce que c'était, jusqu'au moment où elle s'était retrouvée devant le bâtiment blanc décrépit. Freddy et elle allaient être laissés à des inconnues, comme des articles de seconde main – comme des choses à jeter, dont il fallait se débarrasser. Alors, frénétique, elle supplia encore :

« Pitié, tante Bessie ! Je mettrai plus de gras sur mes biscuits. Pardon ! Je recommencerai pas, c'est promis. Pitié… »

Une seconde femme, plus jeune, aux cheveux épais roulés en deux chignons serrés qui étiraient ses tempes, referma ses doigts sur les épaules de la fillette pour l'empêcher de gigoter. Bessie soupira, essuya ses larmes. Puis elle dit aux Mères :

« J'l'ai gardée aussi longtemps que j'ai pu, mais leur maman n'est plus là. Elle est morte quelques jours après avoir eu celui-là, précisa-t-elle en indiquant Freddy du menton. Les plus grands, y peuvent se débrouiller, mais ces deux tout-petits, leur père… » Elle prit son temps pour trouver le mot qui convenait. « Y travaille. Un homme a pas le temps de s'occuper de bébés en plus du travail, j'comprends bien, mais nous, on ne peut tout simplement pas le faire à sa place. Lila Mae était ma meilleure amie. Elle a de la famille à Blacksburg et peut-être à Columbia, y me semble. J'vais les trouver, leur dire où sont les petits. Je sais qu'ils viendront tout de suite les chercher. J'les emmènerais bien moi-même si je savais où c'est et si j'avais un moyen de transport. Mais en attendant, si vous pouviez les prendre... Si vous pouviez prendre soin d'eux jusqu'à ce que leur famille vienne les chercher... »

La gorge nouée par les larmes, elle embrassa LoLo sur les deux joues alors que celle-ci se débattait toujours, puis passa le dos de la main sur la tempe de Freddy. Là-dessus, elle se hâta de tourner les talons, de descendre les marches et de partir dans la rue, le bruissement de ses jupes luttant contre l'air dense et glacial de ce mois de mars. Seize ans plus tard, sur son lit de mort où le cancer se repaissait de ses entrailles, elle entendrait encore les cris et les supplications de LoLo, et chercherait dans son cœur les mots pour expliquer à sa meilleure amie, au paradis, comment elle avait pu laisser ses bébés à l'orphelinat baptiste du Fanal.

LoLo n'avait que six ans, et elle avait eu beau grandir dans une maisonnée campagnarde où les enfants apprenaient tôt à se tenir tranquilles, elle ne maîtrisait pas encore l'art de dompter ses émotions. Les Mères ne tardèrent pas à y remédier. La plus vieille, au moins, eut la décence d'attendre que Bessie ait atteint le chemin de terre, mais la jeune ne se souciait même pas qu'on voie ce qu'elle faisait et comment la petite réagissait. D'un seul geste, elle la redressa et la gifla d'un revers de sa main épaisse : un geste si soudain, si rapide, si cruel que LoLo en eut le souffle coupé. Incapable d'expulser le cri de son gosier, de faire cesser le sifflement dans son oreille, de courir jusqu'au monticule de terre sous lequel reposait sa mère, de creuser pour la réveiller, de se coucher sur ses genoux pour que tout soit comme avant la naissance de Freddy, elle s'effondra en tremblotant sur les planches du perron. Mais la jeune Mère n'allait pas la laisser faire. Elle la saisit par un bras, qu'elle tint en l'air tout en crachant entre ses dents serrées : « La ferme ! Toi… La ferme ! » Terrifiée, LoLo resta coite.

« Maintenant que tu écoutes, que les choses soient bien claires, intervint alors celle aux cheveux gris, d'une voix douce, presque gentille. Je m'appelle Mère. Elle aussi. C'est ainsi que tu nous appelleras. Tu vas arrêter de crier, car je ne tolère pas le bruit. Tu vas aller ranger tes affaires, car je ne tolère pas le désordre. Tu feras ce qu'on te dit, car c'est ce que Dieu exige de ses enfants : l'obéissance. »

LoLo resta plantée là, tremblante, sous le soleil de midi qui cuisait la vaseline dont la tante Bessie avait enduit sa peau pour lui donner un peu d'éclat. Elle coula un regard vers le bâtiment de bois peint en blanc qui se dressait, menaçant, juste derrière les épaules de la femme. Étouffant ses sanglots, elle vit la plus âgée des Mères baisser le nez vers le bébé, qui commençait à s'agiter, et le bercer légèrement. *Freddy, il chouine tout le temps*, songea LoLo, une bouffée de colère venant brûler sa peur. *C'est à cause de lui que maman n'est plus là, et maintenant on se retrouve ici parce que la tante Bessie et M. George veulent plus l'entendre non plus.*

« Allez, allez », murmura la vieille en desserrant la couverture autour de la tête et du cou du petit. Avec un rictus, mais en dévorant des yeux sa frimousse, elle continua : « Quand même, c'est mignon quand c'est petit ! On dirait un bébé singe. C'est qui le petit ouistiti ? C'est qui le petit ouistiti ? » Et toujours sans le quitter des yeux : « Tu vas prendre ce petit singe avec toi et t'arranger pour qu'il ne fasse pas de bruit. Tu es sa sœur, tu t'en occupes. »

Sur ces mots, elle fourra le bébé dans les bras de LoLo et s'éloigna dans un petit couloir. LoLo, maigre, menue, déséquilibrée par la force avec laquelle le bébé avait été poussé contre elle, recula le pied droit pour ne pas tomber, mais elle avait du mal à tenir son frère, lourd et agité dans ses petits bras. Cependant, elle se garda bien de traîner ; elle suivit la femme alors que la gifle cuisait encore sa joue trempée de larmes.

Mère l'emmena dans une petite pièce garnie de lits de camp sur trois rangées, dont un tiers étaient occupés par des enfants d'âges et de tailles variés. Lorsqu'elles entrèrent, tous les enfants – ceux qui jouaient, ceux qui gardaient la tête baissée, ceux qui parlaient, ceux qui se taisaient – se mirent debout et allèrent se tenir à côté du lit le plus proche, la tête basse, les mains jointes, les pieds serrés. LoLo faillit rentrer dans les jambes de Mère : occupée comme elle l'était à observer la pièce, elle n'avait pas vu que la femme s'était arrêtée.

« Les enfants, voici Delores Whitney et son frère, Fredrick Whitney, dit la vieille sur le même ton qu'à l'entrée. J'attends de vous que vous lui appreniez les règles et les conséquences lorsqu'on les enfreint. Sinon, gare à vous. » Puis, à LoLo : « Toi et ton petit singe, vous dormirez là. »

Elle indiquait un lit vide tout au fond.

LoLo, portant son petit frère à grand-peine, rejoignit le lit aussi vite qu'elle le put, en jetant des coups d'œil aux autres pour savoir comment elle devait se tenir. Freddy gigotait toujours et fit mine de crier, mais s'apaisa quand LoLo le fit rebondir dans ses bras, comme elle avait vu sa maman le faire entre le jour de sa naissance et celui où elle avait poussé son dernier souffle quand Freddy pleurnichait et nichait sa petite tête dans sa poitrine pour chercher le sein. LoLo regarda rapidement son propre torse en se demandant si elle devait donner de son lait. La vieille Mère, supposa-t-elle, était bien trop pingre pour donner du sien. *Comment il va manger, Freddy ?* se demanda-t-elle, sa petite tête de six ans sautant facilement du coq à l'âne, même là, même dans ces circonstances.

La Mère n'ajouta pas un mot : elle tourna les talons et disparut dans le couloir. Son départ libéra le souffle de tous les enfants, qui l'avaient retenu dans leur gorge. Freddy, percevant sans doute le changement d'atmosphère, trouva l'énergie de se mettre à pleurer – avec la ferme intention de continuer jusqu'au bout, cette fois. Presque aussitôt, une grande d'une douzaine d'années apparut à côté de LoLo.

« Donne-le-moi », dit-elle en essayant de le lui prendre.

LoLo résista : elle tira dessus et tourna le dos pour protéger son frère contre cette inconnue.

« Écoute, insista la fille en chuchotant très fort, tout en jetant des regards autour d'elle. Tu peux pas le laisser pleurer : on prendrait tous une raclée. Tu sais empêcher un bébé de pleurer ? Le torcher ? Le faire manger ? »

LoLo fit non de la tête. Elle berça Freddy dans ses bras en espérant qu'il se taise.

« Alors t'as intérêt à apprendre, parce qu'on veut pas que Mère revienne. Allez, donne-le-moi. »

LoLo allait apprendre vite, mais non sans résistance. Freddy était absolument impossible, et elle n'avait qu'une envie : aller se cacher sous le petit lit et se rouler en boule dans le noir. Se cacher. La voix de la fille la fit revenir à elle.

« Je m'appelle Florence. Quand je suis arrivée, j'ai dû m'occuper de mon frère, pareil », dit-elle en déposant Freddy sur le lit. LoLo, les mains enfin libres, se servit du bas de sa jupe pour essuyer ses larmes et sa morve, qui en séchant sur sa joue avaient rendu sa peau raide et piquante. « Quand est-ce qu'il a mangé ? Il a peut-être faim. J'espère que c'est pas ça, parce que personne n'a envie de demander du lait à Mère en ce moment, vu son humeur. J'espère qu'il est juste mouillé, qu'il suffit de le changer. » La fille continua ainsi : ses paroles déferlaient si vite que LoLo n'arrivait pas à suivre ce qu'elle disait, et encore moins ce qu'elle faisait. Elle resta donc à regarder en se grattant la joue, pendant que la fille retirait la grenouillère de Freddy et défaisait sa couche. « Eh oui, c'est bien ce que je pensais. Regarde, dit Florence en s'écartant pour qu'elle puisse voir. Il est mouillé. »

LoLo se pencha et vit, pour la première fois, les parties intimes de son petit frère. Elle regarda remuer son zizi et le monticule de chair en dessous, fripés et noirs. Freddy agitait bras et jambes, la gorge chargée d'un cri qu'il comptait bien lâcher, fesses mouillées ou pas. Elle était gênée de regarder son zizi. Ses frères, son père lui avaient toujours dit de se tourner quand ils entraient dans le tub pour se laver, et elle n'avait jamais jeté un seul coup d'œil. Elle ne voulait pas voir celui de Freddy non plus.

« Allez, dépêche-toi de nettoyer ses petites fesses, tu m'entends ? Sinon il va te pisser à la figure, vous devrez vous laver tous les deux, et je te conseille pas d'avoir à expliquer ça à Mère, dit Florence en s'activant sans se soucier le moins du monde du zizi de Freddy. Va au lavabo, là, et mouille un linge pour qu'on puisse l'essuyer. Et rapporte une couche. »

LoLo suivit son doigt pointé jusqu'à un petit meuble dans l'angle opposé de la pièce, et s'y précipita. Elle devinait les yeux des enfants partout sur son corps – ses cheveux, remontés en grosses boules aux quatre coins de son crâne, sa robe, maculée de terre, ses jambes, poussiéreuses et nues –, et elle se sentit honteuse. Petite. Mais ce n'était rien à côté de la peur que Mère revienne dans la chambre, attirée par les cris de Freddy. Elle se dépêcha de verser de l'eau sur le linge, qu'elle rapporta vers le lit avec une couche en tissu râpée mais propre.

« Faut lui dire de pas pleurer, insista Florence en essuyant. Vas-y, dis-y, pour qu'il comprenne. »

LoLo posa les yeux sur son frère et se pencha.

« Chhhht… bébé. Pleure pas. Pleure pas, petit bébé, dit-elle en appuyant sur le matelas avec sa paume pour faire rebondir l'enfant.

— Et voilà, c'est comme ça qu'on fait ! annonça Florence en tirant sur la couche sale pour la remplacer par la propre. Fais-le taire et sèche-le. Qu'on n'ait pas d'ennuis. »

Moins d'une semaine plus tard, LoLo changeait Freddy avec dextérité ; elle le nourrissait et lui faisait faire son rot. S'il pleurnichait, elle savait y mettre fin rapidement. Le faire partir là où vont les enfants quand ils s'endorment, elle maîtrisait aussi. Cette habileté n'était ni un don inné ni un talent peaufiné. Simplement, elle en comprenait la nécessité. Mais jamais elle ne le faisait avec joie, avec bonheur. Les badines et les lanières des Mères y veillaient. « Les enfants… doivent être… obéissants », disait la vieille de sa voix égale, chacun de ses mots rythmant le sifflement de la longue ceinture de cuir noir qui tranchait l'air pour atterrir sur la cuisse, le bras, la joue, le genou de LoLo. Un cri à glacer le sang grandissait au fond de ses tripes, remontait comme un flot de lave brûlante dans sa poitrine et son cou, jaillissait de sa bouche et résonnait contre les murs des salles austères et surpeuplées où Freddy et elle allaient vivre deux ans, jusqu'à ce que sa famille l'envoie vers un sort encore plus chargé de tristesse, de danger. C'était la première fois qu'on la frappait – la deuxième, la cinquième. À la sixième, LoLo, dans son uniforme gris et piquant qui pendouillait sur sa silhouette amaigrie, se trouvait à côté de Freddy qui chouinait et gigotait sur le lit sans qu'elle sache pourquoi. Elle l'avait nourri, changé, fait roter et bercé, mais rien n'y faisait, il refusait de se taire – *comme s'il voulait que je me fasse battre*, songea-t-elle en voyant arriver la vieille Mère dont le corps épais négociait les virages entre les petits lits. Les enfants filèrent s'aplatir contre les murs, tête baissée, en priant pour qu'elle vienne voir quelqu'un d'autre qu'eux. La Mère arrêta ses pieds lourds devant LoLo et lui fora un trou dans le front avec ses yeux furieux. Aux premiers mots, la sangle vola. LoLo se rapprocha insensiblement du lit en se raidissant contre les coups, le visage aussi impassible qu'elle le pouvait : dans son cœur, elle espérait que le cuir glisse juste un peu dans la main de la vieille Mère et atterrisse sur le bébé qui avait tué leur maman, qui avait fait fuir leur père et la tante Bessie aussi, et qui déchaînait sans cesse sur elle la fureur des Mères.

À vrai dire, même si elle avait éprouvé une sorte d'amour inné pour son petit frère, si elle avait eu le don intrinsèque de se soucier de cet enfant qui partageait son sang, cet amour n'avait aucune chance de s'épanouir. Aussi facilement que la fillette pouvait le cultiver, Freddy l'avait déraciné à jamais en tuant leur mère. Le jardin de LoLo n'avait plus de fleurs, rien que des cailloux – pour Miss Bessie, pour son père. Pour ses trois grands frères, qui avaient trouvé refuge quelque part où les petites filles n'étaient pas les bienvenues. Dépérissant sous les cinglements de la sangle chaque fois que Mère entendait pleurer Freddy, croulant sous le poids de son sort, cette enfant sans mère, le cœur plein de cailloux, était devenue une mère pour son petit frère. Un rôle et un titre qu'elle n'aimait pas, dont elle ne voulait pas… jusqu'au jour lointain où elle découvrirait qu'elle n'y avait pas droit, à ce titre de mère, du moins pas comme Dieu l'entendait. Ce fardeau-là, elle le déposerait aux pieds de Freddy : elle lui en voudrait jusqu'à la fin de ses jours pour la mort de leur mère et pour la succession d'événements désastreux qui allaient la façonner entièrement. Elle continuerait de lui en vouloir quand il essaierait de reprendre contact et de se racheter, même si elle aurait dû trouver le courage d'exhumer la véritable source de toute cette colère, de toute cette peine, et de l'extirper des parties les plus épaisses, les plus endurcies d'elle-même, en creusant jusqu'à atteindre la chair vive d'un peu de joie. « Chhht… pleure pas, petit bébé. S'il te plaît, ne pleure pas », disait-elle, non plus pour son petit frère mais pour elle-même.

Il n'y avait ni torchon ni serviettes en papier pour s'essuyer les mains : puisqu'il s'agissait des toilettes pour « personnes de couleur uniquement », il fallait se contenter de ce que l'établissement voulait bien fournir. LoLo arracha du rouleau cinq longueurs de papier et les mouilla avec un peu d'eau froide. Elle s'en servit pour se tamponner le visage, en prenant soin de ne pas laisser de peluches sur ses joues ni sur ses paupières. Elle sortit son poudrier de son sac et tourna le miroir dans tous les sens pour en avoir confirmation, puis se regarda au fond des yeux. *Ne pleure pas, petit bébé. S'il te plaît, ne pleure pas.*

Le bout de ses escarpins usés avait à peine franchi le seuil des toilettes que Tommy surgit devant elle.

« Je l'ai trouvée, dit-il avec un sourire hilare. J'ai trouvé notre fille. Elle est en bas. Viens faire connaissance. »

LoLo sourit, elle aussi, mais il n'y avait aucune lumière dans ses yeux.

« D'accord, chéri. Allons voir. »

# 13

La Ford Mustang de Tommy, précieuse à la fois parce qu'elle était belle et parce qu'il l'avait construite lui-même à partir de pièces détachées, s'éloignait déjà dans Penny Drive quand la petite commença à s'agiter. La nuit avait été longue : TJ avait mouillé son lit, si bien qu'il avait fallu changer son pyjama et ses draps. LoLo serait bien restée couchée ce matin-là, mais les maris aiment avoir leur café chaud avant de partir au travail, et leurs tranches de *liverwurst* bien pliées entre deux tranches de pain blanc ; quant aux enfants, eh bien, ils ne savent pas ce que c'est que de faire la grasse matinée ou de garder les yeux fermés, surtout quand la lumière du jour passe dans la fente entre les rideaux avant l'heure du réveil, et donc il avait bien fallu qu'elle se lève, prête ou non. Elle ne dit pas un mot en asseyant TJ – une masse de chair brun clair, des lèvres épaisses et des yeux immenses – sur la pile d'annuaires téléphoniques jaunes qui vacillait sur la chaise de la cuisine et en le poussant tout contre le bord de la table, mais elle lui donna une tape sur la main lorsqu'il voulut saisir sa cuiller sans avoir dit sa prière.

« Tu sais faire mieux que ça, commenta-t-elle en pressant les petites mains de l'enfant l'une contre l'autre. Récite le bénédicité comme je t'ai appris.

— Dieu est graaaand, Dieu est booooon, merci pour ce repas, aaaa-men », chanta TJ de sa petite voix de bébé qui la fit sourire.

Il avait fallu du temps pour en arriver là – pour que LoLo, en regardant son fils, voie de la joie plutôt qu'un boulet. Ses seins étaient secs, elle n'avait pas une goutte de lait pour lui, et pourtant, *pourtant*, il s'était accroché à elle depuis le tout début. Ça, elle ne le supportait pas : cette manière de pleurnicher, de se cramponner à ses cuisses. D'enfoncer la tête entre ses genoux, entre ses seins. Elle ne pouvait pas aller faire pipi sans qu'il la suive jusqu'aux toilettes, ne pouvait pas aller chercher le lait dans la boîte sur le côté de la maison sans qu'il chouine : « À bras ! À bras ! » en levant les mains, insistant pour grimper sur sa hanche le temps qu'elle sorte les bouteilles vides et rentre les fraîches. Il lui rappelait Freddy. Elle savait que c'était une comparaison injuste, mais, tout de même, elle avait payé cher la dépendance de son petit frère, ses pleurs, au cours des presque deux ans qu'ils avaient passé chez les Mères. Ce souvenir qu'elle s'efforçait de refouler rendait LoLo avare de sa tendresse, lui faisait retenir le peu d'affection qu'elle arrivait à trouver en elle. Et donc, dans les débuts, il y avait eu ce double mouvement : TJ avançant vers elle, LoLo reculant d'autant face à lui. « Tu ne peux pas te faire porter partout, bon Dieu ! » criait-elle en le laissant par terre au milieu de la pièce, où il suppliait, agitait les bras, ses petites mains s'ouvrant et se refermant comme des pinces de homard. Avancer, reculer… avancer, reculer. Voilà ce que c'était. TJ, tout en énergie, mouvement et chaleur ; LoLo, un épais bloc de glace.

Cela avait duré jusqu'au jour où LoLo avait cru avoir brisé son enfant : une terreur indicible était alors parvenue à faire fondre son cœur là où auparavant il n'y avait qu'un froid mordant. Il était censé dormir, mais il n'était pas couché depuis dix minutes que c'était reparti. « Maman », avait-il gémi. LoLo avait soupiré, n'entendant que le son de sa voix, pas ce qu'il disait. Elle nettoyait du beurre de cacahuète qui avait séché au pied du comptoir en Formica. Elle avait levé les yeux vers le plafond et tendu l'oreille, immobile comme une statue. Le silence était revenu. *Ouf, il s'est rendormi.* Frottant toujours la matière poisseuse, elle avait commencé à chercher dans sa mémoire des astuces pour éliminer les taches sur les tissus car, bien sûr, qui disait beurre de cacahuète disait confiture. Était-ce le bicarbonate ? Le vinaigre ? *Est-ce que je n'ai pas vu quelqu'un tamponner de l'eau de Seltz sur un tapis taché de vin rouge ? Je ne sais pas comment il fait, ce petit, pour étaler de la gelée de raisin jusque sur le papier peint et le canapé.* Elle avait eu un claquement de langue réprobateur. *Il s'agite dans cette maison comme le diable de Tasmanie.*

« Maman ! »

La petite voix avait grandi, et voilà que résonnait un tapotis de petits pieds sur le parquet. LoLo avait poussé un profond soupir et marmonné un juron en passant la lavette sous l'eau tiède : son projet de s'asseoir un peu venait de s'évaporer en un clin d'œil.

« Dis donc, tu es censé dormir ! avait-elle lancé en le voyant arriver dans la cuisine.

— Maman, avait-il répété, cette fois dans un gémissement.

— Mon fils, si tu ne retournes pas au lit… »

Ses yeux avaient lentement fait le point sur lui ; et là, son hurlement avait déchiré l'atmosphère. TJ, qui avait l'habitude de marcher sur la pointe des pieds, sautillait devant elle, un flot de rouge dégoulinant de sa bouche dans son cou, sur le bleu de son tee-shirt et le *S* sur fond jaune de Superman.

« TJ ! » avait-elle crié en se jetant sur l'enfant pour le tirer vers elle. Paniquée, elle lui avait soulevé le menton. *Peut-être qu'il a mis la main sur un couteau et qu'il s'est blessé !* Elle avait regardé tout autour de sa tête auréolée de boucles. *Ou alors il est tombé du lit et s'est cogné contre quelque chose de pointu.* Elle avait examiné ses lèvres et ses quenottes. *Il ne s'est quand même pas arraché une dent ?* Enfin, quand TJ s'était mis à hurler la bouche grande ouverte, elle avait compris : sa langue semblait s'être détachée du petit creux de chair rose en dessous. LoLo avait titubé en arrière. « Oh, doux Seigneur ! »

Ses cris, naturellement, avaient fait redoubler les pleurs de l'enfant, et ils s'étaient retrouvés tous les deux terrifiés et frénétiques, lui essayant de se raccrocher à elle, elle de le repousser.

« Maman ! » criait-il à travers le sang.

Et il y en avait tellement, du sang !

LoLo avait attrapé son fils et était sortie en courant, ses pantoufles claquant contre les marches en béton, puis sur le gravier de l'allée, puis sur le bitume du trottoir. Des petits cailloux avaient sauté sous ses pieds tandis qu'elle remontait l'allée du voisin, hurlant toujours.

« Skip ! Skip ! »

Tenant TJ d'une main, elle avait tambouriné sur la porte-moustiquaire en alu, assez fort pour réveiller le voisin qui venait de se coucher après un service de nuit.

« Skip ! Je… je… je ne sais pas ce qui s'est passé ; il faisait la sieste, il s'est mis brailler, et quand je l'ai vu il était comme ça ! avait-elle crié aussitôt que la porte s'était entrouverte.

— Oh là là, qu'est-ce qu'il a ? » avait demandé Skip en se dépêchant de défaire la chaîne de sécurité pour ouvrir en grand, l'air absolument horrifié.

— Je sais pas, je sais pas, je sais pas, je sais pas…

— Bon, pas d'affolement. Je vais prendre mes clés, d'accord ? Retrouvez-moi devant, je vous emmène à la clinique. »

Quelques heures plus tard, LoLo était de retour chez elle. Assise avec TJ sur son petit lit, elle le berçait lentement en pressant sa tête contre elle pour lui murmurer une berceuse d'une voix rauque. Tous deux étaient enfin prêts à se reposer. Tommy, qui ignorait tout du drame, était rentré plus tard que d'habitude, complètement insouciant.

« C'est moi ! » avait-il lancé en refermant doucement la porte. Il avait regardé autour de lui. Il s'attendait à être accueilli, et rien. « LoLo ? TJ ? » Toujours rien. Il avait hésité, l'oreille aux aguets. « Où est ma femme ? Ma famille ?

— Ici ! »

LoLo continuait de se balancer, continuait de chanter, continuait de câliner son fils niché dans le creux entre son cou et sa poitrine. Le sac de glaçons qu'elle tenait contre la langue du petit lui gelait les doigts, mais elle s'en fichait. Elle chantait.

Tommy avait incliné la tête sur le côté, appuyé au chambranle pour observer la scène.

« Qu'est-ce qui se passe ? Il est encore tombé ? Il s'est ouvert la lèvre ? »

TJ avait un peu remué, blotti si fort contre sa mère qu'on ne voyait plus où finissait l'un et où commençait l'autre.

« On lui a recousu la langue, Tommy. Il se l'était déchirée, je ne sais pas comment. J'ai jamais vu autant de sang de ma vie. J'ai essayé de te joindre à l'usine, ils ont refusé de te passer l'appel. » Elle avait donné un coup de menton vers le tas de vêtements ensanglantés par terre. « J'ai mis de la glace. Ils lui ont fait deux points pour qu'il arrête de saigner.

— Quoi ? avait fait Tommy d'une voix blanche. La vache ! Tu l'as emmené où ? À l'hôpital ?

— Non, Skip m'a conduite à la clinique avec son taxi. Ça va aller. Il a juste encore un peu peur et un peu mal, c'est tout. »

Tommy avait tendu les bras pour soulever l'enfant, mais celui-ci s'était dégagé. Avait geint. S'était enfoncé encore un peu plus dans le giron de LoLo.

« Tu sais, il m'a appelée maman aujourd'hui », avait-elle dit sans cesser de se balancer. Elle avait baissé les yeux vers TJ et l'avait embrassé sur le front. « C'est la première fois.

— Ah, alors tu es du côté de maman maintenant, hein ? » avait plaisanté Tommy avec un sourire taquin. Il avait enfoncé ses doigts sous l'aisselle du petit pour essayer de le faire rire. TJ l'avait repoussé. « Allons bon, tu ne veux pas de moi ! » Il s'était redressé et avait croisé ses bras épais en affectant un air fâché. « C'est fini entre nous, mon bonhomme ? »

TJ avait encore gémi. S'était encore blotti. S'était efforcé d'entourer sa mère de ses petites mains. LoLo l'avait serré plus fort contre elle en l'embrassant, chantant toujours sa berceuse. Son fils, son bébé, ne voulait qu'elle et personne d'autre. Et LoLo le voulait enfin, ce bébé.

« Bien. C'est bien, mon chéri », dit-elle en posant ses mains sur celles de TJ. Elle embrassa ses petits doigts. « Maintenant, mange ta bouillie d'avoine. Pour devenir grand et fort ! » Puis sa voix devint rauque. « Et ne touche pas à ce verre de lait tant que tu n'as pas fini. Je n'aurais pas dû te laisser boire du tout, monsieur Pipi-au-lit. »

TJ enfourna maladroitement la bouillie, une moitié arrivant dans sa bouche, l'autre s'étalant sur sa joue. LoLo le laissa se débrouiller, car elle devait maintenant s'occuper de la petite Rae qui s'agitait dans sa chaise haute en attendant ses œufs brouillés et son biberon.

« D'accord, d'accord, ça vient », dit-elle en prenant une fourchette pour pousser les œufs sur l'assiette tout en soufflant dessus pour les refroidir.

Mademoiselle n'aimait pas trop la bouillie d'avoine. Elle avait serré les lèvres pour protester les fois où LoLo avait tenté de lui en donner, même parfumée avec un peu de cannelle et un supplément de lait. La petite ne voulait qu'une chose : des œufs, bien brouillés, moelleux, et servis non avec une fourchette mais au bout des doigts de sa mère. Elle était têtue, cette petite.

« Oui, oui, ça vient. Il faut que ça refroidisse un peu, ma belle. Tu ne voudrais pas que je te brûle la bouche, si ? » argumenta LoLo en soufflant sur le monticule jaune.

L'enfant fit claquer ses lèvres et bava en réponse, tout en disant « ba ba ba ». Enfin, LoLo saisit un peu d'œuf entre le pouce et deux doigts, souffla une dernière fois dessus et dirigea le tout vers la petite. Celle-ci se pencha en avant, bouche grande ouverte, puis referma ses lèvres sur la nourriture, aspirant et suçant jusqu'à ce que les doigts soient propres et que sa petite bouche soit pleine. Elle agita les bras en signe d'approbation, ou de satisfaction, ou d'excitation – probablement les trois –, ce qui procura à LoLo une joie immense. Ce simple geste d'amour la reliait non seulement à cette petite fille qui était maintenant sienne, mais aussi à sa propre mère qui, elle s'en souvenait, la nourrissait de la même manière. C'était un des seuls souvenirs qu'elle gardait d'elle. De temps en temps, quand elle se laissait aller à materner ses enfants sans retenue et qu'elle se sentait le courage d'endurer la douleur du souvenir – c'est-à-dire pas très souvent –, elle s'asseyait, fermait les yeux très fort et s'efforçait de se rappeler ses traits, mais même en se concentrant à fond, jusqu'à faire surgir les larmes, elle ne voyait pas ses yeux, ni ses pommettes, son sourire, ses cheveux. Rien que ses doigts, longs, agiles, calleux, qui plongeaient dans les œufs et se tendaient vers sa bouche. Cette tendresse-là, elle ne l'avait plus jamais connue après la mort de sa maman. C'était la tendresse la plus sincère qu'elle puisse transmettre à cette petite, tellement plus dépendante que ne l'était même TJ à deux ans, quand LoLo et Tommy l'avaient ramené chez eux.

« C'est bon, hein, bébé ? dit LoLo en souriant pendant que la petite, maintenant âgée de dix-huit mois, avalait sa bouchée. Tu aimes ? Ça te plaît, Rae ? »

Elle commençait à se faire à ce prénom, comme à celle qui le portait. Pendant la plus grande partie de l'année qui venait de s'écouler, LoLo avait eu des sentiments mitigés – sur le fait d'avoir maintenant non pas un mais deux enfants, d'affronter les problèmes qui commençaient à se poser avec le garçon, son côté crampon, son énurésie et son agressivité (il était né d'une mère toxicomane qui tenait plus à ses aiguilles qu'à son bébé). Elle avait attendu les ennuis qui surviendraient avec la petite fille. L'inconnu.

L'histoire de Rae – la vraie, celle que l'orphelinat n'avait pas racontée à Tommy et LoLo –, était un peu plus dramatique que la normale. Une infirmière l'avait découverte devant un foyer pour filles mères où elle travaillait. Dans le froid mordant, elle avait vu un tas de couvertures et un bébé pisseux, gelé mais en bonne santé, avec attaché à sa robe un petit sac blanc qui contenait un drôle d'assortiment : une patte de lapin, une boule de cheveux crépus, une pipe, un morceau de mouchoir imbibé apparemment de sang, et un carré de papier brun plié, sur lequel il était écrit CE BÉBÉ trois fois, puis UNE VIE DOUCE, PROTÉGÉE ET PROSPÈRE en cercle autour des trois lignes. La petite était dans un sac de supermarché, on l'avait laissée comme un détritus.

Les responsables du foyer, après un vague simulacre d'enquête qui bien sûr n'avait rien donné, s'étaient empressés de la coller à l'orphelinat, d'autant plus qu'en échange de ce joli bébé dont ils n'avaient que faire ils toucheraient un pourcentage sur la somme facturée aux futurs adoptants. Nul ne savait d'où ni de qui était issue cette petite – ce qu'elle portait dans son sang, dans ses tissus. La seule certitude, c'était que sa mère devait venir de la cambrousse. Une femme de racines, c'est ainsi qu'on les appelait là d'où venait LoLo, en Caroline du Sud. Ces femmes vers qui les habitants de Bluffton se tournaient quand ils n'avaient pas les moyens ou la capacité physique de se rendre chez l'unique médecin noir des environs, qui couvrait au moins cinq localités. LoLo se rappelait avoir eu peur d'elles, à cause des Mères qui racontaient qu'elles étaient diaboliques – « un péché contre le Dieu vivant », disaient-elles, tout en réclamant leurs services quand les enfants de l'orphelinat baptiste du Fanal tombaient malade. Elles venaient alors, avec leurs sachets emplis d'écorces, de feuilles, d'herbes et de poudres pour cataplasmes, de pièces et de petits morceaux de papier avec des souhaits griffonnés pour les enfants, et tant pis si cela heurtait les croyances de ceux qui recevaient leurs soins. LoLo n'avait changé d'avis que le jour où elle avait vu la tendresse d'une de ces femmes, convoquée pour faire baisser la fièvre de Freddy. « Viens ici, ma belle », lui avait dit la dame, une certaine Lena, en prenant ses deux mains dans les siennes. Elle s'était penchée en avant et avait tendu le cou et les épaules de droite et de gauche pour tenter de capter son regard. LoLo avait fini par céder : elle avait cessé de secouer la tête et relevé les yeux un instant pour faire savoir qu'elle écoutait, mais les avait vite rebaissés pour empêcher les malédictions de la femme d'entrer par ses orbites, obéissant aux mises en garde des Mères.

« Ça va, mignonne ? avait demandé la femme. Comment va ton cœur ? »

LoLo n'avait rien dit, même si ses regards affolés trahissaient sa terreur – la peur de ce que penseraient les Mères et les autres enfants au moindre soupçon de connexion entre elles deux.

« Ça va aller, ma grande. Ça va pas être facile, mais tu vas y arriver. Surtout ne l'oublie pas. Tu vas y arriver et devenir une lumière pour quelqu'un d'autre. »

LoLo, qui ne voulait rien savoir de tout cela, n'avait jamais fait grand cas des paroles de la guérisseuse, jusqu'au moment où elle avait tenu pour la première fois dans ses mains le petit sac de Rae. Elle avait alors pris soin de le conserver. La personne qui l'avait préparé avait peut-être fait en sorte qu'il porte malheur à quiconque oserait le jeter, pensait-elle, ou peut-être la maman de cette enfant voulait-elle qu'il lui revienne un jour. Quoi qu'il en soit, la Société l'avait mis dans une enveloppe et donné à LoLo, qui à son tour l'avait rangé pour plus tard. De temps en temps, elle ressortait ce petit sac, puis s'asseyait et contemplait la fillette en s'interrogeant sur elle. Elle se demandait comment elle pourrait la protéger dans un monde qui ne voulait que du mal aux petites filles. Cet aspect-là des choses l'inquiétait beaucoup. Élever Rae l'inquiétait.

Alors que Tommy, en posant les yeux sur elle, n'avait vu que le soleil. La joie.

« Appelons-la Rae, avait-il insisté un soir, quelques semaines après l'adoption.

— Ça fait garçon, je trouve », avait objecté LoLo.

Elle s'était dit qu'elle aimerait peut-être l'appeler Lila Mae, comme sa mère, ou Bettye, comme sa grand-mère, mais il fallait d'abord qu'elle sache qui était cette petite personne. Si elle était digne de ces prénoms. Tommy l'avait prise de vitesse, cependant.

« Rae, ça fait rayon de soleil », avait-il dit en la soulevant de son berceau pour la faire sauter dans ses bras. La petite avait bâillé et s'était étirée, mais n'avait pas pleuré. Elle avait juste regardé dans les yeux de Tommy, qui lui murmurait des mots doux et fredonnait par-dessus la radio. Stevie Wonder chantait « A Place in the Sun », comme s'il avait écrit la chanson exactement pour cet instant. « C'est un petit rayon de soleil ! »

Laisser Tommy nommer l'enfant avait été bien facile. Elle pouvait s'accommoder du prénom Rae.

« Ba ba ba ba ba », fit la petite en bavant et en se penchant vers les doigts de LoLo pour une dernière bouchée d'œuf.

Elle clappa de la langue et eut un sourire mouillé.

LoLo ramassa l'assiette, débarbouilla l'enfant et disparut. Déjà elle songeait à tout ce qu'elle aurait à faire avant de poser la tête sur l'oreiller ce soir-là. Avant que Tommy ne tire sur sa chemise de nuit, qu'il n'enfonce ses lèvres dans son cou et ses doigts dans ses parties intimes. Un « non » n'était pas envisageable – en tout cas, pas pour lui. Pour elle non plus, d'ailleurs, pas encore. Il était doux, tendre, et si elle gardait les yeux ouverts pour regarder ses mains, ses lèvres, ses yeux, ses épaules musclées, si elle se tenait fort à lui, elle arrivait presque à y prendre plaisir.

Mais cela lui demandait un vrai effort. Du repos. Et ces jours-ci, avec deux bébés et un intérieur à tenir, le repos n'était pas facile à trouver. Les heures supplémentaires dans le sous-sol en ciment froid et humide de l'atelier de couture pendant la saison des fêtes avaient été infiniment plus faciles que son travail actuel : torcher des derrières crottés, et changer des draps pisseux en pleine nuit, et coiffer des cheveux, et ranger la maison et apaiser des bébés en pleurs, et leur donner le bain et les habiller, aussi, et préparer le petit déjeuner, le déjeuner et le dîner, et faire les courses pour la semaine, et baiser sur demande, et apprendre aux petits à joindre les mains et à dire le bénédicité, et être reconnaissante pour cette nouvelle vie que Tommy lui avait promise et qu'elle avait eue.

Lolo resserra sa robe de chambre sur sa poitrine et déposa l'assiette dans l'évier déjà rempli de vaisselle, puis se tourna vers le réfrigérateur pour en sortir le bocal de *potlikka* issu d'une grande cocotte de légumes qu'elle avait cuits la veille. Elle en versa un peu dans une petite casserole et alluma le gaz. Elle régla d'abord la flamme au minimum pour mieux contrôler la température, mais l'augmenta rapidement en voyant la petite taper à deux mains sur la tablette en plastique de la chaise haute.

« Ba ba ba ! criait-elle en soufflant fort et en fronçant sa petite figure comme si elle s'apprêtait à pleurer.

— D'accord, d'accord, dit LoLo en attrapant un petit biberon en verre sur lequel elle vissa une tétine. Ça vient. Il arrive, ton ba ba. »

C'est alors qu'il y eut un grand fracas. Du lait dégoulinait partout : sur la petite table pliante poussée contre le mur de la minuscule cuisine, sur les chaises et le long de leurs pieds, sur le sol, l'essentiel formant une mare sur le lino et une petite partie avançant doucement vers le parquet du salon.

« TJ ! » cria LoLo en cherchant des yeux la source de l'inondation. Elle abattit sa main contre la tête du garçon, où Tommy avait passé la tondeuse la veille au soir. Elle l'agrippa par le bras, le souleva de sa chaise et lui tapa sur les fesses en le jetant hors de la cuisine. « Sors d'ici, au lieu de faire des saletés ! » lui cria-t-elle tandis qu'il valdinguait dans le salon.

Rae fut surprise par les pleurs de son frère ; son petit corps se raidit, les yeux lui sortirent de la tête comme si elle venait d'assister à la pire des horreurs, et elle se mit à hurler en chœur.

LoLo empoigna sur la table la cuiller de TJ et le bol de bouillie vide, qu'elle jeta dans l'évier. Les mains sur le bord de la vasque, elle se pencha en avant puis en arrière, étirant son échine et respirant profondément par le nez pour ne pas éclater elle-même en sanglots. La casserole se mit à bouillir.

Il n'était même pas huit heures du matin.

# 14

*Été 1970*

LoLo n'avait aucun problème avec Pat Cleveland. Elle l'aimait bien, en fait, mais trouvait juste qu'on en faisait trop avec sa beauté, un peu trop évidente. Grande. Mince. Beaux cheveux. Exactement pareille que toutes ces top-models métisses qui faisaient tourner les têtes sous prétexte qu'elles n'avaient pas l'allure de la femme de couleur lambda.

Luna, en revanche, c'était son genre de beauté. Avec ses yeux immenses, on aurait dit une chouette qui a peur du noir, et ses membres s'étiraient comme les branches grêles d'un chêne en hiver. Elle avait le teint un peu plus foncé, mais pratiquement pas de seins, ni de hanches ni de fesses, contrairement aux filles qui se retrouvaient en page centrale du *Jet*. Toutes les semaines, des hommes de couleur se léchaient les doigts et mouillaient de salive le papier glacé du magazine, passant en vitesse les publicités pour des cigarettes et les courts articles sur la vie des Noirs pour arriver à ces photos à demi nues d'une Marilyn qui aimait la natation et la lecture, ou d'une Eloïse aux mensurations 95-60-90 posant derrière un bureau de secrétaire dans une fac noire du Sud. Les hommes noirs, c'étaient ces filles-là qu'ils voulaient : de vraies femmes, avec des morceaux épais et moelleux à empoigner. Luna n'était pas leur genre, et c'est ce que LoLo aimait bien chez elle. Ça l'aidait à mieux accepter sa propre carcasse, grande, grêle et gauche, qui défiait le stéréotype du corps idéal pour une femme noire. De ce que voulaient les hommes. LoLo, comme son idole, était une extraterrestre, une jolie Martienne. Elle était secrètement ravie que ses amies se soient mises à l'appeler « Little Luna » du fait qu'elle était « une grande gigue toute maigre », exactement comme la top-model qui, bien que noire, avait réussi à devenir la coqueluche du monde blanc de la mode.

« T'as même ses grands yeux », lui avait dit Cindy un après-midi pendant la pause, à l'atelier de couture.

LoLo était en train de mâchonner un sandwich au Spam – du jambon en boîte – en feuilletant un numéro du *Vogue* anglais. Leur patron gardait sous la main une pile de magazines européens, soi-disant pour « stimuler son inspiration ». En réalité, il piochait sans vergogne dans les pages mode, puis présentait ses créations « originales » à une clientèle blanche et fortunée qui n'y voyait que du feu. Ses clientes étaient toutes convaincues qu'acheter du sur-mesure hors de prix à un styliste personnel les rendait infiniment plus tendance, comme ces femmes qu'on voyait dans les pages mondaines du *New York Times* et du *New Yorker* : s'il voulait rester dans le coup, il fallait bien qu'il vole des idées quelque part. Il avait jeté le numéro consacré à Luna, cependant

– le premier numéro de *Vogue* avec une femme noire en couverture. Il n'avait rien vu sur son corps qui vaille la peine d'être copié. Mais Para Lee l'avait récupéré dans la poubelle pour LoLo, et M. Deerfield n'en avait jamais rien su.

« Tu trouves vraiment que je lui ressemble ? » avait demandé LoLo.

Elle avait incliné la tête et plissé les paupières pour chercher ses traits dans ceux de Luna, s'autorisant juste un instant à s'imaginer loin de ce sous-sol, loin d'Amityville, loin de l'État de New York et loin des États-Unis, marchant à quatre pattes sur un podium, comme Luna, ou formant avec ses doigts ce symbole devant son œil pour l'objectif d'Avedon. Peut-être embrassant Mick Jagger sur ses grosses lèvres et l'obligeant à proclamer son amour éternel.

« Hmm, elle est jolie, mais c'est pas une façon de vivre, avait affirmé Para Lee.

— Comment ça ? s'était étonnée LoLo, relevant enfin les yeux du magazine.

— Les gens adorent voir cette fille faire l'idiote, courir dans les rues comme si elle avait rien dans le crâne, avait dit Para Lee en retirant des peluches imaginaires de sa robe pudique, parfaitement amidonnée. Mais c'est pas de l'amour, ça. Il y a une différence.

— Eh ben, pour une fille en manque d'amour, elle a l'air de bien s'éclater, avait commenté Cindy en regardant les photos par-dessus l'épaule de LoLo. En tout cas, je sais une chose : les types avec qui elle traîne, c'est pas des ringards.

— Pfff, tu voudrais vraiment être la chérie de ce barjot d'Andy Warhol, toi ? Il la traite comme son caniche.

— Vu le pognon qu'il a, la laisse en vaut peut-être le coup, pas vrai, Little Luna ? » avait pouffé Cindy.

LoLo avait fait la grimace, révulsée à l'idée qu'une laisse – une contrainte physique – puisse servir à contrôler le corps de Luna. Ou son corps à elle. C'était un des loisirs préférés de son cousin Bear, quand sa femme sortait faire des courses et que plus rien ne bougeait dans la maison : LoLo savait qu'il la trouverait, où qu'elle parvienne à se cacher, à se tapir, et qu'il la contrôlerait, avec ses mains, avec une ceinture. À la longue, il n'avait plus eu qu'à ordonner. « Viens là », lui disait-il, le regard sombre, la voix aussi. Lentement, elle s'approchait de cet homme et s'arrêtait devant lui. Le long corps de LoLo – un mètre soixante-treize en chaussettes –, en signe de soumission, se voûtait devant celui de Bear, petit mais râblé. Chaque fois, il jouait avec elle : il la faisait attendre debout, anxieuse, sur ses gardes. Jamais elle ne serait prête pour ce qui suivait. Même si cela recommençait, encore… et encore… et encore… et encore. Elle n'était jamais prête.

« Je serai le caniche de personne », avait-elle déclaré, refermant brusquement le magazine et se rasseyant à sa machine à coudre.

Mais ce soir, son intention était d'être la gazelle au milieu du cirque que montait Tommy dans leur nouveau logis : une pendaison de crémaillère épique, qu'il donnait pour exhiber le butin de ses batailles. Il tenait à ce que tout le monde voie ses bébés, la maison neuve qu'il leur avait procurée pour s'ébattre, la belle bagnole garée devant. LoLo endossait volontiers le rôle de l'épouse dévouée qui sait réussir une friture de poisson et préparer le meilleur gratin de macaronis de ce côté de Long Island tout en ayant le physique de Luna, le bras de son homme passé autour de la taille. Elle s'était cousu une pièce digne d'un magazine : une version au-dessus du genou de l'étincelante robe dorée Paco Rabanne qui semblait couler sur le corps de Luna, photographiée par David Bailey dans *Vogue*. LoLo avait trouvé le matériau et un patron simple au grand magasin Woolworth's, étalé sur sa table de couture la page arrachée dans le magazine, et s'était mise à l'ouvrage. Elle avait travaillé deux ans à l'atelier de couture Deerfield, et elle avait encore de la magie dans les doigts : bien sûr, la robe lui allait comme un gant. Bien sûr, pendant que Tommy travaillait et que les enfants faisaient la sieste, elle enfilait sa création et se pavanait dans la maison, puis s'asseyait délicatement sur le canapé en velours vert, le dos droit, les épaules en arrière, ses longues jambes étendues devant elle, les pieds tendus de manière à allonger encore sa silhouette. Elle éclatait d'un rire factice, agitait sa cigarette et prenait des poses pour l'objectif jusqu'à satiété. Jusqu'à être sûre d'avoir excisé son désir de fuir sa nouvelle maison, ses jolis enfants, son mari travailleur. Jusqu'à se convaincre qu'elle était d'un autre monde, comme Luna qui soutenait venir de Mars, et non l'épouse au foyer ordinaire vivant la vie ordinaire d'une femme de couleur ordinaire qui n'ose envisager un ailleurs, plus grand que la Lune, au-delà des étoiles.

« Je ne dis pas que je ne l'aime pas, cette robe. Elle est fabuleuse », dit Tommy en tournant autour de LoLo vêtue de sa tenue étincelante. La première fois qu'elle l'avait enfilée, elle avait eu le sentiment d'être Vénus en personne. Maintenant, elle était Pluton. Petite. Insignifiante. « Simplement, je ne connais aucune femme qui s'habille comme une star de cinéma pour une soirée friture et atout pique. »

C'était pourtant ce qu'il prétendait aimer chez elle, à l'époque où il lui faisait la cour. Cela ne coûtait rien à LoLo de s'asseoir à sa machine et de confectionner des tenues extravagantes qui permettaient à son homme de bomber le torse quand ils entraient dans une pièce. Lui, petit et foncé de peau, bâti comme un poids welter, sa veste tendue sur ses épaules musclées ; elle, taille mannequin, le dépassant de dix centimètres avec ses talons, l'allure d'une femme de rock-star. Elle pouvait porter un fourreau avec gants montants et petits talons assortis pour aller acheter le pain et les cigarettes à la supérette, avec la même aisance que si elle était sortie écouter du jazz au Minton's. Toujours en représentation. Après tout, elle avait déjà passé assez de temps à être ordinaire. À s'entendre dire ce qu'elle ne pouvait pas être. Dans le Nord, dans les rues de New York, elle était sa propre invention. C'était cette femme-là que Tommy avait choisie. Et elle aimait être le grand prix. Son grand prix. Dans un monde qui refusait de la protéger, elle était le joyau qu'il convoitait – en sûreté dans ses bras.

Certes, pour elle, il avait fait des concessions ; son physique, ses seins plus en tétons qu'en chair moelleuse, ses hanches plus en angles qu'en courbes, rien de tout cela ne correspondait à son idéal. Mais elle était sexy, elle avait de l'allure : le genre de femme sur qui on se retournait quand bien même elle ne faisait pas d'efforts, et d'autant plus quand elle en faisait. Tommy se délectait de cette attention. Il aimait l'avoir à son bras. Avec elle, à l'époque, il était plus grand. Plus fort. Si jamais quelqu'un la regardait de travers, il montait vite au créneau. « Elle a pas besoin de toi pour ça », avait-il grogné un jour à un soupirant potentiel qui lui avait fait porter un verre alors que, debout devant le comptoir, elle ondulait et claquait des doigts sur « Where Did Our Love Go » en attendant que Tommy sorte des toilettes. Il lui avait pris la boisson des mains, un bourbon sans glace, et l'avait balancée en même temps que son poing dans la poitrine du type, alors que celui-ci arrivait la main tendue pour saluer celle qui lui avait tapé dans l'œil. Ce n'était pas la manière dont Tommy l'avait mis à terre qui avait impressionné LoLo, ni le fait qu'il soit prêt à se battre pour lui prouver sa valeur. Non, ce qui avait retenu son attention, c'était la main qu'il avait posée sur sa hanche pour la pousser derrière lui, tel un mur dressé contre tout ce qui pouvait l'approcher de trop près. Il avait semé la pagaille, mais veillé à ce qu'elle se sente en sécurité. Il était vite devenu son super-héros, son protecteur.

Mais à présent, devant ses amis, dans la maison, dans la vie qu'il avait construite, ce qui le valorisait était que le poisson soit bien frit et la bière bien fraîche. LoLo n'avait pas encore l'habitude de reprendre ses patrons, de retailler, bricoler, recoudre pour rendre ses vêtements plus classiques. Mais c'était bien ce qui était attendu d'elle, non ? Ce qu'elle était censée être ? Une épouse ? Une mère ? Le repos du guerrier ? La femme qui valait la peine d'être protégée ?

Et donc, elle retailla.

Quelques heures plus tard, elle avait tout oublié de cette robe extravagante. Appuyée sur sa hanche droite, elle jetait dans la graisse bouillante des morceaux de perche panée au maïs.

« Allez vous chercher une bière dans la glacière, servez-vous ! lança-t-elle avec un grand sourire lorsque Cindy entra en compagnie de son homme, Roosevelt, tandis que Sam, un des frères de Tommy, l'embrassait sur la joue. Je sais pas où est Tommy. Il doit être là-bas, sur le…

— Je suis là, femme ! » intervint Tommy en donnant une tape enjouée sur ses fesses désormais couvertes par une minijupe écossaise jaune, vert et marron.

Il lui sourit tendrement et passa le bras derrière elle pour attraper un morceau de poisson brûlant sur le papier absorbant qui buvait la graisse. LoLo lui tapa sur la main.

« Ah non ! Tu vas te brûler la langue. Que veux-tu que je fasse d'un homme qui peut pas se servir de sa langue ? »

Des « ohhhh » et des « pour sûr ! » résonnèrent tandis que Tommy riait doucement et se penchait pour un baiser, bouche ouverte, la langue en embuscade. LoLo regarda cette langue, s'humecta les lèvres et la prit dans sa bouche.

« Mmmm, fit Tommy. Elle est sexy, ma femme, je vous le dis », ajouta-t-il en s'écartant.

Il piqua un bout de poisson et l'enfourna avant que LoLo ait pu l'arrêter.

« Et en plus, c'est un cordon bleu !

— Oust, mon homme, sors de ma cuisine ! s'écria LoLo, feignant la colère et esquivant encore une tape. Si je te laisse faire, il n'y aura plus de poisson ! »

Elle riait de bon cœur. Un rire franc et sincère.

La soirée se poursuivit dans la même ambiance : simple et bon enfant. LoLo servit le poisson, une marmite de navets avec du jarret de porc et son fameux gratin de macaronis, tandis que Cindy veillait aux réserves de bière dans la glacière et s'efforçait d'éloigner Roosevelt de la bouteille de brandy. Sarah exécutait un numéro de danse synchronisée avec LoLo dans la cuisine, actionnant la manivelle de la sorbetière pour en extraire des tournées de glace vanille-fraise, et toutes trois bavardaient en se trémoussant sur Marvin Gaye et sur les Temptations.

« Ahh, ce Marvin… Sa voix, c'est comme une lame de couteau tiède qui entre dans du beurre frais ! dit Cindy en ondulant des hanches sur "How Sweet It Is" qui passait sur le tourne-disque. C'est du velours, ce mec.

— Hmm, parle-moi plutôt d'Eddie Kendricks, renchérit Sarah, penchée sur sa manivelle qu'elle tournait et tournait encore, ses biceps dansant en rythme. Suffirait qu'il grogne un petit coup dans ma direction, j'enverrais voler mon minishort, direct. »

Tommy abattit son atout si fort que la table entière en fut secouée.

« Et voilà l'travail ! » lança-t-il, et toute la maison fut secouée de rire : les femmes dans la cuisine, les hommes à table avec leurs jambes largement écartées et leur clope au bec, les yeux rougis par la fumée et la boisson, les couples évoluant lentement dans la lumière rouge qui baignait les murs, leurs corps suintant le sexe.

Derrière la musique et les voix sonores, LoLo entendait au loin un bébé – un gémissement sur le point de se muer en pleurs. Les enfants étaient couchés depuis des heures lorsque les premiers invités étaient arrivés, mais LoLo n'avait pas trouvé comment les faire dormir jusqu'à la fin de la fête. Elle sortit la tête de la cuisine et observa, l'oreille tendue, les portes derrière lesquelles ils étaient couchés.

« Ils vont bien, ces gosses, dit Tommy en battant les cartes, un œil sur LoLo qui surveillait les portes. Fous-leur la paix.

— J'ai cru en entendre un.

— C'est TJ qui bouge en dormant, c'est tout. Ça va aller. Retourne à tes fourneaux avant que le poisson soit cramé. Termine, que je puisse danser un slow avec ma superbe femme. »

LoLo pouffa de rire et darda sur Tommy ces yeux qui, elle le savait, lui donnaient envie d'envoyer balader le poisson, la bière, la table de jeu et tous les invités pour pouvoir se coucher sur son corps et sentir ses membres l'enlacer.

La poignée de porte de la chambre de TJ remua. Le gémissement de Rae prit du volume. Tommy et LoLo remballèrent leur désir et soupirèrent. Lolo montra ses doigts couverts de panure.

« Faut que je retourne le poisson.

— Allez, bébé, répliqua Tommy en lui montrant un instant ses cartes. J'ai du jeu, là. Cindy peut surveiller le poisson.

— Roh non, faut pas mettre Cindy sur le poisson, bredouilla Roosevelt, la langue pâteuse, en reclassant l'éventail de ses cartes. Sauf si tu l'aimes fade et cramé. Elle va le foirer, tu sais. » Il avait déjà vidé trois verres de brandy et deux bières, exactement la bonne combinaison pour libérer son humeur belliqueuse qui finissait toujours par retomber sur Cindy, sous la forme d'une injure ou deux, parfois de cris, parfois d'une gifle. Une fois qu'il était lancé, tout le monde marchait sur des œufs. « Elle est bonne qu'à s'occuper de la glacière. Remarquez, quand j'y pense, même ça, elle sait pas faire. Elle m'a apporté une bière tiède. » Puis, à Cindy : « Allez, file-m'en une autre, fraîche cette fois. Bordel.

— Dis donc, t'es pas obligé de lui parler comme ça », protesta Sarah à mi-voix.

Elle se plaça devant Cindy, cette femme qui était son amie depuis assez longtemps pour qu'elle garde ses secrets et panse ses plaies lorsqu'elles étaient fraîches et profondes.

« C'est à moi que tu parles, sal…

— Ho, on se calme, là ! » intervint Tommy, étouffant l'incendie avant qu'il ne reçoive davantage d'oxygène. Les yeux sur Roosevelt mais s'adressant à LoLo, il parla rapidement : « Je m'occupe du petit. Toi, tu refais une fournée de poisson, tu m'entends ? Je laisserai personne gâcher cette soirée parfaite. J'y vais. »

LoLo, mal à l'aise, anxieuse, prit Cindy par la main et la remmena dans la cuisine – hors du champ de vision de Roosevelt. Elle connaissait la musique. Sarah aussi. Ainsi que Tommy, même s'il mettait un point d'honneur à ne pas se mêler des affaires d'un autre homme, et surtout pas de sa façon de gérer son argent ou sa femme. Il avait souvent recommandé à LoLo de « laisser tomber » quand elle lui racontait que Cindy était arrivée au boulot avec un œil au beurre noir ou un hématome bleuté sur son teint cuivré.

« C'est elle que ça regarde, disait-il. Si ça lui plaît pas, elle peut se barrer.

— Tu crois qu'une femme aime se faire cogner par son homme ? lui avait répondu LoLo un soir où ils s'étaient disputés bien trop longtemps à propos des autres couples. Il faut être fou pour penser une chose pareille !

— J'ai pas dit qu'elle aimait ça, avait rétorqué Tommy en levant les deux mains pour lui faire signe de se calmer. Je dis juste que quand une femme en a marre, elle s'entête pas. »

Là, dans le silence de la cuisine, pendant que la graisse du poisson crépitait et que la manivelle de Sarah frottait rythmiquement contre la cuve de la sorbetière, LoLo se demanda quand Cindy cesserait de s'entêter et commencerait à se faire une vie pour elle-même. Mais tous savaient que ce n'était pas facile. Les femmes, en tout cas, le savaient.

Un chœur de « Ooooh ! » et de « Salut, bonhomme ! » dans le salon les arracha à leurs pensées. Sarah s'arrêta un instant de baratter pour passer une tête dans la pièce.

« Mmm-hmm, fit-elle. Vous les avez bien choisis, vos petits. »

Cindy se pencha pour regarder à son tour.

« Et elle a bien choisi son homme, aussi. Regarde un peu Tommy avec eux. Ça se voit qu'il adore les mômes. » Puis, à LoLo : « Veinarde. Tu t'es dégoté un homme qui t'aime, qui s'occupe de toi et de ces gosses, alors que ce ne sont même pas les siens.

— Si, ce sont les siens », se hâta de rectifier LoLo.

Cindy vit le regard appuyé que lui envoyait Sarah.

« Bien sûr, concéda-t-elle. On mérite toutes une grande famille heureuse. »

LoLo retira la panure de ses doigts et alla voir par elle-même. Tommy, assis sur une petite chaise au fond de la pièce, tenait TJ et Rae dans le creux de ses deux bras. Rae cachait sa figure contre son torse : on ne voyait que la boule de ses cheveux, décoiffée et de travers, au-dessus de sa chemisette blanche et de sa grosse couche en tissu. TJ, stoïquement assis, se frottait les yeux en bâillant, indifférent aux regards, à la musique, à l'odeur de cigarette, de joint et de corps rendus moites par une soirée entière de danse et de rires. Il ne fut pas dérouté, non plus, par le flash de l'appareil Polaroid. Quelques mois plus tard, il trouverait sa mère assise sur cette même chaise, en train de sourire à cette photo instantanée. Il ne comprendrait pas ce qu'il verrait : LoLo contemplant sa famille, cette unité qu'elle avait cousue main, et tombant entièrement amoureuse, enfin, pour la première fois, de ce qu'elle avait longtemps cru ne jamais obtenir. La protection. L'amour. Une famille à elle, qui l'aimait en retour.

Plus tard ce soir-là, une fois les bébés rendormis, une fois les derniers invités partis après une demi-heure de « Allez, non, on y va », une fois que Sarah eut aidé LoLo à ramasser les assiettes et les verres et à essuyer les traces de bière et les cendres de cigarette tombées par terre pendant que les invités riaient et dansaient,

LoLo se lava le visage, retira sa minijupe et se mit au lit en serrant dans sa main son foulard de nuit roulé en boule. L'herbe et le brandy lui faisaient encore trop tourner la tête pour qu'elle épingle ses boucles pour le lendemain, et de toute manière elle n'en avait pas envie. Jeter sur sa table de chevet le foulard usé, effiloché, souillé de sébum et de sueur nocturne, c'était un signal. Encore grisée par le brandy et par l'herbe, elle voulait Tommy. Et lui n'était que trop heureux de la satisfaire.

Elle ne verbalisait jamais son envie de faire l'amour, attention. Son mari aimait qu'il en soit ainsi, cet homme qui, comme n'importe quel autre, attendait de sa femme qu'elle entre pure dans le lit conjugal et qu'elle le laisse prendre l'initiative, aussi bien dans le noir que dans la lumière du matin. Les hippies avaient beau s'égosiller sur l'« amour libre » et la « révolution sexuelle », les épouses, elles, savaient. C'étaient les hommes qui décidaient. Laisser son foulard sur la table de chevet, c'était la plus grande autonomie corporelle qu'elle eût connue depuis vingt-trois ans qu'elle était sur cette terre.

Le clair de lune projetait une lumière bleutée sur le torse nu de Tommy et sur une de ses jambes puissantes, posée comme une masse sur le drap blanc. LoLo se concentra sur le blanc de ses yeux lorsque, se tournant vers elle, il inclina la tête pour mieux la voir déboutonner lentement sa chemise de nuit et la laisser tomber au sol. Herbe et brandy tiraient les ficelles, la contrôlaient comme une marionnette ; ils allongèrent son corps, l'écartelèrent d'un membre à l'autre, sa poitrine ondulant, capitulant, remuant et rebondissant sur le matelas qui grinçait. *Gémis*, disaient-ils, et c'est ce qu'elle fit. *Ouvre grand la bouche*, disaient-ils, et c'est ce qu'elle fit. *Renverse ton cou, passe tes ongles dans son dos, gémis encore*, disaient-ils. Et c'est ce qu'elle fit. Herbe et brandy savaient toujours précisément ce qu'il fallait faire. Herbe et brandy étaient bruyants et tapageurs : c'était ce que Tommy préférait. Herbe et brandy détendaient les muscles, étouffaient et noyaient les souvenirs. Redonnaient souffle à ce qui était mort. Permettaient à Tommy de rouler pied au plancher, toutes vitres baissées, le moteur chaud et grondant. Permettaient à LoLo de profiter de la virée.

Tous deux étaient dissous en une masse moite, leurs corps entortillés dans les draps et les oreillers, et plongés dans un sommeil assez profond pour que ni l'un ni l'autre ne remarque TJ. Debout à côté du lit, les yeux écarquillés, le regard fixe dans le noir, l'enfant essayait de comprendre comment s'organisaient la peau et les parties de corps. De sa main droite, il tenait l'élastique de son bas de pyjama trempé d'urine, et de la gauche il s'apaisait lui-même, le pouce mouillé de bave et puant l'haleine chaude. TJ regarda le pénis de son père puis le sien, les tétons de sa mère puis les siens. En temps normal, quelqu'un aurait bondi sur pied en entendant sa porte s'ouvrir, mais en cet instant-là ses parents étaient morts. Un petit coup sur l'épaule de sa mère la ramena subitement à la vie, son cri et son sursaut ressuscitant aussi Tommy.

« Bon Dieu, mais qu'est-ce que tu as ?! » s'exclama LoLo, les yeux plissés pour mieux distinguer son fils planté là, le regard fixe.

Elle vit d'abord le blanc de son bas de pyjama, puis son corps nu à partir de la taille.

Tommy regarda aussi, secoua la tête et se rallongea.

« TJ, mon grand, tu as encore mouillé ton lit ? »

L'enfant hocha lentement la tête.

« Oui. »

LoLo se massa les paupières et se rallongea. Son front et ses tempes avaient leur propre pulsation. Elle referma les yeux. C'était peut-être un rêve. Oui, un rêve. Elle allait se rendormir, puis se réveiller normalement, comme tout le monde, reposée et avec le sentiment que tout allait bien sur terre.

Tommy lui donna un coup de coude.

« LoLo, emmène le petit à côté. Il pue la pisse. »

Sa voix était un marteau contre le front de LoLo.

« Je peux… pas… bouger », dit-elle avec difficulté.

Les deux parents, ivres et à moitié défoncés, se rendormirent, bercés par les bruissements de la nuit : les criquets, les cigales dans l'air immobile. TJ sortit son pouce de sa bouche et poussa le bras de sa mère, laissant une trace baveuse sur sa peau.

« TJ ! Quoi, encore ?!

— LoLo, va changer ce gosse. J'essaie de dormir, merde ! »

LoLo se redressa rapidement sur son séant et, dans sa tête, dit tout ce qu'elle aurait voulu dire à haute voix : *Moi aussi, merde. Y a un problème avec tes mains ? Elles sont trop délicates pour torcher un petit cul pisseux ? J'ai fait frire le poisson, j'ai rangé la cuisine, j'ai lavé par terre, j'ai baisé avec toi. Tu ne peux pas faire au moins ça ?* Puis elle sortit les pieds du lit et couvrit sa poitrine avec le drap le temps d'attraper son peignoir, en se concentrant pour retenir la bile qui lui remontait dans la gorge. Pendant qu'elle se débattait avec le tissu, TJ resta à la regarder, les yeux dans les yeux, sans qu'un mot soit échangé. Elle noua la ceinture, toujours sans le quitter des yeux. Elle se leva. Et là, sans avertissement, elle gifla le garçon du dos de la main.

Son hurlement sonna comme une sirène dans la chambre. Tommy s'assit tout droit.

« Mais putain, LoLo ! Qu'est-ce qui te prend, de le taper ? »

Elle attrapa l'enfant par le bras et dit, les dents serrées :

« Il faut qu'il apprenne à ne pas réveiller son papa. »

Elle le traîna derrière elle dans le couloir et jusque dans sa chambre d'enfant, qui empestait l'urine et la peur.

# 15

Le soleil était toujours brûlant en juillet, mais ce jour-là en particulier il alla se percher haut dans un ciel sans nuages, prévoyant de dessécher les feuilles vertes des parterres de haricots, le violet des pétales des hortensias et tout ce qui mettait de la lumière dans le monde de LoLo. Elle n'en fut que plus déterminée à jardiner. Les haricots à rames, le chou kale, les oignons verts et les courges feraient de bons déjeuners dominicaux d'ici un mois, mais ils avaient besoin de protection – d'eau, de soins –, et c'est exactement ce qu'elle comptait leur donner.

Elle coucha la petite pour sa sieste sans perdre une minute. Rae chouinait encore un peu lorsque LoLo s'attacha les cheveux avec un bandana appartenant à Tommy et sortit dans le jardin pieds nus, binette, râteau et tuyau d'arrosage en main, TJ sur les talons. Rae se calmerait vite. Et LoLo aussi, dans le jardin. Debout sur la pelouse à côté du potager, elle tourna son visage vers le soleil tout en enfonçant ses orteils et la plante de ses pieds dans l'épaisseur de l'herbe, jusqu'à la terre. TJ regarda les pieds de sa mère puis les siens, et l'imita, remuant ses petits orteils avec tant de vigueur qu'il serait tombé si sa mère ne l'avait pas rattrapé par le bras.

« Ça fait du bien, hein ? » dit-elle avec un rire sincère.

Comme pour faire état de leur présence, de leur enracinement, mère Nature leur envoya une douce brise, embrassa leurs joues d'une bourrasque fraîche. LoLo ferma les yeux et emplit ses poumons. Ce serait une bonne journée, décida-t-elle.

« Maman, regarde ! » lui lança TJ.

Vif comme l'éclair, il avait gravi les quelques marches du perron arrière. LoLo leva les mains, mais avant qu'elle ait pu crier « Non ! », il plia les genoux, lança les bras devant lui, prit son envol… et retomba durement sur les genoux juste au-delà du ciment, dans l'herbe. Il se releva en riant. Ce qui fit rire LoLo aussi. Auparavant, elle aurait suffoqué de terreur, elle aurait vu toute la vie du petit défiler devant ses yeux. Elle avait oublié, au début, comme les petits garçons pouvaient être durs, comme ils couraient et cabriolaient, chahutaient et cherchaient, avec la précision d'un missile, les choses les plus sales et les plus dégoûtantes. Les flaques de boue, les poubelles, les vers de terre, les fourmilières. TJ, avec ses yeux d'enfant, voyait là-dedans des lacs où pagayer, des étangs de pêche gorgés de perches et de merlans qu'on pouvait attraper avec des cannes imaginaires. LoLo avait rapidement appris à laisser remonter en elle le garçon manqué – celui qui s'était épanoui dans les prés et les bois derrière l'orphelinat, où avec les autres enfants trouvés elle s'ébattait librement, loin du regard des Mères. Quand elle se laissait aller, elle s'amusait avec TJ. Rae, c'était une autre histoire.

« Waouh, tu sautes bien ! lui lança-t-elle avec un franc sourire. Tu es Superman, aujourd'hui ? Tu vas voler jusqu'où ? Je peux venir ?

— Viens, maman ! On va sur la Lune ! »

Il partit en courant à toute allure autour du jardin, les bras flottant derrière lui. LoLo ploya ses longues jambes et le suivit à petits pas, en battant elle aussi des ailes, avec un aussi grand sourire que lui, tous deux faisant semblant de voler à travers l'espace, héros en partance pour une grande aventure. Ils continuèrent ainsi, dépassant la Lune pour aller explorer Saturne, et Vénus, et Mars.

« Allez, dit LoLo, essoufflée et impatiente de se mettre à l'ouvrage. Ça suffit, mon grand. Va chercher ton ballon là-bas, et joue pendant que maman jardine, avant que ta sœur ne se réveille. »

TJ, obéissant, prit son ballon en plastique bleu marbré et le poussa du pied pendant que LoLo passait en revue les rangs de légumes bien nets qu'elle avait fait pousser, de la graine à la plantule, de la plante à la nourriture pour son ventre et son cœur. Tous les jours sans exception, elle attendait avec impatience ces instants transcendants : le bourdonnement des abeilles pendant qu'elle sarclait, la manière dont l'engrais, riche en fiente de poule ou en crottin – selon ce qu'elle arrivait à trouver –, embaumait l'air frais, lui rappelant les rares instants de joie qu'elle avait réussi à se ménager pendant son enfance en Caroline du Sud. Les champs de coton ne pardonnaient pas sous le soleil de Caroline, et ses cousins, ceux qui l'avaient sauvée de l'orphelinat et enchaînée à un enfer d'un autre genre, l'avaient usée là-bas. Tous travaillaient dur, c'était le propre du métayage. Il n'y avait rien de glamour là-dedans, pour aucun d'entre eux. Mais les tâches les plus fastidieuses, Bear, le cousin germain de son père, et Clarette, sa femme, les gardaient pour LoLo. Le soir, lorsqu'elle se mettait au lit, elle avait mal partout : des ampoules aux pieds, la peau brûlée, les genoux endoloris d'être restés dans la terre le temps qu'elle retire les cailloux des longs sillons ou qu'elle butte le sol à mains nues. Le pire, c'était le poulailler : retirer l'épaisse croûte de plumes, de toiles d'araignée et de fiente dure comme du ciment, sans air, avec pour toute lumière les quelques rais qui passaient à travers les planches. Garder dans le ventre sa ration matinale de bouillie d'avoine – et dans les bons jours, peut-être un biscuit et une mince tranche de porc salé – était alors aussi difficile que survivre un jour de plus. Mais elle avait survécu. Et fini par aimer ça : la sérénité, le contact avec la terre. Le répit loin des mains de Bear, occupées par l'abondance de la terre plutôt que par son corps. L'agriculture dansait dans ses os. Prendre soin de son potager l'émouvait.

LoLo se pencha vers le tuyau et but une gorgée d'eau, puis appuya son pouce sur l'ouverture pour disperser le jet en fines gouttelettes, qui scintillèrent dans le soleil et firent naître un ruban de couleurs. LoLo sourit et se mit à fredonner une de ses chansons préférées. À sa gauche, TJ shoota dans son ballon et courut après avec le sérieux d'un joueur professionnel. Derrière elle, le portillon grinça. LoLo tourna la tête : Cindy arrivait d'une démarche sautillante et claquait des doigts en reprenant sa chanson :

« *Another Saturday night and I ain't got nobody...* Ah là là, Sam Cooke ! lança-t-elle en venant se placer à côté de LoLo pour regarder l'eau. Il était beau et il le savait, cet homme-là. Je te parie qu'il avait l'embarras du choix tous les samedis soir, mmm-hmm ! »

LoLo rit, sans perdre des yeux la tâche en cours.

« Tu es intenable !

— Mais est-ce que je mens ?

— T'as raison, je dois dire. Il devait avoir le choix. » LoLo continua de rire, jusqu'au moment où elle se tourna et vit la tête de son amie. Ses lunettes de soleil en œil de chat ne dissimulaient que partiellement ses bleus. LoLo continua d'arroser, mais son sourire s'affaissa. « Qu'est-ce qu'il y a, Cindy ? Qu'est-ce qui t'amène par cette belle journée ?

— Je sais pas », répondit Cindy à mi-voix. Elle se balança d'un pied sur l'autre. « Je passais devant. Je savais bien que je te trouverais au milieu de tes haricots. » Elle dirigea son attention vers les deux énormes hortensias violets qui poussaient contre la clôture. « Eh ben, Tommy les a bien arrangés, ces hortensias. Il leur a donné cette couleur rien que pour toi, hein ? » dit-elle, une main en visière.

Lolo garda un instant le silence. Elle n'avait aucune envie de parler de fleurs.

« Apparemment, il n'est pas le seul à donner cette couleur. »

Cindy leva la main vers sa joue gauche, mais les mots restèrent coincés dans sa gorge. Au bout d'un long silence, LoLo vint à son aide.

« Il est où, Roosevelt ? Quelque part en train de préparer ses excuses, au moins ?

— Je sais pas où il est. Et je m'en fous. »

LoLo continua d'arroser, le pouce engourdi par la fraîcheur de l'eau. Enfin, lorsqu'elle jugea que ses légumes et ses fleurs avaient suffisamment bu, que Cindy eut un peu détendu les épaules, qu'elle eut assez laissé le chant des oiseaux recouvrir leurs pensées chagrines, elle retira son pouce. Le jet retomba près de ses pieds nus.

« Donne-moi un peu de cette eau », dit Cindy.

LoLo leva le tuyau et regarda son amie se pencher pour embrasser le jet. Après quelques gorgées rapides, celle-ci se redressa et chercha dans son sac son paquet de Kool et une boîte d'allumettes. Elle proposa une cigarette à LoLo, qui accepta. Les deux femmes restèrent muettes, l'eau coulant à leurs pieds pendant qu'elles inhalaient la nicotine et renversaient la tête en arrière pour souffler des ronds de fumée vers le ciel sans nuages.

« Je suis enceinte », lâcha Cindy.

LoLo regarda son ventre et tira sur sa cigarette, mais ne dit mot. Elle se rendit sur le côté de la maison et tourna le robinet pour couper l'eau, puis prit encore quelques bouffées en retournant d'un pas traînant vers son amie, profitant du trajet pour chercher les mots à dire.

« J'ai six semaines de retard, à peu près. Et mon ventre me fait… bizarre. Comme s'il y avait quelque chose là-dedans qui se multiplie et se divise… qui durcit et grandit en même temps. »

Elle tira sur sa cigarette et laissa retomber sa main le long de son corps, révélant les larmes qui roulaient sur ses joues.

« Je ne peux pas. »

Lolo se baissa pour éteindre son mégot dans une flaque qui s'était formée à côté des rames de haricots.

« Pas avec lui, non. On est bien d'accord. Il faut qu'on te trouve un endroit où te mettre au vert le temps de réfléchir à ce que tu vas faire avec le…

— Je ne vais pas le garder. »

LoLo plissa le front.

« Comment ça, pas le garder ? »

Cindy resta muette.

« Cynthia Clayton ! » Le ton autoritaire de LoLo la fit sursauter. « Pardon, pardon… Pardon », s'empressa d'ajouter LoLo, comprenant qu'elle faisait peur à son amie déjà fragile.

Elle essaya de la serrer dans ses bras, mais le corps de Cindy resta raide.

« Je suis décidée. Je peux pas mettre un bébé au monde avec cet homme-là. Vu ce qu'il me fait à moi, on peut pas savoir s'il ferait pareil à notre enfant.

— Mais je ne comprends pas. Tu as le choix ! Tu peux choisir entre le bébé et ce type. »

Cindy eut un rire dépité.

« Et faire quoi ? L'élever toute seule ? T'as oublié comme c'est dur pour nous ? Comme c'est déjà difficile de se nourrir nous-mêmes, sans parler des gosses ? Avec le monde entier qui pense que t'es rien qu'une pauvre traînée de négresse si tu te balades avec une flopée de morveux sans papa ? Tout le monde n'a pas un Tommy prêt à aller travailler pour ramener de quoi vivre.

— Qu'est-ce que ça peut te faire, ce que les autres pensent de ton bébé ?

— J'ai envie de rester en vie. J'y arriverais pas avec un gosse.

— Mais tu y arrives avec Roosevelt ? » LoLo prit le menton de Cindy et la regarda dans les yeux. « Cet homme te tuera. »

Cindy détourna vivement la tête.

« Lui, je peux le gérer. Ce que je ne supporte pas, c'est d'être seule. Je peux pas, c'est tout. » Elle essuya une traînée de larmes sur sa joue. « Et je ne suis pas venue ici pour qu'on me juge, LoLo. Je suis venue chercher de l'aide. »

Elle releva les yeux pour contempler son amie en face. Elle posa une main sur son ventre et fit signe à LoLo de le regarder.

LoLo secoua lentement la tête.

« Non. Non, non, non, non… tu peux pas faire ça, souffla-t-elle. Ne fais pas ça, Cindy… je t'en prie.

— Tu vois pas que je n'ai pas le choix ?

— Si tu fais ça, ils te retireront les derniers choix qu'il te reste, tu ne comprends pas ? » Lolo toucha le ventre de Cindy d'une main et le sien de l'autre. « Je le sais. Je le sais, c'est tout. Ce n'est pas possible, il ne faut pas, il ne faut pas. »

Elle continua de secouer la tête, les larmes miroitant sur sa peau.

*Automne 1963*

La plupart des gens – des Noirs, en tout cas – se souviennent en détail du 15 septembre 1963, comme un peintre se souvient de ses coups de pinceau : le soleil était suspendu dans un ciel clair et bleu ; les poissons se jetaient pratiquement sur l'hameçon de Zachariah Wilson, dans la rivière Mills Creek, là-bas dans les montagnes de Virginie, et la diaconesse Bunche, celle qui avait une si grosse voix au premier office du samedi matin et qui gardait toujours des caramels au fond de son sac, appelait les anges à descendre de leur paradis sur le premier banc d'une église au Texas, lorsque la nouvelle commença à se répandre d'est en ouest et du nord au sud. Ces quatre pauvres agneaux, assassinés par de misérables cochons de Blancs au moment le plus sacré de la semaine : le début de l'école du dimanche, où les parents envoient leurs enfants dans leurs beaux atours apprendre la bonne parole. Bien sûr, tous les lynchages étaient abominables – ces corps noirs tordus, brisés et même mis en pièces, ces visages grimaçants figés dans cet ultime instant où la nuque cassait net et où le dernier souffle quittait le corps ; où les victimes, les pauvres victimes, très probablement innocentes, en tout cas terrifiées, certainement pas préparées à cette fin brutale, voyaient leur vie défiler et contemplaient la lumière des ancêtres qui les appelaient. C'était chose terrible à voir. Mais l'idée de quatre bébés, quatre petites filles, avec leurs cheveux bien coiffés, leurs jolies robes en coton effleurant leurs genoux, leurs chaussures à brides cirées comme des sous neufs avec de la vaseline et peut-être un peu de salive, simplement… mortes… Enfin, qu'est-ce que c'était que cette tragédie ? Cet acte monstrueux ? Cela vous brûle la mémoire. On ne peut simplement pas oublier la nouvelle de l'assassinat de quatre fillettes, pas plus qu'on ne peut retirer le noir de la peau d'un nègre.

LoLo, pourtant, se rappelait cette date précise pour une autre raison. En fait, elle se souvenait du 15 septembre 1963 parce que c'était le jour où ses propres enfants avaient été lynchés.

L'enfant qui avait trouvé le chemin jusqu'à son ventre était de Bear. Il n'avait pas été conçu dans l'amour. Son cœur ne battait pas depuis deux semaines qu'il avait déjà des ennemis. Clarette, accablée d'un mari qui aimait frapper et besogner sa cousine adolescente, ne supportait pas l'idée que LoLo amène un enfant dans la maison où elle-même et son homme avaient enterré quatre fœtus, rejetés par son ventre avant l'heure. Elle voulait la mort de celui-là aussi. Betsy Mills, l'infirmière en chef de l'hôpital réservé aux Blancs – celle qui détenait les clés de la salle des fournitures médicales, et qui avait passé assez de temps dans le service d'obstétrique pour savoir extirper les petits non désirés –, elle aussi, voulait sa mort. D'ailleurs, elle était très claire avec quiconque voulait bien l'écouter – ses collègues, son groupe d'étude de la Bible du mercredi soir, ses invités pour Thanksgiving. De son point de vue, le seul bon bébé noir était un bébé mort. Elle se mettait donc en quatre pour exaucer les vœux dans ce domaine, ceux des femmes qui la sollicitaient pour ses avortements en sous-sol, et ceux de la communauté blanche, préférant toujours curer les entrailles des Noires plutôt que de payer des impôts pour nourrir, habiller et soutenir de quelque façon le fruit de leurs pathologies, de leur faiblesse d'esprit et de leur inconséquence reproductive.

LoLo, donc, s'allongea sur la table de l'infirmière et écarta les jambes parce qu'elle ne voyait aucun autre moyen de soulager sa peine – celle d'être enchaînée à un bébé qu'elle ne supporterait pas d'élever, et au violeur qui l'avait introduit en elle. Clarette se vantait de l'y aider, mais l'adolescente, brisée, terrifiée, y serait venue d'elle-même. Un cauchemar récurrent avait remplacé ses rêves, toujours le même, toujours horrible : Bear appelait LoLo dans son champ, la poussait dans la grange et la forçait à s'agenouiller à côté de sa truie de concours gestante. « Arrache-les ! exigeait-il en débouclant sa ceinture et en déboutonnant sa salopette. Arrache-les, je te dis ! » LoLo, à genoux près de la bête enflée et pantelante couchée sur le flanc, avançait ses mains, nues et ensanglantées, pour sortir de ses entrailles des porcelets minuscules, un par un, et encore un, et encore un, et encore un, jusqu'à ce qu'il y en ait sept : deux noirs à taches blanches, deux brun foncé mouchetés de noir, et encore deux, roses comme leur maman. Le dernier, celui-là, était glabre, avec une peau brun cuivré : la couleur des mains tremblantes de LoLo. Quand elle tournait la tête de l'animal vers elle pour regarder son groin, il hurlait comme un bébé humain.

« Nourris-le ! » ordonnait Bear.

LoLo approchait le pourceau hurlant de la mamelle de la truie, mais Bear s'époumonait de plus belle : « Toi, nourris-le ! » LoLo, alors, baissait les yeux et voyait du sang et du pus couler de son sein tandis que le petit cochon, hurlant et gigotant dans ses mains, remuait le groin et cherchait ses tétons purulents.

Ce qu'elle avait dans le ventre n'était pas naturel. Pas sain. Elle le savait aussi sûrement qu'elle savait pourquoi ses règles n'étaient pas venues en juillet ni en août. Clarette arriva à la même conclusion en dix minutes à peine, lorsqu'elle trouva sa cousine de seize ans au bout du quatrième rang de coton, en train de vomir la bouillie de maïs au babeurre qu'elle avait avalée à l'heure où une paresseuse aurore rose et jaune commençait à éclairer l'horizon.

« Qu'est-ce que t'as, toi ? » cria-t-elle en avançant dans la terre meuble, le pas alourdi par la contrariété.

LoLo aurait bien voulu empêcher son estomac de se retourner, mais elle avait l'impression qu'on l'essorait comme une serpillière pleine d'eau crasseuse. L'odeur forte de l'engrais, le coton qui envoyait des notes de sueur et de musc à ses narines, exacerbaient cette sensation.

« Je… je suis… désol… » balbutia-t-elle, aussitôt interrompue par un nouveau spasme. Le liquide grumeleux jaillit par sa gorge et ses narines, et éclaboussa assez loin pour que des gouttelettes retombent sur les chaussures de Clarette. « Ça veut pas s'arrêter », parvint-elle tout de même à dire.

Clarette regarda fixement ce spectacle lamentable. La bouche pincée, la main sur le nez, la nuque et l'échine droites, elle observa LoLo penchée sur les tiges de coton, les traits crispés par la nausée, les mains serrées sur son ventre. Elle fit le calcul en un clin d'œil.

« Tes dernières règles, ça date de quand ? »

Ses yeux étaient deux fentes, mais sa voix restait égale.

« Je… je me rappelle plus.

— Viens ici. »

Elle agrippa LoLo par le bras et la tira d'un pas vif vers les cabinets.

LoLo se tenait toujours le ventre lorsque Clarette poussa la porte en bois branlante et attrapa le panier de vieux sacs découpés en carrés qu'elles utilisaient toutes les deux quand elles saignaient. Clarette n'y avait pas prêté attention jusqu'à ce moment, mais depuis deux mois elle était la seule à se servir de ces bouts de tissu. Le contenu du panier, les vomissements de LoLo dans le champ : tout cela menait à une conclusion évidente.

LoLo contempla les lambeaux de toile pendant que Clarette remettait lentement le panier à sa place. Elle ne supportait pas de regarder dans les yeux la femme de son cousin, sachant ce qui suivrait. Sachant que ce serait elle qui porterait toute la culpabilité et la honte, sachant que jamais, jamais Clarette ne pourrait dépasser sa propre peine pour en vouloir au vrai coupable. Ni se rendre utile à cette jeune fille de seize ans, qui toute seule ne pouvait pas faire grand-chose de plus que survivre à ses souffrances.

Clarette, alors, fit quelque chose d'inattendu : elle abreuva LoLo de douceur.

« Je sais que tu ne l'as pas fait exprès », dit-elle simplement. Puis elle vint au fait. « Je connais quelqu'un qui peut t'aider. » La langue sucrée ; ses lèvres, du sirop : « Je ne te laisserai pas t'en débarrasser toute seule. »

Clarette était experte en paroles sucrées, car au fond, elle était comme ça : douce et bonne. Elle était du genre à fondre pour le premier garçon qui cueillait des tournesols sur le bord de la route spécialement pour elle, et à lui dire oui avant qu'il ait même réussi à bafouiller « épouse-moi » ; du genre à s'accrocher de toutes ses forces à cet homme et à son couple parce que c'était ce qu'elle voulait, et aussi ce qui était attendu d'une bonne chrétienne. L'obéissance. Bear lui disait que c'était dans la Bible, et elle supposait que c'était vrai, puisque le pasteur le disait aussi. C'est pourquoi la première fois qu'elle avait vu Bear sur LoLo, en train de la consommer, le sang était monté dans tous les points de pression de son corps – ses oreilles, son nez, ses yeux, ses pieds, ses poignets, ses chevilles, ses tempes –, mais elle n'avait rien dit. Elle avait juste regardé LoLo serrer les paupières et étouffer ses pleurs sous les grognements, les menaces et les ordres de Bear. « Ferme ta gueule et prends ta dose, salope », disait-il de ses lèvres retroussées, de sa bouche édentée.

Clarette s'était éloignée sans bruit de la porte de la grange et était tombée à genoux dans le pré, les prières lui montant à la bouche, la tête envahie par les pensées. Elle savait que tôt ou tard cette jeunette, grande et jolie, produirait ce dont elle-même était incapable. Dieu, alors, lui avait fait cette réponse : « Renonce. » Claire comme un son de cloche, limpide comme sa prière et les cieux auxquels elle l'avait lancée. Alors elle s'était soumise. Soumise entièrement. Elle avait doucement renoncé à la colère, doucement renoncé au dégoût, doucement pardonné à son mari et à la petite traînée qu'il avait amenée chez eux. Et doucement elle livra LoLo à l'infirmière Mills, qui débarrasserait son ventre de ce mal et des autres qui pouvaient suivre.

Ce dimanche-là, pendant que l'église explosait et que les flammes emportaient ces quatre petites avec leurs jolies robes qui frôlaient leurs genoux et leurs chaussures à brides et leurs couettes, l'infirmière cura le corps de LoLo, en extirpa le mal pour la remettre à neuf. La vie en serait simplifiée pour tout le monde, se disait Clarette : pour LoLo, pour Bear, et pour elle-même, Clarette Loretta Franklin, qui aimait Dieu et son mari, et qui n'allait pas laisser un homme saccager ce que le Seigneur avait assemblé.

LoLo savait qu'elle se débarrassait du bébé de Bear ce jour-là. Mais Clarette, en voyant la maîtresse de son mari tomber dans un profond sommeil artificiel, lâcha à l'infirmière : « Faites en sorte qu'elle ne puisse plus jamais pécher contre Dieu. »

Bear, lui, était en dehors du coup. La vérité apparut lorsqu'il se faufila dans la chambre de LoLo plus tard ce soir-là. Venu chercher son plaisir, il tomba sur une scène saturée de douleur. LoLo, dans un état pitoyable, étouffait tant bien que mal ses gémissements tandis que Clarette changeait consciencieusement les pansements sur les trois incisions qui barraient son bas-ventre. Ces incisions qui, une fois cicatrisées, apparaîtraient épaisses et noires : une marque historique de ce jour-là, de l'instant où tous ses futurs bébés lui avaient été enlevés, et plus tard un blason intime, aussi, suscitant tous les mensonges qu'elle racontait aux hommes avec qui elle couchait. Leurs yeux s'étrécissaient tout d'abord, et certains tendaient la main pour toucher, mais LoLo trouvait le moyen d'arrêter leurs doigts et d'enchaîner avec une de ses contrevérités : « Je suis tombée de cheval quand j'étais petite et j'ai atterri sur des piques », ou « Une folle m'a donné des coups de couteau, prétendant que je regardais son homme alors que c'était faux… Tu verrais ses cicatrices, à elle ! », ou encore « Un accident horrible avec du sumac vénéneux : je me suis grattée comme une dingue, et ce n'est jamais parti. » Et enfin celui qu'elle avait débité à Tommy : « Je me suis baignée à un endroit où il y avait des rochers pointus qui affleuraient juste sous la surface. J'ai nagé au-dessus et je me suis carrément fait éventrer. J'ai failli mourir. » Ils la croyaient toujours. Tous. Surtout quand elle ponctuait ses mensonges de l'assurance que sous tout ce tissu noir et bulbeux et ces grosses cicatrices, là où ils plantaient leur semence, les fleurs pouvaient toujours s'épanouir.

Mais pour Bear, les plaies – celles de LoLo, celles de Clarette – étaient toutes fraîches, et il n'y aurait donc que la vérité. Il trébucha sur ses gros pieds tandis que son cerveau rattrapait ce qu'il voyait, et il recula contre la porte.

« Mais qu'est-ce qui se passe, ici ? Comment elle a fait pour se couper là ? Comment c'est arrivé ? »

LoLo, gênée, effrayée, se recroquevilla sous le contact de Clarette et le son de cette voix. Clarette, elle, ajouta de la teinture d'iode sur le chiffon et tamponna son ventre tremblant.

« Je dis : qu'est-ce qui se passe, ici ? Tu es devenue sourde, ma femme ? » insista Bear d'une voix plus forte, mais toujours sans bouger.

Paralysé sur place.

Clarette se tourna lentement vers son mari pour lui assener la vérité.

« Je nettoie derrière toi, Joe Nathan, souffla-t-elle en regardant vers ses chaussures, puis directement dans ses yeux.

— Qu'est-ce… qu'est-ce que tu veux dire, "derrière moi" ? » s'étonna-t-il, mais avec déjà moins d'assurance.

Clarette prit son temps pour être sûre d'être entendue.

« Hébreux, chapitre treize, verset quatre. “Que le mariage soit honoré de tous, et le lit conjugal exempt de souillure, car Dieu jugera les impudiques et les adultères.”

— Femme, qu’est-ce que tu racontes ? »

Bear tourna lentement les yeux vers LoLo. Elle baissa les siens, voulut retenir son souffle. Mais ce fut peine perdue : la panique avançait dans son sang et ses tendons, traversait ses organes, remontait l’œsophage et touchait sa gorge. Elle lutta contre les vomissements, ses spasmes poignardant les endroits dans lesquels le scalpel de l’infirmière avait tranché. Elle poussa un cri de douleur.

Clarette, sans se laisser émouvoir par l’un ni par l’autre, continuait d’égrener ses arguments.

« “C’est pourquoi l’homme quittera son père et sa mère, et s’attachera à sa femme, et ils deviendront une seule chair.” Genèse, deux, vingt-quatre, souffla-t-elle, les dents serrées. Proverbes, cinq, dix-huit, dix-neuf : “Que ta source soit bénie, et fais ta joie de la femme de ta jeunesse. Sois sans cesse grisé par son amour.”

— OK, pasteur, on est à l’école du dimanche ? Quel rapport avec ce qui se passe ici ?

— Quel rapport ?! s’emporta Clarette. Tu as donné à cette fille ce qui nous revenait – ce que Dieu a prévu pour un mari et sa femme. »

Elle pointa le doigt sur le ventre de LoLo, que ce geste brusque fit sursauter : la douleur fut si intense qu’elle la sentit jusque dans ses orteils.

« Je ne compr…

— Tu sais exactement de quoi je parle, Joe Nathan », s’égosilla Clarette d’une voix haut perchée. Elle était la seule, à part sa mère et les Blancs, à appeler Bear par ses vrais prénoms. Puis, les lèvres pincées, elle ajouta : « Mais ne t'en fais pas. J'ai réglé le problème. »

Bear ouvrit des yeux ronds.

« Comment ça, réglé le problème ? Quel problème ?

— Y aura pas de bâtards dans cette maison, Joe Nathan, martela Clarette d'une voix hachée, comme si elle épelait un mot compliqué. Plus de bébé. Et y en aura plus jamais.

— Mais… » commença Bear avant de se taire, les traits tordus.

Ses yeux remontèrent des plaies de LoLo à son visage.

« J'ai tout arrangé », conclut Clarette.

Elle tamponna encore de la teinture d'iode sur les cicatrices de LoLo.

Celle-ci secoua la tête, lentement au début, puis de plus en plus vite, en émettant un crescendo de « Non », de supplications et d'appels au Seigneur.

« Oh Seigneur monDieumonDieumonDieu non non non non non !

— Toi, la ferme ! cria Clarette. Que je ne te voie pas couchée là à invoquer en vain le nom du Seigneur, après ce que tu as fait. Il a rien à voir avec ton péché, Lui. Voilà. Au moins, vous pourrez plus recommencer, vous deux. Mon Dieu est un dieu clément, mais Il aura Sa vengeance.

— Clarette, comment tu as pu faire ça à cette fille ? Qu'est-ce qui t'en donne le droit ?

— Et toi, qu'est-ce qui te donne le droit… »

Et cela continua ainsi, mari et femme s'époumonant par-dessus LoLo et ses blessures, les reproches tonnant comme des coups de chevrotine, leurs dénégations et leur colère aussi brûlants qu'une gorgée de thé bouillant sur la langue – tous deux pleinement conscients et pourtant encore aveugles aux ravages qu'ils venaient d'infliger à cette fille de seize ans qui gisait là, humiliée, honteuse, anéantie, avec des trous dans sa terre où des graines seraient semées mais où jamais les fleurs ne pousseraient. La tristesse de LoLo serait un océan traversant ses continents, des vagues de chagrin se brisant sur ses grèves jusqu'à son dernier souffle.

Et à présent Cindy se tenait devant elle, le ventre chargé de son fruit, s'apprêtant à engager son corps sur le même chemin.

« Cindy, ne fais pas ça. Les femmes de couleur, quand elles s'allongent sur ces tables, c'est tout leur intérieur qui finit par terre.

— Qu'est-ce que tu en sais, LoLo ? Hein ? répliqua Cindy en écrasant rageusement une larme. Qu'est-ce que tu sais du désespoir qu'il faut pour prendre ce risque ? »

Derrière elle, dans la petite maison de LoLo et Tommy, juste derrière la fenêtre qui se coinçait toujours en position ouverte quand l'humidité des chaudes journées d'été faisait gonfler et suer le bois, Rae commença à remuer. Elle avait beau être minuscule – une tête de chérubin joufflu, mais des bras et des jambes grêles –, ses cris, surtout ceux qui annonçaient ses colères épiques, portaient loin. LoLo regarda vers la fenêtre, derrière l'épaule de Cindy, puis revint aux yeux de son amie. Ils contenaient des océans de tristesse.

« Mais tu disais que c'était Tommy qui ne pouvait pas avoir d'enfants.

— Et qu'est-ce qu'il aurait fait, à ton avis, s'il avait découvert que c'était moi ? Qu'est-ce qu'il aurait fait s'il avait appris qu'on m'a pris mon utérus ?

— Cet homme vénère jusqu'à l'eau sale de ton bain. Il ne partira jamais.

— Tu n'en sais rien, Cindy. Les hommes, surtout les nôtres, ils mesurent leur quéquette au nombre de bébés qu'ils peuvent produire. Ils veulent savoir qu'ils ont semé des graines dans cette terre avant de mourir. Tommy n'est pas différent. C'est quelqu'un de bien. Mais il n'est pas différent. Il voulait les planter, ces graines.

— À t'entendre, on croirait que c'est un de ces mecs du Black Power, souffla Cindy avec dédain. Qu'il veut semer des bébés pour sauver la race ou je ne sais quoi.

— Tommy se balade pas le poing en l'air, tu sais bien. Mon mari est quelqu'un de discret. Mais il a sa fierté.

— Comment t'as réussi à le persuader que c'était sa virilité qui déconnait, alors ? Comment il a fait pour pas comprendre que c'était toi ? »

LoLo garda le silence ; Rae, de plus en plus agitée, préparait une crise de larmes qui allait sûrement mettre fin à la conversation au jardin.

« La plupart des hommes n'aiment pas parler des règles, dit LoLo lentement, en regardant toujours la fenêtre coincée. Et ils ne veulent surtout pas les voir.

— Mais tu les as encore après… après, euh… ? »

LoLo baissa les yeux ; son cœur battait à tout rompre. Il ne restait pas grand-chose qu'elle n'ait pas avoué à ses meilleures amies, mais ça… c'était une honte secrète qui pesait lourdement, comme une ancre l'entraînant vers le fond, loin, loin au-delà de la rive et des créatures qui l'habitaient, sous le clapot, loin du cercle de la lumière et jusque dans les recoins les plus sombres où il n'y a pas d'air. Rien que les ténèbres, la peur et pas de fond. LoLo ne pouvait pas y respirer.

« C'est bon, tu n'es pas obligée d'en parler si c'est trop dur… » dit Cindy.

Rae gémissait de plus en plus.

« Il croit que je les ai encore, avoua LoLo. Je lui ai dit que ça ne pouvait pas venir de moi parce qu'une femme qui a encore ses règles peut encore avoir des enfants, et il m'a crue.

« J'ai fait un choix, et quelqu'un a effacé tous ceux que j'aurais pu faire après, continua-t-elle. Mais ils n'ont pas pu me prendre le choix d'aimer. Ça, je l'ai encore. Quelqu'un d'autre a refusé de monter sur cette table, et sa décision, quelles qu'en soient les raisons, a fait que Tommy et moi avons encore pu être un papa et une maman. » Elle guettait du regard les pleurs de sa fille, les yeux rivés sur cette fenêtre. Puis elle chercha TJ, qui courait après son ballon, hilare et inconscient de tout. « C'est dur, je ne vais pas te mentir, ajouta-t-elle. Mais c'est notre famille. C'est ma vie, c'est comme ça. »

Cindy se rapprocha et prit sa tête entre ses mains. Elles restèrent ainsi, front contre front, poitrine contre poitrine, dans un enchevêtrement de bras et de larmes, à osciller sous le soleil d'août. Au cours d'une amitié qui allait durer quarante ans, elles ne reparleraient plus jamais du ventre de LoLo.

Elles finirent par s'écarter l'une de l'autre, passèrent les mains sur leurs vêtements, se rajustèrent, LoLo prête à prendre soin de son jardin et de ses enfants, Cindy à s'occuper de son problème. Cette dernière regarda LoLo arracher une mauvaise herbe entre les rames de haricots et jeter les cailloux trop proches de leurs racines au pied de la clôture pour qu'ils ne coincent pas les lames de la tondeuse quand Tommy couperait le gazon.

« Je vais quand même le faire, dit-elle. J'aime Roosevelt, mais je n'ai pas la place d'élever un enfant avec lui dans cette maison. Pas en ce moment. Je ne peux pas me laisser influencer par ce qui t'est arrivé, ni par Roosevelt. C'est une chose que je dois faire pour moi. »

LoLo arracha encore une herbe, jeta encore un caillou.

« Prie juste pour moi, LoLo. Tu peux faire ça pour ta vieille amie ? »

Rae poussa finalement le hurlement qu'elle préparait depuis tout ce temps.

« Il faut que je rentre m'occuper de la petite, dit LoLo en ramassant ses outils de jardinage. TJ. Viens, mon bébé. Ta sœur est réveillée. Range ton ballon et allons la voir. »

LoLo regarda Cindy une dernière fois et rentra dans sa maison – avec ses enfants.

# 16

*1971, au printemps*

Tommy n'était pas du genre à faire des vagues. Il refusait de souscrire au discours en vigueur écrit avec le sang de tous les Noirs avant lui et de tous ceux qui suivraient. Les auteurs de ce discours, il faut le dire, inventaient régulièrement, religieusement, des contes fantastiques sur ces épouvantables Noirs dont la paresse, l'incompétence et les tendances criminelles, selon eux, faisaient régner la terreur sur les bons citoyens rigoureux et droits de l'Amérique de Dieu. Ces Noirs qui leur volaient leurs possessions les plus précieuses : leurs femmes vertueuses, leur argent, leurs biens, leur gagne-pain. Leur vie même. C'était un argument si souvent avancé, si soigneusement intégré à l'identité des hommes noirs, qu'il y avait même des gens de couleur pour y croire. Le père de Tommy était de ceux-là : du jour où sa femme avait commencé à sortir leurs fils de son ventre, du jour où il s'était réjoui de voir une protubérance entre leurs petites jambes, il avait donc attendu d'eux – exigé, même – qu'ils travaillent dur.

Preuve que ses fils, et lui-même, n'étaient pas faits de ce bois-là. Qu'ils étaient durs. Travailleurs. Forts comme le plus grand, le plus noir des mâles dominants de la harde. Tommy lui en avait beaucoup voulu, mais cela ne l'empêchait pas d'aimer être vu ainsi. Il se plaisait à être considéré comme un battant – celui sur qui on pouvait compter pour toujours gagner au jeu de la survie. Pour obtenir son dû et le garder.

LoLo était bien placée pour le savoir, et elle se comportait en conséquence : avec une confiance inébranlable dans ce personnage qu'il incarnait. Elle le confirmait en ce moment même, du moins en paroles. Mais elle savait que ses yeux trahissaient sa peur, son manque d'assurance devant ce Tommy-ci, qui avait lentement poussé la porte moins de deux heures après être parti au travail, et qui lui expliquait calmement ce qu'il faisait là si tôt.

« Ils ne nous ont rien dit, Tick. Pas un mot. Quand on est arrivés, il y avait une grande barrière tout autour du bâtiment. Fermé. L'usine entière était bouclée », lâcha-t-il en posant son casse-croûte sur la petite table en bois. Il s'assit lentement sur le canapé et se prit la tête à deux mains. « Ils ne sont même pas sortis nous expliquer ce qui se passait. Ils ont envoyé les vigiles nous disperser et nous dire que le dernier chèque arriverait par la poste. »

LoLo ne savait pas bien comment réagir à la nouvelle que le salaire de Tommy, déjà mis à mal par le fait que les Noirs étaient sous-payés, allait s'arrêter. Elle posa les yeux sur Rae qui tirait sur les cheveux de sa poupée, assise toute nue au milieu du tapis multicolore en laine tressée, et ne répondit rien.

Tommy suivit son regard et afficha une mine perplexe.

« Qu'est-ce qu'elle fait à poil, la petite ? »

Sa question fit sortir LoLo de son état second. Elle se leva vivement et attrapa une couverture dans laquelle envelopper sa fille, en prenant soin de couvrir tous les endroits importants qu'elle ne voulait exposer au regard d'aucun homme, même Tommy. Rae protesta, mais se calma rapidement quand LoLo ramassa le baigneur et le plaça entre ses petites mains avides.

« Je lui apprends le pot. »

Le front de Tommy se plissa.

« Au milieu du salon ? Toute nue ? »

LoLo, un petit sourire aux lèvres, fit sauter Rae sur ses genoux et lui tapota le derrière pour l'empêcher de gigoter.

« J'étais en train de mettre ses couches à sécher sur le fil, et Skip est venu me dire bonjour par-dessus la clôture. Il m'a dit que si je la laissais se promener un peu dans la maison les fesses à l'air, elle saurait me faire comprendre quand elle aurait envie d'y aller. »

Tommy regarda sa fille, puis sa femme.

« J'imagine qu'il s'y connaît, avec ses cinq gosses, hein ? Et ça marche ?

— Je ne sais pas encore, dit LoLo, qui embrassa la joue de la petite et remonta la couverture. Elle n'a rien fait par terre, donc il n'a peut-être pas tort.

— Et TJ, il est où ?

— À côté, en train de jouer. Skip m'a proposé de le prendre un peu avec ses gamins.

— Hum. »

LoLo emmena Rae dans sa chambre, la déposa dans son petit lit et lui donna la poupée. Tommy apparut à la porte au moment où elle sortait une robe du tiroir de la petite commode, et contempla les deux femmes de sa vie, celles qu'il avait promis à son Dieu et à lui-même de toujours protéger. À tout prix.

« Écoute, tu connais ton homme. Jamais je ne vous laisserais dans le besoin, toi et les petits. Je vais retrouver du boulot. Je suis comme ça, tu sais bien. Je bosse dur, je reçois un salaire, je te le rapporte. Ça ne changera jamais. »

Il laissa les mots danser sur sa langue, tel un boxeur rebondissant sur ses pieds au centre du ring. Des mots venus de sa poitrine.

« Qu'est-ce qu'on va faire en attendant, Tommy ? » Elle referma le tiroir et se décida enfin à le regarder dans les yeux. « On a assez pour les courses de tous les jours, mais la mensualité de la maison tombe dans deux semaines. L'assurance, aussi. Qu'est-ce qu'on va faire ?

— On se débrouillera. Je suis déjà sur les rangs pour faire des ménages dans des banques. Ça paie pas autant que l'usine, et je devrai travailler le soir, mais il faudra s'en contenter le temps que je trouve autre chose.

— Mais est-ce que ça suffira ? Ils te paient combien pour être balayeur à la banque ? »

Tommy baissa la tête tandis que LoLo passait la robe sur les doux cheveux frisés de Rae. Il n'eut pas besoin de répondre. LoLo affirmait depuis le début que rester à la maison avec les enfants pendant que son homme assurait seul leurs revenus était un pari idiot pour un homme de couleur et sa femme, et que tôt ou tard elle devrait faire comme tout le monde autour d'eux : gagner sa croûte. C'était noble de vouloir prendre soin d'elle, mais LoLo n'était pas dupe : dans ce monde où tout le monde faisait la course, elle gardait toujours ses chaussures à crampons sous la main.

« Tu sais, M. Deerfield, à l'atelier, il aimait beaucoup mon travail, et il m'a dit de passer le voir si jamais je voulais revenir.

— Je ne veux pas que tu travailles, Tick. Je t'ai promis…

— On s'en est fait, des promesses, mais la plus importante, c'est de prendre soin de ces enfants. Les allocs qu'on a reçues, il faut les garder en épargne. On ne peut pas toucher à cet argent-là. On a des choses à faire avec, et pas acheter du lait et du chou cavalier : ce n'est pas ce qu'on avait prévu.

— Faire travailler ma femme, ce n'est pas ce que j'avais prévu, dit Tommy à mi-voix.

— Je sais. » Elle se tourna vers son mari et lui tendit les mains pour l'attirer à elle – un geste d'affection qu'elle avait rarement mais qui lui parut approprié, nécessaire, à ce moment-là. Ravi, il l'enveloppa dans ses bras. « Ça ne durera pas, d'accord ? Je travaillerai le jour, tu garderas les enfants pendant ce temps-là, et je prendrai le relais le soir quand tu seras au boulot. On peut y arriver. Et tu sais que Freddy a trouvé du travail dans cette boîte qui fabrique des pièces pour les avions. Je pourrais peut-être lui demander s'il y a une place pour toi.

— Ton frère vient d'arriver en ville, il commence tout juste à ce poste. Il ne va pas aller supplier son patron pour moi. En plus, vous vous parlez à peine.

— Ça ne fait rien. Il me doit bien ça, dit LoLo, qui se rembrunit.

— Non, laisse tomber, je ne peux pas accepter. Je trouverai autre chose. »

Tommy passa ses mains sur ses cheveux, comme s'il cherchait à chasser l'inquiétude de sa tête.

LoLo n'avait jamais douté que ce moment arriverait, n'ayant pas le luxe de raisonner autrement. Elle savait, après tout, que cette dynamique fantasmée par son mari – cette sitcom aux couleurs sucrées dans laquelle il occupait un emploi bien rémunéré garantissant un réfrigérateur plein, des enfants bien chaussés et une femme libre de consacrer son temps à son homme et à la maison –, c'était une escroquerie. Les gens de couleur pouvaient toujours fermer les yeux, cliquer des talons et s'imaginer gambadant sur la route de brique jaune vers cette utopie, ils n'étaient pas nombreux à y arriver. Les Blancs avaient besoin de corps pour faire leur sale besogne, et ils se fichaient bien que ces corps aient un zizi ou un poum-poum, du moment que le travail était fait et qu'ils pouvaient, *eux*, jouer à la famille modèle.

LoLo, à qui le travail ne faisait pas peur, savait jouer ce rôle-là. Mais laisser ses bébés à quelqu'un d'autre, ça, elle n'y était pas préparée.

« C'est moi ! » lança LoLo en poussant la porte d'entrée.

C'était un jeudi – jour de paie –, et elle ployait sous le poids des courses faites au supermarché où elle avait encaissé son chèque. Les pommes, en haut du sac en papier brun qu'elle tenait de son bras droit, roulèrent lorsqu'elle se contorsionna pour retirer ses chaussures.

D'ordinaire, elle trouvait Tommy en train de somnoler sur le canapé, les enfants évoluant autour de lui comme de petits papillons butinant les fleurs. Occupés. Tout le monde était heureux de la voir : Rae voulait grimper dans ses bras, TJ, le pouce dans le bec, lui attrapait la jambe, Tommy prenait les courses à sa bien-aimée et l'embrassait sur la bouche, soulagé de voir arriver la relève. Cela faisait près d'un an qu'ils exécutaient cette danse. Mais ce jour-là, silence. Un silence inhabituel, angoissant. Quelque chose… ne tournait pas rond.

LoLo posa les courses dans la cuisine et jeta un œil par la fenêtre, pensant que Tommy et les enfants étaient peut-être dehors, en train de prendre l'air, mais elle ne vit personne. Elle fila tout droit dans la chambre des petits : rien. Idem pour la salle de bains. Elle trouva son mari dans leur lit, profondément endormi, ronflant comme un sonneur. Aucun enfant en vue.

« Tommy ! » cria-t-elle, paniquée. Elle se pencha sur le lit pour le secouer. Il se redressa brusquement, l'attrapa par le col de sa chemise et recula le poing. « C'est moi ! C'est moi ! lança-t-elle, évitant de justesse d'être bourrée de coups.

— Ah, LoLo, salut, dit-il en la lâchant pour se masser les paupières. Pendant une seconde, je n'ai pas vu que c'était toi.

— Tommy, où sont les enfants ?

— Quoi ? »

Mal réveillé, il bâilla et se frotta les yeux.

« Les enfants ! Où sont les enfants ? Qu'est-ce que tu fais au lit ? Doux Jésus ! »

LoLo se précipita vers la porte d'entrée, la tête emplie des pires scénarios imaginables : *Ils sont sortis tout seuls et quelqu'un les a enlevés ; ils sont sortis en courant et se sont fait renverser par une voiture ; la porte n'était pas fermée, quelqu'un l'a su et est venu les enlever ; ils jouaient tout seuls dans le jardin et quelqu'un les a kidnappés et a tué TJ pour le faire taire et... et... et... Rae...*

— Tick, les enfants vont bien », lui lança Tommy avec nonchalance.

LoLo, consumée par la peur, un goût de bile sur la langue, fut incapable de traiter cette information.

« LoLo », lança-t-il un peu plus fort. Elle était déjà dehors, en train de se presser vers le grillage qui délimitait leur petit jardin de devant. Il alla à la fenêtre et l'appela à travers la moustiquaire. « Delores ! Les enfants vont bien ! Ils sont chez Skip. »

LoLo fit volte-face et leva les yeux vers sa voix.

« Hein ?

— Rentre, chérie, tout va bien.

— Comment ça, chez Skip ? »

Tommy la rejoignit sur le seuil.

« Comme j'avais besoin de me reposer un peu, je les ai emmenés chez Skip. Ça ne le dérange pas. Il les garde avec les siens. »

Les yeux de LoLo révélèrent l'horreur qu'elle ressentait, mais sa voix sortit tranchante comme une épée.

« Qu'est-ce que tu racontes, c'est Skip qui les garde ?

— Ils sont en train de jouer là-bas, dit Tommy, nu à l'exception de son caleçon.

— Tu as envoyé nos enfants chez un homme ? Notre petite fille ? Toute seule ?

— Ils ne sont pas seuls, expliqua lentement Tommy, une lueur de perplexité passant dans ses yeux bouffis de sommeil. Skip est avec eux.

— Mais c'est encore un bébé. Elle a trois ans. Comment tu veux qu'elle se défende contre un adulte ? Qui va l'empêcher de lui faire quelque chose ? »

Tommy parut abasourdi.

« Mais qu'est-ce que tu racontes, LoLo ? Personne ne va rien lui faire, à cette petite.

— T'en sais rien ! cria-t-elle, au bord de l'hystérie.

— Si, je le sais, parce que Skip et moi, on est potes depuis des années. Il veille sur nos enfants comme sur les siens. »

LoLo fut encore plus déroutée.

« Comment ça, il veille sur eux ? Tu les lui as déjà laissés ?

— Ben oui. » Il haussa les épaules. « Je ne vois pas pourquoi tu en fais une montagne. Il s'en fiche. Qu'est-ce que ça change pour lui, deux gosses de plus à la maison ? Son aînée, Yolanda, elle a douze ans. Elle donne un coup de main, et comme ça je peux piquer un petit roupillon avant de partir au boulot.

— C'est ça que tu fais toute la journée ? Prendre du temps pour toi, dormir, pendant que nos bébés font Dieu sait quoi ?

— Je te l'ai déjà dit, LoLo, ils sont là-bas en train de jouer ! Je ne vois pas pourquoi tu t'énerves comme ça. Tout est sous contrôle. »

Mais c'était justement ça, le problème ; LoLo ne contrôlait rien. Elle avait une conscience aiguë de ce qui arrivait aux petites filles coincées dans les pièces vides et les coins sombres, où les prédateurs grinçaient des dents et enfonçaient leurs griffes. Elle jeta un dernier regard à Tommy, renfonça ses pieds dans ses chaussures, se rua dans l'air froid du soir, franchit le portillon, piétina le trottoir fendu et jonché de graviers, de mégots et autres détritus, et gagna d'un pas décidé la porte de Skip. Elle frappa, mais ne prit pas la peine d'attendre une réponse : elle poussa simplement la porte-moustiquaire qui, à son grand désarroi et à son grand soulagement, n'était pas verrouillée. Elle fit irruption dans le salon en braillant le prénom de Rae. Seul le fracas de ses semelles sur le plancher nu put rivaliser avec sa voix stridente lorsqu'elle traversa la cuisine en courant. Son entrée fut accueillie par un grand silence et des yeux ronds. Rae était là, sur les genoux de Yolanda assise par terre, en train de triturer les cheveux d'une poupée. TJ était sur le canapé, le pouce dans le bec, occupé tour à tour par la télévision et par un jeu de cartes de base-ball que deux des plus jeunes fils de Skip disposaient sur la table basse devant lui.

« Maman ! » lancèrent ses deux enfants.

Ils se levèrent pour courir vers ses jambes tels des joueurs de football américain filant vers la zone d'en-but. Dans leur exubérance, ils faillirent la renverser.

« Ah, salut, madame Lawrence », dit Yolanda en se mettant debout.

LoLo observa la pièce. Skip n'était visible nulle part.

« Où est ton père ? demanda-t-elle en faisant un gros effort pour ne pas avoir une voix trop dure.

— Oh, il est en haut, il répare le tourne-disque. Vous voulez que je l'appelle ? »

LoLo regarda encore un peu autour d'elle en cherchant dans tous les détails des preuves que ses enfants étaient bel et bien en sécurité. Une fois satisfaite, elle souleva Rae dans ses bras et prit TJ par la main.

« Non, ça va. Tu lui diras merci d'avoir gardé les petits, d'accord ?

— D'accord. »

Tommy, revêtu de sa combinaison grise d'homme de ménage, avait sorti le pain des sacs de courses et cherchait le beurre de cacahuète et la confiture lorsque LoLo revint. Elle fulminait encore, même si tout indiquait qu'il avait dit vrai sur ce qui se passait chez Skip.

Debout dans la cuisine, elle tenait Rae sur sa hanche et regardait TJ s'accrocher à la jambe de son père. Elle avait envie de hurler, de briser quelque chose, en pensant à la vulnérabilité de sa fille hors de sa surveillance, à sa propre impuissance à la protéger. En pensant au mutisme qu'elle s'imposait – qu'elle devait s'imposer – pour avancer comme un funambule sur ce fil de secrets tendu au-dessus de son couple, au-dessus de la tête de Tommy. Mais elle embrassa Rae et continua de la bercer.

« Dis, j'ai une idée, annonça Tommy. Tu pourrais faire des sandwichs et m'accompagner au boulot avec les enfants ce soir.

— T'accompagner ?

— Vous pourriez rester dans la voiture, et manger pendant que je fais ce que j'ai à faire, tu vois. TJ pourrait m'aider à sortir les poubelles, ce genre de choses, pendant que tu gardes Rae. Rien de passionnant, mais au moins on serait ensemble.

— Je ne sais pas, Tommy, les petits doivent bientôt aller au lit. Tu tiens vraiment à ce qu'ils soient dans la rue à cette heure-ci ?

— D'abord, la nuit tombe à peine, et tu sais bien que Rae va s'endormir dans la voiture. Et puis ça ne serait pas mal que TJ voie son paternel gagner honnêtement sa vie. Il apprendrait peut-être deux ou trois choses. » Tommy la prit par la taille et l'attira contre lui ; il embrassa la petite sur la joue, puis sa femme sur les lèvres, lentement, de manière réfléchie. « J'aime avoir ma famille avec moi. Vous me manquez quand je ne suis pas là. Je vous veux tout près de moi. Même si c'est juste sur le trajet d'une banque à l'autre. »

Il n'y avait pas à discuter. Tommy savait ce qu'il voulait, et LoLo le voulait aussi : ces petits moments passés ensemble, parfaits dans leur imperfection, trésors minuscules qui, accumulés, faisaient quand même une fortune. Monter en voiture, le bébé sur ses genoux, regarder Tommy qui conduisait, puis qui prenait TJ par la main pour rejoindre les banques avec son gros anneau chargé de clés, qui lui souriait à travers les grandes baies vitrées dont il effaçait les traces de doigts, qui riait quand TJ jetait les ordures, la frimousse fendue par un sourire immense – toutes ces petites choses la grisaient. La détendaient. Et lorsqu'il revint vers la voiture, riche d'une poignée de bonbons pris dans les réserves de la banque, et qu'il se pencha sur Rae pour dire « Un sucre d'orge pour mon petit sucre d'orge », LoLo réussit à faire taire les parties d'elle-même qui ne voyaient que des ténèbres dans cet échange. Elle le vit pour ce qu'il était : un père se liant avec sa fille, mettant dans sa vie une douceur qu'elle-même n'avait jamais connue – exactement ce dont elle rêvait à l'époque où Bear s'acharnait sur elle. Il n'y avait que dans ces moments qu'elle pouvait s'autoriser à se laisser aller.

Rae fronça son petit nez en riant.

« Papa ! Ça chatouille ! » dit-elle en pointant du doigt la moustache de Tommy. Elle posa les deux mains sur les joues de son père, tira sa tête vers elle et l'embrassa sur le nez. Puis elle se tourna et fit de même avec sa mère. « Bisou ! » lança-t-elle. Comme ses parents, perplexes, ne bougeaient pas, elle répéta le mot, en criant cette fois : « Bisou ! »

Et elle posa une main sur la joue de Tommy, l'autre sur celle de LoLo.

Les parents, comprenant cette fois ce qu'elle leur demandait, se penchèrent l'un vers l'autre et se firent un rapide baiser sur la bouche, avec Rae au milieu qui supervisait l'opération. Tous trois éclatèrent de rire lorsque ce fut terminé. LoLo regarda Tommy, puis Rae, au fond des yeux ; l'enfant enfonça sa tête entre le cou et la poitrine de sa mère, et Lolo la serra fort, si fort qu'elle n'aurait su distinguer leurs battements de cœur.

Quelques jours plus tard, LoLo inscrivait les petits dans une crèche des environs. Yolanda ou pas, elle voulait que ses enfants, si leur père ne pouvait ou ne voulait pas se charger d'eux pendant qu'elle travaillait, puissent être à tout moment vus au grand jour. Tommy tenta tout d'abord de protester.

« On n'a pas d'argent à gaspiller en baby-sitters, essaya-t-il de raisonner. Et en plus, Skip et ses grands veulent bien nous aider.

— Et s'il leur arrive quelque chose là-bas ? Yolanda n'est encore qu'une gamine. Comment elle va faire pour protéger nos enfants ?

— Les protéger de quoi ? C'est une maison pleine de mômes.

— Et Skip.

— Qui n'est pas un bon à rien du genre à négliger ses gosses. Je ne comprends pas où est le problème, LoLo. »

Mais il finit par céder, et alla même encore un peu plus loin en trouvant un endroit où la petite Rae pourrait aller à la demi-journée, ce qui lui laisserait, à lui, un peu de temps libre avant de partir faire la tournée des banques.

« Une crèche qui s'appelle Debout les enfants noirs », précisa-t-il, sur quoi il enfourna une grosse bouchée de haricots pinto.

LoLo les avait cuisinés exactement comme il les aimait, avec un peu de lard et d'oignons, du sucre brun, de la moutarde et beaucoup de poivre noir. Elle en avait fait une grosse casserole, avec une poêlée de gruau de maïs, pour accompagner le poulet que Skip faisait cuire au barbecue dans son jardin : par ce tiède après-midi d'automne, il leur avait fait signe de le rejoindre pour une petite bouffe impromptue. Il disait qu'il voulait juste partager son poulet, mais sa nouvelle copine était là : ce qu'il voulait, en réalité, c'était la montrer.

« C'est où ? » s'enquit LoLo en soufflant sur une cuillerée de haricots avant de les déposer dans la bouche ouverte de sa fille.

Rae, qui attendait sa portion debout en se tenant aux genoux de sa mère, fit une petite danse lorsque le plat délicieux, riche comme un dessert, fondit sur sa langue.

« C'est bon, hein, mon bébé ? s'esclaffa Tommy en la voyant.

— Arrête de te trémousser comme ça, la rabroua LoLo en donnant une tape sur sa petite cuisse potelée. On ne tortille pas du derrière devant tout le monde ! »

Rae fit la grimace et se mit à pleurer, sa voix telle une sirène commençant tout bas et montant crescendo jusqu'au hurlement. En reprenant son souffle, elle faillit s'étouffer et projeta des haricots aux quatre vents.

Tommy secoua la tête mais ne dit rien. L'éducation des enfants, c'était la responsabilité de LoLo. Son boulot à lui, c'était de la soutenir. C'était tout. Même s'il n'était pas toujours entièrement d'accord avec son système de punitions et même s'il ne comprenait pas, à vrai dire, pourquoi une petite fille ne pourrait pas danser.

« C'est un endroit bien : c'est propre, et les enfants apprennent à compter et à réciter l'alphabet en un rien de temps. »

Skip eut une grosse quinte de toux, comme s'il s'étouffait avec le morceau de poulet qu'il venait de prendre dans sa bouche déjà pleine.

« Pardon, dit-il en regardant Tommy. C'est parti dans le mauvais tuyau. »

Tommy lui lança un regard légèrement inquiet. LoLo souffla sur une nouvelle cuillerée de haricots. Cette fois, Rae se tint tranquille.

« Je pourrais emmener la petite passer deux heures là-bas l'après-midi, continua Tommy, et tu irais la chercher en rentrant du boulot. »

Skip se racla de nouveau la gorge.

« Pardon, désolé, dit-il en secouant la tête. C'est tellement bon que je mange comme un glouton, je crois bien. Ha ha. » Il envoya à Tommy un regard appuyé

– assez long pour que LoLo le remarque. L'ombre d'un soupçon passa sur ses traits, mais elle garda ses questions pour elle. « Vous savez, je peux aider si vous voulez, se hâta de dire Skip de façon à dissiper le malaise. Je pourrais aller chercher Rae là-bas pour t'éviter de courir le soir, LoLo.

— Tu connais cet endroit, toi aussi ? »

Skip gérait une loterie clandestine et faisait le taxi en supplément, principalement pour masquer ses activités illicites. Il collectait les mises dans toute la ville, même auprès des dames de la crèche Debout les enfants noirs, qui lui chuchotaient leurs rêves en pressant dans ses mains des billets d'un dollar chiffonnés, espérant toucher leur part du gâteau. Il connaissait bien l'endroit.

« J'ai rien entendu de mal, si c'était ta question, dit-il. Les dames ont l'air plutôt gentilles. »

LoLo n'ajouta rien de plus sur le sujet. C'était décidé. Elle déposerait Rae en allant travailler le lundi suivant, Tommy emmènerait TJ à l'école, et en rentrant elle trouverait sa famille modèle, prête à faire les choses que font les familles modèles. C'est ainsi que ça se passerait.

Et c'est ainsi que cela se passa pendant plusieurs mois, comme pour tant d'autres familles de l'époque, qui faisaient le nécessaire pour qu'il y ait des céréales dans le placard, un peu de lard sur le poêle et de la monnaie pour le laitier. LoLo appréciait la crèche, et fut rapidement rassurée sur le sort de sa fille. Elle la voyait grandir : pas seulement physiquement, mais aussi mentalement. Régulièrement, la petite lui faisait plaisir en récitant l'alphabet et les chiffres, et les dames la décrivaient comme discrète mais studieuse. « C'est une bonne petite », disaient-elles en la prenant des bras de LoLo le matin.

Mais vint une froide journée d'automne où quelqu'un là-bas décida que Rae, en réalité, n'était pas une bonne petite. Ce fut Skip qui parla à LoLo de l'animatrice à la perruque blonde et au ventre saillant de femme enceinte qui avait levé la main sur l'enfant de trois ans, lui donnant des coups de règle pour avoir passé les bornes au réfectoire. Son crime : elle avait mangé son sandwich au Spam avant sa soupe de pois cassés.

« Je… Ça m'embête de te le dire, mais je m'en voudrais de ne pas te prévenir », lâcha-t-il.

C'était un vendredi soir et il était à la porte, en train de triturer sa casquette, ses yeux passant des pieds de LoLo aux enfants qui jouaient dans le salon.

« Me dire quoi, Skip ? Dépêche-toi, j'ai des petits pois sur le feu et je voudrais lancer le riz. Crache le morceau. »

Quoi qu'il ait à lui dire, elle ne s'attendait pas à recevoir un choc. Elle avait la tête ailleurs, et puis elle venait d'embrasser Tommy qui était parti travailler à peine cinq minutes plus tôt, et ses enfants étaient là, par terre à côté d'elle. C'était son univers. C'était tout. Rien d'autre ne comptait vraiment.

« Je suis passé prendre les mises tout à l'heure à la crèche, et, bon, en entrant j'ai vu une des dames, Miss Betina… » Il hésita. LoLo croisa les bras. Il déglutit. « J'ai vu Miss Betina frapper Rae. »

LoLo eut un mouvement de recul.

« Miss Betina ? Qui frappait Rae ?

— Oui, c'était Miss Betina, oui, dit-il en se frottant l'arcade sourcilière.

— Attends une minute. Elle frappait mon bébé ?

— Avec une règle. Voilà. »

LoLo se gratta dans le cou et rajusta son chemisier. Elle regarda Rae, qui faisait une raie dans les cheveux de sa poupée et mimait le geste de lui huiler le crâne.

« Rae, ma chérie, viens par ici. Viens voir maman. »

L'enfant, lâchant aussitôt poupée et peigne, vint se présenter comme un petit soldat devant sa mère. LoLo la palpa de partout, inspectant toutes les zones de son corps auxquelles elle pouvait accéder : sous ses manches, sous son tee-shirt, devant et derrière. Tout ce qu'elle pouvait voir de ses jambes, en relevant un peu le petit pantalon en velours côtelé vert. Le visage, le cou, les mains. Et en effet, il y avait des marques sur ses deux paumes.

« Elle a tapé mon bébé sur les mains ? demanda-t-elle en les montrant à Skip.

— C'est ça, oui. Elle est un peu maniaque, tu sais, et, bon… » Il prit une grande inspiration. « Vaut mieux pas que les enfants s'approchent d'elle. Elle est… elle n'est pas bonne pour tes petits. »

LoLo n'entendit plus rien de ce qu'il disait. Plus un mot. Dans sa tête, elle était déjà à la crèche, en train de faire un esclandre. Skip s'en alla en fermant sans bruit derrière lui tandis que LoLo voyait rouge.

Évidemment, Tommy lui recommanda de ne pas en faire toute une histoire. Évidemment, elle ne l'écouta pas. Évidemment, personne ne pouvait rien dire ni rien faire pour l'arrêter, y compris Tommy, qui dut rester à la maison avec la petite, sa femme ayant demandé un congé, en ce matin d'automne particulièrement froid, pour aller s'entretenir avec une femme qui meurtrissait les mains des enfants sous prétexte qu'ils mangeaient.

« Bonjour, Delores », lança la directrice, Mme Nesbit, dans son sillage. LoLo n'était pas là pour faire des politesses, et ne prit pas la peine de la saluer. Elle traversa d'un pas décidé le petit bâtiment – le coin lecture, le réfectoire –, jusqu'à l'espace où des Lego et des cubes attendaient que des petits doigts poisseux en fassent des cités grandioses.

Enfin : « Elle est où, celle qui se permet de battre mon enfant ? »

LoLo, dans sa quête d'une réponse, remarqua à peine les regards nerveux dans la pièce, qui cherchaient d'autres yeux, écarquillés, inquiets. Les femmes savaient que ça finirait ainsi. Ça finissait toujours ainsi.

« Delores, allons parler de tout cela à l'accueil », proposa Mme Nesbit en la prenant doucement par le coude pour l'éloigner des mères occupées à installer leurs enfants.

LoLo retira vivement son bras.

« Ne me touchez pas. C'est ça, le genre d'établissement que vous dirigez ? Vous tapez toutes sur les gosses, là-dedans ?

— Je ne vois pas de quoi vous parlez, dit Mme Nesbit le plus calmement qu'elle le put. Je vous en prie, nous pouvons aller à l'accueil, là, et…

— Je me fous d'aller à l'accueil ! » cria LoLo d'une voix tellement stridente que tout le monde – les mères, les animatrices, les enfants – se figea sur place. Seule la rue, dehors, bougeait encore. « Bien, reprit-elle, les dents serrées. Je ne bougerai pas d'ici tant qu'on ne m'aura pas dit pourquoi cette peau de vache a frappé ma fille pendant que vous, vous restiez toutes les bras croisés. »

Le grincement de la porte des toilettes fit éclater le silence comme une baudruche. Toutes les personnes présentes se tournèrent vers le bruit et baignèrent Betina de leur inquiétude. Inconsciente des vagues de scandale qui couraient vers ses pieds, elle rajusta son cardigan et retira des peluches de sa robe de femme enceinte avant de se frotter le ventre.

« Laissez-moi vous demander quelque chose, vous », dit LoLo doucement, attirant enfin son attention. Betina regarda autour d'elle, comme pour évaluer la situation et, après avoir noté les bouches fermées et les yeux ronds, comprit clairement deux choses : il y avait un problème, et elle était concernée. « Qu'est-ce qui vous fait croire que vous pouvez lever la main sur une petite qui a un père et une mère aimants ? Vous devez être complètement idiote, si vous croyez pouvoir faire des choses pareilles sans avoir d'ennuis ! »

Betina ouvrit la bouche, puis la referma.

« Quoi ? Vous n'avez rien à dire ? Vous tapez sur les bébés, mais vous perdez votre langue devant une adulte ? »

Betina la regardait fixement.

« Vous comptez frapper votre enfant comme vous frappez la mienne ? beugla LoLo avec un geste de dédain vers son ventre. Répondez !

— Ce que je fais avec mon enfant ne vous regarde pas. Du moins pas encore, répliqua sèchement Betina. Mais allez, continuez ! Cherchez-moi des noises, et vous verrez que vos petits sentiments…

— Allons, allons, allons », intervint Mme Nesbit, tranchant dans le soliloque hargneux de Betina.

Elle secoua la tête dans sa direction, et Betina se tut complètement. Mais c'était trop tard. LoLo se jeta sur elle.

Mme Nesbit fut plus rapide que ne le laissaient présager ses bajoues et sa perruque grise. Elle empoigna LoLo par le bras.

« Allons, ne faites pas ça. Je dois vous demander de partir immédiatement », dit-elle en la traînant vers la porte vitrée.

De l'autre côté de cette vitre, là où le monde s'éveillait en fanfare, LoLo resta paralysée. Dans sa tête en revanche, des hurlements résonnaient jusqu'au fond des coins sombres où les petites filles n'avaient aucun pouvoir, aucun moyen de défense. Rien qu'un supplice – et un bourreau.

Elle regagna Penny Drive comme au ralenti. Ses larmes brouillaient les immeubles, les maisons, les arbres et la route. Toute à sa colère et à sa tristesse, elle en oublia qu'elle conduisait : ce furent son subconscient et la grâce de Dieu qui la ramenèrent chez elle. Elle claqua la portière en descendant de voiture et pénétra en trombe dans la maison, ses yeux passant frénétiquement sur les chaises, le canapé, le sol, dépassa Tommy et les enfants, et fonça dans la chambre. Elle tournait en rond et s'éventait, le souffle haletant. Lorsqu'elle cessa enfin de tourner, son regard tomba sur la commode. En deux pas elle fut devant. Pantelante, elle ouvrit le tiroir du haut et fouilla entre les piles bien nettes de culottes, ses deux plus beaux soutiens-gorge, ses chaussettes et ses pyjamas, jusqu'au fond où ses doigts touchèrent ce qu'elle cherchait : le petit sac de Rae. Elle passa le pouce sur le tissu blanc et, les larmes roulant sur ses joues, ouvrit le sac pour contempler son contenu. C'était une chose qu'elle faisait rarement : Tommy n'était pas pour conserver des traces de l'ancienne vie de leurs enfants. « C'est notre fils, notre fille, avait-il dit à l'avocate qui avait géré les adoptions. Nous formons une famille. Tout ce qui a pu se passer avant ne compte plus. » Mais ce sac, lui, comptait : son contenu était un lien entre Rae et la personne qui l'avait aimée au point de formuler une requête non seulement pour elle, mais aussi pour sa nouvelle maman. LoLo ouvrit le sac et déplia soigneusement le papier qui s'y trouvait ; elle le lut en remuant les lèvres. *Une vie douce, protégée et prospère.*

Elle sursauta en entendant la poignée de la porte. Vite, elle remit le sac et la lettre sous ses chaussettes et referma le tiroir.

« Euh, tout va bien ? demanda Tommy, hésitant, en passant la tête dans la chambre. Qu'est-ce qui s'est passé à la crèche ?

— Peu importe. Rae n'y retournera pas.

— Comment ça ? Où tu veux qu'elle aille, Tick ? Tu ne laisses pas Skip la garder, et maintenant la crèche ne peut pas non plus ?

— Ça ne te dérange pas qu'ils frappent notre bébé ? s'insurgea LoLo, incrédule.

— Ça ne te pose pas de problème de leur taper dessus à la maison… » fit remarquer Tommy.

Il s'interrompit, sachant ce qui allait suivre.

« Ce sont les *nôtres*. C'est nous qui les élevons. Qui les éduquons. Qui prenons la responsabilité de les punir.

Pas une inconnue qui ne sait pas se contrôler et qui les frappe sans bonne raison ! »

Emportée par la colère, LoLo n'avait pas vu Rae, cramponnée à la jambe de son père. La fillette sourit quand Tommy caressa ses boucles, mais reprit une expression neutre pour regarder sa mère.

LoLo sourit.

« Viens ici, Rae, dit-elle en lui faisant signe d'approcher. Viens, mon bébé. »

Rae se précipita vers elle et enfouit sa frimousse entre ses genoux. LoLo la prit par les deux bras et la souleva en l'air. Elle serra sa fille contre sa poitrine et recula pour s'asseoir sur le lit. Elle prit les deux mains de Rae dans les siennes, examina les traces rouges sur ses paumes, puis les embrassa l'une après l'autre.

« Mon trésor, dit-elle en souriant. Cette dame ne te tapera plus jamais, d'accord ? Maman te protégera. Toujours. »

Rae se colla contre elle et l'entoura de ses bras, les doigts comme des papillons légers contre ses flancs, changeant à jamais la forme du cœur de sa mère.

LoLo n'aurait jamais pu imaginer que la journée finirait encore plus mal qu'elle avait commencé, et pourtant. En chaussettes, elle massait les crampes de ses pieds qui pendant des heures et des heures avaient actionné la pédale de sa machine à coudre, tout en s'efforçant de comprendre ce que proposait Tommy. Ce qu'il imposait, plutôt. Ses paroles dégringolaient de sa bouche comme des cailloux le long d'une falaise qui cède à la pression. À la nature.

« J'ai déjà commencé à chercher une maison. Enfin, mon frangin Sam me file un coup de main, mais je pense avoir trouvé. Je peux mettre celle-ci en vente, comme ça on aura l'apport pour la nouvelle. Et les enfants et toi, vous ne manquerez plus de rien. C'est un bon job. C'est la chose à faire. »

LoLo continua de masser, en s'attardant sur le cor de son pied droit. Il lui faisait mal, une douleur lancinante, comme une rage de dents. Comme son cœur.

Enfin, elle releva la tête vers son mari. La décision était prise, de toute manière ; les détails ne comptaient pas. Elle commençait déjà son deuil.

« On va où, déjà ? demanda-t-elle avec un long soupir.

— Le New Jersey. On part dans le New Jersey. »

# 17

*1973, pendant l'hiver*

Il y avait des Blancs partout. Tommy avait bien prévenu LoLo en partant régler l'apport pour cette modeste maison à trois chambres dans cette petite ville du sud du New Jersey. Mais tout de même, les croiser à l'épicerie, au centre commercial, devant chez eux, avec cette mine inquiète qui trahissait leur angoisse de voir des gens de couleur vaquer à leurs affaires comme des humains normaux, cela faisait un choc à LoLo. Après tout, elle avait passé toute sa vie confinée dans des quartiers qui, bien que gangrenés par l'injustice et la négligence, formaient un véritable ragoût de négritude, épaissi par l'Afrique et assaisonné par le Sud. Roboratif, savoureux et plein de racines difficiles à tuer. Willingboro, en comparaison, était un brouet insipide et sans saveur, concocté exactement dans ce but à peine quinze ans avant que Tommy et LoLo ne s'installent dans Burlington Drive. À l'époque, tous ceux qui achetaient dans ce nouveau lotissement avaient signé de leur sang le pacte officieux, rédigé par l'architecte de cette banlieue-dortoir de Philadelphie, d'éviter que des nègres deviennent des voisins. Ils tenaient à ce que le quartier et tout ce qu'il avait à offrir – écoles neuves, supérettes rutilantes, longues avenues sinueuses bordées de villas spacieuses avec coquettes clôtures en bois et vastes pelouses faites pour les bébés, les barbecues et les bavardages entre voisins – restent impeccables. Blancs. Cet endroit n'était pas fait pour les Noirs, ce fut écrit et ce fut dit.

Le sang de Martin Luther King était venu diluer l'encre de ces accords secrets, apportant aux Noirs le baume dont ils avaient besoin pour refermer au moins quelques-unes des blessures que la ségrégation avait ouvertes partout sur leur corps collectif. Mais beaucoup savaient, aussi, que ce baume n'était pas le remède à la maladie que les Blancs avaient propagée dès l'instant où leur premier navire d'esclaves avait touché le rivage, et que la loi sur les droits civiques ne suffirait pas à guérir le mal qui rongeait ces mêmes Blancs au cœur froid et aux veines bleues.

« Laisse-moi te dire une chose : les blancos se foutent complètement de la Constitution, du moins en ce qui nous concerne », avait dit Sam, le frère de Tommy. Cannette de Schlitz glacée en main, penchés sur une carte du New Jersey, ils cherchaient les lieux où une famille noire pouvait planter ses racines sans craindre que les voisins blancs n'empoisonnent le sol. Une tâche qui paraissait herculéenne. « Ils vendent à qui ils veulent, et tu te retrouveras à vivre avec tes gosses derrière le Woolworth's en attendant que la Constitution te permette de claquer ton fric dans une maison près de chez eux. »

Tommy avait décrit du bout du doigt un cercle autour de Willingboro et bu une gorgée de bière. Étant originaire du Sud, il était bien conscient qu'il ne pourrait jamais se faire assez petit pour échapper au courroux des Blancs : ce n'était même pas la peine d'essayer. Cependant, il avait envie – besoin – de se concentrer sur ce qui pouvait fonctionner pour lui, pour sa famille, et Willingboro serait le bon endroit pour cela. Le quartier n'était qu'à vingt minutes de son nouvel emploi dans une usine de matières plastiques, où il serait chef mécanicien sur la chaîne de papier peint ; quarante minutes de route vers le sud, et LoLo, les enfants et lui pourraient mettre les pieds sous la table chez son autre frère, Theddo, et inhaler le merveilleux fumet des petits pains au levain maison de sa belle-sœur tout en riant et en tapant du pied sur du Marvin Gaye ; et à trois heures vers le nord par la route 95, LoLo pourrait embrasser Cindy, Sarah, Para Lee et toutes ses copines sur les bancs de leur église, un lien important pour elle. Mais c'étaient les panneaux À VENDRE qui avaient achevé de le conquérir : ils fleurissaient sur les pelouses comme des marguerites jaunes, indiquant toutes les maisons entre lesquelles sa femme pourrait faire son choix. C'était important. LoLo avait certes accepté de déménager dans le New Jersey, mais sous la contrainte, sachant qu'elle quittait tout ce qu'elle avait appris à connaître et à aimer pour cet endroit étrange dont les gens de couleur n'étaient plus bannis, mais seulement depuis peu. Bien sûr, il ne se demanda pas pourquoi toutes ces maisons étaient en vente, pourquoi les Blancs se marchaient dessus pour fuir ce petit bourg, telle de jeunes héroïnes de film d'horreur blondes aux yeux bleus courant et trébuchant devant un meurtrier à la hache. Bien sûr, s'il s'était posé la question, il aurait fini par comprendre ce qui se passait dans ce quartier en pleine implosion. Il aurait compris que promoteurs et agents immobiliers faisaient équipe pour assaillir les Blancs de rumeurs d'intégration forcée, de déclin de la valeur foncière et d'avenir volé. Pour consolider leurs fariboles, ils faisaient venir des familles de couleur, disaient aux Blancs que les Noirs se préparaient à défiler dans les rues, après quoi ils n'avaient plus qu'à regarder les habitants épouvantés se débarrasser en vitesse de leurs maisons, qu'ils pouvaient alors revendre ou louer à des gens de couleur en réalisant au passage un coquet bénéfice. Le procédé était diabolique. Tommy et LoLo étaient, à leur insu, le poison sur les flèches des promoteurs.

Mais ils ignoraient tout cela, et d'ailleurs Tommy s'en serait fichu s'il l'avait su. Il savait ce qu'il voulait, et il était accaparé par ce nouvel emploi qui lui rapportait plus que tous les précédents – et grâce auquel sa femme pourrait à nouveau se consacrer à lui et à la maison. LoLo se satisfaisait de cette nouvelle vie pour l'instant, cachée entre ces quatre jolis murs qui la protégeaient des yeux indiscrets, des regards critiques. Elle avait déjà eu une longue conversation avec elle-même à ce sujet, et elle avait décidé. Elle avait décidé que cela fonctionnerait, comme si elle avait le choix.

Elle s'arrogea un peu de paix et même une pincée de joie, aussi, en regardant ses enfants courir dans la maison et tournoyer avec bonheur dans toutes les pièces, le jour de leur arrivée.

« Maman, tu as une salle de bains dans ta chambre ! » s'exclama TJ autour de son pouce trempé et gondolé par la salive.

Rae trottinait derrière son frère en se tenant à son tee-shirt Evel Knievel. C'était la fenêtre qui les attirait. LoLo n'y avait pas encore accroché les rideaux bleu marine qu'elle avait cousus quelques jours avant qu'ils n'empilent toutes leurs possessions dans un petit camion de déménagement. Elle ne put s'empêcher de sourire en voyant sa fille presser le nez contre la vitre pour mieux admirer le luxuriant gazon qui s'étendait à l'infini. Rae éclata de rire en se penchant un peu plus.

« Qu'est-ce qu'il y a de si drôle, ma grande ? »

LoLo se rapprocha d'elle.

Rae, fascinée, ne répondit pas. Elle riait toujours, le regard fixe. LoLo se rapprocha encore, cherchant à comprendre ce qui retenait tant son attention, et étouffa une exclamation lorsqu'elle le vit : un essaim de coccinelles orangées, peut-être une douzaine, qui rampaient sur l'appui de la fenêtre, le montant et le carreau lui-même. Rae en laissa danser deux sur son index potelé.

« Mais qu'est-ce que c'est que ça ? » s'étonna LoLo en examinant du regard les huisseries et la vitre, sûre de trouver une fente ou un trou par lequel elles seraient entrées, un détail qui avait pu échapper à l'inspecteur.

Mais il n'y avait rien. Juste des coccinelles partout.

« Regarde, maman ! » s'exclama Rae alors que trois d'entre elles grimpaient sur sa main.

TJ vint jeter un coup d'œil et retira sa tennis pour les écraser.

« Non, non ! Qu'est-ce que tu fais, mon grand ? On ne tue pas les coccinelles ! Elles portent bonheur », dit LoLo. Puis, pour elle-même : « On a peut-être trouvé notre place, finalement. »

« Allez, venez, lança-t-elle en prenant ses enfants par la main. On demandera à papa de les mettre dehors. J'ai quelque chose à vous montrer. »

LoLo eut du mal à retenir les enfants lorsqu'elle poussa la porte-moustiquaire donnant sur le jardin, et elle n'essaya plus vraiment lorsque leurs chaussures s'enfoncèrent dans le gazon. TJ s'élança et fit des cabrioles et des galipettes sur toute la longueur du terrain avant de se rouler par terre, accrochant des herbes, des feuilles et toutes sortes de fourmis sur sa courte boule afro. Rae gambada un peu puis se mit à courir en rond, terrifiée par un bourdon qui voletait lourdement dans l'air épais. LoLo éclata de rire.

« Qu'est-ce qui te prend, enfin ? La petite bête ne va pas manger la grosse ! » lança-t-elle en pliant les genoux, bras écartés, attendant que sa fille vienne y chercher la sécurité.

Rae s'y précipita.

« J'aime pas les bêtes ! »

TJ, pendant ce temps, filait vers le fond du jardin, où un petit ru caillouteux séparait leur terrain d'un bois plein de grands arbres, joli mais menaçant.

« TJ ! *TJ !* » cria LoLo en voyant son fils approcher du cours d'eau, qui clapotait au pied d'un ravin assez petit pour qu'un adulte y descende sans difficulté, mais suffisamment profond et abrupt pour qu'un enfant puisse se faire mal. « Arrête-toi tout de suite ! »

TJ s'arrêta en dérapage, si près du bord que même lui fut un peu secoué de voir qu'il avait failli tomber.

Portant Rae sur sa hanche, LoLo se précipita vers son fils et lui saisit le bras.

« Toi, écoute-moi bien. T'as pas intérêt à ce que je te trouve dans l'eau, parce que j'étrillerai tes petites fesses, tu m'entends ? Ça vaut pour tous les deux ! dit-elle en serrant le poignet de son fils. Si tu mets le pied dans l'eau, quelque chose viendra te mordre. Si tu vas dans les bois, il t'arrivera encore pire, à moins que je te trouve avant ! Tu m'entends ? Que je ne te prenne pas à aller par là-bas !

— Oui, maman. »

Elle était si occupée à gronder les enfants et à les faire remonter vers la maison qu'elle ne vit pas tout de suite la femme. Une Blanche. Dans son jardin. Qui la regardait fixement. Replète et grisonnante, avec des yeux glacés. Elle rappelait à LoLo l'infirmière qui avait curé ses entrailles et l'avait privée de toute chance d'avoir un enfant à elle, de projeter son sang dans l'avenir. Dans sa tête, c'était tout ce que faisaient les Blancs : ils vous privaient d'air, coupaient votre flux de sang, vous dépouillaient de votre humanité, faisaient en sorte d'avoir tout, et vous, eh bien, vous avec votre peau noire, vous n'aviez pas droit à grand-chose. Rien que les restes. Et même ça, ils cherchaient à vous le prendre. *Qu'est-ce qu'elle me veut, cette Blanche ?*

LoLo s'arrêta net lorsqu'elle croisa son regard glacial, et agrippa d'instinct le poignet de TJ. Ses jambes, ses bras, son nez, sa langue, ses orteils commencèrent à la picoter alors qu'elle restait clouée sur place, les yeux ronds, la bile lui montant dans la gorge. *Où est Tommy ? Theddo ? Qu'est-ce qu'elle va me faire ?*

Finalement, la femme lui fit un signe de la main.

« Bonjour ! Je m'appelle Daisy, j'habite à côté », lança-t-elle en indiquant la maison de brique sur la droite.

LoLo attendit. Sans rien dire.

« J'ai vu le camion de déménagement », ajouta la femme, une main en visière au-dessus des yeux.

Lolo attendit. Sans rien dire.

« Je, euh… je voulais juste venir me présenter et vous souhaiter la bienvenue », continua-t-elle, toujours enthousiaste malgré le manque de réaction.

LoLo attendit. Sans rien dire. Il fallut que la femme commence à avancer dans le jardin, les dents brillantes, le coin des yeux plissé, pour que le corps de LoLo chasse enfin l'acide qui l'immobilisait. Rae se tortilla pour descendre de sa hanche et voulut s'approcher de l'inconnue, mais fut aussitôt immobilisée par une main ferme sur son épaule. TJ, qui n'avait jamais vu une femme blanche de près en dehors de l'écran de la télévision, n'eut pas besoin qu'on le retienne. Il fit un pas en arrière et un de côté pour se cacher derrière la seule adulte du jardin à qui il se fiait.

« Bonjour, dit simplement LoLo lorsque la femme s'arrêta devant elle, toujours tout sourire.

— Enchantée, dit-elle, la main tendue. Comme je le disais, je m'appelle Daisy et je suis votre voisine. Je n'ai pas saisi votre nom, ma chère ?

— Delores, bredouilla LoLo avec une faible poignée de main, donnée du bout des doigts. Euh, enchantée.

— Et d'où venez-vous ? »

Elle posait la question comme si de rien n'était, comme si c'était son droit de se mêler des affaires de LoLo. Comme si c'était son droit de connaître la réponse. LoLo, après vingt-six ans d'existence et de rapports dans l'ensemble discutables – voire hostiles – avec des Blancs, savait que, même à cet instant, cette femme debout sur sa pelouse, dans son jardin, derrière la maison que son mari avait achetée pour elle et leurs enfants, cette femme blanche, aussi facilement qu'elle posait la question, pouvait revendiquer le droit d'en connaître la réponse.

« Long Island. État de New York.

— Oh, Long Island. C'est chic, là-bas, n'est-ce pas ? Je n'y suis jamais allée, mais il paraît que c'est bien joli. Et moi qui croyais que c'était un lieu de vacances ! Je n'avais jamais songé qu'on puisse y vivre à l'année. Et qu'est-ce qui vous a fait quitter le paradis pour notre petit Willingboro ? »

LoLo hésita, tira Rae et TJ un peu plus près d'elle. *Le paradis ?*

« Le travail », dit-elle d'une voix rauque. Elle se racla la gorge. « Excusez-moi, j'ai la bouche un peu sèche. Mon mari a trouvé un emploi à Camden. Nous sommes venus pour qu'il puisse travailler.

— Ah, bon, vous êtes bien tombés, alors. Camden est juste à côté d'ici. Mon mari, Steve, y a passé beaucoup de temps quand il était dans l'armée. On peut dire que nous aussi, nous sommes venus pour son travail, j'imagine. Ça nous paraissait bien pour élever les enfants. Nous en avons cinq. Le dernier termine le lycée dans un an. Après ça, ils auront tous quitté le nid ! » dit-elle gaiement, en remuant les mains devant elle comme une pom-pom girl avec ses pompons.

LoLo attendit. Sans rien dire.

« Bien ! dit Daisy en se raclant la gorge, et en posant ses yeux de glace sur Rae et TJ, comment s'appellent ces bouts de chou ? Vous êtes à croquer, tous les deux ! » Elle se pencha pour prendre le menton de Rae. Celle-ci rit en la regardant dans les yeux, puis, passionnée par la nouveauté, tendit une menotte timide pour passer les doigts sur ses cheveux, mi-longs et ondulés, à la fois fins, doux, et rêches là où le noir avait fait place au gris. LoLo lui donna une tape sur la main.

« Non non. On ne touche pas ! » dit-elle en prenant les poignets de la petite. « Je suis navrée. Elle n'a que quatre ans, elle touche encore à tout. Pardon, vraiment. Ça ne se repro…

— Oh mon Dieu, ne vous en faites pas pour ça, la coupa Daisy. Elle est très mignonne. » Puis, s'adressant à Rae : « Comme c'est bien d'avoir une petite parmi nous ! J'ai une fille, moi aussi, mais elle est grande, maintenant. Mon aînée, Julie. Elle a vingt-huit ans, et elle est mariée. J'attends les petits-enfants, mais tu seras parfaite entre-temps, n'est-ce pas, ma belle ? » Elle lui tapota la tête. « Une si jolie petite. »

LoLo s'éclaircit de nouveau la gorge, cette fois pas parce qu'elle était enrouée, mais parce qu'elle voulait que cette Blanche, cette inconnue, retire ses mains de sa fille. Daisy, qui jusque-là était restée dans son monde, aveugle à la dynamique raciale qui crépitait dans l'air entre elles, comprit enfin. Elle recula d'un pas et inspira profondément. La famille de LoLo serait la quatrième maisonnée de Noirs dans ce lotissement qui s'étendait sur quatre kilomètres et demi, la station-service à la sortie de l'autoroute à un bout, l'école et la piscine municipale à l'autre. Elle commençait à s'habituer à leur réaction devant elle, mais leur peur lui faisait encore un choc.

« Bien, il faut que je rentre mettre le dîner sur le feu. J'espère que vous aimez le poulet et les croquettes de pommes de terre », commença-t-elle. Lolo se rembrunit et résista à l'envie de faire non de la tête – pas par manque de goût pour ce plat, mais parce qu'elle savait ce que la femme allait dire. « Je cuisine pour sept depuis des années, et j'ai du mal à ne plus faire à manger que pour trois, si bien que je prépare toujours de bien trop grosses quantités. J'enverrai mon fils Mark vous porter le surplus. Avec tous ces cartons à vider, j'imagine que ce n'est pas facile de s'arrêter pour chercher les casseroles, aller à l'épicerie, et vous demander ce que vous allez faire à dîner ce soir. Tout le monde adore mon poulet et mes croquettes. » Puis elle s'adressa à Rae et à TJ d'une voix enfantine : « Vous allez vous régaler. Je le sais ! »

Elle déposa encore une petite caresse sur la tête de Rae et, là-dessus, disparut dans son jardin tandis que LoLo et les enfants restaient plantés sur place, immobiles dans le sillage de cette Blanche énergique et bavarde qui était gentille pour la simple raison que c'était ce qui se faisait entre voisins.

LoLo, perturbée par toute l'affaire, savait déjà comment se terminerait la soirée : elle trouverait ses casseroles sans grande difficulté, car ils n'avaient pas une tonne d'affaires, pour tout dire, et il n'y avait pas tant de cartons à fouiller. Elle prendrait sa cocotte préférée, celle en fonte au fond épais, avec des traces de brûlure sur le pourtour, souvenirs des repas qu'elle y avait cuisinés depuis le jour où elle l'avait achetée chez

Woolworth's, qui était aussi le jour où Tommy et elle s'étaient dit oui et où elle était entrée chez lui sans rien d'autre qu'une valise, sa machine à coudre et un sac en papier plein d'étoffes et de patrons. Elle emplirait d'eau cette cocotte favorite, y mettrait un demi-paquet de francforts, les ferait bien bouillir, les couperait en petits morceaux et les ajouterait à une boîte de porc aux haricots avec un peu de sucre brun, de sel, de poivre et d'oignon. Et quand le jeune Blanc viendrait avec le poulet et les croquettes de Daisy, elle sourirait et serait aimable car c'était ce qui se faisait entre voisins, apparemment. Et elle refermerait la porte, emporterait le plat directement à la cuisine et jetterait tout à la poubelle. Parce qu'il y avait des Blancs partout, et que LoLo ne se sentait pas en sécurité. Parce qu'elle devait tout faire pour rester protégée. Parce qu'elle tombait à genoux tous les soirs et demandait à Dieu de les entourer du sang de Jésus, elle, sa famille et cette maison du 283 Burlington Drive. Car Il était le seul, en dehors des Noirs, à savoir avec quelle précision les Blancs pouvaient vous frapper de leur cruauté, surtout quand ils faisaient preuve de gentillesse.

C'est ainsi que s'écoula cette année-là, puis la suivante et encore quelques-unes, les jours se fondant dans les nuits, et LoLo, grain de poivre dans ce bol de sel, jetant les plats de Daisy et restant assise dans la maison, les jours de chaleur, les jours de froid et tous les autres jours, à se gaver d'amidon de maïs Argo, de Pepsi *light*, de *Hôpital central* et de *On ne vit qu'une fois* ; à regarder les enfants partir en gambadant vers l'école et Tommy faire sa marche arrière pour partir au travail ; à chercher quelque chose, n'importe quoi, pour s'occuper. Pour ne pas se sentir seule ni redouter ce que les Blancs risquaient de faire s'ils s'avisaient de sa présence. Pour ne pas se sentir seule ni redouter ce qu'elle-même risquait de se faire si elle cédait à sa solitude. Ce n'était pas facile, loin de là.

C'est alors que Suzette Charles arriva avec ses quatre enfants et pas de mari, et qu'elle arracha le panneau À VENDRE de la pelouse d'en face. C'était en 1977. LoLo était curieuse de savoir qui allait s'installer dans la dernière maison en date désertée par les Blancs. Depuis la fenêtre de la chambre de Rae, d'où elle épiait entre les rideaux, elle distingua une chevelure à la Chaka Khan, épaisse et exubérante. Elle vit aussi les fesses de la nouvelle voisine dépassant de son short, minuscule et moulant, comme son débardeur. Aucun homme en vue. LoLo regardait de tous ses yeux, avalant distraitement du maïs Argo à pleines cuillerées tout en analysant et en jaugeant la femme. Celle-ci agitait sa cigarette comme une baguette magique pour orchestrer le ballet de ses fils – trois en tout : deux ados et un de dix ans, le jumeau de la petite fille – qui déchargeaient les meubles et les cartons d'un petit camion garé de travers dans l'allée. Cette femme piquait la curiosité. Mince mais tout en courbes, comme les filles de *Soul Train* – glamour, même. Et bruyante. LoLo entendit par bribes ses remerciements, son histoire et les prénoms de ses enfants lorsqu'elle se mit à bavarder avec Daisy, qui s'était pointée avec une boîte de nourriture avant même que le camion soit entièrement déchargé. « Hum », fit LoLo tout haut, laissant échapper un petit nuage d'amidon de maïs tout en levant les yeux au ciel. Elle se baissa vivement lorsque Daisy pivota sur elle-même et indiqua la maison à Suzette.

« Elle a une fille de l'âge de la vôtre ! entendit-elle. La dame est un peu réservée, vous savez, mais vous devriez très bien vous entendre.

— Ah oui ? fit Suzette.

— Bien sûr !

— Et pourquoi donc ? »

Daisy eut un rire gêné et jeta des regards autour d'elle tout en s'épongeant le front du dos de la main.

« Eh bien, c'est une très aimable femme noire avec deux enfants charmants, dit-elle nerveusement.

— Donc on s'entendra bien parce qu'elle est noire ? » demanda Suzette.

Daisy se racla la gorge.

« J'ai fait des cookies et j'ai pensé que vos enfants seraient contents d'en avoir. Ils travaillent si dur ! Je suis sûr que ça leur a ouvert l'appétit. »

Suzette sourit. Sans rien dire.

« Bien, ravie de faire votre connaissance… »

LoLo se remplit la bouche d'Argo avec un petit rire. Elle irait se présenter à cette nouvelle voisine avant la fin de la semaine.

Tommy et les enfants étaient déjà partis, et comme elle avait une heure devant elle avant ses feuilletons, LoLo sortit dans le jardin cueillir ses plus beaux légumes – les tomates les plus rouges et rondes, les poivrons les plus verts et fermes, deux concombres parfaits –, qu'elle mit dans un sac en papier. Elle lissa son jean, refit le nœud de son chemisier et traversa la rue pour aller rencontrer cette femme intrigante à la langue bien pendue et à la chevelure volumineuse. Devant la porte, elle sentit son cœur s'emballer un peu. Il y avait longtemps qu'elle ne s'était pas fait une nouvelle amie. Cindy, Sarah et Para Lee étaient ses super-copines depuis un peu plus de douze ans ; elles étaient devenues femmes ensemble. C'était naturel. Attendre sur le perron d'une inconnue, essayer de voir à travers son écran moustiquaire, tenter de deviner dans quoi on mettait les pieds, cela, en revanche, n'avait rien de naturel. C'était plus angoissant qu'autre chose.

Voyant Suzette s'affairer dans sa cuisine, elle frappa pour ne pas avoir l'air d'une folle regardant dans une maison qui n'est pas la sienne. Suzette se tourna vers la porte et sourit en la voyant plantée là, l'air gauche dans sa tenue de dame noire respectable, les cheveux coiffés bien comme il faut.

« Bien le bonjour, voisine ! lança-t-elle en venant à la porte, un large sourire s'étirant entre ses fossettes, une cigarette entre les doigts. J'allais passer me présenter ce week-end, mais vous m'avez coiffée au poteau ! Entrez, entrez ! »

Elle ouvrit et s'écarta pour laisser passer LoLo.

Sa maison sentait l'encens et le musc. Elle sentait l'Afrique, les vieilles choses et les petits garçons qui ne se lavent que de temps en temps, probablement sous la menace d'une fessée. L'odeur correspondait à l'endroit. Il y avait de vieux fauteuils et sofas en velours, usés par le temps et par tous les derrières qui s'y étaient posés avec de l'alcool et des pipes à eau pour refaire le monde et préparer des révolutions qui ne venaient jamais. Des tableaux en velours représentant des couples nus aux coiffures afro ornaient les murs, au-dessus de petites tables chargées de statuettes africaines et de poings serrés Black Power en bois, claironnant plus fort qu'un mégaphone l'orientation politique de Suzette.

« C'est pour vous, dit LoLo en lui tendant le sac de légumes.

— Qu'est-ce qu'on a là ? fit Suzette en coinçant la cigarette entre ses lèvres pour prendre et ouvrir le sac. Tiens, des légumes. C'est sympa. Très sympa.

— Ils sont de mon jardin, précisa LoLo en se tortillant avec embarras.

— Bon, moi c'est Suzette, dit la femme, indifférente à sa gêne. Je ne connais rien au jardinage, mais les tomates et les concombres, j'aime bien. C'est très généreux de ta part.

— Ce n'est rien », murmura LoLo.

Elle promenait son regard dans la pièce : c'était plus fort qu'elle.

« Je comptais venir me présenter dès qu'on serait installés, mais autant faire ça maintenant. C'est quoi, ton nom, déjà ? Je peux te proposer quelque chose à boire ?

— Oh, euh, non, merci, je… je viens de manger et j'ai bu un Pepsi avant de venir. Je m'appelle Delores. On m'appelle LoLo.

— Alors, LoLo, un verre plus tard peut-être, et peut-être pas du Pepsi, répliqua Suzette avec un sourire. Viens, assieds-toi. Tu vas me dire dans quoi j'ai mis les pieds en emménageant ici. »

LoLo lissa son jean et s'assit.

« Bien. Tommy et moi – Tommy, c'est mon mari –, on est là depuis bientôt cinq ans. On a deux enfants, Tommy Junior, on l'appelle TJ, et ma petite fille, Rae. Elle a neuf ans, et TJ douze, presque treize. J'ai vu les tiens partir à l'école ce matin, vers la même heure que les miens.

— Oui, ils s'appellent Reggie, David, Malachi et Felicia, mes chéris. Mal et Felicia sont jumeaux, du même âge que ta Rae. Reggie et David, ce sont mes petits hommes : quinze et seize ans. »

LoLo hocha la tête.

« Et ton mari ? Je ne crois pas l'avoir vu. »

Suzette tira une longue bouffée de tabac et souffla la fumée, puis fit un geste vers une photo sur la cheminée. Un homme en uniforme militaire regardait droit devant lui, stoïque.

« C'est mon Frank, dit-elle à mi-voix. Il, euh… il n'est plus là.

— Oh, mon Dieu, je suis désolée, je ne savais pas. Je n'en aurais pas parlé…

— C'est rien, tu ne pouvais pas savoir », dit Suzette en tirant sur sa cigarette. Elle leva la tête et souffla des ronds de fumée en l'air. « Il a failli s'en tirer, tu sais. Ces salauds sont venus frapper à ma porte en soixante-quinze, début mars, avec une tête de dix pieds de long, comme s'ils en avaient quelque chose à foutre. Ils m'ont dit qu'il avait marché sur une mine en transportant des sacs de patates pour le camp de base. C'est pas beau, ça ? Il est mort en allant chercher des foutues patates pour les Blancs, pendant leur guerre de Blancs. Plus qu'un mois. Il ne lui restait qu'un mois avant de pouvoir rentrer, retrouver sa maison et ses gosses. Et puis il est parti, comme ça. Juste… parti.

— Je… je suis navrée, dit LoLo en lui prenant la main. Vraiment. »

Suzette écrasa une larme. Reprit une bouffée de tabac.

« Et en plus, ils ont le culot de m'arnaquer sur les indemnités. Comme quoi il n'aurait pas officiellement adopté mes grands, ce qui fait qu'on ne me donne que des clopinettes pour les jumeaux. Comme s'il n'avait pas été leur papa à tous. »

LoLo eut la sagesse de laisser Suzette vider son sac. Elle savait ce que c'était de n'avoir personne, seulement quatre murs et Dieu pour écouter vos soucis.

« J'ai roulé ma bosse un peu partout, à chercher du boulot. J'essaie de garder un toit sur nos têtes et de quoi nous remplir le ventre. De la stabilité pour les gosses, tu vois ? Je me débrouille. Y a pas le choix.

— Oui, dit LoLo en lui frottant le genou. Je comprends. On fait ce qu'on a à faire, pas vrai ?

— Tu l'as dit. » Suzette prit sa cigarette entre ses lèvres et tapota la main de LoLo, puis se leva. « Bon, cette fois je t'offre un verre, mais pas de Pepsi. Viens donc boire un petit coup avec ta copine.

— Je, euh… Il est un peu tôt, non ? » objecta LoLo en cherchant des yeux une pendule.

Son feuilleton passait à treize heures, et elle s'était donné largement le temps de dire bonjour et retraverser la rue. Suzette suggérait donc de prendre en plein midi, un jour de semaine, une boisson réservée aux soirées des week-ends.

« Oh, ma chérie ! Il n'est jamais trop tôt pour notre ami le brandy ! » dit-elle en ouvrant un placard dans la cuisine.

LoLo resta assise, mal à l'aise, cherchant une issue, une excuse, tout en écoutant le liquide tomber dans deux tasses à café.

Suzette lui en tendit une et trinqua avec elle.

« À Franklin Charles. Un type bien. Et un bon père. » Elle but cul sec, et LoLo se sentit obligée de l'imiter. Suzette éclata d'un grand rire spontané en voyant sa grimace. Elle tapa sur sa cuisse nue et rit de plus belle. « You-houuuu ! Rien que le meilleur pour mon Frankie. Allez, encore un petit coup.

— Je ne crois pas que ce soit une bonne idée. Il faut que je rentre chez moi…

— Arrête, t'as rien à faire. Je te vois tournicoter dans ton jardin, là-bas. Dans ta maison, assise dans ton fauteuil près de la fenêtre, devant la télé. Les mômes sont à l'école, ton mec est au boulot. Relax ! Je te ramènerai chez toi, va, t'en fais pas. »

Sur ces mots, Suzette la repoussa doucement sur le canapé. LoLo tenta de se raisonner en écoutant couler le brandy, bien tassé cette fois. Elle contempla fixement le liquide ambré pendant que Suzette sortait un disque de sa pochette et le posait sur la platine. « Best of My Love » des Emotions éclata dans la pièce tandis que Suzette prenait la pose, les mains en l'air, une hanche poussée sur le côté, les fesses en arrière. « Owww ! Oh oh ! » chanta-t-elle sur l'intro de la chanson. LoLo l'avait entendue à la radio le matin même en préparant les enfants pour l'école, mais ne comptait pas l'ajouter à sa collection de disques, qui comprenait principalement du gospel et un Stevie Wonder ou deux.

Sous l'influence de Suzette, Lolo fut bientôt complètement ivre. Voilà qu'elle dansait le slow avec une inconnue qui avait toute une marmaille et un mari mort, dont la rente de veuvage couvrait à peine le loyer et les factures du supermarché, mais qui trouvait le moyen de se payer de copieuses réserves de brandy et un peu d'herbe. Elle ne savait même pas bien ce qu'elle faisait collée contre le corps de cette femme, en train de brailler sur « Footsteps in the Dark » des Isley Brothers.

« Il faut que je rentre », parvint-elle à dire lorsque la chanson s'arrêta et que le saphir crissa sur l'étiquette au centre du disque.

Elle retira les mains de Suzette de ses hanches et la repoussa doucement.

« Ohhhh, mais reste ! la pria Suzette. Les gosses ne sont pas encore rentrés. On va couper tes tomates et tes concombres pour se faire un truc à manger !

— Non, non… Je dois y aller, insista LoLo en cherchant la porte des yeux. Le dîner. Il faut que je le prépare avant que Tommy et les enfants soient là. »

Elle fila vers la porte, la franchit en titubant, et dévala les marches en se cramponnant à la rampe. Prise de vertige, l'estomac commençant doucement à se soulever, certainement pour se vider de son contenu, LoLo regarda sa maison, puis de nouveau le sol. Elle s'ordonna de se tenir à la voiture et aux buissons. Elle envisagea de traverser à quatre pattes. Elle avança un pied devant l'autre, les genoux faibles, en se tenant aussi droite que possible pour ne pas attirer l'attention sur le fait qu'il n'était que treize heures trente-quatre et qu'elle n'avait jamais été aussi ivre en trente ans d'existence.

Elle passa le restant de l'après-midi à songer à sa vie entière, aux choix qu'elle avait faits aujourd'hui, et à essayer de reprendre ses esprits avant que les enfants ne déboulent dans la maison avec leurs questions, leurs devoirs, leurs besoins. Que dirait-elle ? Comment pourrait-elle dissimuler son ivresse ? Comment ferait-elle pour éviter Suzette et sa profonde tristesse, sa contagion ? Ses mains avides ?

LoLo n'avait aucune réponse à tout cela. Ce qu'elle avait en revanche, une fois qu'elle eut vomi dans les toilettes, posé la tête contre la faïence froide, puis qu'elle se fut effondrée dans sa chaise longue devant *Hôpital central*, c'était une compréhension claire de cette vérité : elle serait toujours profondément seule, même si une Noire aux cheveux à la Chaka Khan vivait juste en face. Et cette solitude, alliée à la servitude à laquelle elle ne pouvait échapper, la tuait à petit feu.

# 18

*1981, pendant l'été*

LoLo n'était pas particulièrement douée pour tresser les cheveux. D'ailleurs, c'était devenu une blague récurrente entre ses amies : celles-ci ne comprenaient pas comment une femme noire qui avait travaillé dans les champs du Sud pouvait être incapable de nouer même les tresses les plus simples sur le crâne de sa petite fille. Savoir faire des tresses africaines était après tout une prérogative de naissance, ou presque ; on se soumettait au long processus, allongée ou inconfortablement penchée entre les genoux d'une mère ou d'une grande sœur, le temps que le crâne soit recouvert de ces motifs enviables ; et grâce à une mystérieuse énergie cinétique transmise depuis les doigts des ancêtres, on faisait de même pour sa petite fille, qui ferait de même pour la sienne, et ainsi de suite. Ce style en particulier, les tresses collées, était la mère de toutes les inventions : il était aux cheveux ce qu'était la roue aux transports ou l'égreneuse à coton aux poches des Américains blancs. Au-delà de leur importance historique, ces tresses permettaient aux mères de redouter un peu moins que leurs filles rentrent coiffées comme l'as de pique après un après-midi chaud et moite, surtout quand elles avaient les cheveux épais, frisés, cotonneux – avec cette propension à se tendre vers le ciel une minute et à s'aplatir à la suivante. Cela leur épargnait à la fois les moqueries et le jugement des autres Noires, qui voyaient dans une tête mal coiffée un signe évident de négligence maternelle.

À Long Island, LoLo était bien contente d'avoir Sarah, qui, une fois tous les quinze jours, lui « empruntait » volontiers Rae et, en deux heures, transformait ses simples nattes à trois mèches en coiffures élaborées, dignes d'un livre d'histoire sur les princesses africaines ou de la couverture du magazine *Essence*. Mais Sarah était restée là-bas, LoLo était ici, et elle devait donc rabattre ses ambitions pour la tête de sa fille.

« Arrête de gigoter, et ne bouge pas tes doigts ! »

Assise le dos courbé entre ses genoux, Rae lui présentait sa nuque hirsute. Elle avait beau s'imposer une immobilité de statue, elle ne pouvait s'empêcher de trembler. LoLo regardait la flamme de la gazinière lécher le peigne métallique. Se fiant à une sorte d'intuition, elle le prit lorsqu'elle le jugea suffisamment chaud et le pressa contre une serviette en papier pliée. Une fois assurée qu'il ne brûlait plus la serviette, elle se pencha sur Rae et souffla lentement tout l'air de ses poumons sur sa nuque en passant l'instrument sur ses pointes. LoLo savait se servir d'un peigne chauffé. D'un fer à lisser aussi. Tous les quinze jours, elle lavait les cheveux de Rae dans l'évier de la cuisine, les démêlait avec son meilleur peigne, les passait au sèche-cheveux, et enfin domptait l'épaisse tignasse en la défrisant et en y façonnant des boucles. Les cheveux étaient à peine assez longs pour qu'elle y fasse quelques courtes couettes avec une frange pendant les deux semaines qui séparaient les shampoings, mais, les premiers jours au moins, Rae avait l'allure désirée par sa mère.

« Maman », dit-elle avec hésitation en se rajustant sur la pile d'annuaires.

Toutes deux attendaient que les flammes rougissent à nouveau les dents métalliques du peigne.

« Hmm, fit LoLo, concentrée sur la gazinière.

— J'ai fait un rêve éveillé.

— Ah bon ?

— Ouais.

— Encore un ? Tu ne dormais pas, tu es sûre ? demanda LoLo en tirant avec ses doigts sur les boucles serrées et rêches.

— Oui, je pliais le linge en bas.

— Ah ? C'est pour ça que tu as mis si longtemps à finir la dernière lessive ? Tu rêvassais ?

— Hmm. »

LoLo surveillait toujours la flamme et le peigne. Il y avait si longtemps qu'elle-même n'avait pas rêvassé… Elle se rappelait à peine ses visions de Luna en mini-short, de Warhol ou de ses longues jambes en minijupe virevoltant sur les podiums. Une vie de luxe, à peu près aussi accessible qu'un voyage en fusée vers Xanadu, même en fouillant dans les recoins les plus reculés de son imagination. Certains jours, elle était tentée de mettre Rae au courant du gag, de lui dire à quel point elles étaient inutiles, ces rêvasseries qu'elle lui racontait ; qu'en réalité, ce n'étaient rien que des petits films avec un début, un milieu et une fin, sans aucun rapport avec la réalité. Quand elle avait meilleur moral, elle se surprenait à espérer de grandes choses pour sa fille : Rae aurait peut-être une chance de s'évader, de vivre l'un de ces rêves avec lesquels elle l'enquiquinait sans cesse.

« Ça parlait de toi. Tu entrais dans le ruisseau au fond du jardin, mais au lieu de nager, on aurait dit que tu essayais de t'allonger dedans.

— Ah oui ? » fit LoLo.

Elle jeta un coup d'œil par la fenêtre, vers le gazon. Songea au ruisseau, à l'eau et au peigne chaud.

« Tu sais nager, maman ?

— Non, je ne sais pas nager. »

Rae garda un instant le silence. Puis, d'un ton mesuré :

« Felicia prend des cours de natation au centre communal. »

LoLo, concentrée sur la flamme, n'écoutait que d'une oreille. Elle ne comprit pas immédiatement où sa fille voulait en venir.

« Elle apprend à retenir son souffle sous l'eau, à battre des pieds pour avancer et tout.

— C'est vrai ? »

LoLo passa le peigne chaud sur la serviette en papier.

« Mmm-hmm. Et dans quelques semaines, quand elle saura vraiment bien nager, ils vont lui apprendre à sauter du plongeoir. »

LoLo se pencha et souffla sur la tempe de Rae en passant le peigne dans ses cheveux. La crème Afro Sheen dont elle les avait imprégnés crépita lorsque la chaleur passa sur les petites mèches du bord. Rae fit la grimace.

« Tiens-toi tranquille et je ne te brûlerai pas. »

Silence.

« Maman ? dit Rae en remuant un peu sous la main de sa mère.

— Quoi, Rae ?

— Je pourrais apprendre à nager, moi aussi ? »

LoLo se redressa sur sa chaise et reposa le peigne sur la flamme pour accorder toute son attention à sa fille. Elle se rembrunit.

« Ah bon, alors tout ça parce que Felicia y va, tu penses que tu devrais faire pareil ?

— Je… je voudrais juste savoir nager. Quand je vais à la piscine, tout ce que je peux faire c'est rester assise au bord avec les pieds dans l'eau.

— Et alors ? Tu es à la piscine, non ? Avec tes amies.

— Mais j'aimerais bien pouvoir aller dedans, comme elles, murmura Rae.

— Estime-toi déjà heureuse que je te laisse y aller. »

La vérité, c'était que LoLo ne tenait pas particulièrement à ce que ses enfants fréquentent la piscine. Pas dans ce quartier. Pas avec ces gens. Un trou plein d'eau et de petits Blancs, c'était un potage qui l'angoissait, et non sans raison : elle avait lu et entendu tant d'histoires vécues, sur la terreur que les Blancs imposaient aux enfants noirs qui osaient se déshabiller et plonger leur corps sombre dans des piscines « communales », qu'elle avait la tête pleine de visions de maîtres-nageurs hargneux versant de l'acide dans les bassins où ils s'ébattaient. Elle voyait en boucle un film d'horreur dans lequel des mères blanches glissaient des boîtes de clous dans leur panier de pique-nique pour les jeter dans les eaux où sautaient des petits pieds bruns. Elle voyait Tommy devenir fou et foncer dans la rue pour aller se battre avec le premier Blanc qu'il verrait maltraiter les enfants, et les représailles que cela pourrait entraîner : une croix sur la pelouse, peut-être. Une bouteille enflammée passant par la fenêtre, éventuellement. Quelqu'un finirait mutilé ou tué par une balle – et ce serait son Tommy.

Mais ces très réelles peurs modernes n'étaient rien à côté de la terreur qu'elle éprouvait pour sa fille en particulier, au-delà de ce que pourrait lui faire n'importe quel Blanc. C'étaient les ennemis de l'intérieur qui la poussaient à surveiller Rae de près. Elle se rappelait la première fois qu'elle-même était allée se baigner, dans une mare où Bear et Clarette aimaient à se rendre, en bas du chemin de leur ferme, au bout d'un petit sentier sur leurs terres. Cette mare, la plupart du temps, était plus boueuse qu'autre chose, mais une bonne nuit de pluie amenait suffisamment d'eau pour que les adultes barbotent et que les enfants, à condition d'être assez légers, parviennent à flotter. Avant d'être encombrés d'une gamine qu'ils n'avaient pas voulue mais qu'ils avaient dû garder avec eux, Bear et Clarette avaient pris l'habitude d'y aller pour faire ce qui est naturel entre un mari et sa femme, en pleine nature. Ils appelaient cet acte la « Genèse », sous prétexte qu'Adam et Ève s'étaient connus dans le jardin créé par Dieu. Bear appréciait que sa femme et lui fassent ce que la Bible préconisait aux couples mariés dans un lieu où il pouvait se sentir à la fois libre et un peu lubrique. Quand LoLo était entrée dans la mare vêtue d'une culotte et d'un vieux maillot de corps à lui, en pleine nature comme ça, il était devenu lubrique tout court.

« T'as aucun besoin d'aller à la piscine », trancha LoLo. Elle plongea les doigts dans le flacon d'Afro Sheen, déposa une bonne dose de crème bleue dans sa paume et l'écrasa entre ses mains, puis l'appliqua sur les cheveux fraîchement lissés de Rae. « Je passe tout ce temps à te faire une jolie coiffure, et toi tu veux aller là-bas ? Pour mouiller tes cheveux et ressortir de l'eau la tête tout emmêlée ?

— La mère de Felicia lui fait des tresses…

— Je mets des heures à te les lisser et te faire des jolies boucles. La mère de Felicia se fiche qu'elle soit jolie, clairement. Elle la laisse se balader toute la journée arrangée comme une clocharde. Toute rachitique, la peau sèche et grise comme de la cendre. »

LoLo vit les épaules de sa fille se voûter, mais continua de charger selon le même angle d'attaque. Elle aurait le dernier mot.

« Je ne suis pas la mère de Felicia, et toi non plus, tu n'es pas Felicia, ça, c'est sûr ! Elle, en plus, elle peut entrer dans l'eau sans être affectée par le chlore et tout ça. Elle est assez claire pour qu'on ne voie pas sa peau sèche, et elle supporte bien le soleil. Mais toi, dit LoLo en se penchant sur sa fille et en tirant ses cheveux en arrière pour la regarder dans les yeux, toi, le chlore et le soleil te rendraient toute noire. Tu ne voudrais pas que ça t'arrive, quand même ? »

Rae s'affaissa encore plus sur sa pile d'annuaires.

« Non, maman, dit-elle en gémissant.

— Exactement. Non, maman. Contente-toi de te rafraîchir les pieds dans l'eau. Et couvre-toi, pour ne pas noircir comme un toast brûlé.

— Quelqu'un a fait brûler un toast ? » demanda Tommy en s'approchant du réfrigérateur. Il ouvrit la porte et se prit une Michelob *light*. « Tu ne parles quand même pas de ma petite puce ? Hein, ma puce ? dit-il en se baissant pour pincer la joue de Rae.

— Elle essaie de me convaincre de l'inscrire à la piscine.

— Et alors, où est le mal ? »

Tommy était clairement à mille lieues des inquiétudes de sa femme, principalement parce qu'ils n'en avaient jamais parlé, mais aussi parce que l'organisation des activités extrascolaires – ce que faisaient les enfants hors de la maison et aussi dedans – ne le concernait pas vraiment. C'était LoLo qui s'occupait de ces choses-là.

« Eh bien, si tu passais quatre heures à laver, sécher, défriser et boucler les cheveux de cette petite, tu ne poserais pas ce genre de questions, tu ne crois pas, Thomas Lawrence ? » répondit LoLo en poussant agressivement en avant la tête de Rae, qui se laissa faire.

Elle traça une raie dans sa nuque et passa le peigne dans ses cheveux en attendant que le fer soit chaud.

Tommy ouvrit sa cannette et attrapa du bout des lèvres la mousse qui en sortait. Il avala une lampée de bière, puis leva sa main libre.

« Allez, écoute ta mère, dit-il. C'est elle qui sait. » Puis, à LoLo : « Chérie, Theddo doit passer d'ici deux heures pour regarder le match. Tu crois que tu pourrais mettre un peu de poisson à frire quand tu auras fini ? »

LoLo s'empara du fer et le passa sur la serviette en papier blanche, attentive à sa température. Elle ne dit rien. Quand elle jugea qu'il avait suffisamment refroidi, elle le tapota sur son poignet. Elle ne dit toujours rien.

D'un geste rapide des doigts et du poignet, elle coinça une mèche de Rae et tourna l'appareil jusqu'à ce que la mèche forme une anglaise parfaite. LoLo n'aimait pas tellement Theddo, surtout depuis qu'il avait brisé son couple après presque vingt ans de mariage. Il ne pouvait pas voir un jupon sans courir après, et il l'avait fait assez souvent pour que ses aventures aient des conséquences. Des conséquences qui s'appelaient Darius et Joy, deux enfants de deux femmes différentes dont aucune n'était la sienne. LoLo savait que Tommy n'était pas aveugle, et les femmes prêtes à jeter la morale aux orties ne manquaient certes pas, mais elle ne pouvait s'empêcher de penser que les hommes infidèles, tels les loups, se déplaçaient en meute. Elle n'avait pas envie que son mari fréquente un homme capable de quitter femme et enfants pour aller coucher avec la première venue. « Jusqu'à ce que la mort nous sépare », c'était juste une phrase que Theddo avait prononcée quand le pasteur lui avait dit de répéter après lui. Il n'en pensait pas un mot.

Ce que LoLo aurait voulu dire – hurler, plutôt –, c'était qu'elle était fatiguée, qu'elle voulait juste s'asseoir, fumer une cigarette ou deux sans s'approcher de la cuisine, téléphoner à Sarah ou à Cindy. S'offrir juste un petit moment dans la journée, ne fût-ce que quelques minutes, pour oublier qu'elle sombrait dans des ténèbres qui lui collaient à la peau, et qu'elle fondait, fondait, fondait dans le papier peint et dans le sol en lino, et qu'on se souciait de ses besoins à elle à peu près autant que d'un chien enchaîné au grillage, c'est-à-dire pas du tout.

« Oui, Tommy, je peux faire une friture », finit-elle par répondre. Il ne vit pas ses pupilles se dilater, larges et noires, ni ses épaules se voûter comme celles de Rae. « Mais il faut que tu ailles chercher du poisson au marché. »

Tommy reprit une gorgée de bière et lâcha un petit rot.

« Ça peut se faire. Tu veux quoi ? Du merlan ? Du pagre ? De la perche ?

— Ce qu'il y aura de plus frais, répondit-elle en soufflant sur le fer. Sans la tête, et vidé.

— D'accord, sans la tête, vidé. » Ses richelieus claquèrent contre les carreaux du sol lorsqu'il s'approcha de Rae et se baissa pour la regarder dans les yeux. « Tu es très bien coiffée.

— Merci, papa. »

Elle sourit pour la première fois depuis que sa mère avait torpillé tous ses espoirs d'apprendre à nager.

Il y avait beaucoup de cela entre Tommy et Rae, ce contact facile, cette entente que la fille cherchait volontiers auprès de son père, comme si elle avait renoncé à ce genre d'attention de la part de sa mère. Et cette attitude de Rae, cette personnalité câline et sage face à la jovialité musclée de son père, c'était nouveau ; cela datait de quelques semaines. LoLo savait qu'elle ne pouvait en vouloir qu'à elle-même : elle avait arrêté d'accueillir les enfants à la porte après l'école, les laissant plutôt crier « On est là ! » à travers l'épaisse porte en bois qu'elle avait pris l'habitude de verrouiller l'après-midi. C'était tout ce qu'elle avait trouvé pour se ménager le temps de sécher ses larmes et d'apaiser les palpitations cardiaques qui la vidaient de son énergie avant qu'ils arrivent. Avant qu'elle doive se remettre en route, nourrir son monde, parler, prodiguer soins et attentions, cuisiner, tout ranger, et encore écarter les jambes pour Tommy en tâchant d'oublier l'orphelinat, et Bear, et l'infirmière, et les forceps, et le curetage, et les morceaux brisés que personne ne voyait et dont tout le monde se fichait.

« Maman ? » avait lancé Rae la première fois qu'elle et TJ avaient trouvé porte close.

LoLo l'avait entendue frapper et appeler d'abord de sa voix la plus douce, puis de celle qu'elle prenait, au parc, quand elle trouvait que sa mère ne lui répondait pas assez vite. TJ, lui, n'avait pas la patience de sa sœur : il avait serré le poing et cogné si fort que LoLo s'était attendue à voir sa main traverser le bois, auquel cas elle devrait encore le battre, peut-être lui coller un œil au beurre noir ce coup-ci. Ensuite, elle s'en voudrait encore plus que la fois où elle lui avait démoli l'épaule et entaillé la cuisse, après quoi elle avait tamponné de l'alcool sur l'entaille et soufflé doucement dessus pour que le liquide ne le brûle pas. Soufflé doucement pour qu'il voie qu'elle l'aimait et qu'elle tenait à lui et qu'elle voulait juste qu'il se comporte bien, qu'il reste tranquille pour une fois, pour qu'il la laisse retomber en spirale dans le silence.

« TJ, arrête ! Elle va se mettre en pétard, avait soufflé Rae à son frère.

— Et alors ? avait-il dit, tambourinant toujours. Elle est toujours en pétard, de toute manière. »

Par la fenêtre de la chambre de sa fille à l'étage, elle avait vu Rae observer son frère qui cognait toujours, passant les yeux sur sa main et son poignet, puis son bras sec et nerveux, et le bleu tout frais juste à côté de son biceps. (Celui-là, LoLo le lui avait fait quelques jours plus tôt quand elle l'avait surpris à manger du beurre de cacahuète directement dans le pot.) Sans doute persuadée que TJ allait briser la porte, Rae avait ramassé son cartable et fait le tour de la maison pour voir si leur mère n'avait pas laissé ouvert derrière. Elle n'avait pas pris cette peine, non.

Rae avait pressé son petit nez contre la fenêtre de la chambre de sa mère et tâché de voir entre les rideaux, mais Lolo les avait tirés quelques heures plus tôt, quand elle s'était allongée sur son lit dans sa tenue de messe, avec collant et talons, les mains pliées sur la poitrine, comme elle imaginait qu'un employé des pompes funèbres l'aurait disposée si elle s'était trouvée dans un beau cercueil blanc doublé de satin. Pendant que sa fille la cherchait, elle était redescendue et avait repris cette pose. Elle ne trouvait pas la force de faire autre chose. Du coin de l'œil, elle avait vu Rae s'écarter vivement de la fenêtre, sans doute horrifiée par les grandes traces de mascara qui avaient coulé sur ses joues et laissé des taches sur les taies d'oreiller amidonnées.

Rae avait reculé si vite qu'elle avait trébuché en arrière dans les hortensias, et récolté un accroc à son pantalon. Elle s'était redressée aussitôt et avait examiné les dégâts. Elle savait déjà que ce n'était même pas la peine d'essayer d'expliquer l'accroc à sa mère : il n'y avait jamais moyen de s'expliquer. Alors, elle était partie en courant vers chez Daisy. LoLo se doutait que son enfant allait tomber dans les bras de cette Blanche, dévorer toutes ses friandises. Peut-être s'amuser à la coiffer. LoLo lui disait pourtant de ne pas jouer avec ces cheveux de Blanche. Comme s'ils valaient mieux que les leurs. Rae était restée là-bas assez longtemps pour la laisser souffler. Assez longtemps pour que le retour de Tommy l'oblige à retrouver un comportement normal.

« T'en fais pas pour la natation, dit Tommy à Rae. Si tu continues de ramener des bonnes notes, tu pourras devenir riche, et plus tard tu te paieras quatre piscines rien qu'à toi, et une coiffeuse au bord de chaque pour arranger tes cheveux quand tu sortiras de l'eau. D'accord ?

— D'accord, papa. »

Elle éclata de rire quand Tommy lui pinça le menton.

Deux heures plus tard, Theodore Lawrence – que tout le monde appelait Theddo, car c'est ainsi que les langues noires peignaient son nom dans l'air – était là, les pieds sur le canapé de LoLo, une bière de son frigo dans une main, une cigarette dans l'autre, en train d'attendre qu'elle lui apporte à manger comme s'il était Toutânkhamon en personne. Il se prétendait musulman parce que sa famille à Philadelphie l'était, mais il n'avait jamais mis les pieds dans une mosquée, fumait encore, buvait et forniquait avec toutes sortes de femmes, même des blanches. LoLo, n'accordant aucune foi ni aucun respect à son rejet affiché du porc, mit quand même du lard dans les petits pois. Elle comptait bien faire ce qu'elle faisait chaque fois qu'il commençait à se plaindre du délice salé et fumé avec lequel elle assaisonnait ses légumes, comme n'importe quelle cuisinière du Sud préparant une casserole de *soul food* et y mettant tout son cœur : « Ne mets pas la viande dans ton assiette, alors », dirait-elle, aimable et douce à l'extérieur, grizzly loin à l'intérieur.

Debout dans la cuisine, elle écaillait le poisson. Le pagre n'était jamais nettoyé comme elle l'entendait, si bien qu'elle avait toujours son couteau à portée de main lorsqu'elle le déballait de son papier brun sous l'eau froide dans l'évier. Ce lot n'avait pas dérogé à la règle, et les écailles volaient partout dans la vasque, sur les plans de travail en Formica, quelques-unes jusque dans ses cheveux. C'était un travail méthodique, méticuleux, ce nettoyage rituel : rien n'arrivait jamais dans les marmites de LoLo sans qu'elle ait pris un soin particulier à laver le plus possible ce qu'elle mettait dans le ventre de sa famille. Le poulet était baigné dans une solution de vinaigre et de jus de citron fraîchement pressé, le chou cavalier trempé, rincé, trempé, rincé, trempé et rincé encore, les pois à vache soigneusement triés. La purification rituelle – de la nourriture, du linge, des moindres recoins de la maison, des corps – était sans aucun doute un rappel de son enfance : on avait toujours attendu d'elle, toute petite déjà, qu'elle entretienne les lieux où elle prenait de l'espace. Autrefois, c'était pour elle une activité apaisante, une manière de s'éclaircir les idées, de faire baisser le stress. Mais peu à peu, elle en était venue à exécrer ces tâches répétitives, et à présent elle les redoutait de plus en plus, ces fardeaux qui pesaient juste ce qu'il fallait – ce qu'il fallait pour qu'elle essaie de s'en cacher, sous les couvertures, dans son dressing, derrière la porte fermée de la salle de bains. Quand personne ne regardait. Quand les enfants regardaient. Quand peu à peu elle disparaissait à ses propres yeux.

Pendant qu'elle saupoudrait de sel les filets de chair, ses pensées vagabondèrent jusqu'à son jardin, et en particulier jusqu'aux plants de maïs qu'elle avait inspectés quelques heures plus tôt. Ils étaient chargés d'épis, deux ou trois par tige, leurs soies brun foncé signalant que les grains à l'intérieur étaient d'un blanc laiteux et prêts pour ses casseroles. Du maïs frit, préparé en raclant bien les épis avec le dos de la lame du couteau pour en extraire le nectar qui faisait de son plat un régal exceptionnel, cela irait bien avec le poisson, pensa-t-elle. Cela pourrait même lui permettre de voir un peu la lumière.

« Rae ! »

Elle devait s'occuper du poisson et de toute manière elle n'avait pas envie de sortir. Rae, à qui LoLo enseignait les subtilités de l'entretien d'une maison, de la cuisine et du jardinage, savait quels épis étaient mûrs et prêts pour la cueillette. Elle ne laissait pas TJ, maladroit et destructeur comme il était, s'approcher du potager. Elle tourna les yeux vers Tommy, qui faisait des bonds sur le canapé en braillant contre le téléviseur.

« Allez, mec ! Allez, allez ! T'as vu ce toucher de balle ? » lança-t-il à Theddo, tout aussi surexcité, en applaudissant.

Ils se tapèrent dans la main comme s'ils avaient marqué le panier eux-mêmes. LoLo leva les yeux au ciel. Aucune chance que Tommy sorte dans le jardin. Il faudrait que ce soit Rae.

« Rae ! » appela-t-elle un peu plus fort. Puis, ne recevant aucune réponse, elle se demanda à elle-même : « Mais qu'est-ce qu'elle fabrique ? »

Elle ferma le robinet et se tourna vers le salon en s'attendant plus ou moins à voir sa fille apparaître. Rien. Elle secoua ses mains et les essuya sur son tablier, sans quitter des yeux l'entrée de la cuisine. Son front se mit à chauffer en même temps que sa colère montait.

« Rae ! »

Tommy et Theddo, complètement sourds à sa contrariété, bondirent encore de leurs sièges et acclamèrent un joueur qui faisait un tour d'honneur en tapant dans les mains de ses coéquipiers.

Exaspérée que sa fille ne se soit pas présentée au garde-à-vous au simple son de sa voix, LoLo sortit de la cuisine et s'engouffra dans le couloir, impatiente de voir ce qu'elle avait de plus urgent à faire. Elle fit irruption dans sa chambre telle une escouade de police en pleine descente.

« Tu n'entends pas que je t'appelle, ma fille ? » dit-elle en poussant la porte.

Rae n'était pas là.

Lolo chercha rapidement dans la chambre de TJ et dans la salle de bains partagée des enfants. Toujours pas de Rae. C'est alors que son cœur se mit à battre la breloque : les pires scénarios vinrent envahir comme un cancer chacune des cellules de son corps. Elle trottina d'abord d'un placard à l'autre et regarda jusque sous les lits, puis piqua un sprint frénétique jusqu'à sa propre chambre, le dernier endroit auquel elle pouvait penser. Rae était là, debout devant le miroir de la salle de bains, en train de faire des mouvements rythmiques des bras tout en scandant une étrange incantation face à son reflet.

« Il faut, il faut, il faut des seins plus gros ! Il faut, il faut…

— Qu'est-ce qui se passe, ici ? »

Rae fit un bond et plaqua immédiatement ses bras le long de son corps, les yeux comme des soucoupes.

« Qu'est-ce que tu fiches ? cria LoLo. T'entends pas que je t'appelle ? »

Visiblement choquée à la fois par l'apparition de sa mère et par le feu de ses questions, Rae ne dit rien. LoLo passa les yeux sur tout son corps et nota le léger tremblement de ses épaules.

« J'ai dit : qu'est-ce que tu fiches ici, ma fille ? répéta-t-elle en la saisissant par le bras pour l'obliger à la regarder.

— Je… je lisais un livre.

— Tu me mens en face, en plus ? T'étais pas en train de lire !

— Si, maman, je te jure ! »

LoLo recula une main et l'abattit de toutes ses forces sur la joue charnue de sa fille. Sonnée par la gifle, Rae poussa un cri muet.

« Qu'est-ce que je t'ai dit ? On ne jure pas ! » hurla LoLo.

Rae, ayant enfin retrouvé son souffle, poussa un cri de douleur. Quelques secondes plus tard, Tommy arrivait, l'air abasourdi.

« Qu'est-ce qui se passe, encore ? »

C'est tout ce qu'il réussit à dire en regardant LoLo, qui dominait sa fille tel un boxeur attendant que l'arbitre ait fini son décompte.

« Je l'appelle, et elle est là, en train de se pavaner devant la glace, et en plus elle me ment sur ce qu'elle faisait, souffla LoLo, pantelante de colère. Et elle a juré, par-dessus le marché !

— Tu mentais à propos de quoi ? » s'enquit Tommy d'un ton plus doux, cherchant le contexte. Compréhensif.

Un éclair de peur passa dans les yeux de Rae, mais elle répondit quand même à son père.

« Je lisais le livre.

— Quel livre, Rae ? s'emporta LoLo. Je ne vois pas de livre.

— Celui-ci. »

Elle posa la main sur un volume au format poche qui avait échappé à LoLo, posé sur le meuble de la salle de bains.

« C'est le bouquin que t'a donné ton oncle ? demanda Tommy.

— Oui, papa », répondit Rae d'une petite voix, en reniflant et en tremblant.

LoLo, tout en fusillant sa fille du regard, s'empara de l'ouvrage et lut le titre. *Dieu, tu es là ? C'est moi Margaret*, de Judy Blume.

« Quel rapport avec des incantations devant la glace ? » demanda-t-elle à Rae. Puis elle se tourna vers Tommy : « Elle était là, la chemise ouverte, à répéter je ne sais quelle formule magique. »

Rae secoua vigoureusement la tête.

« Qu'est-ce que tu fichais, alors ? » insista LoLo en laissant Tommy lui prendre le livre des mains.

Rae resta muette, hormis ses petits reniflements.

« Réponds-moi ! cria LoLo assez fort pour la faire sursauter.

— Dans le livre, Margaret fait des exercices de gymnastique pour faire pousser ses seins, bredouilla-t-elle.

— Faire pousser ses quoi ? »

Rae, qui ne savait plus où se mettre, répondit cette fois en chuchotant.

« Ses seins. »

Tommy éclata de rire et se pencha derrière LoLo pour mieux regarder sa fille. Il observa sa poitrine.

« Et ça marche ?

— C'est pas drôle ! s'énerva LoLo. Qu'est-ce que c'est que ce livre qui dit aux filles comment avoir de la poitrine ? »

Tommy soupira.

« Ce n'est qu'une histoire, Tick, c'est tout », dit-il en retournant le livre entre ses mains.

Il regarda la couverture et consulta la tranche d'âge indiquée à l'intérieur.

« C'est ça que ton frère apporte chez moi ? Des livres qui disent aux jeunes filles comment se faire pousser les seins ? »

Il secoua la tête avec un nouveau soupir.

« Il le lui a offert parce qu'il sait qu'elle aime lire, LoLo. N'en fais pas quelque chose de mal.

— Je ne sais rien de ce livre, moi, et quelque chose me dit que lui non plus. Mais résultat, notre fille fait la belle et répète des formules devant la glace pour augmenter sa poitrine », fulmina-t-elle. Elle se tourna vers Rae : « Toi, tu vas te dépêcher de sortir me chercher du maïs dans le potager. Tout de suite ! »

Rae ne se fit pas prier et faillit s'étaler de tout son long dans sa hâte de filer au jardin, où les lucioles commençaient à prendre leur envol et où le maïs se tenait au garde-à-vous, ses soies brunes soulevées par la brise du soir.

LoLo avait bien vu les petits bourgeons qui pointaient sous les tee-shirts de Rae, la manière dont ils dansaient, semblables à des noyaux de fruits contre le tissu lorsqu'elle se hâtait de partir au collège le matin. Ses seins poussaient, son petit derrière s'arrondissait comme une bulle, et bientôt il y aurait des hanches, et des cuisses, et là-dessus des règles, et avec les règles, des questions auxquelles elle n'était pas prête à répondre et des complications qu'elle n'était pas prête à gérer. Après tout, comment était-elle censée parler à une gamine de douze ans – un bébé – du fait d'en avoir, des bébés ? Car c'est à cela que menaient les règles : aux bébés. Cette seule idée lui déchirait les entrailles. Les menstruations, le sexe… c'étaient des sujets qu'elle parvenait à peine à aborder avec Tommy, alors avec une enfant ! Ce n'était pas convenable. LoLo avait besoin, aussi, de ravaler les sentiments qui accompagnaient cette discussion : le souvenir d'avoir saigné et d'avoir été prise de force sans rien savoir de ce que cela signifiait, ni des conséquences et des choix qui avaient été faits pour elle, des choix qui déchiquetaient tout son intérieur, son cœur, mis en pièces. Elle n'aurait pas dû être forcée d'affronter tout cela après son premier sang. Et elle ne voulait pas que sa fille ait à l'affronter après le sien. Les petites filles devaient rester petites filles, à tout prix.

Il ne lui vint pas un instant à l'esprit que la scène qui venait de se dérouler serait précisément la raison du silence de Rae lorsque ce serait important qu'elle parle à sa mère – lorsqu'elle aurait besoin de calmer son angoisse et de comprendre toutes ces choses qui arrivaient à son corps, au-delà des conversations chuchotées qu'elle avait pu avoir avec ses copines sur les règles et le sang. Moins de deux semaines plus tard, alors que LoLo, enfin à peu près calmée, laissait Freddy prendre les enfants chez lui pour le week-end, Rae allait avoir ses premières règles. Et elle garderait cette nouvelle pour elle. LoLo ne l'apprit que parce qu'elle-même gardait toujours son secret sur son sang. Elle resta un instant pétrifiée, à regarder la boîte de Kotex qu'elle laissait en permanence dans l'armoire à linge, stratagème qu'elle perpétuait depuis plusieurs décennies pour faire croire qu'elle avait encore ses règles. Elle passa ses doigts sur les serviettes en comptant dans sa tête : deux, quatre, six, sept. Où étaient passées les trois autres ? Elle secoua la boîte, comme si cela avait une chance de les faire apparaître. Elle avança la tête dans l'armoire et laissa ses yeux s'accoutumer à l'obscurité avant de les chercher au bout de l'étagère. Puis le choc lui secoua la poitrine. Elle se redressa et se tourna vers la poubelle. Elle étudia attentivement trois boulettes de papier toilette chiffonné : l'une d'elles était traversée par un filet de sang. Alors, LoLo sut. Elle savait.

Elle se rua sur le téléphone et inséra l'index dans les trous du cadran rotatif, composant le numéro de Freddy avec une telle hâte qu'elle dut raccrocher trois fois avant d'y arriver. Enfin, elle entendit sonner à l'autre bout de la ligne, puis cette salutation chaleureuse mais succincte : « Ouais, c'est Freddy », ce à quoi elle répondit sans aucune chaleur mais plutôt d'une voix pleine de lames aiguisées et de pointes de couteau. Elle accusa son frère, cet homme qui avait réaffirmé leur lien fraternel bien qu'elle-même ne soit que coudes pointus et fureur muette, de lui avoir délibérément caché que Rae avait eu ses règles pendant le week-end passé chez lui.

« Je pensais qu'elle te le dirait elle-même », se justifia-t-il. Sa voix était tranquille, mais il faisait la grimace. Il n'était pas d'humeur à se disputer, pas après avoir passé ce long week-end avec sa nièce et son neveu à pêcher le crabe et à regarder des films piratés sur son magnétoscope. S'il savait que Rae avait eu ses règles, c'était uniquement parce qu'elle avait bouché les toilettes avec les mouchoirs en papier ensanglantés qu'elle avait fourrés dans sa culotte tout le week-end. On aurait dit un film d'horreur. Il avait tâché de ne pas se fâcher : la petite était déjà assez gênée comme ça, et elle avait discrètement cherché partout chez lui de l'aspirine pour apaiser ses crampes. Mais quand même, Freddy n'avait jamais vu du sang menstruel de si près, et il espérait bien ne jamais en revoir. C'étaient des histoires à régler entre femmes. « Je ne me mêle pas des affaires de ces dames, moi, dit-il simplement à LoLo.

— Ce n'est pas une dame. C'est une petite fille.

— Tu ne m'as pas encore expliqué ce que j'avais à voir là-dedans.

— T'es trop occupé à cavaler derrière tes pouffiasses pour te demander comment gérer ta nièce de douze ans ? C'est une enfant. Quand ce genre de choses arrivent, on en parle à sa mère !

— D'abord, t'avise pas de me fliquer sur ce que je fais chez moi. Tu me paies pas mes factures, il me semble.

— Tu es adulte. Je m'attendrais à ce que tu paies tes factures toi-même.

— Ça, je m'en doute. Et tu envoies tes petits ingrats ici, la main tendue, avec les mêmes attentes. J'étais trop occupé à les nourrir et à leur acheter des trucs pour t'appeler au sujet d'histoires de bonnes femmes, Delores. »

Étant donné le mal que se donnaient Tommy et elle pour élever leurs enfants, LoLo n'allait pas se laisser sermonner sur leur éducation. Elle torpillait la moindre remarque laissant entendre qu'elle puisse dépendre d'autrui pour s'occuper d'eux. Elle se fichait qu'ils ne se parlent plus jamais. Lui, de son côté, était tout aussi têtu. C'était un incident mineur, complètement insignifiant par rapport à leur histoire – leur séparation, la maltraitance qu'elle avait subie, le fait que lui avait finalement renoué des liens avec leur père, une fois adulte, quand celui-ci s'était remarié et avait eu encore un enfant, en plus des cinq qu'il avait eus avec leur mère et qu'il avait si facilement rejetés. Freddy était doué pour cela – pour repousser loin dans les recoins toute cette douleur, ces déceptions, cette histoire. C'était justement ce qui l'avait incité à retrouver LoLo, à insister pour qu'ils se revoient. Ce qui l'avait ramené vers leur père. La famille était la bénéficiaire de sa grâce, qu'il prodiguait sans compter, même à ceux qui en étaient le plus avares. « C'est notre famille, c'est notre sang », disait-il, comme si c'était censé évoquer quelque chose à LoLo. Comme si elle était censée oublier. Elle ne pouvait pas. Sa colère à propos de la dispute sur les règles de Rae était comme une boule au sein – profondément enfouie dans la graisse, invisible à l'œil nu, mais douloureuse au toucher. Cancéreuse. Sans intervention médicale, mortelle. Ni l'un ni l'autre n'avait l'aptitude ni les ressources émotionnelles pour survivre à la maladie de leur sang. Jamais ils ne s'entendraient à propos de Rae et de ses règles.

LoLo écarta le combiné de son oreille pour poser ses lèvres directement contre le microphone.

« Oublie mon numéro », cracha-t-elle entre ses dents avant de raccrocher violemment.

Le souffle court, elle courut de nouveau à la salle de bains pour regarder les boules de papier froissé. Elle avait beau chercher, elle ne voyait pas ce qu'elle pourrait dire à Rae sur le sujet. Si bien que ce jour-là, elle ne dit rien du tout.

Le jour de la friture impromptue, là, en revanche, Theddo l'entendit. Et pas qu'un peu. LoLo déboula dans la pièce télé en brandissant le livre. Elle le jeta de toutes ses forces sur son beau-frère, qui, complètement inconscient de ce qui venait de se dérouler au cœur de la maison, bondit du canapé, à demi surpris, à demi furieux.

« LoLo ! Ça va pas, non ?

— Tu ne donnes plus jamais rien à ma fille sans m'en parler d'abord, c'est compris ?!

— Mais qu'est-ce que tu racontes ? dit-il en massant le point douloureux, sur son torse, où il avait reçu le livre.

— Tu m'as entendue. Refais-moi ce coup-là, et tu verras ce qui se passe.

— Allez, quoi, Tick ! Il lui a juste offert un livre, c'était gentil, la raisonna Tommy.

— Ah ? Parce que tu trouves ça gentil, toi, d'offrir à notre fille un livre sur le moyen de se faire pousser les seins ? s'emporta LoLo. C'est normal, un adulte qui donne un livre pareil à une enfant ?

— Je… je lui ai donné… C'est un bouquin qui a beaucoup de succès, expliqua Theddo, complètement abasourdi. Ma nana l'a fait lire à sa fille, et toutes ses petites copines le lisent aussi.

— Ta nana, hein ? Celle qui se tape des hommes mariés ? C'est à elle que tu demandes des conseils de lecture ?

— Allons, Delores, du calme, intervint Tommy.

— Un peu de soutien, Tommy. C'est de ta fille qu'on parle. Si tu ne veux pas te retrouver avec un bébé de plus, si tu ne veux pas que les bonshommes la regardent comme une femme adulte, tu ferais bien de commencer à faire attention. »

Elle repartit d'un pas furieux dans la cuisine et ouvrit le robinet de l'évier. Elle acheva de saler le poisson, puis saupoudra du poivre et une pointe de cayenne et de paprika dans la farine de maïs pour la panure. Par la fenêtre, elle regarda Rae se hausser sur la pointe des pieds et atteindre un épi au sommet d'une haute tige, dont l'ombre tombait sur son panier à légumes. Ses gestes pour cueillir le maïs étaient lents, réfléchis. Pondérés. LoLo était sûre qu'elle rapporterait un butin absolument parfait. Elle l'élevait pour en faire une parfaite épouse. Une parfaite esclave. C'était plus fort qu'elle. Elle ne savait pas comment aider sa fille.

Son cœur se brisa alors qu'il aurait dû se gonfler de fierté, ne laissant que tristesse dans ses éclats épars.

# 19

*1959, pendant l'été*

LoLo avait douze ans la première fois qu'elle connut la joie, à l'endroit où le marigot bourbeux rencontrait la rive en pente douce de la Windlow River et où les croyants entendaient dans le bruissement des feuillages, agités par la brise du sud, Dieu qui leur chuchotait à l'oreille. Le pasteur Charles et le diacre Claytor la tenaient chacun par un bras et lui recommandaient d'avancer avec précaution dans cette eau qui, bien qu'embrassée par le soleil, restait toujours fraîche. Bien des fois déjà, ils s'étaient cogné les orteils contre les troncs des cyprès qu'une chaîne de forçats avait abattus, des décennies auparavant, pour faire de la place au cours d'eau. Ces troncs engloutis étaient des fantômes détenteurs de vérités indicibles à propos de ce qui s'était passé sur cette terre, avant l'eau, avant que les perches truitées et les barets s'y ébattent – des événements d'une dureté implacable et d'une cruauté particulière. Le genre de souvenirs que les anciens préféraient taire. Le bon peuple vertueux de l'Église de Dieu du mont

Nebo en le Christ de Nazareth était convaincu que dans le silence du matin, en tendant bien l'oreille, on entendait encore cliqueter les chaînes utilisées pour attacher à ces troncs des corps humains – peau arrachée et ensanglantée, os brisés, membres et appendices tranchés ou sciés en représailles après un affront ou un manquement quelconques. Tout cela conférait à ce point d'eau en particulier un statut de lieu sacré. De lieu où le nom de Dieu s'enroulait autour des langues. Où la miséricorde était promise à ceux qui gardaient la foi même dans leurs heures les plus sombres. Les jours de baptême, les fidèles avaient coutume de se tenir sur la berge vêtus de blanc fraîchement lavé, d'entrechoquer leurs seaux métalliques et de lancer à pleine voix leurs chants de foi dans le Tout-Puissant pour éloigner les mocassins d'eau, mais aussi pour faire taire les fantômes. CLANG. « Mène-moi jusqu'à l'eau, Mène-moi jusqu'à l'eau. » BANG CLANG. « Mène-moi jusqu'à l'eau, que j'y sois baptisé. » BANG CLANG BANG.

LoLo s'accrochait aux bras du révérend et du diacre. Elle avait beau redouter les troncs, les fantômes et même les serpents d'eau, elle voulait s'immerger dans cette rivière – pour y être crucifiée, enterrée et ressuscitée. Pour en ressortir… neuve. Le diacre Claytor avait expliqué tout cela à l'école du dimanche ; Quant au pasteur Charles, il avait suffisamment prêché à propos du baptême pour que LoLo en reconnaisse et en comprenne l'importance, même si le cynisme de Bear était bien réel et si le pasteur, en réalité, ne vantait les vertus du baptême que pour gagner de nouveaux fidèles et, bien sûr, de nouveaux deniers. À douze ans, bien que pourchassée par des problèmes très adultes et très concrets chaque jour de sa misérable existence, LoLo était encore assez jeune pour espérer, pour ajouter foi à la promesse du pasteur : la promesse qu'entrer dans cette eau avait le pouvoir de changer les choses. Que Dieu, Jésus et le Saint-Esprit la délivreraient du mal, et que la bonté et la clémence la prendraient fermement par la main pour la guider hors des ténèbres, vers la lumière.

« Tout va bien, Delores, nous ne te laisserons pas tomber », dit le pasteur Charles en l'entraînant plus loin dans la rivière.

L'eau, avec douceur, la berça lorsqu'elle se laissa aller entre les mains des hommes. Sa longue aube blanche évoquait des ailes d'anges ondulant juste sous la surface. Elle confirmait à LoLo la raison de sa présence. « Seuls les vertueux pourront voir leur Dieu. » BANG CLANG CLANG.

« Aie confiance en nous, dit le diacre. Aie confiance en Dieu. »

Arrivés à leur emplacement préféré, ils hissèrent doucement LoLo sur l'une des plus grandes souches immergées – juste assez haute pour que sa tête et ses épaules dépassent de l'eau – et la firent pivoter vers la congrégation qui se balançait et chantait pour faire descendre le Saint-Esprit. Bear était là, en train d'entrechoquer ses seaux, et Clarette, les mains en prière, chantait la ligne la plus aiguë de l'harmonie du cantique.

Le pasteur Charles leva les mains, faisant aussitôt cesser les voix et les bruits de seaux.

« Ces eaux ont connu bien des pécheurs, commença-t-il.

— Oh oui, ponctua le diacre.

— Bien des âmes qui devaient se mettre en règle avec Dieu, dit le pasteur, en insistant sur les quatre derniers mots.

— Oh oui, scanda le diacre, plus fort cette fois.

— Mais lorsqu'on Lui montre son cœur, lorsqu'on se soumet au Grand Je Suis, alors, alors, alors on devient une personne nouvelle.

— Nouvelle ! Oh, oui, lança le diacre Claytor avec ferveur.

— Remettez votre esprit et votre corps au Seigneur, et Il vous bénira, oh oui, Il vous bénira !

— Oh, oui ! Oh, béni soit Son nom sacré !

— Ressors de cette eau pure comme neige ! »

LoLo regardait droit devant elle en écoutant le prêcheur. Elle buvait ses paroles, qui en réalité n'étaient pas bien différentes de ce qu'il disait presque tous les dimanches, mais en ce jour particulier où l'eau faisait onduler son aube, tandis qu'elle appuyait ses orteils contre le bois détrempé, les mots – les promesses de rédemption, de libération – estompaient la douleur de ses entrailles. La rendaient légère comme l'air. Faisaient de Bear un agneau qu'elle n'avait plus à craindre, car aussitôt immergée elle serait à nouveau neuve, et Dieu prendrait Sa place à ses côtés car elle était Son enfant et Il était son sauveur, le tout-puissant Jésus-Christ Emmanuel, son guérisseur, son soutien. Son protecteur. Le pasteur l'avait dit et il en serait ainsi. Fini la douleur. Fini la peine. Fini les ombres et les coins sombres. Rien que de la lumière.

« Petite sœur, dit le pasteur en appuyant sa main mouillée contre son front. Acceptes-tu Jésus comme ton Seigneur et ton Sauveur ?

— Oui, souffla LoLo, les yeux rivés sur Bear.

— L'acceptes-tu comme le seul Dieu véritable et promets-tu de Lui obéir pour le restant de tes jours ?

— Oui, murmura-t-elle en fermant les yeux pour se concentrer sur l'agneau et non sur l'ours.

— Alors dis-le au Seigneur… Crie-le à pleine voix ! lança le pasteur.

— J'aime Jésus.

— Oh, tu peux mieux faire, dis-le à ton Sauveur !

— J'aime Jésus !

— Encore ! Qu'Il t'entende par-delà les eaux, jusqu'à la terre de Jérusalem !

— Je t'aime, Jésus ! » cria Lolo, encore et encore, tandis que la brise agitait les feuillages et que Dieu lui chuchotait à l'oreille. La vibration apparut d'abord dans ses orteils. Puis elle grimpa le long de ses jambes, jusqu'au creux de son ventre, lui brûlant le cœur et mettant le feu à ses entrailles. LoLo se balança, puis fit un petit saut sur elle-même – et encore un, plus haut, et encore un autre. « Je t'aime, Jésus ! lança-t-elle du fond de ses tripes, vers le ciel, les bras levés pour un hosanna.

— Loué soit le Seigneur ! » tonna le pasteur.

Alors, le diacre et lui l'attrapèrent fermement par les épaules et la tirèrent en arrière dans le courant.

Sous l'eau, la douleur disparut. Sous l'eau, il n'y avait plus rien.

Sous l'eau, LoLo était libre.

C'est pour cela qu'elle avait tant de respect pour l'église, lorsqu'elle s'avançait à pas menus dans l'allée centrale, dans sa plus belle tenue cousue spécialement pour l'occasion. Pour cela qu'elle croisait convenablement ses souliers du dimanche sous le banc, déployait le châle de prière sur ses genoux, son tambourin à côté d'elle. La parole au bout de ses doigts. Les prières, ces poèmes, avaient été son salut lorsqu'elle était adolescente et se battait pour se libérer de la tyrannie de Bear. C'était lors de ces dimanches matin, où la ville entière, y compris Bear, soignait son âme collective, qu'elle se sentait en sécurité. Il était alors un ange : un homme pieux, trop occupé à bien se comporter pour faire le mal. Miséricordieux, même.

« Voici ma petite cousine, disait-il aux fidèles de l'Église de mont Nebo. Cette pauv' petite, elle avait personne d'autre que Dieu pour veiller sur elle jusqu'à ce qu'on la trouve et qu'on la ramène par ici. On lui a sauvé la vie. Et maintenant, on l'emmène ici pour sauver son âme.

— Amen », répondaient les autres en oignant ses épaules et son front et en proclamant « Dieu est bon ! »

Laissez venir à moi les petits enfants. L'Église n'avait pas pu sauver LoLo de Bear ni du Curetage, mais le pasteur lança une quête le jour où Bear et Clarette annoncèrent qu'ils comptaient l'envoyer dans le Nord, à Long Island, où une amie de la famille gérait un logement appartenant à l'Église. Ce qu'ils se gardèrent bien de préciser, c'est que Clarette avait exigé de Bear qu'il la fasse disparaître au plus vite.

L'incident remontait à deux jours à peine.

« Tu vas mettre combien de temps à me les ramener, ces œufs ? » avait lancé Clarette en s'approchant avec humeur du poulailler, lasse d'attendre devant une jatte de farine et de sucre dans la cuisine, impatiente d'obtenir l'ingrédient qui lui manquait pour le *white cake* qu'elle comptait apporter à la réunion de renouvellement de la foi du samedi soir. Ni Bear ni LoLo ne l'avaient entendue arriver – lui occupé à grogner, à suer, à besogner, elle allongée sans bouger, le regard mort, pensant à l'eau et aux cyprès qui chuchotaient la parole de Dieu. En comprenant ce qu'elle voyait, Clarette s'était arrêtée net et avait rebondi en arrière, comme si elle avait heurté un mur. Son ombre avait attiré l'attention de LoLo, qui avait lentement tourné les yeux jusqu'à croiser les siens, et toutes deux étaient restées prises dans un cercle de colère, de dégoût et de profonde tristesse. Bear, inconscient de tout, ne s'était dégagée de sa petite cousine, encore endolorie et convalescente après le Curetage, que lorsque sa femme lui avait crié : « Soit tu la fais disparaître d'ici, soit je prends mes cliques et mes claques et je vous laisse vous débrouiller tous les deux ! »

*1964, au printemps*

L'église était autant un ultimatum qu'une menace chez Mme Ella, la dame qui accueillit LoLo dans l'État de New York.

« Tu entres et tu poses tes affaires au sous-sol, dit-elle en ouvrant sa porte, avant même que LoLo ait pu poser un pied dans cette petite maison aussi nette et pimpante que sa propriétaire. Ici, on se réveille avant le soleil, on prend soin de son logis, on gagne son pain, et le dimanche est le jour du Seigneur. Tu suis bien ces règles, et tout ira bien. Sinon, ça va barder, c'est compris ?

— Oui, m'dame », répondit rapidement LoLo, non pas pour faire plaisir à Mme Ella, mais parce que ses exigences n'en étaient même pas.

Elles l'aidaient au contraire à puiser dans l'essence même de ce qu'elle était alors. Ce qu'elle avait tant attendu d'être. Libre.

*1981, au début de l'automne*

« Oui ma chérie, c'est ça. Tu passes le fromage sur la râpe, comme si tu la récurais, indiqua doucement LoLo à Rae tout en versant les macaronis dans une grande casserole d'eau. Il faut que tu te dépêches un peu : tes taties seront bientôt là, on a tout juste le temps de mettre le gratin au four et de cuisiner le reste avant qu'elles arrivent. »

LoLo se réjouissait que Rae l'aide à préparer le dîner pour Sarah, Para Lee et Cindy qui venaient lui rendre une rare visite. La deuxième seulement depuis qu'elle, leur si chère amie, avait déménagé à trois heures d'elles, de sa ville d'adoption, de son travail, de son église et de tout ce qui comptait pour elle en dehors de son homme et de ses enfants. Il était grand temps que la petite apprenne des notions de cuisine – c'était du moins l'avis de LoLo. Après tout, elle-même avait su tordre le cou aux poules et vider le poisson avant son premier sang ; elle n'allait tout de même pas élever une fille nulle aux fourneaux. Elle s'essuya les mains sur un torchon et surveilla Rae qui frottait le fromage contre la râpe, un peu trop timidement à son goût.

« Allez ! Ne fais pas comme si tu avais peur. » Sa voix fit sursauter la jeune fille et la poussa à accélérer un peu. « Cette râpe te coupera si tu en as peur. Alors cesse de trop réfléchir, et du nerf ! »

Deux heures plus tard, toutes deux se tenaient derrière leur ouvrage, admirant sa disposition et tapant sur les doigts impatients de Tommy et de TJ : gratin de macaronis, poulet frit, pommes de terre et haricots verts frais, quatre-quarts du Sud au citron fait maison. LoLo avait l'air d'une star de cinéma, les joues fardées, minijupe et chemise à col droit sorties du catalogue de patrons Sears. Il fallait que tout soit parfait. Tout.

Tommy lui donna une tape sur les fesses.

« Hum, on devrait recevoir plus souvent, dit-il en lui tournant autour tel un prédateur prêt à bondir.

— Oh, arrête, les enfants vont te voir ! » s'esclaffa LoLo avant de tendre le derrière pour cueillir une nouvelle tape, que Tommy lui donna bien volontiers.

Leurs rires coulaient de source, ce qui était devenu rare.

« Les voilà, maman ! annonça Rae en s'entortillant dans les rideaux du salon.

— Sors de mes rideaux, tu vas tout arracher ! » s'écria LoLo, plus par impatience de voir ses amies que par inquiétude pour les rideaux ou pour le comportement de sa fille.

Elle se précipita vers le tourne-disque et feuilleta les albums rangés dans une caisse sous la console. *Songs in the Key of Life* de Stevie Wonder mettrait l'ambiance idéale. Elle souffla sur le disque, le fit tourner entre ses doigts et le déposa sur la platine. On frappait déjà à la porte lorsqu'elle plaça délicatement le saphir dans le sillon de la chanson « As ».

« Qui est là ?! tonna LoLo de sa plus grosse voix d'homme.

— Ouvre, ouvre ! On roule depuis des heures, j'ai envie de faire pipi ! » cria Sarah dans une cascade de rires.

LoLo ouvrit.

« Ne me dis pas que tu as fait toute la route sans avoir un bocal à l'arrière de ton char d'assaut, Sarah Johnson. Tu habites dans l'État de New York, mais je sais que t'as pas oublié comment on voyage dans l'Alabama !

— Moi ? Pisser dans un bocal ? Avec cette robe ? Ah non, alors ! dit Sarah en l'embrassant.

— Surtout qu'on n'est pas venues seules », ajouta Para Lee en hochant le menton vers son épaule droite.

Juste derrière, il y avait Cindy et… un homme. Un homme qui n'était pas Roosevelt.

« Saluuuut, lança Cindy avec un clin d'œil. Je te présente Leo. »

LoLo s'écarta pour laisser entrer Sarah et Para Lee, mais barra le passage quand Cindy essaya de les suivre.

« Tiens tiens », dit-elle. Dans son dos, Para Lee et Sarah sautillaient sur place pour ne rien manquer. « Et qui est ce monsieur sur mon perron ? On ne m'avait pas prévenue qu'il y aurait un invité de plus !

— C'est une surprise, répondit Cindy d'un air malicieux.

— Pour moi ? » Lolo porta la main à son pendentif en croix dorée. « Grands dieux, je suis prise, je le crains. J'ai déjà un homme.

— Laissez-le respirer, le pauvre ! » intervint Tommy en enlaçant les épaules de Sarah et de Para Lee. Il passa ensuite entre elles pour aller voir le nouveau venu. « Entre donc, mon frère. Ces dames ne te lâcheront jamais la grappe si tu les laisses faire. »

Il serra la main de Leo et lui fit signe d'entrer avec Cindy. LoLo pouffa de rire lorsque celle-ci passa à côté d'elle.

Et comme ça, aussi facilement, LoLo fut à nouveau entière, fortifiée par la présence de ces trois femmes qui lui donnaient… de l'air. Il fallut attendre qu'elles soient assises à table, leurs assiettes chargées de la *soul food* de LoLo – sa lettre d'amour à elles toutes – pour que celle-ci comprenne depuis combien de temps elle retenait sa respiration. À quel point elle avait suffoqué, écrasée par l'absence des personnes et des choses qu'elle aimait tant.

« Laisse, je vais le faire, dit Leo en se levant pour ramasser les assiettes lorsqu'elle commença à débarrasser pour le dessert.

— Non non, laisse donc, je m'en occupe, répondit LoLo en essayant poliment de les lui prendre des mains.

— J'insiste ! Le moins que je puisse faire après un si bon repas, c'est laver la vaisselle. »

LoLo lança un coup d'œil à Tommy, qui regardait avec perplexité Leo emporter les assiettes vers l'évier. Ses sourcils, déjà froncés, vinrent pratiquement toucher son nez lorsqu'il se retourna vers la table et vit les femmes contempler d'un air rêveur, tête penchée, Leo qui versait du détergent et faisait couler l'eau.

« Bon, le match commence. Il ne va pas se regarder tout seul », finit-il par conclure. « Mesdames… »

Il les salua du menton et se leva pour gagner son fauteuil relax – ce qui n'étonna personne.

« Mmm-hmm, il va me falloir des détails, miss ! chuchota LoLo en se penchant vers Cindy aussitôt qu'il fut hors de portée de voix. Où as-tu enterré Roosevelt ? Car je suis sûre qu'il ne s'est pas simplement écarté pour laisser la place à M. Parfait. »

Sarah et Para se tournèrent avec emphase vers Cindy et attendirent qu'elle lâche les détails croustillants.

« Je l'ai amené parce que j'ai pensé que ce serait bien que tu me voies heureuse, pour une fois », commença Cindy.

Elle regarda son homme et soupira.

« Elle l'a amené parce qu'elle a enfin décidé de s'occuper d'elle et quitté ce bon à rien de Roosevelt », précisa Sarah.

Elle leva la main, et Para Lee tapa dedans.

Cindy les fit taire, craignant qu'elles attirent l'attention de Leo, mais il était absorbé par sa tâche, les mains dans l'eau savonneuse, lavant les assiettes tout en jetant des coups d'œil dans le salon pour suivre le match à distance. Il s'écria : « Ouais ! Bien joué ! » quand Tommy bondit de son fauteuil pour acclamer une belle action de son équipe.

« Elle a quitté Roosevelt parce qu'il lui a enfin donné une raison incontestable de le faire, dit sèchement Para Lee. Parle-lui de l'autre fille, Cindy.

— Et du bébé en route, ajouta Sarah.

— Et n'oublie pas de raconter quand il a essayé de te persuader de rester et d'élever le bébé avec l'autre nana. »

Para Lee et Sarah éclatèrent d'un grand rire, mais LoLo vit les plis aux coins des yeux de Cindy et sa poitrine qui se soulevait, retombait, remontait, trahissant sa respiration oppressée.

« J'ai quitté Roosevelt, expliqua-t-elle à mi-voix, parce qu'il disait qu'il ne me frapperait plus, et que j'ai enfin compris que ce n'était qu'un menteur. Il voulait m'imposer un bébé. Est-ce que ça m'a fait faire mes valises un peu plus vite ? Bah, oui. Mais ce n'était pas pour fuir Roosevelt. Je me suis libérée pour pouvoir être prête à aller vers un homme qui serait bon pour moi, et c'est là que Leo est arrivé. » Elle tourna les yeux vers son amoureux, qui empilait la vaisselle propre dans l'égouttoir. « Cet homme ne me demande que mon amour. Et il m'en donne des tonnes en retour. Et de l'amour qui ne fait pas mal. »

LoLo prit sa main et la caressa doucement.

« Vous ne comprenez pas ce que c'est, vous, parce que vous êtes toutes heureuses en ménage, avec des types bien, continua-t-elle en s'adressant à Para Lee et à Sarah, dont les sourires joviaux ne faisaient clairement pas le poids contre sa douleur – une douleur qu'elles avaient expédiée avec légèreté après avoir regardé pendant des années Cindy succomber à la fureur de Roosevelt. Tout ce que j'ai toujours voulu, c'est être aimée. Avoir un homme qui tienne à moi comme je tiendrais à lui. J'ai mis du temps à comprendre que Roosevelt n'avait pas assez de cœur pour ça. Et encore du temps à comprendre que mon cœur, à moi, battait encore. »

Elle regarda de nouveau vers Leo. Percevant l'énergie qui coulait vers lui depuis la table, il se tourna vers sa chérie avec un grand sourire.

« Tu as besoin de quelque chose, bébé ? » demanda-t-il tranquillement.

Cindy sécha ses joues humides et fit non de la tête.

« Je vais regarder la fin du match, alors, annonça-t-il en pliant son torchon à côté de l'évier.

— Merci pour la vaisselle ! lui cria LoLo.

— Bah, de rien, répliqua-t-il en agitant la main au-dessus de sa tête avant de disparaître dans le canapé.

— Tu vois ? J'ai tiré le bon numéro, commenta Cindy avec un grand sourire. Il est exactement comme Tommy, LoLo.

— Comme qui ? »

LoLo croisa les bras avec un petit rire et lança à Cindy un regard perplexe.

« Fais pas comme si t'avais pas un bon mari, dit Sarah.

— C'est vrai, quoi, ajouta Cindy. C'est pas sympa !

— On se calme, je n'ai pas dit qu'il était nul. C'est un type bien et je l'aime de nous avoir donné cette bonne vie, à moi et aux enfants. Mais personne n'est parfait, même pas Tommy Lawrence père, figurez-vous. »

Para Lee, Sarah et Cindy lui répondirent par des regards incrédules.

« Allez, quoi, Para Lee. Sarah. Ne faites pas comme si vous ne saviez pas comment c'est, la vie de couple. À nous toutes, on cumule combien d'années de mariage ? Vingt ? Vous feriez bien de lui dire toute la vérité.

— Hum, c'est pas facile, c'est sûr, concéda Para Lee.

— Exactement, c'est pas facile.

— Enfin, qu'est-ce qu'il y a de difficile ? demanda Cindy. Franchement ! Vos hommes sont de bons maris.

Ils ne vous battent pas, ils vous nourrissent, vous et vos enfants. Ils ne font pas de gosses à d'autres femmes. LoLo, tu vis comme une princesse blanche dans cette grande maison, en plein New Jersey.

— C'est vraiment ce que tu crois ? Que je passe mon temps à manger des bonbons et à me la couler douce ? répliqua LoLo d'un ton sec. Je suis au milieu de nulle part, toute seule dans cette baraque la plupart du temps, rien que Dieu et moi jusqu'à ce que les gosses déboulent dans le jardin. Tu crois que Tommy est tellement formidable ? Et il a fait quoi, ce type formidable, à la fin du repas ? »

Ses amies restèrent muettes.

« Je n'ai même pas besoin de vous le dire. Vous l'avez vu. Ton homme, à toi, a ramassé les assiettes. Le mien s'est levé de sa chaise, il est passé au salon et il s'est installé comme si on avait des domestiques, ici.

— Mince, le mien aussi fait ça, dit Sarah. Et j'imagine que Judge non plus ne met pas les mains dans la vaisselle, pas vrai, Para ?

— Oh non. Je ne pense même pas qu'il sache où est le détergent. » Elle tourna les yeux vers l'évier. « Tu l'as bien dressé, ton Leo, hein ? Il y est allé tout seul.

— Elle s'est trouvé un homme dernier modèle, s'esclaffa LoLo.

— Alors tu veux dire quoi, LoLo ? Il y a quelque chose qui cloche avec le tien ? Parce que, vu d'ici, Tommy m'a l'air tout à fait bien, à moi. »

LoLo mesura ses mots.

« Je n'ai pas dit ça. Tommy Lawrence est un type bien. L'un des meilleurs qui soient. Leo aussi, apparemment. Tu lui as appris à bouger ses fesses, à faire la vaisselle et tout. Il ne lève pas la main sur toi. Et pas désagréable à regarder, en plus. Mais il y a une différence entre l'homme et le mariage.

— Hum, ça, c'est bien vrai, convint Sarah presque en chuchotant.

— Vas-y, dis-le, LoLo ! lança Para Lee en tapant dans ses mains et en acquiesçant. Il faut que quelqu'un le dise.

— Tout ce que je dis, c'est que l'amour, c'est l'amour. C'est joli… comme le soleil. Tu fais une rencontre et c'est plus chaud que le 4 Juillet, comme dit Stevie, expliqua LoLo en se balançant d'un côté à l'autre sur sa chaise. Mais le mariage ? Merde, ça, c'est les fourmis qui piétinent tout ton pique-nique. Qui mangent tout le sucre de ta pastèque, qui flottent dans ta bière. Tous les jours, tu dois emballer ton pique-nique, l'étaler sur la couverture, et te battre contre ces foutues fourmis. Espérer qu'elles ne gâchent pas le pique-nique. Il y a des fois où elles y arrivent, pourtant. Souvent, même. Tu dois prendre la décision tous les jours d'emballer encore un pique-nique ; en espérant qu'il fera beau et que ces saletés de fourmis resteront dans leur trou. C'est un choix. Un choix difficile. C'est tout ce que j'essaie de te dire.

— Ho, LoLo ! lança Tommy depuis la pièce d'à côté. Tu vas le couper quand, ce gâteau ? » Puis, à Leo : « Mec, ma femme a embaumé toute la maison ce matin, on se serait cru à Noël. Tu en veux, du gâteau ? Eh, LoLo, tu le sors ? Je prendrai le mien avec un peu de glace. »

LoLo écouta la requête de son mari sans lâcher Cindy des yeux. Elle s'étira sur sa chaise et fit craquer sa nuque.

« Vanille ou chocolat ? » lança-t-elle à Tommy.

Le volume de sa voix fit sursauter Cindy de manière presque imperceptible.

LoLo ouvrit les portes en accordéon de l'armoire de sa chambre et, les mains sur les hanches, contempla toutes les robes qu'elle avait cousues exclusivement pour l'office du dimanche. À Long Island, lorsqu'elle s'avançait dans l'allée centrale de la Juste Église de Dieu et de la Fraternité, les yeux ombragés par ses chapeaux à larges bords, dans ses longues jupes qui bruissaient comme des draps dans le vent d'été, elle avait l'impression d'être quelqu'un. Autre chose qu'une simple cousette passant le plus clair de ses journées en blouse grise, à coudre des robes du soir qu'elle n'aurait jamais les moyens ni l'occasion de porter. Certains dimanches, elle foulait le tapis rouge de l'église la tête en avant, les yeux rivés sur le Jésus blanc qui écartait les bras sur le mur derrière la chaire. Comme s'il lui faisait signe de venir s'asseoir au bas de sa longue robe blanche. D'autres dimanches, elle adressait un petit salut de la tête aux autres fidèles – mais seulement aux femmes, étant donné que certains diacres étaient tout jeunes et les autres mariés, et qu'elle ne voulait pas de ces perturbations. Elle finissait toujours par se serrer quelque part entre Para Lee et Sarah, parfois à côté de Cindy si celle-ci n'était pas prise par son second job et si Roosevelt n'était pas en train de lui infliger ses exigences dominicales. Une pastille de menthe sur la langue, elles se léchaient le doigt et feuilletaient leur Bible jusqu'aux passages indiqués par le pasteur en hochant la tête et en disant « amen », ou s'indiquaient d'un coup de menton quelque infraction répréhensible. « Eh, eh, eh, eh ! Regardez, à droite », chuchotait Para Lee très fort, et elles se tournaient alors très lentement dans la direction indiquée pour voir ce qui se passait. Sarah était la chanteuse de la bande. LoLo, qui n'aurait pas su tenir une note même si on la lui avait offerte dans du papier cadeau, adorait la voix de son amie. Elle soupirait d'aise quand l'organiste jouait les premières notes de « Jesus on the Mainline » et que Sarah bondissait de son banc pour mener le chant, avec son timbre d'alto puissant et un peu rauque qui dominait l'harmonie de toute la congrégation. Para, pendant ce temps, dirigeait les tambourins, et à elles deux elles faisaient descendre l'Esprit saint. Alors, LoLo décollait et se sentait comblée. « Ha, gloire ! » Cela commençait ainsi, et son corps entier se comprimait, et sa main se levait tandis que ses pieds tapaient le rythme sur les deuxième et quatrième temps. Para écartait les bras comme pour régler la circulation, protégeant son amie – et leurs camarades de banc aussi, si elles restaient assises et indifférentes comme des païennes. Sarah, elle, continuait de chanter à en faire crouler les murs du sanctuaire. Après l'église, elles riaient tant et plus et parlaient de la bonté du Seigneur.

LoLo prit son chapeau préféré dans le haut de l'armoire et le fit tourner dans ses mains. Il était resté si longtemps là-haut que la poussière en avait encroûté le feutre : un rappel opportun sinon tragique du temps écoulé depuis qu'elle n'était pas entrée dans une église pour y retrouver ses amies et la bonne parole. Retrouver Dieu. Suivre un office dans les environs n'était pas envisageable : elle aimait encore mieux baver une heure de plus sur son oreiller le dimanche matin que mettre son chapeau pour aller s'asseoir dans une église guindée, emplie de cantiques rancis, avec un pasteur incapable d'allumer le feu dans ses os. Et les copains de Tommy à Philadelphie étaient musulmans. Ce qui laissait LoLo en manque – de ses amies et de son Dieu.

Tommy remua dans le lit et retourna son oreiller, cherchant le côté frais. Il avança la main pour toucher LoLo. Ne trouvant que le drap, il ouvrit un œil, puis l'autre.

« Il t'est toujours bien allé, ce chapeau », dit-il avant de bâiller un bon coup.

LoLo en chassa la poussière et l'approcha de ses yeux pour l'inspecter de plus près.

« Ça me manque, de le porter, dit-elle après un temps. Je voudrais retourner à l'église.

— À l'église, hein ? » Tommy changea de position, une main derrière la tête. Il soupira. « Tu ferais peut-être aussi bien d'aller à Philadelphie. Il y a plein d'églises là-bas, bien folklo comme tu aimes.

— Je ne veux pas aller à l'église à Philly.

— Ici, alors ? Je ne suis pas sûr qu'il y ait ce que tu cherches à Willingboro.

— Je veux aller à l'église à Long Island. À la Juste Église… avec Para Lee, Sarah et Cindy. »

Tommy, cette fois, s'assit dans le lit.

« Mais c'est à trois heures de route. Même en partant tout de suite, tu risques d'arriver un peu en retard, tu ne crois pas ? ricana-t-il.

— Je ne veux pas être ici un dimanche matin, à regarder mon chapeau. Je veux le porter à l'église. Mon église. À Long Island. »

Tommy se rembrunit – et garda un instant le silence.

« Qu'est-ce qui se passe ? finit-il par demander. C'est à cause de la visite de tes copines hier ? Tu as le mal du pays, c'est ça ?

— Mes amies me manquent. Les choses qu'on faisait quand on vivait là-bas me manquent : le bowling, les barbecues-bières du samedi soir chez Para Lee, et entendre Sarah chanter le premier dimanche du mois…

— Arrête. Tu te comportes comme si on n'avait pas une bonne vie ici », dit Tommy. Les mots sortaient de sa bouche rapides et chiffonnés. « Alors tes copines viennent te voir, et soudain ta vie est pourrie ?

— Je n'ai pas dit ça, se hâta-t-elle de répondre. Ne déforme pas mes propos.

— S'il y a quelque chose de déformé, c'est cette idée que tu t'es mise en tête, comme quoi tu manquerais de quelque chose. Est-ce que je ne te rends pas heureuse ? »

LoLo se referma comme une huître. Comme toujours quand Tommy cherchait à avoir réponse à tout au lieu de l'écouter, d'écouter ses demandes.

« Je t'emmène te taper la cloche avec les enfants au Ponderosa, on a ma famille à côté qui te traite comme si tu étais du même sang, les enfants ne manquent de rien, tu vis dans cette belle maison, tu fais ce que tu veux… Où est le problème ? »

LoLo épousseta le chapeau une dernière fois et le remit sur l'étagère. Elle n'avait aucune réponse qui puisse le satisfaire, et elle n'avait pas l'énergie, de toute manière. Ce qu'elle aurait voulu faire, c'était se rallonger. Les pieds alignés. Les bras croisés sur la poitrine. Le menton levé. Les yeux fermés. Peut-être à jamais, cette fois-ci.

« Les enfants sont debout, dit-elle en refermant l'armoire. Je vais préparer le petit déjeuner. »

Elle sentit que les yeux de Tommy la suivaient lorsqu'elle partit vers la cuisine. Elle savait bien que même si elle avait attiré un instant son attention, elle ne pouvait pas la retenir plus longtemps qu'une luciole attrapée au creux de ses mains ; la lumière était attirante, jolie, mais au fond ce n'était qu'une bestiole qui se cognait contre ses paumes jusqu'à ce qu'elle s'en dégoûte – et qu'elle la relâche.

Ils ne se dirent pas grand-chose de plus pendant la matinée. Ils mâchèrent une tranche de cake lard-saumon pendant que le rosbif-patates douces du dimanche cuisait dans le four. Les enfants ne remarquèrent pas la tension, épaisse et putride, qui pesait autour de la petite table en bois.

« TJ, quand on aura fini de manger, va chercher la tondeuse et l'essence dans l'appentis, qu'on puisse tondre la pelouse, ordonna Tommy.

— Oui papa, répondit aussitôt TJ.

— Quand on aura fini, je vous emmène manger une glace pour que maman puisse se reposer un peu. »

Le soleil se leva sur les visages de Rae et de TJ, mais celui de LoLo resta nuageux. Tommy n'y prêta aucune attention.

Tommy prit une glace vanille-noix de pécan dans un cornet gaufré, et TJ, une boule chocolat, même cornet.

Rae, elle, n'aimait que le parfum fraise, et même à douze ans elle avait encore du mal à lécher la préparation crémeuse sans que celle-ci dégouline plus vite qu'elle ne pouvait l'absorber : son tee-shirt bleu barré de son nom écrit en lettres arc-en-ciel fut suffisamment taché pour que son père lui dise d'en changer en rentrant. Comme Rae obéissait toujours, elle fut trop pressée au retour pour remarquer l'agitation dans le jardin. C'était une bonne chose. En effet, LoLo n'avait pas tenu compte du choc que ce serait pour sa fille de trouver son corps au fond du ruisseau, couché sur un lit de roche, le courant formant un drap liquide sur son visage. La seule chose qu'elle avait eue en tête, c'était de s'allonger sous l'eau et d'y rester, au seul endroit où elle se savait libre.

TJ entendit bien quelque chose, mais il crut que c'étaient les cris de sauvage de Mark, le plus jeune fils de Daisy, en train de jouer au football avec ses copains. Il avait essayé une fois de se joindre à eux, mais avait rapidement imaginé une myriade d'excuses pour ne pas recommencer. Cela, dès l'instant où il s'était fait plaquer par deux copains de Mark, qui lui avaient glissé à l'oreille « À terre, le négro » en pesant de tout leur poids sur son corps mince. Quand il perçut le raffut, il préféra suivre Rae dans la maison.

Mais Tommy, lui, entendit et déchiffra les cris dehors. Ce n'était pas une partie de football ni rien de ce genre. C'était une voix de femme, en train d'appeler à l'aide. Il claqua la portière et jeta un œil chez les voisins : d'ordinaire, ils étaient toujours sur la galerie devant chez eux, en train de se balancer sur leurs rocking-chairs et de se mêler des affaires des autres. Là, il n'y avait personne. Les cris gagnaient en intensité.

Tommy contourna prudemment la maison, surveillant toujours la galerie des Daley mais écoutant les clameurs :

« Mon Dieu, que quelqu'un vienne m'aider ! Je ne peux pas la soulever ! Steve, quelqu'un, à l'aide ! Pitié, venez m'aider ! »

Il pressa enfin le pas. Il ne voyait que le sommet d'une tête qui s'agitait, mais les cheveux gris cendré ne laissaient pas de place au doute : c'était Daisy Daley dans le ruisseau, en train de brailler à propos de quelque chose. Quand elle l'aperçut et hurla son nom, il se mit à courir.

« Daisy, qu'est-ce qui se passe ? Qu'est-ce qu'il y a ? » lança-t-il en traversant la pelouse.

Il faillit trébucher en descendant vers la rive, où il trouva Daisy qui tirait sur des bras, des jambes, suppliante, implorante.

« Delores, ma chère, s'il vous plaît ! Relevez-vous ! Vous allez vous noyer ! »

Tommy sauta avec agilité dans le ruisseau et courut dans l'eau, sur les rochers, aussi vite qu'il le put.

« LoLo ! Chérie ! Redresse-toi ! Qu'est-ce que tu fabriques ? Daisy, qu'est-ce qui s'est passé ? Daisy ! »

Les explications de la voisine se bousculèrent pendant que Tommy soulevait LoLo dans ses bras, inerte, un poids mort.

« Je lui ai fait coucou et je l'ai appelée, mais elle ne m'a pas répondu. Elle a continué d'avancer comme si elle pouvait marcher sur l'eau. »

Tommy gifla sa femme et la secoua.

« Chérie ! Chérie ! Allez, respire. Allez ! »

LoLo toussa et fit le point d'abord sur Daisy, puis sur Tommy.

« Pourquoi tu as fait ça ? dit-elle entre deux quintes, en se débattant dans les bras de son mari. Pourquoi tu as fait ça, Tommy ? Dieu est là, sous l'eau. Il était en train de me libérer. »

Tommy la berça pendant qu'elle se débattait toujours.

« Je veux être libre. »

Cette fois-ci, il ne dit rien. Il écouta.

# 20

*1983, pendant l'été*

Tommy versa le vinaigre dans le seau d'eau et touilla avec son doigt en souriant à LoLo.

« Ça sent rudement bon, chérie », dit-il. Elle venait de plonger un pinceau de cuisine dans une petite casserole de sa sauce barbecue maison, dont elle enduisait la viande. Les morceaux de poulet et les steaks hachés grésillèrent sur le barbecue en brique fabriqué par Tommy spécialement pour sa femme.

« Continue comme ça, et même le gros raciste d'en face trouvera une excuse pour se pointer avec une assiette.

— Peuh ! Qu'il essaie, il se fera recevoir ! répondit LoLo en pinçant les lèvres. De toute manière, c'est trop épicé pour lui. »

Tommy releva les yeux du seau et se passa la langue sur les lèvres.

« Ça, c'est bien vrai. Tu es piquante à souhait, et je n'ai aucune intention de partager. »

LoLo fronça le nez.

« Tais-toi, les enfants vont t'entendre, dit-elle en riant, maniant toujours son pinceau. Obsédé, va ! »

Rae sortit alors de la maison avec le panier à légumes, engoncée dans un épais survêtement fait pour l'hiver, et non pour ce dimanche à plus de trente degrés où ils s'étaient lancés dans un barbecue impromptu d'après-messe. Une expression perplexe vint effacer le grand sourire de LoLo, qui agita son torchon dans sa direction.

« Tu ne crèves pas de chaud, là-dedans ?

— C'est plein de bestioles, là-bas », répondit Rae avec un coup de menton vers le potager.

Sa contribution au repas consistait à aller cueillir des haricots verts et des pommes de terre, mais elle était encore traumatisée par les insectes qu'elle avait rencontrés lors de sa dernière cueillette, notamment deux gros scarabées en train de dévorer le chou cavalier qu'elle ramassait, et un petit serpent vert qui, selon elle, s'était jeté sur ses chevilles alors qu'elle arrachait des mauvaises herbes entre les plants de poivrons et de tomates. Les voisins à trois maisons de là l'avaient entendue hurler, mais bien sûr personne n'était venu voir si tout allait bien : ces Blancs-là en particulier, principalement des immigrés qui partageaient pourtant le même rêve américain que les Lawrence, n'allaient tout de même pas prendre la peine de dépasser les stéréotypes et d'aller serrer la main à des Noirs. LoLo remerciait même le Seigneur que personne n'ait appelé les flics, ce qui s'était déjà produit au moins une demi-douzaine de fois depuis leur arrivée. Ils avaient en effet quitté le New Jersey pour cette maison sur deux niveaux dans un quartier au charme désuet, entièrement blanc, à deux pas d'un des plus gros employeurs de la région : une pâtisserie industrielle qui vendait ses produits dans tous les supermarchés du pays. Tommy avait deux ans à son actif comme conducteur de ligne, et on parlait déjà de le faire passer superviseur, tant il était doué pour réparer les choses. Mais cela ne changeait rien pour les voisins, dont beaucoup travaillaient pourtant au même endroit et voyaient le travail qu'il abattait. Les nègres étaient des nègres, tous sans distinction. Même en 1983.

LoLo eut un sourire narquois.

« Les insectes et les serpents n'en ont rien à faire de toi, ma fille. Il fait trop chaud pour cette tenue. Arrête un peu ton cinéma.

— Laisse-la tranquille, Tick, s'esclaffa Tommy. Mon bébé n'aime pas les petites bêtes, c'est son droit ! Pas vrai, ma grande ? »

Rae rit en tirant sur le pantalon de survêtement qui moulait ses cuisses et son derrière. LoLo l'avait vue avec horreur prendre des formes après ses premières règles : sa silhouette évoquait de plus en plus une bouteille de Coca, et ses pantalons lui rentraient dans la raie des fesses.

« Tu as fait ta gym aujourd'hui ? » lui demanda-t-elle en la toisant de haut en bas.

Rae se tortilla, gênée par le regard de sa mère. LoLo avait lu dans un magazine de mode qu'on pouvait aplatir son derrière en se traînant à reculons par terre – une information utile, à en croire l'article, pour celles qui voulaient entrer dans les jeans Jordache, qui faisaient fureur. Elle imposait l'exercice à sa fille dans l'espoir de limiter les formes qui commençaient à lui valoir une attention pour laquelle elle n'était pas prête – le genre d'attention qui pouvait attirer toutes sortes d'ennuis à une jeune fille de quatorze ans.

« Je viens de la faire, répondit Rae en passant d'un pied sur l'autre.

— Bien. Allez, va chercher les haricots. Il faut que je les mette sur le feu, sinon ça ne sera jamais prêt.

— Oui, maman.

— Ah non. Pas tant que tu ne m'auras pas fait un câlin ! lança Tommy en se levant du sol au pied des énormes hortensias. Ta mère t'a eue avec elle à l'église toute la journée, je n'ai pas droit à un bisou ? »

Les lèvres épaisses de Rae s'épanouirent comme les ailes d'un papillon. Elle se précipita dans les bras grands ouverts de son père.

« J'aime mieux ça », dit-il en la serrant contre lui avant de l'embrasser sur le front.

LoLo rit dans sa barbe et continua d'étaler sa sauce.

« Tu changes la couleur des hortensias, papa ? » demanda Rae.

Elle regarda dans le seau, puis observa les deux gros massifs, couverts de grosses boules de fleurs qui formaient un camaïeu de bleu, de mauve et de violet.

« Eh oui. Je vais en faire virer un au rose – pour faire plaisir à maman, dit-il en envoyant un clin d'œil à LoLo. Toi aussi, tu aimes le rose, non ?

— Oui, j'aime bien. Et le violet, aussi.

— Ah, alors heureusement qu'on en a aussi. Deux couleurs pour mes deux chéries. Allez, va les chercher, ces haricots. Ton papa a faim, et il ne faudrait pas faire attendre maman. »

Rae sourit et fila vers le potager, qu'elle longea d'un pas prudent en guettant insectes et serpents, décidée à faire sa cueillette le plus vite possible.

C'était pour ça que LoLo s'était allongée dans l'eau. Pour ce goût de liberté. Elle s'était battue pour ce qu'elle avait là, en ce moment même : une maison où elle se sentait bien, proche de son église et de ses amies – de sa communauté. Un peu d'aide. Cela faisait déjà un bout de temps qu'ils étaient revenus à Long Island – assez longtemps pour qu'elle ait le sentiment, dans cet environnement, de contrôler un peu sa vie. De ne pas se sentir moitié accessoire exotique, moitié menace potentielle dans son propre jardin. Ou dans sa chambre.

Bien sûr, débarquer dans ce quartier en particulier n'était pas allé sans difficultés au début. LoLo adorait la maison, Tommy aussi, et s'intégrer ne leur faisait absolument pas peur, après avoir survécu à Willingboro. En plus, ils connaissaient déjà Long Island. Ils y étaient chez eux. Malgré tout, Tommy avait sorti du grenier son fusil et son pistolet pour mettre l'un dans l'armoire de la chambre et l'autre dans le tiroir de son bureau le matin où, en rentrant de son service de nuit, il avait trouvé une trace de brûlure large de soixante centimètres dans le gazon. TJ avait fini par avouer qu'il était présent quand l'herbe s'était embrasée à moins de trois mètres de leur nouvelle maison.

« Comment ça, vous étiez en train de jouer et il y a eu un accident ? avait crié Tommy.

— Les autres allumaient juste des pétards, et ça a un peu mis le feu… »

Le garçon, maintenant âgé de dix-sept ans, était debout avec ses parents devant l'objet du délit. Sur eux trois, lui seul restait très détaché par rapport à l'incident. Les deux autres, qui avaient vu de leurs yeux la terreur que des Blancs, pour peu qu'ils aient un peu de bois, d'essence et d'allumettes, pouvaient infliger à des Noirs, n'avaient pas un gros effort d'imagination à faire pour associer ce feu à d'autres incendies dans le Sud : ils avaient donc du mal à y voir autre chose qu'une menace. Surtout sachant que le voisin d'en face s'était dépêché d'ériger une clôture de trois mètres de haut tout autour de son terrain à peine une semaine après leur arrivée, et que, avant même la fin de sa première semaine de cours, TJ s'était empoigné avec un élève blanc qui avait jugé opportun de dire à toute une tablée de Noirs, au réfectoire, qu'il avait le droit de dire « négro » parce que ça voulait dire « ignorant », et pas nègre.

« Que je ne prenne jamais ces enfoirés de Blancs près de chez moi, tu m'entends ? » avait exigé Tommy.

Tous trois savaient que si Tommy, qui d'ordinaire ne jurait pas, laissait échapper une telle grossièreté entre ses dents en or, c'était qu'il ne plaisantait pas. Les armes à feu avaient été nettoyées et vérifiées le soir même.

Mais à part ça, LoLo était bien, installée dans une routine qui était un baume pour son esprit. Para Lee l'avait aidée à trouver un emploi dans une grosse usine de cosmétiques, où elle travaillait à la chaîne, attrapant des bâtons de rouge sur un tapis roulant et passant la cire colorée sous une flamme de type bec Bunsen. Un geste rapide et précis de son poignet, et les femmes riches des Hamptons ou de Hong Kong, en ouvrant leur rouge à vingt-quatre dollars, trouvaient un bâton uniformément brillant à se passer sur les lèvres. Les longues heures de travail répétitif lui faisaient mal aux poignets – malgré les deux pauses cigarette d'un quart d'heure négociées par le syndicat, plus la demi-heure pour avaler son Pepsi *light* et son sandwich Spam-tomate –, mais elle se réjouissait du temps passé hors de la maison, du salaire régulier (que Tommy lui permettait de garder entièrement), et des tonnes de maquillage et de parfum gratis, l'un des avantages offerts par la boîte. Ce n'était pas qu'elle en ait besoin : la plupart du temps elle ne portait que du rouge à lèvres, mais le dimanche il lui arrivait d'appliquer un peu de mascara sur ses cils avant de mettre son chapeau d'église ; d'autre part, elle préférait l'odeur de musc et de sucre brun du lait corporel Fashion Fair à tous les parfums hors de prix qu'elle rapportait de l'usine. En revanche, c'était pratique pour les cadeaux.

Cinq jours par semaine, son emploi du temps était le suivant : se lever à 5 heures, se laver le visage, se brosser les dents, s'habiller, préparer son sandwich, mettre de la viande à décongeler dans l'évier pour que Rae la prépare le soir, prendre sa blouse, être au travail à 6 h 15, boire un café et bavarder avec Para Lee et deux autres filles assez sympas ; sur la chaîne à 7 heures, retour à la voiture à 16 heures, dîner à 17 h 30, dans la baignoire à 19 heures, coucher à 20 h 30, dodo à 21 heures. La soirée du vendredi était consacrée aux enfants et à Tommy (comme il travaillait de nuit, il partait le soir avant qu'elle soit rentrée, et revenait quand elle était déjà partie pour l'usine), les samedis à l'étude de la Bible et au bowling avec la ligue de l'église, et les dimanches, eh bien, ils étaient réservés à Dieu d'abord, aux préparatifs pour la semaine ensuite, et au repos. Il n'y avait que très peu de variations, hormis un vendredi soir de temps en temps où elle accordait un câlin à Tommy, et les samedis où le bowling se terminait en réunion d'amis impromptue chez les uns ou les autres. Il arrivait que LoLo reçoive. Mais ce qu'elle préférait, c'était quand ils finissaient dans la maison années 1940 d'une certaine George Ragland – Rags, pour les intimes –, une petite femme énergique originaire de l'Alabama, qui portait le prénom de son père et de son grand-père parce qu'elle était la dernière de sept filles et que son père voulait le transmettre.

« J'espère que vous avez tous vos pennies pour le Pokeno[1] : je me vois bien rafler la mise toute la soirée, lançait quelqu'un au moment où ils rangeaient leurs boules et leurs chaussures dans leurs sacs de bowling en se vantant tous d'être passés à un rien du score parfait, trois cents.

— Chut ! Pas si fort, sœur Shane va t'entendre, rigolait LoLo. Tu sais que Rags n'a pas envie de l'avoir à table.

— Ça c'est sûr, elle ne peut pas l'encadrer ! disait Sarah.

— Je compte bien déguster mes tripes tranquille ce soir, merde ! Qu'est-ce que vous apportez ?

— Notre argent, pour pouvoir te prendre tout le tien. »

Et il en allait ainsi : LoLo s'entourant d'un groupe d'amis faciles à vivre qui, comme elle, avaient rassemblé

1. Jeu de société à mi-chemin entre le poker et le keno.

leurs racines pour les replanter dans le sol fertile de la banlieue new-yorkaise – un écosystème de tradition du Sud, d'hospitalité, de famille. D'amour. Ils se retrouvaient dans la cuisine de Rags, à attendre qu'elle les invite à partager sa grosse marmite de tripes, méticuleusement débarrassées du gras et de la saleté, cuites à la cocotte-minute dans un bain d'oignons, de sel, de poivre et de piments rouges concassés.

« Alors, Rags ! Quand est-ce que tu vas lever le nez de tes casseroles et nous faire goûter ce que tu prépares là-dedans ? » lança Sarah depuis la petite table de cuisine à quatre places où Para Lee, Cindy, LoLo et elle, plus leurs copines Ina, Lori et Annette, se serraient devant des cannettes de soda Pathmark.

Rags avait déjà servi deux bols de pop-corn qu'elle avait remué et salé dans le grand faitout où elle cuisait habituellement ses légumes verts, et tous les maris étaient au salon, en train de faire sauter des cacahuètes Planters tels des dés dans leurs mains tout en braillant devant le match de basket diffusé par le petit meuble télé. Mais quand la cocotte de tripes commençait à siffler sur la cuisinière, aucune quantité de pop-corn ou de cacahuètes ne pouvait empêcher les estomacs de gargouiller.

« Vous voulez qu'elles soient bien faites, oui ou non ? » lança Rags par-dessus son épaule en soulevant le couvercle de la cocotte. Elle reçut le nuage de vapeur en pleine face pendant qu'elle touillait, examinait, reniflait, et enfin déposait un petit morceau de viande sur sa main pour goûter. Elle se lécha la main, fit claquer plusieurs fois ses lèvres, ajouta un peu de piment et un trait de vinaigre. « Miam ! Il n'y en a plus pour longtemps, conclut-elle en remettant le couvercle.

— Tu nous as manqué à l'étude de la Bible », dit Para Lee.

Elle battit distraitement le jeu de cartes du Pokeno, qui servirait plus tard, prit une gorgée de son soda à l'orange bas de gamme.

« Oui, bon, j'avais des courses à faire », répondit Rags. Elle s'essuya les mains sur un torchon, puis tendit son corps et ses doigts courts vers la seconde étagère de son placard, comme si cette fois-ci elle avait une chance d'y attraper ses bols. Elle était trop petite. « Kent ! » cria-t-elle à son petit-fils. Elle se tourna vers la porte du sous-sol pour guetter ses pas, et, contrariée qu'il n'ait pas monté les marches en deux secondes chrono, cria de plus belle : « Kent ! Viens ici tout de suite ! »

Kent, un garçon de quinze ans d'une beauté frappante, à la mâchoire ciselée et aux longues jambes, n'avait pas entendu sa grand-mère la première fois à cause de Rae et Medina qui chantaient à tue-tête sur « Let Me Be Your Angel » de Stacy Lattisaw. Mais au deuxième appel, il monta quatre à quatre, suivi de près par les filles. Tous trois étaient bien conscients qu'il valait mieux ne donner aux grenouilles de bénitier à l'étage aucune raison de se demander ce qu'ils faisaient au sous-sol, car eux aussi appréciaient la bonne ambiance du samedi soir – voir les adultes se détendre et rire un peu, ne plus les avoir sur le dos –, et ils ne voulaient pas mettre en péril ce petit moment de liberté.

« Oui, mamie ? dit Kent en arrivant à la porte.

— Attrape-moi ces bols là-haut », dit Rags en indiquant l'étagère, qui arrivait à la poitrine de son petit-fils.

Il s'exécuta.

« Il en faut combien ?

— Vous mangez tous ? demanda Rags en regardant les deux jeunes filles derrière lui.

— Non merci, répondit Medina en plissant le nez.

— Tu ne veux toujours pas goûter les tripes, ma fille ? » Rags se tourna vers ses amies en secouant la tête. « Ils sont élevés par qui, ces gamins qui font les difficiles devant ce bon plat ? Ce délice ? »

Sa question déclencha un chœur de « Ah là là, les enfants, ils ne savent rien », de « Je prends sa part ! » et de « C'est un crime et une honte ! »

« Moi, je veux bien, Miss Rags », annonça Rae.

Elle vint se placer à sa gauche et laissa ses yeux danser sur les casseroles.

« Tu sais ce que c'est, les tripes, ma fille ? » demanda Rags en versant une louchée dans l'un des bols descendus par Kent.

Rae porta le bol à ses narines et en inspecta le contenu, du nez et des yeux.

« Pas du tout », dit-elle en prenant la fourchette en plastique que lui tendait Rags.

Celle-ci regarda ses amies qui ricanaient à table et suivaient la scène avec intérêt.

« Des intestins de porc. C'est par là qu'ils font passer leur caca. Tu en veux toujours ? »

Rae regarda le bol, puis Rags, puis sa mère qui l'observait depuis la table avec amusement, les bras croisés. Elle haussa les épaules et plongea sa fourchette dans le bol, sans hésitation.

« Bravo, ma fille ! s'écria LoLo tandis que ses amies lui donnaient des tapes dans le dos en riant, ravies de voir Rae dévorer ce que tant d'autres refusaient avec une grimace. Elle sait ce qui est bon, elle !

— Elle a été élevée comme il faut ! s'enthousiasma Rags. Tiens, ma belle, fit-elle en ajoutant dans le bol quelques gouttes d'un liquide rouge. Retourne au sous-sol avec ça. Ici, c'est pour les adultes. »

Et elles mangèrent vite et rirent à gorge déployée et se racontèrent leurs histoires en toute sororité, de cette manière qui comblait tant le cœur de LoLo. Dans ces moments-là, elle ne pensait plus à l'eau, à ces huit années coincée dans ce joli enfer, ni à ce qu'il avait fallu pour qu'elle en sorte. Ses amies la protégeaient généralement de ces souvenirs, parce que c'est à ça que servent les amis, mais de temps à autre une chose était dite qui venait poser un voile sur leur bruyante réunion. Ce fut le cas ce soir-là.

« Qu'est-ce que j'ai raté aujourd'hui à l'étude ? demanda Rags en poussant ses sept pièces de dix cents au centre de la table, ses cartes de Pokeno alignées devant elle.

— Oh ! On a étudié Samson – Juges, treize à seize, répondit Sarah.

— Une bonne discussion, intervint Para Lee en mettant ses pièces dans le pot. Ce Samson, il a désobéi à Dieu et il s'en est mordu les doigts, pas vrai ? Bien fait pour lui, à courir comme ça après les femmes. Surtout cette Dalila.

— On a eu une conversation vraiment intéressante, aussi, sur ce que ça voulait dire pour Samson de renverser les piliers et de tuer tout le monde, lui y compris, dit Sarah. Va falloir que j'en parle au diacre Lewis, parce que je ne saisis pas bien s'il a quand même pu monter au paradis, étant donné qu'il s'est tué exprès. »

Le silence se fit ; toutes les autres femmes remuèrent avec gêne sur leur chaise, firent rouler les pièces entre leurs doigts, réalignèrent leurs cartes, se massèrent le front et jetèrent des regards à Sarah. Complètement inconsciente du malaise ambiant, elle continua :

« On m'a toujours appris que si on se suicide, on ne va pas au paradis parce qu'on enfreint le commandement divin de ne pas tuer, même pas soi-même. On ne peut pas demander le pardon une fois qu'on est mort, si ? Mais Samson s'est tué en renversant les piliers, même si c'était pour servir Dieu et les Israélites. Donc est-ce qu'il est monté au paradis, ou bien…

— Sarah ! »

Cindy inclina maladroitement la tête vers LoLo. Dans l'autre pièce, les hommes lancèrent des clameurs et se tapèrent tous dans la main ; en bas, les jeunes se déhanchaient et imitaient des mouvements d'épaule de Michael Jackson en s'égosillant sur « Lovely One » des Jackson Five. LoLo commença à se replier sur elle-même, mais se ravisa. Elle se tint droite comme si on lui avait inséré une pique dans l'échine, le nez parfaitement aligné avec la surface terrestre.

« C'est pas grave, les filles, dit-elle. On parle de la Bible, non ? De ce que Dieu attend de nous ? » Ses amies étaient des statues. « Je pense qu'il vaut mieux laisser le diacre nous expliquer cette histoire de Samson demain, parce qu'on n'a pas vraiment la réponse, si ? Il y a beaucoup de choses pour lesquelles on n'a pas la réponse… » Para Lee se pencha et lui prit la main, pendant que LoLo cherchait ses mots. Cindy lança un regard furibond à Sarah, l'air de dire : C'est malin, regarde ce que tu as fait ! « Je n'ai pas d'explication à ce qui s'est passé dans le New Jersey, c'est tout ce que je peux vous dire. J'ai eu tort et ça me gêne, vraiment.

— Mais non, réagit Cindy. Arrête de te flageller pour ça. On est contentes que tu ailles bien maintenant, et c'est tout. »

Lolo sourit, baissa les yeux.

« Moi aussi. Dieu a trouvé que ça valait le coup de me sauver, pas vrai ? À la grâce de Dieu.

— Amen. »

# 21

*1999, au printemps*

LoLo avait dit à Rae de ne pas épouser cet homme. Quand sa fille l'avait appelée d'un téléphone public, dans les entrailles du restaurant où il lui avait fait sa demande, elle avait tout de suite su que Rae ne voulait pas réellement de lui. Elle l'entendait dans sa voix : ce petit trémolo qu'elle avait lorsqu'elle étouffait une crise de larmes. Elle avait fait le même bruit la fois où un garçon avec qui elle sortait à la fac avait eu le culot de rompre avec elle par téléphone. LoLo regardait son feuilleton avant d'aller se coucher, une demi-heure avant le moment de se mettre à genoux et de remercier Jésus pour Sa paix parfaite, quand la sonnerie du téléphone l'avait arrachée à son repos et précipitée en plein drame de série B rempli d'émotions gaspillées. Rae était assise par terre, le combiné dans le cou. Les pupilles dilatées et noyées de grosses larmes de dessin animé, elle exigeait une explication, avide de savoir ce qu'*elle* avait fait de mal. LoLo l'avait regardée, écoutant depuis son fauteuil, les yeux plissés, les lèvres pincées.

Rae avait fini par raccrocher. LoLo avait alors frappé avec précision.

« T'es quand même pas en train de pleurer pour un garçon, assise comme ça sur mon tapis, avait-elle persiflé.

— Je… je comp… prends pas… ce… que… j'ai… fait… de mal, avait réussi à articuler Rae entre deux sanglots, les larmes et la morve coulant sur ses joues et ses lèvres distordues.

— Ce que *toi*, tu as fait de mal ? » s'était écriée LoLo en se débattant dans ses coussins pour se redresser. Ses poignets, douloureux et enflés à cause des heures supplémentaires exigées par le rush de fin d'année, ne réagissaient pas encore à l'anti-inflammatoire qu'elle avait avalé un peu plus tôt. La douleur rendait son ton de voix plus mordant, mais elle voulait de toute manière que sa parole soit entendue. Digérée. Retenue. « Que je ne te voie plus jamais pleurer pour un garçon qui n'a pas la jugeote de comprendre qu'il a tiré le gros lot. Non mais enfin, ça va pas, la tête ?

— Mais… il…

— Je me fiche de ce qu'il a dit au bout du fil, ou de ce qu'il a fait. Ce n'est pas sangloter comme ça qui va arranger les choses, si ? »

Rae s'était essuyé la figure sur le col de son peignoir et avait paru faire un effort pour ravaler ses larmes.

« Tant pis pour lui. C'est tout. Ça ne sert à rien de pleurer. »

LoLo avait regretté par la suite de ne pas lui avoir donné plus de conseils en vie amoureuse. Ni cette scène, ni l'exigence que Rae ne rapporte aucun bébé chez elle avant d'avoir un diplôme en poche et une alliance au doigt, ne l'avaient sauvée de sa décision de dire oui à Roman Lister. LoLo avait entendu l'hésitation dans la voix de sa fille, elle avait reconnu ce tremblement lorsque celle-ci lui avait annoncé la nouvelle.

« Je ne sais pas, maman… La bague est jolie, c'est juste que… je ne m'y attendais pas maintenant. Je ne sais pas…

— Qu'est-ce que tu ne sais pas, Rae ? »

Derrière son silence, LoLo entendait la respiration du restaurant : des rires stridents de femmes, des grincements de portes s'ouvrant et se refermant, des bruissements.

« Tu n'es pas obligée de dire oui, avait-elle insisté. Ni de t'expliquer. “Non”, c'est une phrase complète. »

Encore des bruissements.

Enfin, Rae avait répondu à sa mère.

« Il faut que je te laisse, maman. Il attend. »

Et voilà que, deux ans à peine après le mariage, sa fille trônait sur le beau canapé du salon, le ventre gonflé, des petits pieds et des petites mains appuyant assez fort contre ses entrailles pour qu'on les voie à travers son haut fin et moulant. Elle riait en déchirant le papier cadeau qui enveloppait des babyphones, des paquets de couches pour nouveau-né et plus de couvertures que cet enfant n'en aurait jamais l'usage. Pour tout le monde dans la pièce, Rae semblait heureuse. Aussi prête qu'elle pouvait l'être pour le 11 juin 1999, la date de son terme. Mais LoLo connaissait sa fille. Et elle connaissait aussi Roman, avec son charme et ses diplômes prestigieux. Sur le papier, il faisait son petit effet : il avait fréquenté une université huppée du

Nord, il gagnait plutôt bien sa vie. Il avait l'air assez sympathique. Mais il avait quatre ans de plus que Rae, et il était divorcé. Et il avait la main molle. La première fois qu'elle l'avait sentie dans la sienne, LoLo avait su. Tout de suite. Sa poignée de main était très loin d'être ferme, ce qui avait immédiatement poussé LoLo à se demander de quel genre de famille il sortait – et ce qui était arrivé à celle qu'il avait voulu fonder avec sa première femme. Ce que son père avait encore omis de lui apprendre sur la virilité, en dehors du fait qu'une poigne molle et des mains lisses trahissaient forcément la faiblesse de leur propriétaire. Une propension à laisser les autres faire tout le boulot.

Rae avait choisi d'ignorer les signaux, mais LoLo les voyait clignoter comme une enseigne au néon. Quel genre d'homme fallait-il être pour démissionner de son emploi même pas trois mois avant l'arrivée de son premier enfant ? Et quel genre de femme fallait-il être pour le laisser faire ? Si Tommy et LoLo avaient appris une chose à Rae, ne fût-ce que par leur exemple, c'était que les mariages les plus solides avaient des bases bien précises, au premier chef desquelles un mari qui travaille dur pour subvenir aux besoins de sa famille. De ses bébés. L'idée que son petit-enfant vienne au monde avec un père ayant volontairement renoncé à un salaire régulier pendant que sa femme était enceinte lui mettait le cœur au bord des lèvres.

Rae buvait son eau glacée à petites gorgées et se frottait le ventre pendant que les amies de LoLo s'extasiaient sur ses cadeaux. LoLo sortit de la cuisine avec un somptueux gâteau fait par Para Lee spécialement pour l'occasion, décoré d'une cascade de pivoines et de roses, proclamant ce qu'une échographie avait révélé quelques mois auparavant : le petit-enfant de LoLo était une fille. Son cœur s'était mis à battre trois fois plus vite quand Rae le lui avait dit au téléphone. Plus tard ce soir-là, quand celle-ci était venue avec une photo de l'échographie et un enregistrement fait par la gynéco, LoLo avait eu du mal à respirer en portant le lecteur de minicassettes à son oreille pour entendre gargouiller le battement de cœur de l'enfant. « Cette petite sera parfaite de partout », avait-elle déclaré, la photo en main, en se balançant sur elle-même comme si elle avait du mal à se contenir. Elle y croyait de toutes les fibres de son être – comme elle croyait aux Écritures et à la résurrection.

« Le gâteau ! annonça-t-elle en déposant avec précaution la préparation rose sur la table de la salle à manger. Amenez-vous, et prenez un peu de cette merveille que Para Lee a faite spécialement pour ma petite-fille.

— Et pour moi ! dit Rae en agitant la main.

— Ah, ma grande, autant t'habituer tout de suite à ce que plus personne ne s'intéresse à toi, s'esclaffa Sarah en regardant LoLo couper le gâteau. Quand ce bébé sera là, ta mère va oublier jusqu'à ton existence.

— Mmm-hmm, confirma Para. Y a beaucoup de choses qui vont changer.

— Ça oui ! dit LoLo en riant. Tu n'auras qu'à me déposer mon bébé devant la porte. Tu vas comprendre ce que ça me fait, maintenant, quand ton père et toi vous amusez tous les deux comme si je n'existais pas.

— Ah, vous voyez ? Vous voyez ce qu'elle compte me faire ? » rigola Rae en s'extirpant du canapé. Elle se massa le ventre avec une légère grimace. « C'est pas de notre faute si tu n'aimes pas la boxe ni les câlins !

— Mmm, fit LoLo. Attends, tu verras. »

Rae passa les deux mains sous son ventre et massa l'endroit où le bébé semblait essayer de traverser sa peau.

« Pfiou ! Cette petite me piétine la vessie. Excusez-moi, il faut que j'aille faire pipi. »

Les femmes gloussèrent en la voyant partir d'un pas pressé vers les toilettes au bout au couloir, poursuivie par leurs regards inquisiteurs. LoLo secoua la tête en reprenant une part de gâteau.

« Elle ne va pas comprendre ce qui lui arrive, quand le bébé sera là », soupira-t-elle. Un chœur de « Ça, c'est bien vrai » s'éleva en l'air, chargé de jugement, et d'une pointe de rancœur. « Ces jeunes mères, elles ne sont pas bâties comme on l'était.

— C'est vrai, hein ? fit remarquer Para. Nous, tout ce qu'on avait, c'était nos lolos et un fil à linge pour étendre les couches. Regardez-moi tout ce bazar, dit-elle en montrant les cadeaux. Des poussettes hors de prix, et assez de couches jetables pour remplir une décharge entière. Elles ne savent pas ce que c'est que d'avoir un bébé suspendu au sein pendant qu'on lave les couches et qu'on attend qu'elles sèchent.

— Ou d'élever les enfants, tenir la maison et travailler en même temps, comme un robot Superwoman, renchérit Sarah.

— Avec un homme qui ne lève pas le petit doigt, ajouta Cindy entre deux bouchées de gâteau.

— Bon, au moins, le sien assure de ce côté-là, dit Para Lee. Mettre la main à la pâte et aider avec les enfants… C'est ce qu'ils font, de nos jours. Les bonshommes aident vraiment.

— Qu'est-ce que tu racontes ? demanda LoLo, narquoise. Tu parles de ce fumiste qui n'a même pas de boulot ? Tu penses qu'il va aider avec ce bébé ? Hum. J'aimerais bien voir ça. »

Dans un mouvement qui semblait chorégraphié, les femmes se penchèrent des deux côtés pour voir si Rae revenait. Ce n'était pas une conversation pour les oreilles des enfants, même s'ils étaient assez grands pour avoir eux-mêmes des bébés. C'était tout simplement comme ça, avec LoLo et ses amies : elles vivaient leur vie dans le secret, un prérequis pour garder leur dignité.

Après confirmation que sa fille était bien encore aux toilettes, LoLo se pencha vers son cercle d'amies.

« Vous savez qu'il a démissionné, souffla-t-elle sur le ton de la confidence. Vous voyez un fainéant pareil, qui vit des économies de sa femme, qui la laisse retourner au boulot, se réveiller d'un seul coup pour aider avec un bébé ? Ça reste un homme, et je me fiche de ce qu'ils racontent dans ces talk-shows que vous regardez sur vos magnétoscopes.

— Tu ne penses pas qu'il va aider ? » demanda Para Lee.

LoLo tchipa, dubitative. Sarah racla du glaçage rose sur sa part de gâteau et l'étala sur l'assiette en cristal réservée aux grandes occasions.

« Elle aura tôt fait d'apprendre, dit-elle.

— Elle l'admire tellement, ce petit prétentieux… plus dure sera la chute, déclara LoLo.

— Ça ne change rien, on l'aime tout pareil, répliqua Sarah d'un ton sec.

— C'est la vérité, acquiesça Para Lee.

— Voilà ce que je sais, moi, dit Sarah. Peu importe l'époque où on vit, peu importent leurs diplômes, l'argent qu'ils ont en poche ou les heures qu'ils passent au boulot : les hommes seront toujours des hommes. Quoi qu'il arrive, ce seront toujours des hommes. Ils s'occupent d'eux-mêmes d'abord, et éventuellement de ceux qu'ils prétendent aimer après. Toujours dans cet ordre-là. La question, c'est de savoir quand elle se fatiguera de ces salades et se trouvera un peu de joie pour elle-même.

— De joie ? répéta Para Lee. Oh, ça, c'est pas pour tout de suite. Pas avec une flopée de gamins dans les pattes.

— Ce n'est pas une fatalité », insista Sarah en s'adossant contre sa chaise.

Elle touilla sa coupe de sorbet-punch en regardant la glace vert fluo fondre dans le soda à l'orange. Elle but une gorgée.

« Sarah, ne commence pas avec tes histoires, l'avertit LoLo.

— Écoutez, vous savez le fond de ma pensée. Il n'y a aucune raison de laisser les bonshommes nous conduire à la tombe avant l'heure. Ça ne ferait pas de mal aux femmes de se mettre un peu de mentalité masculine dans le crâne. D'aller chercher un peu de bonheur.

— Tromper ton mari, ça fait ton bonheur, Sarah ?

— Échapper un peu à ma maison de fous, à mon casse-pieds de mari et à mes petits-enfants déchaînés, oui, ça me rend heureuse, LoLo, affirma Sarah, exaspérée. Et le révérend Greenwood ? Eh bien, il me donne entière satisfaction. »

LoLo n'aimait pas ces moments-là. Ce n'était pas la première fois que ces dames discutaient de l'infidélité de Sarah : il y avait maintenant des années qu'elle batifolait avec le pasteur de l'Église baptiste de l'Amitié dans le Christ. Cela durait depuis bien avant que ses enfants ne fassent leur vie – bien avant que ses amies commencent à se rappeler qu'avant leurs enfants, avant leurs maris, avant qu'elles aient replié leurs besoins et leurs désirs et les aient enterrés profond sous les Écritures, les commandements et les règles conçus pour elles sans leur consentement, elles avaient été femmes. Le pasteur Greenwood avait une réputation de bon vivant, et au bout de sept ans de liaison, Sarah n'était pas certaine qu'il ait dompté son penchant pour les dévotes et leurs appas. Mais elle s'en fichait. Elle prenait ce qu'elle pouvait et laissait les autres se débrouiller avec le reste. Elle était douée pour compartimenter.

LoLo, elle, ne l'était pas. Son estomac se serrait chaque fois que la conversation tournait autour des histoires de Sarah et de son amant. Elle n'aimait pas être incluse dans ce secret – cette trahison. Elle refusait que son nom y soit mêlé. Elle avait dit et répété à Sarah de ne pas en parler devant elle, mais cela revenait sur le tapis de temps en temps, toujours dans les discussions sur ce qu'elles devaient faire pour s'octroyer un peu de joie. La joie, Sarah était convaincue qu'il fallait aller la chercher, comme une robe dans un catalogue Spiegel ou une paire de chaussures en soldes chez Macy's. Les convictions de LoLo étaient diamétralement opposées : le bonheur, la déception, la colère, la satisfaction, tout cela formait un ragoût dans la grande marmite. On touillait et on prenait une bouchée, en sachant que chaque cuillerée contenait quelque chose d'un peu différent, peut-être un ingrédient qu'on aimait moins que les autres, mais le ragoût dans l'ensemble était bon quand même. S'il contenait de l'amour, il était bon quand même.

LoLo ne voulait pas toucher à ce qui bouillonnait dans la marmite de Sarah.

« Tout le monde ne pense pas que le seul moyen d'être heureuse soit de tromper son mari, souffla-t-elle en s'assurant d'un coup d'œil que Rae n'était pas en train de revenir. Ne souhaite pas ça à ma fille, Sarah.

— Je lui souhaite un peu de bonheur. À t'entendre, elle va en avoir besoin.

— Non, vois-tu, ce dont elle a besoin, c'est de respecter la promesse faite à cet homme devant Dieu et devant toi, moi et tous ceux qu'elle aime. "Jusqu'à ce que la mort nous sépare", ça a un sens pour certaines d'entre nous.

— À un moment, il faut quand même que ce soit ta vie à toi qui compte, persifla Sarah.

— Écoute, je ne vais pas rester là, chez moi, à…

— Bon, ça suffit », intervint Para Lee, perçant la baudruche avant qu'elle n'éclate. Jouant les arbitres, comme toujours. « Sarah, si tu débarrassais avec Cynthia ? Pendant ce temps, LoLo et moi, on va rassembler les cadeaux. Le mari de Rae va bientôt arriver pour la ramener chez elle. Elle a besoin de repos. » Elle se tourna vers Sarah et ajouta : « LoLo, notre gracieuse hôtesse, a sans doute besoin de repos elle aussi, plutôt que de débats houleux, tu ne crois pas ?

— D'accord », lâcha simplement Sarah.

Elle se leva et partit à la cuisine sans ajouter un mot.

Para Lee secoua la tête, inspira un grand coup et prit le bras de LoLo. Elles se dirigèrent vers le tas de cadeaux.

« Laisse tomber, dit-elle. Tu sais comment elle est. Laisse tomber, c'est tout. »

LoLo savourait le silence avec soulagement. Elle aimait recevoir, mais elle était encore plus à son aise – heureuse – dans le calme de sa maison. Dans sa solitude. Avec l'âge, Tommy et elle avaient peu à peu compris qu'ils n'avaient pas besoin d'être collés en permanence pour se prouver qu'ils voulaient rester ensemble après toutes ces années. En fait, ce qu'il pouvait faire de plus attentionné pour elle était de descendre au sous-sol regarder ses matchs et ses westerns sur la télé à grand écran, confortablement installé dans son fauteuil relax usé. La laisser lire ses romans de Terry McMillan et regarder ses feuilletons en paix. Elle avait un faible pour le magazine d'info *20/20* et pour *New York, unité spéciale*, qu'elle aimait visionner sur le magnétoscope le samedi soir, sans être dérangée.

S'il n'y avait pas eu ce fichu téléphone, peut-être aurait-elle déjà été en train de dormir. Mais impossible : c'était la quatrième fois de la soirée qu'il sonnait. Chaque fois, l'aimable « allô » de LoLo n'avait eu pour réponse que le silence, puis un cliquetis, et la tonalité. Et voilà que ça recommençait. Si Tommy n'était pas parti voir son frère, elle lui aurait chauffé les oreilles à propos de ces appels intempestifs. Elle aurait une fois de plus insisté pour qu'il découvre lequel de ses collègues le détestait au point de torturer ainsi la famille. Quelques années plus tôt, il avait dit à LoLo, à TJ et à Rae de ne pas faire attention : « C'est juste quelqu'un de l'usine qui m'en veut d'être chef, disait-il quand ils se plaignaient. Vous n'avez qu'à simplement raccrocher. » D'habitude, elle se contenait. Mais les soirs comme celui-ci, où elle avait une terrible envie de calme et de paix, elle se rappelait que rien ne l'obligeait à encaisser sans rien dire.

« Ça suffit ! Il va falloir arrêter ce numéro, ou je le jure, j'appelle les flics et je porte plainte pour harcèlement ! cria-t-elle dans le combiné.

— Holà, attends… pour harcèlement ? fit la voix au bout du fil. Tu dénoncerais ton propre frère aux flics juste pour t'avoir appelée ? »

Elle ouvrit la bouche et la referma. La rouvrit. La referma.

« Allô ? Delores ? T'es encore là ? » Une voix grave. « C'est Freddy. Ton frangin.

— Ah, euh… Salut, Freddy. »

Le silence qui suivit fut épais, encroûté par plus de dix ans de malentendus, de colère, de manque, de chagrin. D'abandon. À la fin de chaque dispute, ils se retrouvaient prêts à s'égorger comme des fauves se jetant sur une proie, et toutes ces années plus tard, la plaie saignait toujours comme si le cœur de la gazelle capturée battait encore.

Freddy était assis à la table de sa cuisine, un rebut que quelqu'un avait porté au magasin de charité justement le jour où il s'y était rendu, las de se servir à dîner sur des cageots empilés. Il venait de pousser un juron silencieux parce que cette table bougeait encore sous ses mains rudes et calleuses. Il aurait fallu qu'il glisse une serviette en papier pliée dans la fente entre le plateau et le pied qui s'était desserré ; mais après une journée passée à réparer des climatiseurs et des bureaux d'écoliers, à nettoyer à la serpillière vomi, urine et autres sécrétions corporelles et à se faire houspiller à tout bout de champ, à l'école élémentaire d'Archie Street où il travaillait, il ne se sentait pas de retaper quoi que ce soit en rentrant chez lui. Tout ce qu'il voulait, en réalité, c'était sa bière – et un peu de calme pour regarder la télé. Il avait un faible pour les rediffusions de la sitcom *Martin*, et surtout pour la petite copine du personnage principal, celle qui avait la tête ronde. Et la peau claire. Elle était jolie. Très jolie. Et pas bête. Freddy aimait bien le bagou de Martin : ses répliques loufoques l'aidaient à rester à la page pour comprendre ce que débitaient les élèves dans les couloirs. Du moins quand il se donnait le mal de les écouter : la plupart du temps, il leur accordait à peu près autant d'énergie qu'eux-mêmes en déployaient à son égard. Il était l'agent d'entretien, donc invisible ; eux, c'étaient des gamins grande gueule qu'il préférait ignorer, comme l'aurait fait n'importe quel adulte respectable, même quand ils couraient dans les couloirs en braillant « Wazaaaaa ! » du fond des tripes.

Mais le fin du fin, pour Freddy, c'était la série *Highlander*. Il en avait un plein tiroir de VHS, qu'il regardait religieusement. L'idée de l'immortalité le fascinait : toutes les manières dont on pouvait évoluer dans le monde parmi les simples mortels, sûr de ses choix, certain qu'aucune erreur, aucune bravade, aucune mauvaise décision, aucune malchance ne pouvait avoir votre peau. Ça, c'était vivre… une chose qu'il ne faisait plus vraiment depuis son licenciement de chez Grumman, qui remontait à quelques années. Le salaire lui manquait – le fait de pouvoir acheter ce qu'il voulait, vivre où il voulait, s'habiller comme il le voulait. Et bon Dieu, baiser qui il voulait. À l'époque, il était un Noir qui travaillait sur des moteurs d'avion, avec une paie de mécanicien – le genre de salaire qui donnait à ce gamin sans mère, ce va-nu-pieds des bas-fonds de la Caroline du Sud, qui aurait dû périr sous le poids de ce triste monde, l'impression de pouvoir tout faire, de pouvoir vivre à jamais. Mais un trait de bourbon dans son café – un petit trait que son chef avait senti dans son haleine –, et sa tête avait roulé. Le collègue qui l'avait balancé, qui travaillait sous ses ordres et ne pouvait tout simplement pas se faire à l'idée de rendre des comptes à un nègre, avait mis en lumière la seule chose qui fût vraie : Freddy était un Noir mortel, tout compte fait.

Ce soir-là en particulier, sa mortalité l'avait rattrapé. En se balançant sur sa chaise, il avait léché son majeur, feuilleté son répertoire et passé le pouce sur les coordonnées de sa sœur. Autrefois, il connaissait son numéro par cœur, mais cela faisait bien dix ans qu'il ne l'avait pas appelée. Rien n'avait plus été pareil après leur grosse dispute à propos de Rae. Il avait essayé de se rabibocher avec LoLo : elle n'avait rien voulu savoir. Mais là, à l'occasion de la mort de leur père, il avait conclu qu'il devrait prendre sur lui.

« LoLo, dit-il enfin. Papa est mort.

— Ah, lâcha-t-elle simplement, sans aucune émotion. Mort de quoi ?

— Euh, il a fait une crise cardiaque. Il est mort à la maison, dans le salon. C'est Brenda qui l'a trouvé.

— Il est mort tout seul, hein ?

— Ouais. Brenda et les autres sont en train de prendre les dispositions.

— C'est bien. »

Silence.

« Tu vas y aller, hein ?

— Où ça ?

— À l'enterrement. »

Silence.

« C'est ce qui se fait, LoLo. Il faut lui rendre hommage.

— Je ne suis obligée de rien faire du tout, à part rester noire et mourir », trancha sèchement LoLo.

Elle n'allait pas culpabiliser à propos de l'homme qui l'avait abandonnée, puis laissée pourrir entre les mains de son bourreau.

« Écoute, insista doucement Freddy. Je comprends. Tu le sais bien. On comprend tous. Mais c'est quand même l'homme qui nous a donné la vie. On est du même sang. »

Silence.

« Tu serais la première à balancer une citation de la Bible à quelqu'un qui refuserait de pardonner, comme Dieu nous dit de le faire. Je pense que c'est dans ces moments-ci qu'Il attend qu'on mette ça en pratique.

— Tu cites les Écritures, maintenant ?

— Je ne connais pas grand-chose à la Bible, je veux bien le reconnaître. Mais je sais que je me sentirais mal de rester ici, à Long Island, pendant que notre père est mis en terre en Caroline du Sud. Et toi aussi. »

Silence.

« On peut faire le voyage ensemble. Tous les deux.

— Il faut que j'y réfléchisse un peu, d'accord, Freddy ? concéda-t-elle au bout d'un petit moment. Pas longtemps. Promis.

— D'accord. »

Elle resta immobile, choquée, le combiné contre l'oreille, longtemps après que la tonalité eut commencé à bourdonner ; elle ne le reposa que quand l'alarme signalant un téléphone mal raccroché lui martela le tympan. Il y avait des années qu'elle n'avait pas parlé à son père, et quand elle se donnait encore cette peine, quand il cherchait à la joindre par l'intermédiaire de Freddy, que celui-ci lui rappelait les principes du cinquième commandement et qu'elle prenait l'appel avec réticence, leur échange restait bref et superficiel : « Ça va, toi ?… – Et ta femme ?… – Les enfants doivent être grands, maintenant… – Je ne me porte pas trop mal, mais mon arthrite me fait souffrir… » Silence… « Bon, content d'avoir eu de tes nouvelles… – Prends soin de toi… » C'était à peu près tout, jusqu'au jour où ils avaient tous les deux renoncé. Franchement, LoLo n'avait pas la force d'en faire davantage. Il ne risquait pas de lui présenter des excuses. Il n'y songeait même pas. Elle le sentait tout au fond d'elle-même, là où sa colère brûlait le plus fort, où des braises rougeoyaient à la place de son utérus. Le seul son de sa voix était un tisonnier, qui plongeait, creusait, remuait les lourdes bûches et les morceaux de papier journal coincés dans les interstices pour susciter une flamme ronflante. Si elle avait continué, elle aurait certainement fini carbonisée. Elle avait souhaité sa mort, à l'époque. Elle n'éprouvait aucun remords qu'il ne soit plus de ce monde.

Elle n'avait pas raccroché depuis deux minutes que le téléphone sonna de nouveau. Cette fois, elle répondit poliment, pensant que c'était encore Freddy.

« Bonsoir, j'aimerais parler à mon père, fit une voix au bout du fil, apparemment jeune.

— À qui ?

— Mon père, Thomas Lawrence.

— Rae ? C'est toi ? »

Elle n'y comprenait rien.

« Ce n'est pas Rae. Mais je suis la fille de Thomas Lawrence, et j'aimerais lui parler. »

LoLo éloigna le combiné de son oreille et le regarda, comme si elle pouvait voir qui lui faisait cette mauvaise blague.

« Allô ? fit la voix avec une pointe d'impatience.

— Je suis là. Mais je ne comprends pas ce qui se passe. Qui êtes-vous, en vrai ?

— Je viens de le dire : je suis la fille de Thomas Lawrence. C'est mon père. Mon frère est son fils. Il est venu nous voir aujourd'hui, mais on n'avait pas envie qu'il s'en aille. »

Silence.

« Allô ? » dit la fille, cette fois de manière franchement désagréable, LoLo l'entendit clairement.

Et cela la fit basculer. Elle ne vit plus que du noir.

« Et vous vous êtes dit que c'était le jour pour l'appeler ici ?

— C'est mon père et je l'appelle tout le temps à ce numéro pour lui parler…

— Je vais vous dire une chose », la coupa LoLo. Sa langue, qui venait de goûter à la mort, à la tristesse, à la colère et à la trahison en l'espace de cinq minutes alors qu'elle aurait dû passer un samedi soir tranquille, était maintenant une hache. Une hache fraîchement aiguisée. « Je me fiche que Tommy soit ou non votre père, vous ne serez jamais pour lui ce qu'est sa fille, Rae Lawrence. Il a une famille. Là-dessus, je suis très claire, et lui aussi. Alors vous avez intérêt à bien vous fourrer ça sous votre petit crâne épais… qui que vous soyez. » Elle prit ensuite une voix de miel : « Et maintenant, si vous voulez bien m'excuser, j'ai passé une journée infernale. Ne rappelez plus jamais chez moi, sur mon téléphone. Quoi que vous ayez à dire, un conseil : gardez-le pour Tommy. »

## 22

Autrefois, il suffisait qu'elle ferme les yeux bien fort pour s'imaginer avec quelqu'un d'autre – une technique qu'elle avait employée enfant, quand hurler et se débattre avaient pour seul résultat que Bear riait et pesait de tout son poids en la pilonnant de plus en plus vite, de plus en plus fort, sa sueur coulant sur sa peau, dans ses cheveux, dans la terre en dessous d'eux. À l'époque, elle voyait d'abord le noir derrière ses paupières, puis elle faisait défiler des images qui lui engourdissaient l'esprit : les vaguelettes sur le lac ; Booger, le chien galeux des voisins, aboyant après les voitures ; des passages de la Bible qui faisaient des promesses dont elle attendait de Dieu qu'Il les tienne. Les images, comme des photos dans un album, étaient une armure. Quand elle couchait avec Tommy, son imagination devenait plus créative et se fixait sur des images correspondant à la tâche qui l'occupait : elle était Pam Grier chevauchant Richard Roundtree, ou ondulant au premier rang pendant que Mick Jagger caressait son micro et chantait en la regardant droit dans les yeux. Elle avait fini par apprendre à être là, dans le présent, avec Tommy. Elle ne se rappelait pas précisément quand c'était arrivé. Mais elle avait alors compris la profondeur de son amour, et avait pu le lui retourner. Il était la colle qui assurait la cohésion de leur famille, ces quatre vaguelettes dans un océan de détresse humaine. Il était bon. Il était amour. Son amour. Et elle se donnait entièrement, en échange de cet amour. Elle se donnait à son mari. À personne d'autre. Pas même en imagination. Pas même dans ses rêves. Et voilà que cette fille l'appelait pour annoncer la trahison. Pour annoncer son sang.

Elle n'avait pas raccroché depuis dix minutes que la chaîne de la porte du garage résonna telle la cloche du premier round. Le cœur aussi rapide que l'athlète Jackie Joyner-Kersee, elle se hâta de jeter chemisiers, jeans et soutiens-gorge dans sa valise en écoutant le pas lourd de Tommy dans l'escalier. La tête plongée dans l'armoire, elle déplaçait les cintres de droite et de gauche pour chercher sa plus belle robe noire lorsqu'il fit irruption dans la chambre. En la voyant, il s'arrêta net, comme s'il était entré dans un mur. Il passa les mains sur son crâne fraîchement rasé.

« Je lui avais dit de ne plus appeler ici, annonça-t-il. Je lui avais dit qu'il fallait que je t'explique tout ça moi-même. »

LoLo décrocha encore plusieurs robes, mais garda la figure dans l'armoire. Elle ne pouvait pas se résoudre à le regarder.

« Quelle vilaine, hein ? De ne pas t'avoir écouté ? Elle a vraiment eu tort, c'est ça ?

— Oui. Je veux dire, c'était à moi... » commença-t-il avec ardeur. Puis, plus calmement : « ... à moi de raconter cette histoire.

— Ah bon, alors quoi ? Tu as perdu ta langue ? »

Tommy resta muet.

« Quel âge a-t-elle, Tommy ? Elle avait l'air grande. Elle m'a parlé avec des mots de grande fille, au téléphone. Notre téléphone.

— Vingt-sept ans », répondit-il dans un souffle.

LoLo jaillit de l'armoire et croisa les bras.

« Qu'est-ce que tu dis ? Plus fort ! Je n'entends pas cette histoire que tu dois me raconter. Quel âge ?

— Elle a vingt-sept ans, dit-il un peu plus fort.

— Et son frère ?

— Vingt-cinq. »

LoLo sortit quelques robes de l'armoire et les jeta sur le lit.

« Je ne suis pas mathématicienne, mais si mes calculs sont bons, elle a dû naître à peu près quand tu m'as forcée à tout quitter pour le New Jersey.

— Je ne t'ai pas forcée, objecta Tommy avec un soupçon d'agacement.

— Ah, parce que j'ai eu le choix ! Première nouvelle. Ce n'est pas du tout comme ça que je m'en souviens.

— On est partis pour le New Jersey parce qu'il y avait du boulot là-bas.

— Et apparemment, un bébé ici. »

LoLo débarrassa sa robe du cintre, la roula entre ses mains, et la fourra dans sa valise.

« Hé, oh, qu'est-ce que c'est, tout ça ? » demanda Tommy, qui venait de remarquer la valise sur le lit.

Silence.

« LoLo, tu ne peux pas partir. Ne pars pas, ma chérie.

— Tommy, l'époque où tu me disais ce que je pouvais faire ou non, c'est terminé.

— Je n'essaie pas de te dire quoi faire ! Ce que je te dis, c'est que ça ne vaut pas le coup de briser notre famille.

— Une famille ?! Laquelle ? Il y en a d'autres dont je n'ai pas entendu parler ? Tu en as combien, au juste, des familles ? »

Tommy ouvrit la bouche, et la referma. La rouvrit, la referma. Puis enfin :

« Tu m'as menti, LoLo, dit-il, presque en chuchotant.

— À propos de quoi, Tommy ? Quel mensonge pourrais-tu bien me reprocher, qui soit plus gros que toi faisant deux enfants à une autre alors qu'on était mariés ?

— Tu m'as fait croire que c'était moi qui ne pouvais pas en avoir. Tout ce cinéma que tu as fait, à brailler que ça ne pouvait pas venir de toi parce que tu avais tes règles, que ça prouvait que tu étais fertile, que c'était moi le problème. Ce n'était pas moi. Je peux en avoir.

— Et donc, tu en as fait non pas un mais deux, par dépit ?

— Tu vas vraiment ignorer ce que je viens de dire ? »

LoLo cessa de tripoter les robes dans l'armoire et se tint fermement au portant. Le sang lui était monté à la tête : elle avait un battement dans les tempes et son nez la piquait. Elle ne voulait pas pleurer, ne voulait pas que son mari y voie une réaction au fait qu'il l'ait confondue, ou même à la nouvelle de son infidélité. Ce n'était pas ça. Elle avait besoin de se retenir à quelque chose pour combattre les réactions viscérales de son corps au souvenir, à l'instant, aux nombreux instants, où elle s'était débattue sous le poids de Bear, et aux fois où elle s'était laissé faire, où elle était restée inerte, à supplier

Dieu de foudroyer le sol sous eux avec leurs corps dessus. Chaque fois que Bear la violait, LoLo mourait. Chaque fois qu'elle repensait à lui en train de la violer, elle mourait. Cramponnée au portant, renvoyée au fait qu'elle ne pouvait pas concevoir et aux raisons de cet état de fait, elle voulait mourir. Son corps voulait juste capituler et cesser de vivre.

« J'ai été violée, articula-t-elle enfin, envoyant ses mots contre le fond de l'armoire.

— Qu'est-ce que tu viens de dire ?

— Je n'ai pas pu faire de bébés parce que mon cousin me violait. »

Le corps de Tommy se raidit.

« Il m'en a fait un, et sa femme l'a tué et a fait en sorte que je ne puisse plus en avoir, dit LoLo en se tournant vers son mari. C'est pour ça. »

Ils restèrent plantés là, séparés par un océan, sans bien savoir quoi se dire. Ni l'un ni l'autre n'avait l'acuité émotionnelle pour prononcer les mots justes. Lorsqu'elle fut enfin assurée que ses jambes n'allaient pas céder sous elle, LoLo se retourna vers l'armoire et en sortit encore des vêtements – un chemisier, deux jeans, une veste… tout ce dont elle pensait avoir besoin pour se rendre aux obsèques de l'homme qui lui avait donné la vie, puis qui en avait disposé comme d'une chique dont il ne voulait plus sur sa langue.

« Ne pars pas, LoLo. Je t'aime. On peut surmonter ça », dit Tommy au bout d'un moment, en la regardant entasser ses affaires dans la valise. Il lui prit les poignets, comme pour obtenir toute son attention. « Je veux qu'on surmonte ça. Ce n'est pas elle que je veux.

C'est toi. Ç'a toujours été toi. J'ai fait une erreur, mais ç'a toujours été toi. »

LoLo dégagea ses poignets et se dressa de toute sa hauteur pour lui faire face. Elle scruta ses yeux : les éclats noirs dans ses iris brun foncé, les veines rouges qui ressortaient sur le blanc, indiquant sa douleur, sa peur. Les coins commençaient à se rider et, en dessous, des débuts de poches s'attardaient, qu'il soit fatigué ou en pleine forme, en colère ou totalement en paix ; mais dans l'ensemble, c'était toujours le même Tommy. Sauf que non. Rien entre eux ne pourrait jamais plus être comme au début. Ils étaient partis trop loin.

« Mon père est mort, lâcha-t-elle en fermant brutalement la valise. Je pars en Caroline du Sud. »

LoLo s'enfonça dans le vieux canapé, dont la housse en plastique grinça lorsqu'elle tâcha de caser ses longues jambes entre les coussins et le plateau en verre de la table basse. Sa migraine battait sur le rythme du climatiseur qui, même poussé au maximum, peinait à rafraîchir la pièce. L'humidité et le chagrin pesaient lourdement dans l'air, sombres, âcres, comme un nuage de fumée noire. LoLo gardait les yeux rivés sur l'épaisse moquette bleu marine, devant le fauteuil relax en tissu écossais élimé où son père, apparemment, passait le plus clair de son temps. Il avait poussé son dernier soupir précisément là, sur cette moquette, après être tombé du fauteuil, les mains crispées sur la poitrine comme dans les films de Hollywood, en essayant d'atteindre le téléphone pour appeler à l'aide.

« C'est ici qu'il est mort », dit Brenda, la demi-sœur de LoLo, en indiquant l'endroit.

Elle pressa l'intérieur de ses poignets contre ses yeux pour en chasser les larmes. Juste derrière, vers la porte d'entrée, il y avait une grande tache plus claire que le reste de la moquette, rappel du moment où elle l'avait trouvé. Elle arrivait avec deux grands gobelets de café, léger et bien trop sucré, compte tenu du fait que son père et elle-même avaient du diabète. En le voyant par terre, les yeux fixes, contemplant le plafond sans rien voir, elle avait lâché les cafés et couru à lui, hurlant, le secouant, le giflant, le suppliant de se réveiller. Il n'était déjà plus là. Les secours étaient à peine partis qu'elle s'était laissée tomber à genoux avec un petit flacon de vinaigre et d'eau de Javel pour essayer d'éliminer de la moquette cette odeur de café au lait. Dans la chaleur étouffante de l'été, cela empestait encore. Depuis trois jours qu'il était mort, ni les visites, ni les plats chauds apportés par de bonnes âmes, ni le fait de s'abrutir avec les préparatifs des obsèques n'avaient pu alléger sa peine, bien plus grande que celle de Freddy et de LoLo. Brenda, le produit du second acte de la vie de son père, avait connu un papa bien différent : un papa tendre et aimant. Présent. Les choses simples qu'il faisait, comme embrasser sa fille le matin, l'emmener à l'église le dimanche, être là pour sa remise de diplôme, donner un petit quelque chose pour ses études, tout cela éclipsait son comportement passé. Tout ce qu'elle avait connu – tout ce qu'elle avait bien voulu voir, du moins –, c'était un mari aimant, un père dévoué, un diacre baptiste droit, travailleur puis retraité. LoLo s'efforçait de ne pas lui gâcher cette image : elle avait ravalé toute sa colère en arrivant, quand une Brenda en pleurs lui était tombée dans les bras. Mais à présent, elle se sentait étouffer.

« Je, euh… je ne me sens pas très bien. Je peux prendre un verre d'eau dans la cuisine ? » demanda-t-elle en s'extirpant du canapé.

Ses paumes trempées glissèrent sur la housse en plastique.

« Bien sûr, bien sûr, dit Brenda. Grande sœur, tu n'as pas besoin de demander. Fais comme chez toi. »

LoLo acquiesça avec un demi-sourire forcé. Ses yeux passèrent sur les murs, le mobilier, les photos de famille qui figeaient le bonheur dans un lieu et un temps où elle était oubliée – un bonheur dont elle était exclue. Elle aurait voulu que tout cela la mette en colère – le diplôme universitaire de Brenda encadré dans le couloir séparant la cuisine du salon, la photo prise en studio, en noir et blanc, d'elle avec ses parents posant chacun une main aimante sur ses épaules –, mais ce qu'elle éprouvait par-dessus tout, c'était de la tristesse. Cela aurait dû être sa vie à elle, immortalisée sur les murs jaune pâle. Qui aurait-elle été si elle avait eu la chance de faire des études ? D'être élevée plutôt que saccagée ? D'être aimée ?

Elle prit une grosse tasse dans la vaisselle propre qui séchait à côté de l'évier et l'emplit presque à ras bord au robinet. Elle en engloutit la moitié et la remplit de nouveau avant de regagner le salon. Un rot était coincé dans sa poitrine, mais elle le retint. Elle ne voulait pas manquer d'égards, pas là. Pas devant Brenda et Freddy.

« Ça va, frangine ? » s'enquit Freddy en revenant des toilettes.

LoLo se massait la poitrine.

« Ça va », fit-elle d'un ton bref. Puis, à Brenda : « Qui d'autre va venir ? Parmi les enfants, je veux dire ?

— Eh bien, Charles a prévenu qu'il n'avait pas les moyens de prendre l'avion depuis le Texas, donc il ne sera pas là. Et Franklin et Linda ne viennent pas. »

Elle fit cliqueter ses dents, secoua la tête. Soupira.

« Ils ont leurs raisons, Brenda, dit LoLo avec froideur. Ce n'est pas à toi de juger.

— Ah, d'accord, je vois, c'est reparti, répliqua Brenda d'un air pincé.

— Oh non, allez, ça ne va pas recommencer ! intervint Freddy en agitant les mains devant lui. Ce n'est pas le moment…

— Et c'est quand, le moment, au juste, Freddy ? s'emporta LoLo. Dis-le-moi ! Parce que vu comme la petite sœur juge tout le monde, là, il me semble qu'il est grand temps de tout mettre sur le tapis.

— Écoute, intervint Brenda, je ne veux pas qu'on s'engueule…

— Ah bon ? Quoi, tu pensais qu'en soupirant sur l'absence de mes frères et sœurs à l'enterrement de ton bon à rien de père, tu n'allais pas déclencher une engueulade ? Tu ne te demandes pas pourquoi ils n'ont pas eu envie de venir ? Ton père t'a dit quel genre de papa il avait été avec nous ? » LoLo s'éclaircit la gorge. Quelques perles de sueur apparurent sur son nez et son front. « Il te les a racontées, ces nuits où il nous a laissés ici, dans cette maison, à crever de faim et de soif ? Il t'a dit que Freddy pleurait et pleurait après le sein de sa mère, à tel point qu'on a cru qu'il ne survivrait pas ? Oh, attends : il n'a pas pu te raconter tout ça, vu qu'il n'était pas là pour le voir. Il nous a abandonnés,

Brenda. Il nous a laissés mourir. Ici même, dans cette maison où il est mort.

— Je ne prétendrai pas savoir tout ce que vous avez vécu…

— Tant mieux, évite ! » cria LoLo en cherchant son souffle.

L'air s'était encore épaissi. Elle déboutonna le premier bouton de son chemisier.

« Qu'est-ce que t'as, frangine ? Ça va ? » s'inquiéta Freddy.

LoLo regarda sa bouche, mais elle eut du mal à comprendre ce qu'il disait. Elle se gratta la poitrine et s'efforça de ralentir son souffle haletant.

« Oh mon Dieu, qu'est-ce qui se passe ? » cria Brenda.

Elle se précipita vers le canapé, arrivant juste à temps pour rattraper LoLo alors qu'elle partait en arrière. Une convulsion involontaire haussa ses hanches vers le plafond. Elle essaya de reprendre son souffle, en vain.

« Appelle une ambulance ! lança Freddy en s'affalant sur le canapé à côté de sa grande sœur pour tirer sa tête vers lui. LoLo, ma belle, qu'est-ce que tu as ? Parle-moi. Qu'est-ce qui t'arrive ? Respire, sœurette. Respire ! »

Elle aurait voulu lui dire qu'elle n'y arrivait pas. Dire à Freddy qu'elle était en colère. Leur dire à tous les deux qu'elle aimait son mari et ses enfants, mais qu'elle n'était pas l'épouse et la mère qu'elle aurait pu être. Leur dire pourquoi. Leur dire qu'elle aurait eu besoin de ses parents. Leur dire que Bear lui avait fait du mal, que ses entrailles étaient vides, qu'elle n'avait rien à donner à ce monde. Leur dire qu'elle essayait quand même.

Elle aurait voulu leur dire qu'elle avait le cœur brisé.

# LE LIVRE DE RAE

1999-2004

# 23

Rae n'avait pas d'ADN commun avec ses parents, et c'était aussi anodin pour elle que la couleur du fluide qui courait dans ses veines. Le sang était rouge, Delores Lawrence était sa mère, Thomas Lawrence était son père : c'étaient là trois faits aussi indiscutables les uns que les autres. Ses parents l'habillaient. La nourrissaient. Veillaient à ce qu'elle reçoive une bonne éducation. L'emmenaient à l'église presque tous les dimanches. Lui inculquaient la crainte de Dieu, aussi. Ils l'aimaient. Elle avait sa chambre à elle, peinte en rose parce que Tommy pensait que les filles aimaient ça, et c'était le cas, elle aimait bien, non parce qu'elle était une fille mais parce que lorsqu'elle l'accompagnait au magasin de bricolage, elle s'attardait toujours devant les échantillons de peinture qui avaient des nuances de rose, à la recherche de la teinte la plus divine. Et sincèrement, elle se fichait que celui de sa chambre contienne un peu trop de rouge et se rapproche plus du rose Pepto-Bismol que du rose Malabar : son père l'avait choisi pour elle, et donc ce rose, comme lui, était parfait. Les papiers ? Ils n'y changeaient rien. Impossible. Jamais.

Les mots écrits hurlaient la réalité – LA COUR CERTIFIE PAR LE PRÉSENT ACTE QU'UN ORDRE D'ADOPTION PLÉNIÈRE EN DATE DU 6 MAI 1971 A ÉTÉ DÛMENT ATTRIBUÉ AUX SOUSSIGNÉS THOMAS LAWRENCE ET DELORES WHITNEY LAWRENCE, SON ÉPOUSE, RELATIF À L'ENFANT DORÉNAVANT DÉSIGNÉE SOUS LE NOM DE RAE LAWRENCE –, et Rae les avait lus en pleurant à chaudes larmes, toute seule sur la moquette de ses parents, devant la boîte en fer qu'ils cachaient sous leur lit et dont le contenu s'étalait autour de ses genoux secs et bruns. Une fois le choc initial absorbé par son organisme de douze ans, cependant – une fois qu'elle avait eu fini de lire les papiers, et d'observer ses parents pour chercher des indices sur leur vraie nature, et de scruter le miroir pour comprendre qui elle était en réalité, et d'étudier les albums photo jusqu'à y trouver la confirmation que sa mère était bien là, figée dans le temps deux mois avant sa naissance, le ventre aussi plat que le pont du bateau sur lequel elle se tenait –, elle s'en était remise. Elle se fichait d'être adoptée et que ses parents ne lui aient rien dit. Son adoption était le secret de LoLo et de Tommy, et elle ne l'éventerait pas. Si c'était tellement important pour ses parents, elle se tairait.

Tasheera, elle, n'avait pas ces scrupules. Debout en haut des marches, elle assistait au défilé des proches du défunt qui arrivaient chez Tommy et LoLo avec leurs fleurs de lune, leurs plats de poulet trop cuit, leurs yeux chagrins et leurs vêtements noirs de circonstance. Certains la saluaient, et elle hochait le menton. D'autres l'embrassaient comme si elle était de la famille, comme si elle était à sa place. Elle se raidissait sous leur étreinte. Elle n'avait nulle douceur à donner – rien que la vérité.

Sa vérité. La maison où elle se trouvait – ce ravissant logis à deux étages, empli de ces belles choses qui, empilées, auraient projeté une ombre immense sur le modeste appartement où elle-même avait grandi avec sa mère et son frère – symbolisait tout ce dont elle avait manqué. Ces gens, avec leurs bonnes paroles et leurs étreintes non sollicitées, méritaient de savoir qui était le vrai Tommy. Aujourd'hui elle annoncerait, pratiquement sur son cadavre, qu'elle, Tasheera La'Nae Brown, était la fille de Tommy Lawrence. La vraie.

Rae l'avait vue pour la première fois à l'église, en train de les fixer du regard. TJ, sa mère. Elle. Dans cette église pleine de gens qu'elle connaissait depuis toujours – ce petit cercle d'amis que LoLo avait constitué au fil de décennies de mariage, et qui aimaient aussi Tommy –, il y avait cette fille qu'elle ne connaissait pas, à qui TJ avait fait un signe gêné de la main, et qui la fixait. Rae avait l'habitude de ce genre de choses ; les gens avaient tendance à dévisager les célébrités, grandes ou petites, et Rae en était une pour les proches de ses parents. Ils étaient fiers de cette petite qu'ils avaient élevée à eux tous et envoyée faire de grandes choses, puisqu'elle était maintenant productrice d'une émission populaire sur MTV. Ce jour-là, cependant, parce qu'ils la connaissaient en vrai et qu'ils aimaient LoLo, aucun d'entre eux ne songeait à MTV ni aux vedettes qu'elle fréquentait dans les hautes sphères ; c'est avec beaucoup de peine pour Rae, LoLo et TJ qu'ils embrassaient une dernière fois le front de Tommy avant que les diacres ne referment lentement le cercueil et ne l'ornent d'un modeste bouquet d'hortensias roses, cueillis spécialement par LoLo dans le massif que Tommy avait fait pousser pour elle. Quand Sarah s'était levée pour chanter en pleurant « His Eye Is on the Sparrow », eux aussi avaient pleuré pour cette jeune femme désormais orpheline qui faisait ses adieux à l'amour absolu de sa vie : son papa. Ceux qui tenaient à Rae ne se souciaient que de son deuil. Tous, sauf cette fille.

Et maintenant elle était là, à déambuler dans la maison, à s'incruster, clairement annonciatrice d'embrouilles. Rae, enceinte de sept mois et terrassée par le chagrin, par la soudaineté du décès de son père, par tous ces gens qui lui disaient qu'il était parti pour un monde meilleur, n'en pouvait plus. Elle avait l'intention d'embrasser sa mère et son frère, de prendre la petite boîte en carton contenant les bijoux de Tommy que sa mère lui avait mise de côté, et de s'éclipser rapidement.

Mais elle ne pouvait s'empêcher de vouloir garder cette fille à l'œil.

Elle chercha dans les placards de la cuisine une boîte en plastique avec le bon couvercle, puis se dirigea vers le buffet pantagruélique préparé par les amies de sa mère et les doyennes de l'église, sans cesser de la surveiller par-dessus le comptoir séparant la cuisine de la salle à manger, que son père avait construit de ses mains. La fille, qui semblait avoir un ou deux ans de moins qu'elle, s'approchait des gens, serrait des mains, disait quelques mots, puis passait aux suivants en laissant dans son sillage des bouches béantes et des conversations chuchotées.

« Bon, la voiture est chargée », annonça Roman en massant les épaules de Rae. Concentrée sur l'intruse, celle-ci l'entendit à peine. Elle plongea une cuiller de service dans un saladier de macaronis au fromage posé au bord du buffet, et faillit la vider à côté de sa boîte en plastique. « Euh, je croyais que tu détestais les macaronis au fromage quand ce n'est pas toi qui les as faits, s'étonna Roman.

— Quoi ? » dit-elle sans détourner le regard, plus pour gagner du temps que pour demander une clarification.

Elle resta parfaitement immobile, la cuiller dans une main, la boîte dans l'autre, quand la fille s'approcha encore d'amies de sa mère – cette fois Sarah et Cindy, assises sur le canapé à deux places où elle adorait faire sa sieste à l'époque où elle était encore à la fac et où elle revenait pour les vacances. Avant cela, LoLo avait toujours interdit à la famille d'utiliser son salon de réception. Les sofas, ce petit canapé, la table basse en verre et l'étagère chargée de souvenirs de leur vie ensemble, tout était mis sous cloche et interdit d'accès, sauf pour le ménage ou pour les invités de marque. L'université – Rae était la première de sa famille à y aller – lui avait valu une place sur ce canapé, où elle s'installait pour travailler, pour lire, ou pour se reposer des rigueurs de la vie estudiantine. À présent, à en juger par les têtes de Sarah et de Cindy, ce meuble n'avait plus rien d'un havre de paix.

La fille avait à peine commencé à parler que TJ se précipita pour l'attraper par le bras et l'éloigner des deux femmes. Il la fit sortir du salon et l'entraîna dehors, dans la chaleur du soleil, poursuivie par le regard de Rae jusqu'à ce qu'elle soit hors de vue. Rae resta sur place, les mains pleines, bouche bée, incertaine quant à ce qu'elle venait de voir, et bien décidée à découvrir le fin mot de l'histoire. Tous les yeux, dans la pièce, étaient soit baissés soit tournés pour fuir les siens. C'était personnel. C'était mauvais signe.

« Chérie, je croyais que tu voulais y aller », dit Roman, légèrement geignard, lorsqu'elle lâcha la cuiller et la boîte sur la table pour se diriger vers le perron. Roman n'était pas fan des enterrements ni de la pompe qui les entourait, mais surtout, il détestait être coincé avec la famille Lawrence et son orbite, ce groupe de gens du Sud, religieux, manuels, avec qui il n'avait aucune affinité. Dans le bureau de son père, le mur du fond était couvert de diplômes reçus par des membres de sa famille sur trois générations, annonçant les ambitions de la famille Lister : université Howard, avocat. Université Howard, ingénieur. Université Xavier, infirmière. Université de Pennsylvanie, docteur. Et pourtant, Mme Lawrence le prenait de haut, de même que son mari, paix à son âme, comme si Roman ratait la cible qu'ils avaient en tête pour leur fille. Comme si ses mains lisses et sans cals indiquaient chez lui un manque de virilité, une incapacité à lui construire un foyer, à veiller sur leur jeune famille. Roman recevait avec un vernis d'indifférence leur contrariété enveloppée dans de raides accolades et des conversations insignifiantes. Il esquivait poliment leurs bruyantes parties de Pokeno et leurs discussions tapageuses sur « le bon vieux temps », celui où les nègres ruraux fuyaient les livres et les stylos, préférant tirer au fusil, soulever de lourdes charges et nourrir avec difficulté six, sept, huit bouches affamées sur une terre qu'ils avaient acquise ou qu'ils se tuaient à essayer d'acheter. Ce genre de luttes, très peu pour lui : ça ne l'intéressait pas. En général, il se terrait simplement dans un coin pour lire jusqu'à l'heure où il pouvait raisonnablement s'étirer, bâiller et dire : « Allez, on a de la route pour rentrer à Brooklyn. » Rae n'était jamais prête à partir. Mais aujourd'hui, après que sa rose blanche et une poignée de terre avaient suivi le cercueil de son père dans la fosse, elle s'était écartée de l'épaule de sa mère le temps de chuchoter à Roman : « On ne va pas traîner à la réception. Sors-moi de là dès que tu peux. » C'était la demande la plus raisonnable qu'elle lui avait faite de la journée.

Et maintenant, voilà qu'elle se faisait prier.

Cela ne ressemblait pas à Rae de le faire attendre, mais là, les besoins de son mari passaient au second plan. Il n'était plus question qu'elle parte tant qu'elle n'aurait pas compris pourquoi un froid était tombé sur la pièce, ni quel était le rapport avec cette intruse. Ignorant les regards fuyants, elle descendit dans l'entrée, franchit la moustiquaire, dépassa le lilas des Indes issu d'une bouture que sa mère avait rapportée des années auparavant de chez sa sœur en Caroline du Sud et descendit encore une volée de marches qui la déposèrent devant le garage, où se tenaient les derniers membres de sa famille. Une discussion intense était visiblement en cours : ils agitaient les mains, passaient d'un pied sur l'autre, tout en parlant avec animation mais à voix basse. Rae croisa d'abord le regard de l'oncle Theddo, qui se tut aussitôt. Les autres se tournèrent pour voir ce qu'il regardait.

« Ah, tiens, ma grande. Viens donc embrasser ton vieux tonton », dit-il en lui ouvrant les bras.

LoLo et TJ regardèrent tous deux leurs chaussures en lançant des petits coups d'œil à Rae et à l'intruse.

« Salut, Theddo », dit Rae d'une voix hésitante. Elle se laissa embrasser, mais pas distraire. « Je vais y aller, maman, ajouta-t-elle sans lâcher la fille des yeux.

— D'accord, chérie, la journée a été longue. Ça vaut sans doute… »

La fille lui coupa la parole.

« Bonjour, dit-elle, la main tendue. Je m'appelle Tasheera.

— Ah, euh, enchantée. »

Rae allait lui demander d'où elle connaissait son père, mais TJ intervint.

« Oui, alors, on allait justement vous présenter. Rae, je te présente la fille de Theddo », lâcha-t-il abruptement.

Rae remarqua que Tasheera, apparemment interloquée, tournait vivement la tête vers lui ; elle remarqua LoLo qui se dandinait d'un air crispé ; et elle remarqua les épaules de l'oncle Theddo qui s'affaissaient. Tête baissée, il se racla la gorge. Tasheera retira sa main de celle de Rae et toussota, elle aussi.

« La fille de Theddo ? »

En raison de sa curiosité naturelle, les adultes n'avaient jamais pu cacher grand-chose à Rae pendant son enfance. C'était avec l'âge, cependant, qu'elle avait réellement compris ce qui se disait et pourquoi. Lorsqu'elle y avait repensé avec sa compréhension d'adulte, les nombreuses conversations abstraites dont elle avait essayé de percer le secret petite avaient pris tout leur sens, lui montrant à quel point les adultes autour d'elle étaient tordus. L'oncle Theddo, qui avait eu assez d'enfants « surnuméraires » en dehors de son premier mariage pour remplir les premiers gradins à un match amateur, était sans doute le plus tordu de tous. Elle ne s'étonnait donc pas qu'on lui présente une cousine germaine quasiment adulte dont tout le monde ignorait jusque-là l'existence. C'était dans la logique des choses, même si elle se demandait ce que les enfants légitimes de Theddo pensaient de cette nouvelle sœur – à supposer qu'ils aient fait sa connaissance.

« Mmm-hmm », fit Theddo en hochant la tête, sans vraiment relever les yeux de ses oxfords Stacy Adams noires, qu'il avait impeccablement cirées en signe de respect pour l'enterrement. Ou pour attirer l'attention d'une femme.

« Enchantée, cousine, dit-elle.

— Oui, alors, ça ne va pas être possible, lâcha l'autre.

— Oh, non, non, pas ici… pas maintenant, s'interposa LoLo, qui lui prit le bras.

— Comment ça, pas maintenant ? riposta la fille en se dégageant brusquement. Si vous voulez mon avis, c'est le meilleur moment ! »

Rae, sonnée, recula de quelques pas.

« Eh, attention ! C'est à ma mère que tu parles, là », dit-elle. Sa voix, d'habitude légère et cristalline, descendit d'une octave. « Le moment pour quoi ?

— *Pas maintenant* », insista LoLo avec plus d'intensité.

Tasheera plissa les paupières mais ne dit rien. Elle se contenta de sortir de son sac un petit morceau de papier – le rabat d'une enveloppe – qu'elle tendit à Rae.

« Je, euh… j'ai noté ça pour toi. J'ai pensé que ça pourrait te servir. »

Rae prit le papier. Deux noms y étaient inscrits, en cursive et en rouge, chacun suivi d'un numéro de téléphone.

« Celui du haut, c'est le mien, et en dessous c'est celui de mon frangin. J'ai pensé qu'il était temps que tu connaisses tes frère et sœur. »

Le papier semblait brûler entre les doigts de Rae ; les noms et les numéros dansaient comme des flammes. Elle regarda d'abord LoLo, puis TJ qui secoua la tête et marmonna vers le ciel : « Mauvaise idée. »

« Mes frère et sœur ? dit Rae en inclinant la tête pour toiser lentement la fille des pieds à la tête. Comment ça, mes frère et sœur ? »

Son ton de voix évoquait plus la fureur que la curiosité.

« C'est exactement ce que j'ai dit. Mon frère Mikey et moi, on a le même père que toi.

— Quel père ? demanda Rae, toujours en colère, mais surtout perplexe.

— Thomas Lawrence était notre père aussi », lâcha simplement Tasheera.

LoLo, encore convalescente après la crise cardiaque qu'elle avait subie deux semaines plus tôt en allant enterrer son propre père en Caroline du Sud, se frotta la poitrine, le souffle oppressé, inhalant à grandes goulées l'air humide. Rae se raccrocha à elle tandis que TJ s'éloignait de quelques pas en passant les deux mains sur ses cheveux courts.

« C'est pas vrai ! soupira-t-il. Je t'avais dit de la faire partir ! Maintenant, regarde, dit-il à Theddo qui restait muet, les bras ballants.

— Tu savais ? » demanda Rae à TJ.

Tasheera répondit à sa place.

« Oui, il savait. Tout le monde savait. Tes oncles, ton frère. On l'a dit à ta mère, aussi, il y a quinze jours. Désolée qu'elle ne t'ait pas mise dans le… »

Rae ne lui laissa pas la satisfaction de prononcer le mot « secret ». Elle jugeait qu'elle avait déjà assez parlé – assez manqué de respect à la maison de ses parents, à sa mère, à sa famille. Le nom de son père dans la bouche de cette fille, elle ne supportait pas. Pas ici. Pas devant cette maison. Pas en ce jour, le plus dur de ses trente années d'existence : le jour où elle avait mis son papa en terre. Elle n'allait pas tolérer ça. C'était hors de question.

Elle était droitière, mais ce fut son poing gauche qu'elle serra : une astuce que lui avait enseignée Tommy un samedi soir où, enfant, elle était assise par terre à côté de son fauteuil relax au sous-sol, en train de brailler devant la télé où un poids welter anéantissait son adversaire. Rae adorait regarder la boxe avec Tommy – ainsi que les Mets de New York, la NBA, la NFL. Ça n'avait rien à voir avec la passion du sport ; en fait, elle n'aimait pas tellement ça, à part les Knicks, et encore, seulement quand elle allait à un match et pouvait voir de près le joli fessier de John Stark. En réalité, si elle regardait le sport, surtout quand elle était enfant, ce n'était pas pour acclamer les équipes favorites de son père, mais plutôt pour passer du temps en sa compagnie : rire avec lui, dévorer un pot entier de Häagen-Dazs parfum vanille-noix de pécan sans culpabiliser, retirer de ce temps bien employé des leçons et de l'amour. Et puis il y avait eu le soir où elle lui avait révélé qu'une certaine Laurie, en quatrième comme elle, lui faisait peur. Laurie était autoritaire, et tous les garçons de leur classe d'anglais avaient beau lui tourner autour, elle était verte de jalousie que Tony ait demandé à Rae de l'aider pour un devoir. Elle jugeait que Rae méritait une raclée. Elle avait fait passer le mot dans toute la promo, à toutes les tables du réfectoire, et jusque dans la cour où les cars attendaient. Rae était pétrifiée de trouille. Elle n'était ni flirteuse ni bagarreuse : juste une élève modèle qui collectionnait les bonnes notes, et à qui un garçon avait demandé un coup de main. Elle voulait bien rendre ce service, mais pas au point de se faire tabasser.

« Tu vois ? Tu vois ? Observe-le bien, ma puce. Regarde, là ! avait dit son père, penché en avant, en mimant des petits coups de poing vers le téléviseur. Il l'a mis dans les cordes, mais Hagler va se servir de sa main gauche pour lui envoyer une patate dans le bide. Regarde bien. »

Et en effet, l'adversaire de « Marvelous » Marvin Hagler n'avait pas fait le poids face au gaucher.

« Tu vois, les autres s'attendent à ce que tu frappes de la droite, parce qu'il y a une majorité de droitiers », avait expliqué Tommy, assis au bord de son fauteuil, le corps tendu vers l'énorme meuble télé en bois posé par terre à côté d'une chaîne hi-fi tout aussi gigantesque. « Ils surveillent ta droite. Ils la gardent à l'œil. Et c'est ce qu'ils s'entraînent à esquiver et à contrer. Mais tu attaques par la gauche, et boummm ! dit-il avec un grand sourire. Ils ne voient rien venir. »

Tommy s'était levé, les poings serrés, et avait pris une pose de boxeur.

« Allez, mets-toi debout et fais comme ça. » Rae s'était exécutée. « Bon, si elle t'attaque comme ça, elle va faire ce geste-là, avait-il expliqué en levant lentement la main vers le visage de Rae, et ensuite elle va baisser le bras et esquiver par là, en s'attendant à ce que tu répliques de la main droite. En faisant ça, elle va se pencher pile vers ton poing. Toi, tu vas balancer le bras gauche, en tirant de la force de ta jambe droite et de ta hanche gauche. Il faut y lancer tout ton corps, tu vois ? Allez, en position. »

Rae ne laissa pas Tasheera terminer sa phrase. Elle lui balança un coup en pleine tête. Ce qu'elle voulait, c'était que Tasheera, chaque fois qu'elle aurait ne fût-ce qu'une pensée pour les Lawrence et leurs secrets, s'arrête tout de suite et songe à autre chose, n'importe quoi plutôt que les parents de la fille au redoutable crochet du gauche. Le coup lui percuta si fort la tempe droite qu'elle vit littéralement des étoiles, et elle allait passer les treize jours suivants à emprunter le fond de teint Maybelline de sa mère pour couvrir la marque du poing de Rae.

Il fallut TJ, l'oncle Theddo, LoLo, Sarah et encore quelques mains que Rae ne vit même pas pour la séparer de cette fille et la ramener dans la maison, au sous-sol, sur le canapé, où ils continuèrent de la tenir pendant qu'elle proférait des horreurs que les bons chrétiens présents sur place préféraient ne pas entendre. Les gens s'éclipsèrent avec un salut rapide de la main, en murmurant des condoléances hâtives, leur respect pour Tommy et LoLo surpassant leur désir d'assister à ce psychodrame si typiquement noir. Tommy n'était même pas encore froid dans sa tombe. C'était une honte, tout simplement.

Il en allait ainsi, chez les gens comme eux. Les vies, les histoires étaient vécues en silence, enfouies au plus profond, tout au fond de la mémoire, dans la moelle des os. Les Lawrence, comme la plupart des Noirs qui avaient souffert, étaient profondément secrets : ils gardaient leurs histoires serrées tout contre eux, tels des sous-vêtements troués, et jamais ne les exposaient à la lumière du jour. Leurs raisons de se cacher étaient nourries par la gêne, la honte, la peur. Personne ne serait allé raconter que l'oncle Jed avait eu ses parties intimes tranchées et jetées au pied de l'arbre où une bande d'ivrognes l'avaient pendu un soir de désœuvrement ; la justice se fichait complètement de ces choses-là, et ces mêmes cochons de Blancs, énervés par les accusations et indignés à l'idée même d'être montrés du doigt par un nègre, pouvaient toujours revenir faire la même chose à son frère, à son fils, ou s'en prendre à sa mère, à sa femme enceinte. À quiconque cherchait la vengeance. La peur fermait toutes les bouches. La gêne fonctionnait de la même manière ; le linge sale d'une famille – les pertes, les fautes, les mensonges, les secrets – ne devait jamais être déballé en public. Tout devait être inhumé avec les cercueils, six pieds sous terre.

Rae ne supportait pas cela. Non seulement elle était curieuse de nature, mais en plus elle était journaliste : elle aimait les bonnes histoires, et elle savait les raconter. Mais surtout, elle avait besoin de connaître et de comprendre le récit fondateur de sa famille – dans ce qu'il avait de beau, de laid, de compliqué, tout. Si sa propre origine lui restait inaccessible, si elle ne pouvait rien savoir de ce père et de cette mère qui l'avaient abandonnée, de ceux à qui elle ressemblait, de la source d'où coulait en réalité son sang, pas même savoir si la date d'anniversaire inscrite sur son acte de naissance était la bonne, la moindre des choses était qu'elle sache tout sur la famille qui l'avait réclamée, élevée, accueillie en son sein. Cela comptait pour elle, ces choses-là.

Ni Tommy ni LoLo n'avaient su se dévoiler d'une manière qui lui convienne. Il faut dire qu'elle ne leur avait pas facilité la tâche. Trop fouineuse. Trop peu discrète. Et bien trop sensible pour qu'ils aient envie de lui confier leurs secrets. Chaque fois qu'un drame se produisait, tout le monde le lui dissimulait parce que sa première réaction à une conversation difficile – elle le reconnaissait volontiers, d'ailleurs – était en général un débordement d'émotions : larmes, cris, silence maussade le temps d'encaisser la nouvelle. Sa mère ne supportait pas cela, même s'il ne leur venait jamais à l'esprit, ni à l'une ni à l'autre, que c'était elle, LoLo, qui avait rendu Rae si émotive. Tommy s'en rongeait les sangs. Mais dans la tête de Rae, poser des questions, examiner les informations, exprimer des émotions, c'était justement le propre des gens normaux : lorsqu'on apprenait ou qu'on traversait un événement douloureux, bouleversant, il était parfaitement naturel d'avoir une réaction forte, démonstrative. C'était un exutoire indispensable pour se remettre et surmonter le problème, comme la vapeur était indispensable pour faire avancer un bateau à aubes. Ils ne semblaient pas avoir conscience que dissimuler les blessures n'empêchait pas les plaies de suppurer. Cela infectait la famille de diverses manières qu'ils ne pouvaient ni ne voulaient nommer, mais Rae avait fini par comprendre que ses larmes, ses questions, sa manière de creuser constamment, apportaient à ces plaies de l'air frais et de la lumière, toutes choses nécessaires à la guérison. Même si cela faisait mal quand on arrachait le pansement.

Il n'en restait pas moins que sa vulnérabilité effrayait sa mère, son père, son frère, tout le monde, et avait fait d'eux des maîtres de la dissimulation. Ils lui cachaient tant de secrets, petits ou grands ! C'était pour la protéger, soutenaient-ils. « Allons, allons… tu as trop à faire pour t'embêter avec ça », lui disait Tommy chaque fois qu'elle tombait sur un incident : le frigo en panne que LoLo et lui n'avaient pas les moyens de faire réparer, ou TJ mettant sa copine enceinte et ayant besoin qu'on lui dise précisément comment la convaincre d'avorter. Tommy avait même tergiversé avant de lui annoncer que LoLo avait fait une crise cardiaque en Caroline du Sud, et qu'elle était passée à deux doigts de suivre son propre père dans la tombe.

« Salut ma belle, qu'est-ce que tu fais de beau ? » avait-il dit tranquillement, comme si c'était un samedi après-midi d'été ordinaire, tiède et calme.

Au moment de son appel, Rae était allongée depuis à peine vingt minutes. Elle somnolait devant une émission de cuisine présentée par une Italienne qui n'arrêtait pas de se lécher les doigts en préparant sa crème au citron. Elle était contente que Roman soit parti avec son fils jouer à une sorte de croisement entre tennis et handball dont elle n'avait jamais entendu parler, et que le bébé dans son ventre ait enfin cessé de lui enfoncer ses orteils entre les côtes, s'installant lui aussi pour la sieste. Les plages de calme étaient rares pour cette jeune productrice de télévision, surtout à l'approche de son congé maternité. En voyant s'afficher le numéro de ses parents, elle avait quand même décroché en réprimant un bâillement.

« Rien, je comate devant la télé. Ta petite-fille a enfin arrêté de tortiller des fesses, avait-elle gaiement répondu en caressant son ventre.

— C'est bien. Elle ne tortille pas des fesses… Elle est juste très active comme sa maman, avait dit Tommy avec un grand rire. Ça va être quelque chose, de te voir essayer de tenir le rythme avec une mini-toi.

— Rien que d'y penser, ça m'épuise déjà ! »

Ils avaient plaisanté comme ça pendant un bon quart d'heure avant que Tommy trouve les mots et le courage.

« Tu sais que LoLo est en Caroline du Sud.

— Je sais, papa. Je l'ai eue au téléphone hier. Elle m'a dit que tatie Brenda voulait la convaincre de se faire épiler les sourcils. Je paierais cher pour voir ça, douillette comme elle est !

— Oui, bon, aujourd'hui elle est à l'hôpital.

— À l'hôpital ? Quoi, ils n'ont pas encore fini avec papi ? Je pensais qu'il était déjà au funérarium.

— Non non, il est bien au funérarium. Maman est à l'hôpital parce qu'elle est malade.

— Malade ? »

Elle s'était redressée sur ses coudes.

« Elle est, euh… en soins intensifs.

— Comment ça, papa ? Qu'est-ce qu'elle fait en soins intensifs ?

— Elle a fait une crise cardiaque, mon trésor.

— Hein ?! »

Rae avait plaqué une main sur son propre cœur.

« Ils, euh… ils font le maximum, mon bébé.

— Ne me dis pas ça. »

Les yeux de Rae étaient déjà pleins de larmes.

« Mon bébé…

— Ne me dis pas ça ! »

Cette fois, sa voix s'était brisée.

« Rae, ne commence pas à pleur…

— Ne me dis pas ça ! »

Son nez la brûlait, et la poussée d'adrénaline lui donnait un mal de tête lancinant.

« Rae, arrête ! Il n'y a rien que tu puisses faire, et ce n'est pas en pleurant que tu vas changer quoi que ce soit.

— Elle est où ? Il faut que je la voie ! Quel hôpital ? Il faut qu'on y aille… Il faut que je voie ma mère !

— Ça n'est pas du tout nécessaire. Ça ne sert à rien que tu ailles la voir là-bas ; tu ne peux rien pour elle. Je m'occupe de tout.

— Mais papa…

— Je m'en occupe, je te dis. Où est Roman ?

— Quoi ? Roman ? Il… il est parti jouer à un truc, un genre de tennis… avait bredouillé Rae, à peine intelligible.

— Préviens-le. Je te rappelle ce soir. »

Et c'était tout, il avait raccroché. Le temps que Roman rentre de Manhattan à Brooklyn par la ligne C puis la F, et qu'il parcoure à pied les quatre pâtés de maisons entre le métro et leur appartement de Fort Greene, Rae avait déjà parlé à une infirmière de l'hôpital. « Oh, ma pauvre petite, avait dit cette dernière. Nous faisons tout notre possible. » Sa voix était semblable à un quatre-quarts : sucrée mais étouffante, et pleine de choses que personne ne voulait. Des choses qui, Rae en était sûre, la tueraient.

C’était une conversation difficile pour laquelle Rae, après deux ans de mariage et avec un bébé dans le ventre, n’était tout simplement pas prête. Elle savait pourtant qu’il le fallait, même si son père doutait qu’elle puisse le supporter. Avait-elle le choix ? Sa mère, cette femme que Rae aimait autant que l’air qu’elle respirait, mais qu’elle craignait jusqu’au plus profond d’elle-même, l’avait embrassée il y avait encore quelques jours, et avait caressé son gros ventre en chuchotant : « Tu as une mamie qui t’aime, ma toute petite ! Sors donc de là, que je te voie ! » Et voilà que, juste au moment où elle commençait à montrer cette tendresse qu’ils ne lui connaissaient pas, elle se retrouvait à l’hôpital, dans un autre État : son cœur, en même temps qu’il s’emplissait de lumière, s’était aussi considérablement affaibli. Rae avait besoin de sa mère. Besoin qu’elle soit forte. Besoin qu’elle rentre à la maison et qu’elle lui apprenne à être une maman pour sa propre fille. Elle avait besoin de lui dire tout cela.

« Rappelez ce soir, lui avait gentiment conseillé l’infirmière. On pourra vous en dire plus à ce moment-là. »

Rae ne le passerait jamais, cet appel. Quelques heures après l’annonce du drame, elle avait reçu un deuxième coup de fil, cette fois de son frère. Contrairement à Tommy, TJ n’était pas doué pour la subtilité ni pour la douceur. Il n’y allait pas par quatre chemins.

« Rae, papa a eu un accident de voiture sur la route de l’aéroport, en allant voir maman. Il est mort. »

Et maintenant, après ces tragédies en cascade, Rae, dans le sous-sol de la maison de ses parents, regardait tour à tour ses chevilles enflées et la bouche de son frère en s'efforçant de comprendre l'information qu'elle venait de recevoir dehors. De comprendre comment son père, cet homme magnifique et généreux qui aimait sa famille, avait pu en fonder une deuxième en secret. Comment il était possible que cette fille puisse déambuler chez eux et essayer de s'approprier tout ce qu'il lui restait de son papa – tout ce qui était bon.

« Je lui avais dit de ne pas venir, expliqua TJ.

— Attends, je ne comprends pas. Tu la connais, cette salope ?

— Ce n'est pas une salope. Mais ce qu'elle vient de faire, c'est sûr que c'était une saloperie.

— TJ. Arrête les petits jeux. C'est qui, cette fille ? Qu'est-ce qu'il lui prend de raconter que papa est son père ? »

TJ déglutit avec effort.

« Bon, là-dessus, elle ne ment pas. C'est bien la fille de papa. Et elle a un petit frère, qui est de lui aussi. » Rae observait TJ, ses lèvres épaisses, comme pour mieux comprendre les mots qui sortaient de sa bouche. Il continua. « Ils n'ont que quelques années de moins que nous ; elle a vingt-sept ans, lui vingt-cinq. Ils vivent à Long Island avec leur mère, à deux rues de chez tonton Samuel.

— Et comment tu sais tout ça, toi ? »

TJ garda un silence qui ne lui ressemblait pas. Puis :

« J'accompagnais papa quand il allait les voir – prendre des nouvelles, leur donner de l'argent, s'assurer qu'ils allaient bien. »

Rae fit une grimace d'incrédulité.

« Attends, quoi ? Tu savais depuis tout ce temps ?

— Ben ouais, lâcha TJ à mi-voix. Papa vous racontait qu'on allait voir tonton Sam, mais en montant en voiture, je savais où on allait, en vrai. »

La poitrine de Rae commença à se soulever, et les larmes lui montèrent aux yeux. Le bébé remua et lança des ruades, attirant sa main sur son ventre.

« Et maman ? Elle savait, depuis tout ce temps ?

— Euh, bon, ce qu'il y a, c'est que Tasheera appelait à la maison aux heures où papa y était. Il lui avait dit de raccrocher si l'un de nous répondait. Mais la dernière fois, il y a quinze jours, elle est restée en ligne. Et elle a tout dit à maman. »

Rae chassa ses larmes d'un geste rageur.

« Elle… Quoi ?!

— Ouais. Tout.

— C'était quand, ça ?

— Juste avant qu'elle parte en Caroline du Sud. Le jour où papi est mort.

— Tu es en train de me dire que cette fille a téléphoné à maman et qu'elle lui a parlé ?

— Oui.

— Comment tu le sais ?

— Maman m'a appelé.

— Et elle t'a dit quoi ? »

TJ inspira un grand coup.

« Que Tasheera venait de lui balancer qu'elle était la fille de papa, comme ça. Et elle a ajouté qu'elle l'avait remise à sa place.

— Comment ça, "remise à sa place" ? Ça veut dire quoi ?

— Elle lui a dit qu'elle se fichait de savoir qui était son père, et qu'elle pourrait toujours essayer, elle ne ferait jamais partie de sa vraie famille, qu'elle ne serait jamais la petite chérie de papa, parce qu'il en avait déjà une. »

Rae chassa encore des larmes de ses joues, et elle était sur le point d'éclater en sanglots bruyants lorsqu'elle entendit claquer une porte. Elle écouta le pas caractéristique de sa mère – lourd, lent – sur l'épais tapis de l'escalier. Leurs regards se croisèrent.

« Et c'était sincère, dit LoLo. Elle n'aurait jamais pu prendre ta place. »

Cette fois, la digue se rompit pour de bon. Tout en luttant contre ses sanglots, Rae chercha à se lever du canapé. TJ bondit pour l'aider. Ses mains et celles de LoLo se posèrent sur ses bras, sur son dos, partout, pour la soutenir. TJ sortit un mouchoir de sa poche de poitrine pour étancher les larmes de sa sœur, mais celle-ci détourna vivement la tête.

« J'ai vraiment du bol, ironisa-t-elle. En une seule journée, j'enterre mon père et je gagne une sœur et un frère. » Le regard encore plongé dans les yeux de TJ, elle cria : « Roman ! Je veux rentrer ! »

Son haleine était brûlante. Elle regarda TJ encore un bref instant, puis se faufila comme elle le put entre son frère et sa mère, son ventre frottant contre celui de LoLo, ses fesses contre la jambe de TJ. Elle gravit l'escalier et sortit en sachant qu'ils la regardaient partir. Sa colère, sa tristesse, sa confusion formaient un épais ragoût qui les faisait suffoquer. C'est pour cela qu'ils lui cachaient tant de vérités. Pour cela qu'ils gardaient leurs secrets.

# 24

L'aiguille entre ses vertèbres, les contractions, le bip-bip de cette machine idiote, à contretemps de la chanson « A Song for You » de Donny Hathaway qui passait en boucle sur le lecteur CD : tout cela instillait dans le corps de Rae, et jusque sous son crâne, une douleur qui, dans les brefs instants où elle parvenait à reprendre son souffle, l'amenait à se demander ce qui lui était passé par la tête le jour où elle avait tendu à Roman un grand verre de vin blanc bon marché, l'avait embrassé sur la bouche et lui avait soufflé : « On devrait faire un bébé. » Elle avait toujours su qu'elle voulait devenir mère, avant même d'avoir la moindre idée de la façon dont cela se faisait. Sa propre mère l'avait fessée à lui blanchir les cuisses lorsqu'elle l'avait surprise, à l'âge de huit ans, en train de se pavaner au sous-sol avec son poupon baigneur sous sa chemise de nuit, témoignage de ses premiers fantasmes de grossesse. « Au lit, vilaine ! » avait crié LoLo, pantelante, en lui tenant le bras en l'air, l'obligeant à se tortiller comme une marionnette au bout de son fil pour éviter les claques. Elle ne comprenait pas du tout ce qu'elle avait fait de mal : sa tatie Para Lee avait le ventre rond, et tout le monde s'extasiait quand il bougeait, tout le monde le caressait et roucoulait pendant qu'elle souriait et gloussait, échouée comme une grosse baleine dans le canapé. La première fois qu'elle avait vu ce bébé-là, Rae l'avait pris pour une poupée. Elle était allée se coucher en repensant à la manière dont il avait serré son doigt, et à l'odeur de sa tête quand elle y avait frotté le nez. Rae voulait un bébé. Elle l'avait su tout de suite. Ce désir avait encore grandi quand elle avait trouvé les papiers de son adoption et compris, pour la première fois de sa vie, que les branches de tous ces arbres généalogiques qu'elle avait dessinés au fil des années pour des exposés en classe étaient aussi factices que les feuilles d'érable qu'elle découpait dans du papier cartonné. Elle pouvait retourner la question dans tous les sens, les membres de sa famille ne l'étaient que par décret. Elle voulait quelque chose qui lui appartienne vraiment. Elle aimait ses parents, son frère, mais elle désirait voir grandir une vraie branche, nourrie par ses racines à elle. Son utérus serait la terre, et son bonheur, son désir, l'engrais qui ferait pousser son arbre généalogique bien à elle.

Mais à présent que ce bébé dont elle rêvait depuis toute petite arrivait, que son premier souffle était imminent, rien n'allait. Elle gisait sur un lit d'hôpital, les jambes écartées, entourée d'inconnus qui regardaient ses parties intimes et lui palpaient le ventre, les bras, la vulve, tandis qu'un être humain complet était sur le point de sortir de son corps, et il n'y avait pas une once de joie là-dedans. Fidèle à elle-même, elle avait lu tous les livres sur l'accouchement qu'elle avait pu trouver ; elle avait mémorisé, visualisé, répété, et s'était préparée dans les moindres détails à ce qui allait suivre. Les fausses contractions. La perte des eaux. La valise prête pour le départ. La préinscription à l'hôpital et la visite de l'aile maternité. La rencontre avec tous les médecins du cabinet de gynécologie-obstétrique. L'importance d'avaler ces cachets énormes. Ce qui arriverait quand le bébé avancerait vers la sortie : la douleur, la pression, les selles, l'anneau de feu, le déchirement, le placenta, le colostrum, le contact peau à peau, les saignements, et l'immobilité une fois que tout serait dit ; tout ce qui pouvait bien tourner, tout ce qui pouvait mal tourner. Mais aucun de ces bouquins ne disait un mot sur ce qu'il fallait faire quand votre papa, votre héros, avait trompé sa femme, engendré et entretenu une seconde famille, et était mort en allant rejoindre celle qui s'était tuée à l'aimer et à prendre soin de lui, tout cela pour qu'il lui brise le cœur à la fin.

Rae ne trouvait pas la joie parce qu'elle était en colère. Elle se sentait flouée. Tout ce que LoLo avait exigé d'elle, tout ce qu'elle lui avait extorqué pour faire d'elle la femme parfaite… c'était de la foutaise. Foutaise ! « Travaille bien à l'école », « garde les jambes fermées », « fais de bonnes études », « trouve-toi un bon métier », « épouse un homme bien comme ton père », « fais des enfants », « sois une bonne épouse, une bonne mère, une bonne ménagère » : voilà ce que LoLo lui avait seriné, et montré par l'exemple, car c'était selon elle le seul moyen d'être la femme vertueuse, celle qui réussirait, celle qui serait choisie et choyée. Celle qui passerait les portes du paradis. Et comment cela avait-il tourné pour sa mère ? Elle avait consacré tout son être à élever les enfants, tenir la maison, cuisiner, tout nettoyer avec précision, jusqu'aux slips sales de Tommy, qu'elle vénérait aussi ; maintenant, son homme était six pieds sous terre, et en remerciement il ne lui avait laissé que de l'humiliation. *C'est tout ?* se demandait Rae quand elle était seule avec ses pensées. C'est ça, le prix à payer pour le dévouement d'un homme ? Même celui d'un type bien ?

Rae se cramponna aux montants du lit et hurla. C'était une douleur exquise – pousser un être humain hors d'un trou minuscule au bout de ses reins, essayer de ne penser qu'à cette enfant et à la tête qu'elle aurait, et non à l'expression sévère de son père dans le cercueil, à ses cheveux graissés et aplatis par les quantités de crème Afro Sheen dont les pompes funèbres les avaient enduits. Rien de ce qu'elle avait appris aux séances de préparation à l'accouchement – adossée contre le torse de Roman, haletant pour surmonter des contractions fictives – n'avait de sens. Se faire arracher les ongles de pied, danser une valse lente sur un tapis de charbons ardents, endurer les contractions et le chagrin : tout ça, c'était pareil, aucune différence. Une nouvelle contraction arriva, et Rae perdit littéralement toute sensation dans les pieds et derrière les genoux.

« Oh non, oh non, oh non ! hurla-t-elle d'une voix à glacer le sang.

— Pas la peine de brailler comme ça ! la rabroua l'infirmière. Ça ne fera pas sortir le bébé plus vite. Concentrez-vous sur votre souffle, et retenez-vous de pousser jusqu'à ce que je vous le dise.

— Je… j'y… peux… rien… putain… ça… fait mal ! grogna Rae en se tortillant.

— Chérie, chérie, dit Roman, penché sur elle, en passant les mains sur ses tresses aux racines poissées de sueur. Elle essaie juste de t'aider. Allez, respire avec moi. » Il lui prit la main. « Tu peux y arriver. »

Pour cela, elle pouvait compter sur son mari : cette constance sans faille avec laquelle il la persuadait qu'elle était la star de toutes les histoires, qu'elle pouvait, aussi facilement que le soleil, s'élever chaque matin dans le ciel. Pour une femme qu'on avait programmée à être envahie par le doute à chaque pensée, à chaque décision, ces choses-là comptaient beaucoup. Roman était le muscle qui fermait ces valves d'un simple « N'écoute pas les autres, c'est toi qui as raison » ou d'un « Ne crois pas qu'ils font mieux que toi », lui rappelant qu'elle n'avait pas à souffrir l'indignité de plier l'échine – que le menton levé, les épaules en arrière, c'était la posture d'un soldat. « Tu es mon soldat, disait-il. Tu assures. » C'était pour cela qu'elle l'aimait. Et qu'elle s'aimait aussi.

Roman souffla trois fois, de manière exagérée, en pinçant ses grosses lèvres, puis une quatrième fois, longuement, entre ses dents. Rae hocha la tête et l'imita.

« Bravo. C'est bien. »

Elle surveilla sa tête lorsqu'il se pencha entre ses jambes, sous le drap qui couvrait ses genoux. Elle sentit qu'il essayait de rester neutre, comme s'il n'était en rien perturbé par ce qu'il voyait, mais Roman était très mauvais acteur : l'inquiétude, la peur, la méfiance, la colère, ces émotions étaient toujours clairement visibles sur sa figure, quoi qu'il dise par ailleurs.

« Quoi ? » fit-elle en soufflant tandis qu'une nouvelle contraction montait crescendo dans le bas de son ventre.

Roman fit semblant de bâiller, encore un signe révélateur que Rae avait appris à reconnaître en deux ans de mariage et trois de vie commune : il s'apprêtait à dire un mensonge.

« Rien, répondit-il. Rien du tout. Ça roule. Tout va bien se passer. »

Mais non, tout n'allait pas bien se passer. Au-delà de la mort de son père, au-delà de la nouvelle de sa trahison, il y avait le fait que Roman n'avait pas de travail et n'en cherchait pas. Il était lecteur-correcteur de métier, mais se voyait bien romancier – un rêve qu'il nourrissait depuis l'enfance, époque où il croyait qu'il suffisait pour cela d'un bloc de papier, de quelques stylos Bic et d'une agrafeuse. LoLo, avant sa crise cardiaque, s'était demandé s'il avait réellement évolué dans sa réflexion. Il avait démissionné de son poste de correcteur pour un magazine national alors que Rae en était à six mois de grossesse, sous prétexte qu'il avait soi-disant perdu la « passion » de son travail et qu'il pouvait se permettre de chercher quelque chose de plus épanouissant puisque sa femme avait économisé assez d'argent, de jours de vacances et de congés maternité pour qu'ils vivent dans le confort pendant un an. Une justification qui, pour LoLo, n'avait absolument aucun sens.

« Comment ça, démissionné ? avait-elle pratiquement hurlé quand Rae lui avait appris la nouvelle par téléphone (elle était allée voir ses parents la veille avec l'intention de divulguer ce projet, mais n'avait pas osé le faire, sachant comment réagirait sa mère).

— Il veut devenir écrivain, maman. Il n'est pas heureux. »

Cela, au moins, était vrai. Elle ne comptait plus les matins où la sonnerie stridente du réveil l'arrachait à un profond sommeil et où, en chassant de ses yeux les résidus poisseux et cotonneux d'un repos modérément réparateur, elle trouvait Roman à côté d'elle, adossé à deux oreillers pour pallier l'absence de tête de lit, entouré de liasses de papier et de carnets qui jonchaient le matelas et sa table de chevet ; son rêve, sa passion, imprimée ou griffonnée au stylo sur toutes les pages. Le matin où il avait fait le choix entre lui-même et sa famille, Rae s'était étirée et avait bâillé avant de saluer son homme :

« Salut, toi », avait-elle dit, tout bas pour ne pas déranger sa concentration. D'instinct, elle avait porté la main à son ventre : « Bonjour, ma toute-petite, avait-elle ajouté avec une caresse.

— Salut, chérie », avait dit Roman.

Avec un demi-sourire, il lui avait jeté un bref coup d'œil tout en couchant sur le papier ses dernières pensées avant de devoir arrêter. Puis il avait rassemblé les feuilles sur ses genoux et posé la pile sur sa table de chevet, jusqu'à la nuit suivante, où son histoire viendrait de nouveau le tirer de son sommeil.

Rae avait attendu qu'il tourne vers elle son corps mince mais musclé.

« Déjà en train de bosser ! Pendant qu'on gaspille nos vies à dormir, toi, tu te réveilles avec les poules. »

Roman avait ri.

« "Le monde appartient à ceux qui se lèvent tôt", ou quelque chose comme ça, avait-il dit en la prenant dans ses bras.

— Ça me rend très fière, de te voir poursuivre ton rêve. Il y a des tas de gens qui prétendent vouloir écrire, mais toi tu le fais, au lieu de te tourner les pouces. »

Il l'avait serrée contre lui.

« Si on veut », avait-il murmuré en nichant la tête dans le creux de son cou.

Ils étaient restés ainsi dans leur solitude, à écouter les bruits de Brooklyn qui s'éveillait. Les éboueurs avaient jeté à grand fracas des poubelles vides contre le trottoir, et l'énorme camion était reparti en grinçant.

« Comment ça, “si on veut” ? Tu le fais, point final. »

Il l'avait serrée plus fort.

« Oui, mais j'aimerais avoir plus de temps pour m'y mettre vraiment à fond, tu vois ? Une heure par ici, deux ou trois par là, ce n'est pas comme ça que je vais être publié. Je veux dire, ce boulot… »

Il avait hésité, enfoncé encore un peu la tête dans son cou.

« Quoi ?

— Ce boulot… » Il s'était tu. Son cœur avait battu plus vite contre le dos de Rae. « C'est assommant, chérie. Je vois les jeunes Blancs prendre de l'avancement, et moi je reste au même bureau, à corriger des coquilles et à leur rappeler l'usage de la virgule, comme si ma carrière d'auteur s'arrêtait là, alors que les autres sont acclamés pour des histoires qui sont au mieux médiocres, tu sais ? Hier encore, Brett Van a signé pour un roman, grâce à une nouvelle qu'il a publiée dans le magazine il y a deux mois. J'ai vu son premier jet. C'est nul, ce mec est un tocard. Mais il est là, à vivre mon rêve. »

Rae tenait son ventre à deux mains. Elle avait ravalé sa première pensée. C'était encore une variante du nouveau discours qu'il lui tenait depuis quelque temps. Le point de bascule. Depuis le tout début, il lui avait toujours dit que son rêve, c'était elle ; que faire des bébés avec elle, se construire une vie avec elle, c'était la seule chose qui comptait pour lui. Que ce serait la source de son bonheur, et du sien à elle, aussi. Faire son nid, se préparer à ouvrir grand les bras pour accueillir une vie nouvelle. Leur famille. Mais à six mois de grossesse, Rae avait l'impression que l'impatience altérait le rêve qu'ils avaient tant poursuivi. L'orgueil et l'envie peignaient de grandes traînées noires et baveuses sur leur simple ciel bleu. *Est-ce qu'on ne suffit pas à ton bonheur ? Ce n'est pas nous, ton rêve ?* Voilà ce qu'elle aurait voulu lui dire. Mais jamais elle ne prononcerait ces mots-là tout haut. Mieux valait s'étouffer dessus que doucher les ambitions d'un homme. C'était ce qui était attendu d'elle. C'était ce qu'elle connaissait. C'était la réaction pavlovienne qu'on exigeait d'une femme noire qui voulait maintenir la paix – qui voulait garder son homme.

« J'ai réfléchi, avait-il continué. Et si je partais de là-bas, tu vois, pour me consacrer à ce livre ? »

Rae s'était imperceptiblement écartée de son mari, les mains sur son ventre.

« Comment ? Quitter ton boulot ? Tu veux dire, démissionner ?

— Oui… avait acquiescé Roman en étirant le mot au maximum. On a assez d'économies pour pouvoir tenir quand le bébé arrivera. Je pourrais mettre ce temps à profit pour terminer mon livre, et quand tu auras besoin de reprendre le travail, j'aurai un gros contrat à ajouter au pot commun. Au pire, je pourrai toujours me trouver un autre poste de correcteur. Mais là, j'ai peut-être une fenêtre unique pour vraiment me mettre à écrire. Tu comprends ? »

Elle avait hésité.

« Euh, bah… oui, oui. Je suppose que ça… que ça pourrait fonctionner », avait-elle bégayé, tout aussi incertaine que sa voix le laissait entendre.

Roman ne remarqua rien. Il y avait beaucoup de choses qu'il ne remarquait pas. Cette ambition, qu'elle avait trouvée attirante au début, qu'elle avait comparée aux cals imprimés dans les paumes de son père par une vie de travail acharné, devenait un fardeau pour Roman. Et pour elle aussi. Comme elle allait le découvrir, il ne vivait que pour sa réputation. Plus le temps passait, plus cette ambition s'imposait, pour à la fin prendre toute la place. Pas Rae, pas le bébé. Son bonheur à *lui*.

LoLo, elle, l'avait tout de suite percé à jour, et voilà que Rae, enceinte, avait dû lui avouer que son bon à rien de mari avait choisi de squatter le canapé. Parce que le travail le contrariait.

« Mince alors, depuis quand est-ce qu'il faut être heureux en gagnant sa vie ? avait-elle réagi en apprenant la nouvelle. Qu'est-ce qu'il s'imagine, qu'il faut lui faire une haie d'honneur chaque fois qu'il part au boulot ? Quel genre d'homme quitte son emploi alors que sa femme est enceinte ? Et tu vas te laisser faire ? Je n'en reviens… »

Rae avait éloigné le combiné de son oreille et l'avait écrasé contre ses seins enflés et douloureux ; elle s'attendait à ce que sa mère réagisse ainsi en entendant que

Roman démissionnait pour écrire un livre. LoLo était très à cheval sur les responsabilités d'un homme envers sa famille, et elle était profondément convaincue que si une personne dans la maisonnée doit ramener un salaire, c'est l'homme. Au fond, Rae était du même avis ; mais elle n'avait pas besoin du sermon. Ce dont elle avait besoin, c'était de réflexion, pour trouver comment elle allait jongler entre un emploi qui exigeait sa présence au bureau parfois plus de dix heures par jour et l'arrivée d'un bébé, pour laquelle elle devait préparer son corps et sa maison. Tout cela avec un mari – un homme noir – qui avait besoin de son soutien et de ses encouragements, pas de son scepticisme, quitte à ce qu'elle mette ses doutes et ses craintes au fond de sa poche avec un mouchoir par-dessus si c'était le prix à payer pour que leur couple, que cette famille tant désirée, puisse fonctionner.

Elle avait coupé court à la tirade de LoLo.

« D'accord, maman… M'man, il faut que je te laisse, je dois retourner au boulot. J'essaie de te rappeler ce soir en rentrant, s'il n'est pas trop tard. »

Elle savait très bien qu'elle n'en ferait rien. Tout irait bien, avait-elle affirmé pour elle-même.

Roman bâilla, jeta un nouveau coup d'œil sous le drap.

« Ouah, c'est, euh… houlà. » Il détourna son corps entier du spectacle et serra la main de Rae un peu plus fort. « Tout va bien. Euh, c'est bon.

— Quoi ? Qu'est-ce qu'il y a ? demanda Rae, alarmée par son expression.

— Allez, on se concentre, intervint l'infirmière en lui tapotant l'épaule.

— Qu'est-ce qui se passe ? Il… il y a un problème avec le bébé ? insista Rae, le souffle court, d'une voix de plus en plus haut perchée.

— Tout se passe bien, dit tranquillement la Dr Hazel en se relevant d'entre ses jambes. La tête apparaît, donc je vais vous demander de me regarder. »

Rae serra la main de Roman, mais resta concentrée sur son médecin.

« Vous vous rappelez, quand nous avons parlé de l'anneau de feu ? »

Elle hocha la tête.

« La brûlure que vous sentez en ce moment, c'est ça. »

Rae essaya de retenir ses larmes, mais en vain. Elle avait l'impression qu'on déchiquetait son corps entier ; elle entendait à peine ce que disait le médecin.

« Écoutez-moi bien. Ne poussez pas, vous comprenez ? Laissez votre utérus faire le travail. Je vais vous masser le périnée pour calmer la sensation de brûlure, d'accord ? Et quand la contraction viendra, je veux que vous respiriez, mais que vous laissiez faire votre corps. Ne poussez pas. »

C'est ainsi que s'écoulèrent les vingt minutes suivantes – Rae respirant et pleurant, Roman regardant ailleurs, l'infirmière faisant taire tout le monde –, jusqu'au moment où la Dr Hazel attrapa le bébé, essuya le sang et l'épais film blanc et pâteux sur son petit visage bouffi et chiffonné surmonté de bouclettes, l'emmena dans un coin pour le palper, l'examiner et le mesurer, puis, enfin, le déposa en sûreté dans les bras de sa mère. Rae contempla ce petit être avec un mélange de stupéfaction, d'émerveillement, et une peur aussi immense que son amour. Sa dévotion pour sa fille fut immédiate.

« Bonjour, petit bébé, dit-elle à travers ses larmes. Bonjour, Skye.

— Skye ? demanda l'infirmière en griffonnant le mot sur son porte-bloc. Vous écrivez ça comment ?

— *S*, *k*, *y*, *e*, et en deuxième prénom, Tommie, *i*, *e* à la fin, dit Roman en pressant l'épaule de Rae.

— Le deuxième prénom, c'était celui de mon père, précisa Rae, incapable cette fois de retenir ses sanglots. Il n'est plus là. »

L'infirmière posa son stylo et lui tapota le bras.

« Il est encore ici, ma chère », dit-elle. Elle tendit à Rae un morceau de papier portant les mesures de Skye à la naissance, inscrites sous une empreinte à l'encre de ses pieds et de ses mains. « Croyez-le, même si vous ne croyez à rien d'autre, vous m'entendez ? »

Rae contempla les fines lignes qui tournoyaient et formaient des motifs parfaits, occupant un espace minuscule sur la feuille, mais si grands – si puissants – à ses yeux. Elle tourna son attention vers la petite Skye, observant ses joues, son nez, sa manière d'avancer les lèvres en cherchant son sein. Elle était très claire de peau – pas du tout comme Rae – et, à voir le bout de ses oreilles, elle ne foncerait pas beaucoup. D'une teinte ou deux, peut-être. Mais rien à voir avec sa mère. Rae avait hâte qu'elle ouvre les yeux, qu'elle la regarde. Pour l'examiner par elle-même et croire enfin que c'était vrai, que c'était son enfant – et voir que son sang si beau lui ressemblerait, aussi, de sorte que quand le monde regarderait Skye, il verrait un reflet d'elle-même et saurait que c'était elle qui l'avait faite, qu'elle n'était pas seule en ce monde.

Des larmes fraîches se mirent à couler.

« Tout va bien, chérie, dit Roman avant de les embrasser toutes les deux sur le front. Elle est là. Tu as été formidable, et voilà notre fille. »

Rae caressa la joue de la petite en regrettant que ses parents ne soient pas là pour faire de même.

« Pardon ! Infirmière ? Excusez-moi ! » lança Rae à la femme qui allait et venait dans cette espèce d'entrepôt pour jeunes mères.

C'était une chambre de dix lits, tous occupés par des femmes noires ou latino-américaines à divers stades de l'après-naissance – certaines berçant leur tout-petit dans leurs bras, d'autres cherchant le sommeil, une main sur le berceau en plastique accroché à leur lit, d'autres encore qui venaient d'arriver et attendaient qu'on leur ramène leur nouveau-né. Une femme, seule dans le lit du fond, chassait rageusement ses larmes en regardant par la fenêtre, et lançait de temps en temps des regards en coin à celles qui avaient leur enfant. La chambre était d'un jaune putride, avec des rideaux bleu layette délimitant une petite zone pour chacune des nouvelles mères. De gros autocollants en forme de fleurs, de taille et de couleur variées, étaient dispersés au hasard sur les murs ; plusieurs affiches décolorées proclamaient en grosses lettres L'AMOUR NE DOIT PAS FAIRE MAL, avec des indications pour trouver de l'aide en cas de violences domestiques. L'atmosphère était lourde, comme si la joie n'était qu'une lointaine conséquence, et non le point central, de leur présence en ces lieux.

Ce n'était pas ce qu'avait prévu Rae. Elle avait visité deux fois la maternité : une fois avec la Dr Hazel, à quatre mois de grossesse, puis de nouveau à six mois, quand elle avait signé un contrat et un chèque lui garantissant une chambre individuelle et un repas spécial pour elle et Roman afin de fêter l'événement.

« Et mes parents, ils pourront venir me voir, n'est-ce pas ? avait-elle demandé. Pas de restrictions ?

— Oui oui, lui avait assuré la coordinatrice. Les visites sont autorisées jusqu'à vingt-deux heures en chambre individuelle. C'est un des plus grands avantages, avec le dîner au homard et au champagne. On n'a rien de tout ça dans les semi-privées.

— Très bien, je m'inscris ! » avait lancé Rae avec enthousiasme.

Elle tâchait de ne pas regarder les autres femmes et se concentrait sur ses pieds, qui ressemblaient à des baudruches marron prolongées par de grosses saucisses. N'importe quoi pour ne pas penser au fait que son bébé n'était pas dans ses bras.

« Excusez-moi ! »

Enfin, l'infirmière, qui repartait le nez sur son porte-bloc, releva la tête pour regarder vers eux. Elle plissa les paupières.

« Il n'a pas le droit d'être là, lui, dit-elle en indiquant Roman d'un coup de menton.

— Je… » Rae allait demander où était son bébé, mais la remarque de l'infirmière la désarçonna. « Comment ça ?

— Sa présence n'est pas autorisée. Seule la famille proche de la mère est autorisée dans les chambres semi-privées. Il doit partir. »

Rae digéra ces paroles en s'efforçant, à travers son brouillard de fatigue, de comprendre ce qui se passait. Par déduction.

« C'est mon mari, dit-elle simplement. Vous pouvez me dire quand on me rendra mon bébé ? Et quand nous serons transférés en chambre individuelle ?

— Hum », fit l'infirmière en les regardant tour à tour. Une seconde infirmière entra et s'arrêta à côté d'elle pour voir quel psychodrame se déroulait encore dans cette chambre qu'elles appelaient simplement « la salle ». La première ne se tourna pas vers elle mais lui résuma la situation sans se soucier un instant qu'ils l'entendent. « Elle dit que c'est son mari, lâcha-t-elle sur un ton un peu amusé, un peu incrédule.

— Son mari ? Vous êtes mariée ? » demanda l'autre à Rae, sans un regard pour Roman.

Rae, il est vrai, paraissait bien dix ans de moins que son âge, surtout avec ses fines tresses lui arrivant aux épaules, la coiffure de ces jeunes qui copiaient le look « glamour mais juvénile » des Janet Jackson, Brandy et consorts. Mais quoi que l'on pût penser de son âge à ce moment, le diamant qui brillait à son doigt plus la phrase « C'est mon mari » auraient dû suffire à confirmer qu'elle n'était pas juste une ado qui s'était fait engrosser et qui se rebellait contre le règlement.

« C'est mon mari ! » répéta-t-elle d'une voix un peu plus forte que nécessaire pour cette salle pleine de jeunes mamans fatiguées et de nouveau-nés.

Roman lui pressa le bras.

« Je, euh, je crois que ce qu'elle essaie de dire, c'est que nous attendons de voir notre enfant depuis un moment. Nous voulions savoir si on pouvait nous emmener dans la chambre individuelle que nous avons payée ? »

Les infirmières se regardèrent, de plus en plus incrédules.

« Vous avez payé pour une individuelle ? J'ai vu ça nulle part dans votre dossier.

— Je ne… je ne sais pas quoi vous dire. Je l'ai payée il y a quelques mois. J'ai les papiers dans mon sac, si vous voulez. Roman, chéri, tu peux sortir le dossier du sac ? » Elle se retourna vers l'infirmière. « Je veux juste récupérer mon bébé et m'installer, c'est tout. »

La seconde infirmière, après un coup d'œil sur les papiers que Roman tendait à la première, sortit sans mot dire, et revint peu après avec la petite Skye. Rae ne s'était pas rendu compte qu'elle retenait son souffle, jusqu'au moment où elle eut enfin sa fille dans les bras. Elle l'embrassa sur le front, sur les deux joues, sur les lèvres, sur ses petits doigts fermés sur le sien, et soupira en l'admirant tout entière. Son visage dégonflait déjà, et ses yeux – ses yeux, enfin ! – étaient ouverts. Ils étaient ronds et noirs, immenses. Elle n'avait que trois heures, et déjà elle était le centre de l'Univers et toutes les étoiles réunies. Elle ressemblait à une vraie petite personne toute neuve, avec ses bras grêles et ses jambes guère plus grosses. Rae posa la main contre ses petons ; ils n'étaient pas plus longs que son petit doigt. Elle rit, jusqu'à ce qu'elle voie quelque chose qui l'arrêta net.

« C'est quoi, cette piqûre à son pied ? » dit-elle en l'approchant de ses yeux.

Un filet de sang était visible juste sous la peau, sous son pied gauche.

L'infirmière, qui feuilletait les papiers et les reçus fournis par Roman, leva le nez un instant, puis replongea dans la paperasse.

« Oh, ce n'est rien, ça.

— Comment ça, "rien" ? Je ne comprends pas. Pourquoi est-ce qu'on lui a piqué le pied ? »

La seconde infirmière, occupée à border une couverture dans le berceau, releva à peine la tête.

« C'est l'analyse toxicologique, lâcha-t-elle.

— Quoi ?! s'exclamèrent en même temps Roman et Rae.

— Ce n'est rien du tout. Ce sont des contrôles aléatoires. On prélève juste une goutte de sang pour vérifier que le bébé n'a pas de drogues dans l'organisme, au cas où la mère serait toxicomane. C'est pour pouvoir lui donner un traitement.

— Et qu'est-ce qui vous fait croire que je suis toxico ? s'insurgea Rae, horrifiée.

— Je vous dis que c'est aléatoire, d'accord ? C'est tout. On ne peut pas savoir qui se drogue ou non, ici. On se préoccupe des bébés, pas de vos états d'âme, riposta la première infirmière. Bon, je vois que votre dossier est en ordre. Si vous n'avez pas d'autres questions, je vais demander qu'on prépare votre chambre.

— Et le dîner, aussi ? s'enquit Roman. Je crève de faim, moi. »

Les infirmières se regardèrent et partirent sans un mot, comme s'il n'était même pas là, comme s'il n'avait pas été entendu.

« J'hallucine, dit Rae.

— Laisse tomber, la pressa Roman. Je comprends, mais laisse tomber.

— Mais qu'est-ce qui leur donne le droit de faire ça ? Tu trouves ça normal ? Rien de tout ça n'est normal ! »

Elle se cramponna à sa fille : elle posa son petit torse contre sa poitrine et écouta battre son cœur. Elle était effrayée, en colère. Elle se sentait petite. Impuissante. Elle n'était pas près de lâcher ce bébé, pas volontairement, pas consciemment, alors que l'hôpital conspirait pour les étiqueter d'entrée de jeu, elle et sa famille. Même dans la chambre individuelle, où il n'y avait plus d'yeux indiscrets ni de visages indifférents et où les infirmières les oublièrent complètement, ne passant que pour déposer un sac cadeau qui contenait du lait en poudre, du talc et une liasse de bons d'achat pour des articles de puériculture qui envahissaient déjà sa chambre à Brooklyn, elle continua de se cramponner à cette petite et de la regarder respirer, soupirer et dormir jusqu'à ce qu'elle-même n'arrive plus à garder les yeux ouverts.

*C'est un beau petit bébé.*

Soudain Tommy fut là, debout devant son armoire dans la maison de famille, vêtu d'un élégant complet noir tout neuf, un beau sac de voyage noir à ses pieds. Il s'habillait toujours avec soin pour voyager, profondément convaincu que voler à bord d'un oiseau géant qui traverse les cieux était un miracle – un luxe conçu par l'ingéniosité humaine pour le bénéfice des privilégiés qui en avaient les moyens. Quand il se présentait au comptoir d'embarquement, il voulait être vu. Respecté. Invité à entrer. Et donc, il s'habillait en conséquence.

*Papa ?*

*Ça va, ma grande. C'est ce que tu te demandais, pas vrai ? Je vais bien.*

*Où... où vas-tu ?* demanda-t-elle en regardant tour à tour son père et le sac.

*C'est paisible, ici.*

*Mais où ? Papa, où vas-tu ?*

*Je suis là, devant toi. Et ma petite-fille... ce sera quelqu'un d'exceptionnel. Comme toi. Donne-lui de l'amour, et du gruau de maïs avec du beurre. Prends-en pour toi aussi. Tu en auras besoin pour ton propre parcours, tu m'entends ?*

*Mais je ne comprends pas.*

*Ça ne fait rien ; ça viendra. Et maintenant, fais manger la petite.*

Il referma l'armoire, ramassa son sac et lui souffla des baisers, en creusant la main pour les faire sonner plus fort.

*Papa, ne pars pas, je t'en prie. S'il te plaît, papa. Ne t'en va pas. Papa, reviens. Reviens ! Reviens !* répéta Rae, encore et encore, les joues striées de larmes.

Les baisers de son père devinrent de plus en plus sonores, noyant ses supplications.

Skye remua et commença à s'agiter, à vagir en tournant la tête de droite et de gauche. Rae sentit d'abord ce mouvement, puis un picotement rythmique dans son téton, mais il lui fallut quelques secondes pour prendre conscience de la présence de sa mère, en train de poser une série de petits baisers sonores près de son oreille – comme quand elle était petite. Elle ouvrit enfin les yeux – désorientée, ne sachant plus bien où elle était, ce qui se passait, pourquoi ses joues étaient mouillées, pourquoi le bout de ses seins palpitait, pourquoi sa mère l'embrassait comme si elle avait six ans.

Elle sursauta en s'éveillant pour de bon.

« Attention, bébé à bord ! dit LoLo à mi-voix, une main posée sur le dos de la petite pour la stabiliser alors qu'elle se tortillait sur la poitrine de Rae. Doucement, doucement. »

Elle battit des paupières. Elle vit d'abord sa mère et TJ, puis son bébé, puis Roman, assis au même endroit que lorsqu'elle avait sombré des heures auparavant, terrassée par l'émotion, l'effort et le stress d'avoir expulsé un être humain de ses entrailles. Peu à peu, tout lui revint. Elle était maman, désormais. Et sa maman à elle était là, mais pas son papa. Son cœur était tellement tiraillé qu'elle le sentait battre dans ses tempes – comme si tout se brisait en elle.

Skye poussa un gémissement. Rae aussi.

« Maman ! s'écria-t-elle, le seul mot qu'elle put prononcer entre ses sanglots.

— Je suis là, répondit LoLo. Je suis juste ici, ma fille. Je ne bouge pas d'ici. »

# 25

Rae hésitait devant la porte des toilettes du troisième étage, aux studios Workroom, avec son tire-lait électrique qui, entre le moteur et les embouts, était presque aussi encombrant qu'une petite valise trop remplie. Il y avait bien trois semaines qu'elle avait repris le travail, et rien n'allait, absolument rien. Tous les jours, elle embrassait Roman et Skye avant de filer prendre le métro pour Manhattan, lestée par cette machine et rongée de culpabilité, le moral tombant un peu plus bas à chaque pas qu'elle faisait vers l'angle de Park Avenue et de la 23e Rue. Il lui aurait fallu davantage de temps pour câliner Skye et construire le lien avec elle, pour se faire à cette nouvelle vie – ces sollicitations permanentes, pendant toutes ses heures éveillées et même durant celles où elle restait à la surface du sommeil parce que tous ses sens battaient au même rythme que le cœur de la petite. Si Skye avait faim et réclamait le sein, Rae était là. Si elle faisait pipi, caca ou si un petit gaz était coincé dans ses boyaux, Rae se levait. Si elle se retournait dans son berceau et s'agitait un peu, Rae était aussitôt à ses côtés pour lui frotter le dos, la prendre dans ses bras, la bercer, lui chanter « Ribbon in the Sky » jusqu'à ce qu'elle se rendorme… et une demi-heure plus tard, voire une heure avec un peu de chance, elle était de nouveau là, pour la bercer, chanter, la nourrir, lui faire faire son rot, l'apaiser et lui dire : « Allez, allez, mon bébé, tout va bien », et ainsi de suite jusqu'à ce que la nuit fasse place au jour, et que le jour devienne une nouvelle montagne projetant des ombres là où le soleil aurait dû briller.

Elle n'avait pas le choix. Ou du moins, elle ne pensait pas avoir le choix. Tout ce qu'elle avait économisé pour six mois de congé maternité sans solde avait servi, jusqu'au dernier centime, à payer l'enterrement de son père, une dépense que personne n'avait prévue. Rae était la seule dans la maison qui eût un salaire régulier à retrouver après la naissance, et donc elle était retournée au boulot, en détestant tout : devoir partir comme une voleuse après la tétée du matin ; sortir son chéquier en fin de semaine pour payer une nounou à faire ce qu'elle aurait dû faire, elle ; se retrouver devant les toilettes du troisième avec ce tire-lait ultralourd, les seins enflés et sujets aux fuites, angoissée à l'idée de tirer les repas de son bébé dans un lieu où les gens urinaient, déféquaient, pétaient, vomissaient, fumaient ; rentrer le soir dans une maison où une autre qu'elle avait baigné, bercé et couché sa fille ; avoir l'impression, après une longue journée au bureau, d'enchaîner avec un second et un troisième service chez elle, entre la préparation du dîner et le moment où elle se couchait enfin, pour se relever ensuite toutes les deux heures afin de nourrir Skye.

Elle retenait ses larmes, épuisée et trempée de lait dans ce couloir, devant les toilettes situées juste en face d'une salle que ses collègues appelaient affectueusement « le fumoir ». C'était une pièce agréable, bien équipée, avec canapés et fauteuils club, une machine à café, des affiches montrant la tête des présentateurs des émissions – rien que des garçons, blancs, à l'exception d'une femme, blanche également –, et bien sûr assez de cendriers pour tous les fumeurs entre les Hamptons et Westchester.

« Ça craint, quand même, que tu n'aies pas un endroit pour préparer les biberons de ta fille, alors que ces nazes ont une pièce entière rien que pour se tuer avec leurs bâtons à cancer », dit sa collègue Nimma en lui passant la main dans le dos.

Rae sursauta et, voyant qui l'avait touchée, se hâta de chasser ses larmes. Nimma était productrice senior, avec sept ans d'expérience contre quatre pour elle : même si sur le papier toutes deux travaillaient pour différentes rubriques de la même émission, dans les faits elle était la supérieure de Rae. C'était d'ailleurs Nimma qui lui avait fait passer son entretien d'embauche, décroché sur une recommandation de son directeur de stage. Ce stage qu'elle avait fait était l'un des plus convoités par les membres de minorités qui s'intéressaient à la production télé. Rae pensait que c'était son excellence pendant ses études qui lui en avait ouvert les portes : son travail au sein de la chaîne d'info de son école lui avait valu l'équivalent universitaire d'un Emmy Award en première, troisième et quatrième années. Cet entretien l'avait détrompée : elle avait appris qu'un stage aux studios Dale n'était pas aussi respecté qu'elle l'avait cru.

« On s'est toujours foutus du programme de Dale », lui avait dit Nimma en face. Elle avait remué des papiers sur son bureau, puis s'était renversée en arrière sur sa chaise. « Enfin quoi, qu'est-ce que ça peut valoir, alors que ça n'a été monté que pour faire de la discrimination positive ? On considère généralement que ceux qui en sortent sont embauchés par charité. » Puis elle s'était redressée et avait pris entre ses mains une feuille de papier épais : le CV de Rae. « Mais tu t'es bien débrouillée. Ton travail est impressionnant – clairement au-dessus du lot.

— Merci, avait soufflé Rae sans trop savoir si c'était un compliment ou une moquerie.

— Bon, alors, on cherche à faire bouger un peu les choses ici. On veut embaucher une présentatrice noire ou latina, pour une nouvelle émission qui aille au-delà de ce qui est normalement attendu d'un animateur télé issu des minorités. En gros, je travaille sur une émission qui célèbre la "culture noire" (elle avait mimé des guillemets avec ses doigts), mais sans se limiter au rap et au R'n'B. Je parle de mettre en avant, disons, une Gwen Stefani ou une Courtney Love, qui à mon sens en font tout autant partie que Mary J. Blige ou Sisters with Voices. Comment te verrais-tu contribuer à cette mission ? »

Rae s'était rembrunie.

« Je ne me vois pas y contribuer », avait-elle lâché.

Elle ne voulait pas être brusque ; elle appréciait le tact, plus que ses contemporaines convaincues qu'il suffisait de se pointer dans un bureau habillées de manière provocante, de copiner avec les célébrités et de savoir donner une soirée d'enfer qui se retrouvait dans *Page Six* pour décrocher un poste à la direction. Elle n'était pas comme ça ; elle était bosseuse, elle ne faisait pas de vagues, elle ne mélangeait jamais travail et plaisir, et elle pouvait même être un peu godiche, avec ses tenues classiques et ses chaussures confortables. Sa façon de voir les choses, c'est qu'elle allait au travail, pas en boîte, et que ses compétences – en particulier le soin obsessionnel qu'elle apportait à la valorisation des histoires et cultures des communautés marginalisées – étaient un atout pour une entreprise, pas un moyen de servir la soupe aux grandes stars de l'univers du divertissement.

« Pardon ? avait dit Nimma. Donc tu ne vois pas l'intérêt d'une émission qui mette en avant Gwen Stefani et Mary J. ?

— À vrai dire, non. Gwen Stefani, Courtney et compagnie sont cool et je vois bien ce qu'on peut leur trouver, mais les autres aussi le voient... C'est pareil dans toutes les émissions du réseau MSK. Elles ont déjà du temps d'antenne, à ne pas savoir qu'en faire. Je trouve que si vous voulez produire une émission de musique noire, alors il faut que c'en soit vraiment une, et pas une énième manière de promouvoir des artistes blanches qui voient notre culture comme un manteau qu'elles peuvent porter par mauvais temps et retirer quand elles n'en ont plus besoin. »

Elles avaient passé encore dix minutes sur le sujet avant que Nimma ne mette brusquement fin à l'entretien :

« OK, bon, nous cherchons à embaucher vite. On te rappellera.

— Ah... euh... d'accord. »

Rae avait ramassé ses affaires et s'était traînée vers la sortie, la tête basse, certaine de s'être complètement grillée. Mais moins de quarante-huit heures plus tard, Nimma la rappelait avec une proposition d'embauche. Rae découvrirait plus tard que son directeur de stage était intervenu directement auprès du chef de service – en l'avertissant qu'il était sur le point de « passer à côté de la meilleure productrice junior du moment ». Le chef était alors allé dire à Nimma que si elle n'arrivait pas à convaincre Rae d'accepter le poste, c'était elle qui sauterait. Rae avait commencé un mois plus tard.

La tension entre elles s'était dissipée aussi vite qu'elle était montée ; c'était ça, la vie dans un bureau qui comptait quatre Noires (dont une récurait les toilettes et une autre filtrait les appels du producteur exécutif) sur une trentaine de personnes. Rae et Nimma avaient vite appris à s'entendre.

« Allez, Rae, il va falloir faire mieux que ça », lui avait dit Arthur, son chef de service, lors de sa première réunion d'équipe.

Sa voix était légèrement surexcitée ; il marchait de long en large devant un immense tableau blanc, sur lequel il inscrivait au marqueur bleu marine des sujets de reportages potentiels. Rae, anxieuse, étourdie à force de préparatifs, venait de passer un quart d'heure dans les toilettes à répéter ses présentations dans la glace, tout en revoyant les post-it classés par couleur dans la pile de magazines *Vibe*, *XXL*, *Source* et *Essence* où elle avait pêché ses idées et ses arguments. Mais elle n'avait pas réussi à se concentrer, pas vraiment : des images de son boss, debout devant une surface blanche, en train de tapoter le mot « TLC » du bout de son marqueur lui venaient sans cesse en tête. Et à présent il était bien là, debout devant un tableau blanc, marqueur bleu en main, en train de lui crier dessus. Rae était pétrifiée, assise vers le milieu de l'immense table de réunion de trente places, dans la salle vitrée qu'ils appelaient « l'aquarium ». Nimma et elle étaient deux grains de poivre noir dans une soupe de chou-fleur. Tous les yeux étaient posés sur elle.

Elle s'était éclairci la gorge et s'était redressée sur sa chaise. Arthur n'aimait pas Brownstone. Noté. Mais comment pouvait-il encenser un groupe comme Jodeci ? Quel mal y avait-il à vouloir enquêter en profondeur sur les raisons pour lesquelles TLC, l'un des plus grands groupes féminins de l'histoire, racontait partout être ruiné ? Rae avait passé le doigt sur ses notes et feuilleté ses magazines, la tête vide, un peu déroutée par la sensation de déjà-vu qui vibrait devant ses yeux.

« Autre chose ? avait demandé Arthur avec humeur.

— En fait, je pense que le sujet sur TLC tient la route », était intervenue Nimma en pivotant sur sa chaise pour le regarder bien en face. Rae avait cessé de remuer ses papiers et tendu l'oreille. Intérieurement, elle exultait, ravie que Nimma prenne son parti. Extérieurement, elle tirait son chemisier sur sa poitrine et triturait son stylo, en se demandant pourquoi cette femme se mouillait dans l'histoire alors qu'elle ne semblait avoir aucune sympathie pour elle. « Une génération entière les adore, et je ne parle pas seulement des jeunes Noirs urbains, avait continué Nimma. Elles sont canon, elles font de la bonne musique qui se vend bien. Et elles ont de vrais poids lourds avec elles. L'industrie ne parle que de leur faillite, en ce moment. On peut filmer quelque chose, faire parler leur manager et quelques-uns de leurs producteurs vedettes, à propos de la musique, de leurs relations personnelles, de leurs décisions financières. De Lisa et de ses choix explosifs. Tu sais bien que le R'n'B, ce n'est pas mon truc, mais l'histoire de TLC qui se retrouve fauché, c'est intéressant. »

Nimma avait souri à Arthur, puis avait lancé un clin d'œil discret à Rae, qui avait répondu par un hochement de tête et un petit sourire.

Deux heures plus tard, ils sortaient tous de « l'aquarium », semblables à une troupe de soldats dépenaillés qui auraient combattu à mains nues et ne s'en seraient sortis que de justesse.

Rae avait hélé Nimma :

« Hey ! Merci de m'avoir soutenue.

— Pas de problème. C'était une bonne idée. Et je ne suis même pas fan de TLC, note bien !

— Tu es fan de quoi, alors ? Je veux dire, tu es vraiment branchée Gwen Stefani et Madonna ?

— Pourquoi, je n'ai pas une tête à aimer leur musique ? »

Nimma avait suivi Rae aux toilettes, sorti un chouchou de sa poche et, devant la glace, remonté ses tresses mi-longues sur le sommet de sa tête. Sa peau, d'un brun profond aux reflets cuivrés, était lisse et jolie, surtout contrastée par son sourire éclatant.

Rae avait haussé les épaules sans répondre.

« *Yo soy dominicana*. Née en République dominicaine, élevée dans le Bronx. Moi, mon truc, c'est le merengue ; j'aime bien le rock, la pop, un peu le jazz. J'adore la musique, c'est tout.

— Mais pas seulement la musique noire.

— J'aime toutes les musiques », avait dit Nimma doucement. Elle s'était tournée vers Rae. « Écoute, je sais qu'on n'est pas parties du bon pied pendant ton entretien, mais on était raccord à la réunion. Tu es bonne, comme productrice. Mais tu vas te heurter à un mur avec Arthur si tu ne mets pas un peu d'eau dans ton vin. Tu ne peux pas lui présenter un plat de chou cavalier alors que tout ce qu'il veut, lui, c'est des burgers. *¿Entiendes?* »

Rae l'avait regardée bêtement, et Nimma avait ri.

« Compris ?

— Oui, oui ! Compris. »

En quatre ans, Rae et Nimma en étaient plus ou moins venues à faire équipe pour contourner stratégiquement le système afin d'obtenir ce qu'elles voulaient, tout en veillant à ce qu'on ne les accuse pas de former une sorte d'alliance noire contre les Blancs de la boîte. Ç'aurait été un jeu de dupes auquel elles n'auraient jamais gagné, et toutes deux aimaient trop leur job pour le perdre – sans compter qu'elles aimaient tout simplement manger, aussi. Mais elles veillaient l'une sur l'autre.

Et c'est précisément ce que fit Nimma en voyant Rae hésiter devant les toilettes avec son encombrant tire-lait.

« Ça va, ça va. Je vais faire ça vite fait. Le script de Spike est à peu près terminé ; j'ai juste deux ou trois trucs à ajouter, mais il faut que je, euh… »

Rae baissa les yeux vers son tee-shirt Notorious B.I.G., et écarta juste un peu son sweat zippé Adidas. Son lait, traversant deux couches de coussinets d'allaitement et le soutien-gorge molletonné, détrempait le front de Biggie.

« Je comprends, va. Ne t'excuse pas. Quand le mien était bébé, je tirais mon lait dans ma voiture. Juste devant, là, dans la rue. Tout le monde avait droit au spectacle, mais bon, c'était toujours mieux que ces chiottes qui puent. »

Rae écrasa encore une larme et baissa la tête ; elle culpabilisait d'être venue ici au lieu de trouver elle aussi une idée ingénieuse pour son enfant.

« Je connais un meilleur endroit, lui souffla Nimma. Suis-moi. »

Un court trajet en ascenseur, une série de couloirs au cinquième, et elles se retrouvèrent dans une salle de réunion déserte donnant sur un petit bureau qui contenait un vieux rétroprojecteur, deux tas de cartons, et deux chaises. Une odeur de cannabis flottait dans l'air.

« Bon, ce n'est pas le grand luxe, mais c'était le lieu de fumette jusqu'au jour où deux mecs du service courrier se sont fait choper pendant la pause. Personne ne vient plus. Tu n'as qu'à fermer la porte et pousser deux cartons devant pour plus de sûreté. En tout cas, c'est plus propre que les toilettes.

— Ça, y a pas de doute », dit Rae en observant les lieux.

Elle tira la chaise la plus proche d'une prise électrique et essuya l'assise avec sa main.

« Bon, je te laisse tranquille. On se retrouve en bas, d'accord ?

— Nimma, c'est vraiment gentil. Merci.

— De rien ! Entre mamans, il faut se serrer les coudes, non ? »

LoLo avait enseigné à Rae que, lorsqu'on ne sait plus quoi faire, on regarde au-delà de ce qui est laid, de ce qui doit être réparé, de ce qui ne va pas, pour se concentrer sur l'ossature des choses : comment rendre cela habitable, et même joli ? Comment faire en sorte que cela fonctionne ? LoLo était une véritable artiste dans ce domaine : faire quelque chose à partir de rien. Là où Rae voyait de vieilles chutes de tissu, LoLo voyait une nouvelle housse de coussin pour le canapé du salon ; quand Tommy faisait la grimace devant le prix des barbecues haut de gamme qu'utilisaient les voisins, LoLo voyait un tas de briques au rayon maçonnerie et, au dos d'une enveloppe qu'elle tirait de sa poche, dessinait un monument dédié au feu, au charbon et à la viande fumée, et persuadait Tommy qu'il était capable de le construire. « On peut faire notre foyer nous-mêmes, lui avait-elle dit en tapotant son croquis du bout de son stylo. Pour moins cher, et mieux. »

En revanche, LoLo ne supportait pas la bêtise, et elle ne se gênait pas pour le dire, ce qui laissait toujours Rae à la fois fascinée, inspirée et profondément gênée. Prenez par exemple Carolyn, cette fille, à l'église, qui à quinze ans n'avait connu qu'une vie très dure, et qui se défoulait de toutes ses frustrations sur Rae. Elle n'aimait pas les saintes-nitouches, et Rae incarnait à ses yeux tout ce qu'elle détestait : les bonnes notes, les encouragements des professeurs, un rôle moteur à la fois à l'école et à l'église, l'admiration des adultes. Elle ne manquait donc pas une occasion de le lui faire payer : elle la pinçait à travers sa robe de chœur quand elles montaient l'escalier sombre menant à l'estrade derrière la chaire, lui faisait des croche-pieds quand elles s'approchaient du buffet de la kermesse estivale pour la ridiculiser devant Len Bethencourt, le garçon sur qui Rae fantasmait quand elle était seule avec ses pensées, au sous-sol, et qu'elle chantait du Whitney Houston avec une poire à jus en guise de micro. Carolyn connaissait les faiblesses de Rae et tapait juste ; elle n'était satisfaite que lorsqu'elle parvenait à faire trembler sa lèvre inférieure, ou mieux, à lui faire monter les larmes aux yeux. Elle avait réussi à la tyranniser en douce pendant très longtemps, jusqu'au jour où LoLo, dont c'était le tour de placer les fidèles dans l'église, s'était trouvée juste au bon endroit, derrière l'épaule de Carolyn, pour la voir bourrer de coups de pied les jambes de Rae, sous le banc.

« Carolyn Sheff ! » avait-elle chuchoté, assez bas pour ne pas déranger la lecture des annonces, mais assez fort pour que tout le monde sur deux bancs à la ronde se retourne vers sa voix. Le ton indiquait clairement que quelqu'un – Carolyn, en l'occurrence – allait avoir de gros ennuis. « Viens ici, avait-elle continué, la voix sévère, le regard furieux. Rae, toi aussi. »

Carolyn avait tchipé et pris son temps pour se lever du banc – vieux de quatre-vingts ans et construit à la main par les quarante-trois membres d'origine de l'Église saint Jean-Baptiste –, qui grinçait énormément. Elle avait frôlé la poitrine de LoLo en passant et s'était dirigée tout droit vers la double porte du vestibule, la bouche tordue sur le côté. Rae s'était levée délicatement et sans bruit. « Pardon… désolée… pardon », avait-elle supplié en marchant sur les pieds de ses voisins pour rejoindre l'allée latérale. Elle avait beau se mordre l'intérieur des joues, elle n'avait pas pu retenir ses larmes à l'idée de ce qui l'attendait.

LoLo avait poussé les deux filles devant elle pour les faire descendre au sous-sol, prendre un couloir et traverser les cuisines jusqu'aux toilettes – où Rae redoutait d'entrer car, c'était bien connu, les mamans noires, y compris LoLo, n'y allaient pas de main morte quand elles vous emmenaient dans des toilettes publiques. On s'y faisait gronder, pincer, gifler si fort que le carrelage renvoyait l'écho de la claque. Rae avait l'habitude, car TJ se faisait souvent embarquer vers les toilettes. Ce jour-là, elle n'en avait vraiment pas envie, et c'est le cœur lourd qu'elle avait suivi sa persécutrice et sa mère en colère.

« Laisse-moi te dire une bonne chose », avait grogné LoLo une fois enfermée avec elles dans le petit espace qui sentait le détergent et l'eau de Javel, comme s'il avait été récuré par dix diaconesses et leurs ancêtres. LoLo avait fait brusquement pivoter Rae et avait montré son collant blanc ; sur les mollets, on voyait deux taches brunes. De la couleur de la terre sous les chaussures de Carolyn. « Tu ne donneras plus jamais un coup de pied à ma fille, tu m'entends ? Il va falloir que tu te mettes bien ça en tête. Parce que si jamais je te revois taper Rae, ou la toucher, ou même la regarder, je te remmène ici et je te colle une raclée. Et je dirai à ta mère exactement pourquoi je le fais, comme ça elle pourra t'en coller une aussi. »

Carolyn continuait de la regarder avec insolence. LoLo, en colère mais se contrôlant encore, s'était penchée sur elle.

« Est-ce-que-c'est-bien-clair », avait-elle martelé.

Ce n'était pas une question.

« Oui, avait bredouillé Carolyn.

— Je ne t'entends pas.

— Oui, madame ! » avait-elle lancé plus fort, les yeux baissés.

Elle paraissait contrite, mais Rae n'y croyait pas, elle qui subissait cette fille depuis le jour où LoLo, enchantée de retrouver son église, l'avait inscrite à la chorale du Soleil. Carolyn et elle étaient altos.

« Et maintenant oust ! Remonte prendre une dose de Jésus », avait conclu LoLo en regardant Carolyn s'éclipser. Rae, elle, était restée, s'attendant au moins à se faire rabrouer pour avoir laissé Carolyn la tourmenter sans rien dire. Mais LoLo, peut-être sensible à l'esprit du Seigneur et peut-être un peu penaude d'avoir menacé une enfant dans Sa maison, avait préféré lui administrer une leçon. « C'est une bonne petite, simplement elle en veut au monde entier que son père ne soit pas là et que sa mère soit débordée avec sa marmaille. » Elle avait lissé les boucles de Rae et rajusté le col de son joli cardigan du dimanche. « Parfois, les gens vivent des choses qui les poussent à craquer et à faire ce qui ne leur ressemble pas. Je ne te dis pas qu'il faut supporter ça, mais je pense que Jésus voudrait qu'on fasse de la place pour leurs faiblesses. »

En rentrant chez elle après neuf longues heures de travail et trois quarts d'heure de métro, les seins tellement pleins de lait qu'elle avait l'impression de porter deux petits rochers sur sa poitrine, la Rae adulte catéchisée et élevée par LoLo était loin de songer aux faiblesses des autres et à leur point de rupture ; tout ce qu'elle voulait, c'était passer la porte et plonger le nez dans le cou de son bébé.

Mais elle trouva la nounou juchée sur le canapé, les bras croisés et la mine renfrognée, en train de regarder son fils de trois ans courir en rond dans le salon. Skye s'agitait dans le berceau et commençait à pleurer, ce qui ouvrit les vannes des seins de Rae. Le lait coula dans les coussinets déjà trempés qu'elle portait depuis le matin. Roman n'était pas là.

« Ouf, la journée a été longue et je suis dans tous mes états », déclara Ronica en tapant du pied.

Elle ne fit pas l'effort de se lever, ni de prendre la petite le temps que Rae pose ses affaires. Celle-ci dut pousser une pile de vaisselle sale et un paquet de poulet décongelé sur le côté de l'évier pour pouvoir se laver les mains.

« Ah ? »

Ce fut tout ce qu'elle eut la force de dire en regardant le petit garçon turbulent filer sur le parquet. Elle ne savait pas pourquoi il était chez elle et non chez sa grand-mère, qui le gardait depuis que Ronica s'occupait de Skye.

« Mmm-hmm. J'ai appris aujourd'hui que le père de Cordell s'est trouvé une poule, et devinez quoi, elle bosse à la banque au bout de la rue, dit la nounou avec un geste vague de la main. J'ai demandé à ma mère de me déposer le petit, pour y aller pendant ma pause déjeuner et lui faire savoir qu'il est déjà chargé d'une famille. Qu'il a autre chose à faire que batifoler avec elle. »

Rae déboutonna sa chemise en lorgnant le poulet et la vaisselle. Skye poussa un cri. Le lait coulait comme d'une fontaine.

« On verra ce qu'elle en pense, la prochaine fois qu'elle essaiera de se mettre avec l'homme d'une autre, et un père de famille, en plus », continua Ronica qui se leva et lissa son haut en lin froissé.

Rae souleva Skye et l'embrassa en se dirigeant vers le fauteuil à bascule dans la chambre. Ronica la suivit, son fils sur la hanche.

« Écoutez, euh, je vais devoir arriver un peu plus tard demain, et venir avec Cordell », poursuivit-elle. Le petit observait Skye, qui gémit et chercha le sein de sa mère avec appétit avant de le trouver et de s'y coller. Rae était trop fatiguée, et sa fille trop affamée, pour qu'elle cherche un linge propre afin de couvrir sa poitrine nue, mais elle était gênée par l'intérêt avec lequel le petit garçon regardait tout ça. Elle mit une minute à entendre réellement ce que lui disait Ronica. « Donc ça vous va, hein ? Parce qu'il faut que j'emmène ma mère chez le médecin pour une petite opération, et elle ne pourra pas garder Cordell. Elle devra se reposer, et je n'ai pas de solution de secours. »

Un de ses seins étant quelque peu soulagé, Rae put enfin se concentrer sur la conversation.

« Je, euh… Vous en avez parlé à Roman ? » demanda-t-elle. Puis : « Au fait, il est où, Roman ?

— Oh, euh, il est allé au parc pour écrire, je crois. »

Cordell descendit des bras de Ronica en glissant le long de sa jambe. Il rampa sur les fesses jusqu'à un panier posé sur un coffre à jouets en bois, au pied du lit *queen size* qui avait été la pièce maîtresse de la chambre, avant que celle-ci soit convertie en chambre d'enfant et emplie de toutes ces choses qui coloraient le monde de Skye : des poupées noires, une montagne de livres, une frise de photos en noir et blanc de tous ceux qui l'aimaient, une armoire pleine de jolies petites robes, de socquettes à volants et de petites chaussures vernies, en grande partie choisies spécialement par LoLo. Il fit rapidement tomber le panier, qui était rempli de CD.

« Cordell ! » cria Ronica. Sa voix stridente saisit Skye, qui en cessa de téter et de respirer. Juste après, elle poussa un cri qui monta crescendo jusqu'au hurlement strident. Ronica, indifférente à Rae et à Skye mais entièrement attentive à Cordell, leva la main et le gifla ; il tomba lourdement au sol et glissa sur le parquet. « Il faut que je file, dit Ronica en le prenant par le bras pour le mettre debout. Si vous pouviez prévenir M. Lister que j'arriverai tard demain, ce serait super. »

Accaparée par son bébé en pleurs et par le lait qui giclait littéralement de ses seins, Rae ne dit mot : elle s'occupa de calmer la petite et de lui remettre son téton dans la bouche, pour leur soulagement commun. Elle entendit en revanche Cordell hurler jusqu'au bout du couloir. Et juste au moment où elle retrouvait la maîtrise de la situation, Roman arriva en claquant la porte, ce qui les refit sursauter et déclencha une nouvelle crise.

« C'est moi ! » lança-t-il gaiement en entrant dans la chambre, sa besace passée à l'épaule.

Il embrassa la petite puis Rae sur la joue, et resta planté là pendant qu'elles tâchaient de s'installer une fois de plus. Alors que Rae présentait son second sein à sa fille, Roman tendit la main et pressa le premier un petit coup.

« Roman, enfin ! râla-t-elle tandis que Rae tétait goulûment.

— Quoi ? Oh, allez, ils étaient à moi avant d'être à elle. Tu ne peux pas m'en vouloir ! Ils tiennent debout tout seuls.

— Tu ne pourrais pas m'aider, plutôt ? Passe-moi une couche en tissu, elles sont dans le panier sous la table à langer. »

Ça n'avait pas toujours été ainsi. Il y avait eu un temps où elle devait parfois changer de position sur sa chaise pour calmer cette chose qui faisait vibrer son corps entier à l'idée d'être touchée par Roman. Il était sexy et sûr de lui, intéressant et intéressé, et Rae ne songeait qu'à lui plaire. À le combler. Son ardeur était accueillie par une passion égale, et ensemble ils s'en délectaient, n'importe où, n'importe quand. C'était ça, les premières amours… le désir, brûlant, frais, doux. Ils étaient perpétuellement affamés. Et ils dévoraient.

Et puis le bébé était venu consommer les portions de ses parents. Roman avait commencé à dépérir. Rae n'avait plus rien à mettre dans son assiette.

« Bonjour Roman, tu as passé une bonne journée ? Mais oui, très bonne. Je suis allé au parc, j'ai bien avancé sur le plan de mon bouquin, et j'ai trouvé deux idées d'histoires à présenter au magazine *Time* », dit Roman, indiquant la conversation qu'il aurait souhaité avoir avec sa femme – ou même qu'il aurait attendue d'elle.

Rae se balançait dans le fauteuil en tapotant le petit derrière de Skye. Elle n'avait tout simplement pas l'énergie de se disputer avec cet homme. Pas aujourd'hui.

Pas après la journée qu'elle avait eue. Pas après celle qu'avait eue son bébé.

« Contente que tu sois satisfait de ce que tu as écrit, dit-elle à mi-voix.

— Je le suis. Le fait de sortir de la maison, d'écrire dehors, ça a fait bouger les choses, tu vois ? J'ai juste emporté un sandwich, deux sodas, et je m'y suis mis.

— Donc attends, tu n'étais pas là pendant la pause déjeuner de Ronica ?

— Non, j'écrivais, répondit Roman en cherchant la couche dans le panier. J'étais sur ma lancée. Ça ne la dérange pas de déjeuner avec la petite. Skye dormait sans doute, de toute manière. »

La mâchoire de Rae s'ouvrit toute seule devant les images qui lui venaient soudain : pendant que Roman était au parc, en train de communier avec la nature et de jeter des notes dans ses carnets, Ronica avait mêlé la petite à ses histoires.

« Mais ça veut dire qu'elle a emmené ma fille à la banque ! »

Roman lui apportait la couche.

« D'accord. Et… ? Elle avait une course à faire, elle l'a prise avec elle.

— Ce n'était pas une simple course, Roman ! Elle vient de me dire qu'elle avait traîné son gosse là-bas pour se crêper le chignon avec une nana qui couche avec le père.

— Sans déconner ? fit Roman en riant à moitié. Ouah, elle est dingue, cette Ronica.

— C'est tout ce que tu trouves à dire ? Que Ronica est dingue ?

— Que veux-tu que je te dise, Rae ? Elle était en pause. Je ne peux pas contrôler ce qu'elle fait à l'heure de manger son sandwich.

— Mais tu peux contrôler le fait d'être un père pour notre fille, et de t'occuper d'elle pendant que la baby-sitter, qui la garde déjà pendant que tu traînes au parc toute la journée, prend la pause à laquelle elle a parfaitement droit ! cria Rae. Demande-toi un peu : et si la nana s'était battue avec Ronica à la banque, sous les yeux de notre fille ? Si elle s'était fait arrêter pour avoir causé un esclandre, ou menacé l'autre, et que les flics avaient dû emmener Skye au commissariat, ou appeler les services sociaux ? Comment as-tu pu l'autoriser à entraîner notre bébé dans ces histoires de fous ?

— Je n'ai rien autorisé, Rae !

— Ah, bien sûr. Parce que tu étais au parc, en train d'ébaucher le prochain grand roman américain. Compris.

— Ça veut dire quoi, ça ? » s'emporta Roman.

Rae fut empêchée de répondre car, à cet instant précis, la petite lui mordit le téton. Fort. Très fort. Comme chaque fois que le lait coulait sur sa langue et dans sa gorge, descendait dans son ventre et poursuivait son chemin, et que ce regard démoniaque s'allumait dans ses petits yeux ; alors elle grognait et, telle une éruption volcanique en miniature, éjectait une selle qui débordait de sa couche, imprégnait son body et remontait jusque dans les plis de son cou et les boucles de sa nuque. Cette fois, elle se répandit même sur le jean de Rae et sur son tee-shirt Biggie.

« Merde ! lança-t-elle tandis que Skye se remettait tranquillement à téter.

— Houlà ! fit Roman en se penchant pour avoir une vue plongeante sur le résultat de l'explosion.

— Je…

— Attends, je vais te chercher des linges.

— Je n'ai pas besoin de linges, j'ai besoin que tu m'aides !

— Je ne fais que ça », répondit simplement Roman.

Cette affirmation, factuelle et sans émotion, surtout sans compréhension, fut la goutte qui fit déborder le vase. Elle venait s'ajouter à la vaisselle sale dans l'évier, au poulet cru sur le plan de travail, au bazar de peluches et de CD par terre, à la nounou folle qui lui prenait presque quarante pour cent de son salaire et mettait sa fille en danger afin que son mari au chômage puisse faire ce qu'il voulait, au caca de bébé tiède étalé sur elle.

« Me passer un linge pour que je m'essuie, tu appelles ça m'aider ? » s'égosilla Rae. Elle fondit en larmes, attrapa le premier objet qui lui tomba sous la main – une petite lampe sur la table à côté du fauteuil – et le fracassa contre le mur. « Merde !

— Ça va pas, la tête ? » dit Roman d'une voix égale, toujours aussi calme.

Roman était un type correct : intelligent, séduisant, beau, aimant, plein de potentiel. L'ossature était bonne. Rae avait écarté ses défauts pour atteindre la chair saine, et depuis quatre ans qu'ils étaient ensemble, c'était là-dessus qu'elle se concentrait. Aimer ces parties-là. Mais ses faiblesses – toutes ses faiblesses – devenaient trop lourdes à porter pour elle, d'autant plus qu'elle avait déjà les siennes.

# 26

*1979, pendant l'été*

Il y avait un petit téléviseur sur la table de cuisine ronde en bois épais : il passait des dessins animés au petit déjeuner, des feuilletons pendant les après-midi d'été, les infos et des jeux télévisés à l'heure du dîner. Il avait accompagné l'enfance de Rae et de TJ : les dessins animés, *Hôpital central,* et le journal de 17 heures. Il n'y avait pas de repas en famille, même le dimanche. LoLo rentrait du travail, préparait le dîner et servait les assiettes, certes, mais il n'échappait pas à Rae qu'ensuite, une fois qu'elle avait fait ses miracles aux fourneaux avec des francforts et des haricots, ou un peu de lard avec un ou deux cakes au saumon et une cuillerée de gruau de maïs au beurre, elle se versait un Pepsi *light* avec beaucoup de glace, prenait un Sopalin au rouleau et emportait son assiette dans sa chambre, où elle pouvait être seule avec ses feuilletons sans être dérangée dans ses pensées. Jamais elle n'aidait à faire les devoirs : elle n'était pas du genre à résoudre une équation ou à faire apprendre le tableau périodique des éléments, ni à lire une leçon d'histoire sur un quelconque Blanc mort qui avait volé, pillé, et qui était traité en héros. Elle cuisinait, mangeait, regardait un peu la télé, prenait un bain chaud, avalait quelques cachets pour supporter la douleur, puis c'était porte fermée, extinction des feux à 21 heures, tous les soirs sans exception.

Rae le prenait comme un affront personnel. Elle voulait sa mère. Elle aurait voulu s'asseoir avec elle pour parler de tout et de rien, se coucher à ses pieds et apprendre à la connaître non comme la dame qui faisait à manger, qui allait voir Jésus tous les dimanches et qui s'enfermait dans la pièce du fond pendant les repas, mais en tant que personne, en tant qu'être humain, en tant que femme. LoLo, cependant, gardait jalousement cette partie d'elle-même : Rae en venait à penser qu'elle devrait franchir un pont-levis branlant, traverser à la nage des douves pleines d'alligators et combattre un dragon cracheur de feu pour la voir réellement, pour vraiment poser les yeux sur son cœur. À un moment – elle n'aurait su dire quand au juste, mais relativement tôt dans son enfance –, elle était même arrivée à la conclusion déchirante que sa mère ne l'aimait pas tellement, qu'elle n'aimait pas trop les enfants. C'était dur à porter pour une gamine, et même pour une adulte qui commençait lentement à comprendre la difficulté d'être noire et femme et épouse et mère et toutes les autres choses qui vous blessaient jusqu'au cœur dans votre humanité.

Quand il ne travaillait pas et qu'il était à la maison, Tommy emportait son assiette et une Schlitz au sous-sol, où il y avait toujours un sport ou un autre à la télé. Quant à TJ, il attaquait son assiette et dévorait tout sans relever la tête une seule fois, jusqu'à ce que la faïence mouchetée noir et blanc soit entièrement nettoyée. « Prends des bouchées humaines ! » lui avait crié Tommy une fois en voyant le carnage. Mais TJ n'avait rien écouté. Son but unique était d'engloutir un maximum de nourriture le plus vite possible pour pouvoir passer à autre chose, comme faire du vélo ou courir après telle ou telle fille – tout sauf être pris à table quand LoLo revenait dans la cuisine avec sa propre assiette vide et ordonnait au premier qu'elle voyait de débarrasser et de faire la vaisselle. « J'ai préparé le repas, disait-elle. Il n'est pas question que je range aussi la cuisine, pas avec deux grands comme vous dans la maison. » D'une manière ou d'une autre, c'était généralement sur Rae que retombait la corvée.

Il y avait des tâches qui ne lui déplaisaient pas, surtout quand LoLo commença à lui apprendre la cuisine. Elle était pelotonnée dans sa chambre, le nez dans un livre rapporté de son expédition hebdomadaire à la bibliothèque – deux kilomètres à pied –, et LoLo se mettait à faire du raffut avec les casseroles ; puis l'odeur des oignons émincés et du jarret de porc grésillant sur le feu parfumait la maison comme un dimanche, et bientôt Rae passait la tête par la porte de la cuisine pour voir ce qui se passait. Et aussi pour savoir ce qu'il y avait dans les marmites, ce que sa mère avait entre les mains : son grand couteau aiguisé et des patates douces, peut-être, ou une boîte de macaronis Mueller's qu'elle versait dans une grande casserole d'eau bouillante avec un trait d'huile végétale. Si elle était d'humeur – et c'était généralement le cas –, elle invitait Rae à la rejoindre, mais pas de manière autoritaire. Plutôt comme pour dire « viens passer du temps avec maman », ce qui lui donnait toujours, toujours un peu le frisson.

« Sors donc le fromage », disait LoLo avec un coup de menton vers le réfrigérateur. Elle ne souriait jamais, mais Rae percevait quand même son côté chaleureux. Elle avait appris à déchiffrer ses humeurs au timbre de sa voix et à la position de ses épaules. La LoLo dure, tranchante, aux épaules remontées presque jusqu'à effleurer ses sempiternelles créoles, était celle qui la faisait reculer en tremblant, qui la poussait dans les coins tranquilles, dans les bras de son père. La LoLo gaie et légère, aux épaules animées par des gestes enthousiastes annonçant son envie d'être dans cet endroit-là à ce moment précis, était celle que Rae aimait à regarder, car cette maman-là était rare et ne se révélait que devant ses copines, les Écritures et les « Alléluia » sur les premiers bancs de l'église ; elle était celle qui faisait ressortir le meilleur chez cette petite fille qui admirait sa mère. La LoLo lisse et neutre aux épaules détendues, cette maman-là était la préférée de Rae. Celle qui se laissait approcher.

« Voilà, disait-elle en cherchant la râpe dans le placard du bas. On va faire un gratin de macaronis pour le dîner de demain. Tu te rappelles comment on fait, n'est-ce pas ? » Et elle prenait l'un des blocs de fromage – cheddar fort, cheddar extrafort, cheddar doux – pour le frotter contre l'inox, en pesant de tout son poids, les lèvres serrées, mordillant même parfois celle du bas dans sa concentration, avec des gestes habiles, précis. « À toi, essaie. »

Rae prenait le fromage dans ses mains, plus petites et potelées que celles de sa mère, qui étaient noueuses et minces avec des ongles longs, durs, qui ne se cassaient presque jamais, et elle s'efforçait elle aussi d'avoir des gestes habiles et précis. Elle essayait même de crisper la bouche comme sa mère. Mais elle n'arrivait jamais à aller aussi vite que LoLo. Elle s'en fichait, cela dit. LoLo aussi.

« Maintenant viens, je vais te montrer comment on fait un roux », disait-elle, comme si elle ne l'avait pas déjà montré mille fois à Rae, mais cela ne la dérangeait pas non plus, car une LoLo qui enseignait était une LoLo aimante. « Casse tes œufs là-dedans et bats-les, mais pas trop, expliquait-elle en lui en tendant un, puis un autre, puis encore quelques-uns jusqu'à ce que les jaunes recouvrent le fond de la jatte. Ensuite, tu prends ton lait et tu le verses. » Elle observait attentivement pendant que Rae mesurait le liquide essentiel à ce délice crémeux qui viendrait combler l'espace entre les macaronis. « Ça suffit. Là, tu vois ? » Elle pointait le doigt. « Ça suffit pour un plat de cette taille, ajoutait-elle en montrant le plat en faïence de vingt-deux centimètres sur vingt-huit, celui qu'elle préférait pour son gratin. Bien, maintenant tu sales et tu poivres.

— Comment tu y arrives si facilement ? » demandait Rae en battant les œufs à la fourchette, comme LoLo le lui avait appris une multitude de fois.

Elle ne parvenait jamais à incorporer tous les ingrédients aussi bien que le faisait sa mère : il restait des jaunes entiers flottant à la surface du lait, et des grumeaux de poivre, baveux et têtus.

« Je le fais depuis très longtemps, répondait LoLo en lui prenant doucement la fourchette des mains pour terminer le travail. À force de recommencer, on finit par trouver ça aussi facile que se brosser les dents ou plier une serviette. Les mains le font toutes seules.

— C'est ta maman qui t'a appris ? »

LoLo dissimulait son silence derrière le tintement de la fourchette contre la jatte en verre – derrière ses dents qui mordaient sa lèvre. Enfin :

« Il y a des tas de choses que je n'ai pas pu apprendre de ma maman parce qu'elle est morte quand j'étais petite. Mais je me rappelle comment faire son gratin de macaronis. Son quatre-quarts au citron, aussi – tu le connais bien, celui-là. Il faut rester bien sage pendant qu'il cuit, sinon il retombe et il devient tout dur. Ça, je m'en souviens.

— Est-ce qu'elle cuisinait le dimanche matin, comme toi ? »

Et cela continuait ainsi, Rae questionnant sa mère. Pour lui soutirer des informations. De la clarté. Mais surtout, un échange.

« Ma maman cuisinait tous les jours. Elle faisait des œufs délicieux le matin. Brouillés, parfois avec un peu de jambon ou de lard grillé. C'était ce que je préférais, ses œufs.

— J'aime bien quand je rêve de ta cuisine le dimanche matin, dit Rae un jour. Parfois, je rêve que je cours dans les bois avec un loup, on cherche de la viande. Et ensuite je me réveille, et tu es dans la cuisine, en train de préparer un rosbif. Je le sens dans mes rêves.

— C'est un rêve très précis, fit observer LoLo.

— J'en fais beaucoup… » Rae hésita, puis ajouta : « Ils sont comme ça. Comme des rêves, mais réels, aussi.

— Hmm. »

LoLo ne dit rien de plus. Elle était ailleurs, flottant quelque part au loin tout en dirigeant son orchestre de casseroles, d'ingrédients à verser, de choses à hacher. Rae, reconnaissant ce retrait, se tenait prête, prenait les ordres, accomplissait les tâches. Heureuse de cette version de sa mère et de tout ce qu'elle voulait bien lui donner.

À douze ans, la responsabilité des repas de la famille pendant la semaine, quand LoLo travaillait, était entièrement retombée sur Rae. « Sors le poulet du freezer » était un dernier message aussi courant, chez LoLo, que ses « au revoir » quand elle partait pour l'usine. Rae se gardait bien d'oublier, et avait vite appris que sa mère attendait que le dîner soit en route et presque prêt lorsqu'elle remontait les marches en début de soirée.

À treize ans, elle gérait aussi tout le linge de la famille : elle lavait, repassait, pliait puis distribuait le linge propre dans les chambres. TJ avait réussi à esquiver cette responsabilité de manière assez futée, un vendredi soir où c'était son tour de repasser. Il avait fait une lessive de clair après les cours, et les tenues de travail de ses parents étaient encore chaudes du séchoir. Le catcheur Jimmy « Superfly » Snuka passait à la télé, au centre du ring : il tenait le cou d'un homme entre ses genoux et le creux de son bras. Rae, sur le canapé, lisait *La Petite Princesse* pour la quatrième fois, mais avec la même passion que la première. Elle renifla, plissa le nez. Renifla encore, leva les yeux. Aperçut TJ en train de presser le fer contre le revers de la blouse de travail bleu ciel de sa mère, à droite, là où son nom était brodé en élégantes anglaises sous la marque ESTÉE

LAUDER – car nul ne devait oublier que l'entreprise était et serait toujours au-dessus de l'employé. De la vapeur montait du tissu. De la fumée, aussi.

« Oh, nooooon ! cria Rae, de plus en plus fort par-dessus le commentateur de catch qui braillait dans son micro. Tu es en train de brûler l'uniforme de maman ! »

TJ continua de regarder l'écran avant de tourner les yeux vers elle. Il laissa le fer sur le revers, longtemps après que Rae lui eut signalé son erreur, puis baissa la tête vers l'uniforme en pressant de tout son poids le métal brûlant contre le tissu, indiquant bien que ce n'était pas une erreur du tout.

À cette époque, Rae avait déjà cessé de craindre pour TJ quand leur mère entrait dans la pièce. Auparavant, elle faisait des rêves où LoLo le battait, et une odeur âcre envahissait ses narines – l'odeur de la mort, comme elle l'imaginait petite. Chaque fois que LoLo attrapait TJ, la petite Rae se sentait écrasée par son rôle de témoin : elle se disait que cette fois, sûrement, son cauchemar allait se réaliser, que TJ ne serait plus là et que leur mère aurait de gros ennuis. La Rae plus grande, elle, se disait juste qu'il récoltait ce qu'il méritait. Cette fois où il avait bousillé la tenue de travail, elle n'avait même pas cillé lorsque LoLo, dévalant l'escalier, avait vu une énorme tache de brûlure sur son uniforme et violemment giflé son frère.

« Qu'est-ce que tu fabriques, mon garçon ? Ça va me coûter vingt-cinq dollars de le remplacer. Tu as perdu la tête ?

— Pardon, avait dit TJ en se frottant la joue.

— Et pourquoi ma blouse bleue est presque rose ? »

LoLo l'avait prise sur la planche et s'était mise à tourner dans la pièce, à la recherche du reste du linge. Elle l'avait trouvé sur le deuxième canapé, contre le mur sous la fenêtre, plié n'importe comment. Tous les vêtements jaunes, bleu clair, vert clair et blanc cassé étaient légèrement teintés de rose, sans aucun doute à cause du sweat-shirt rouge que TJ avait ajouté dans la machine.

« Toi, tu ne t'approches plus de mon linge », avait-elle dit à son fils.

Elle lui avait mis une claque derrière la tête au passage. Le sourire narquois qu'il avait lancé à Rae était sans équivoque.

Plus ils grandissaient, plus la division du travail entre eux se simplifiait. Les seules responsabilités de TJ étaient de sortir la poubelle et de ranger sa chambre. C'était tout. Rae, pendant ce temps-là, s'occupait dès quinze ans de faire les poussières, passer l'aspirateur et le balai, laver le sol à la serpillière, nettoyer les sanitaires et une multitude d'autres tâches, en plus de toutes les responsabilités qu'elle endossait déjà petite. De plus, sa mère s'en servait comme d'une arme contre elle : tous les week-ends, elle lui interdisait d'aller à telle fête ou à la patinoire avec ses amies tant que ses corvées n'étaient pas terminées.

« Quand tu auras fini de passer le chiffon sur les meubles, va chercher le balai à franges, criait-elle depuis son lit, où elle reposait pieds croisés, télécommande en main, sur ses oreillers bien gonflés. Et quand tu auras lavé par terre, tu viendras ici ranger les tiroirs. »

TJ n'était pas concerné par les tâches ménagères, de même que Tommy ne l'avait jamais été. Tout ce qui concernait la maison retombait sur les épaules de LoLo, et Rae prenait le relais quand LoLo n'était pas d'humeur. Le message était clair : c'était un travail de femme.

Rae ne songeait pas à le contester à l'époque. Et elle ne l'avait pas contesté non plus quand Roman et elle avaient commencé à se fréquenter puis à vivre ensemble. Elle se vantait même d'être la femme d'intérieur dans sa bande de copines : celle qui restait fidèle au vieil adage sur *le chemin le plus court vers le cœur d'un homme* et qui avait trouvé la perle rare. Cela avait marché pour LoLo : elle s'était trouvé un homme en or. Oh, comme elle était fière et pimpante, Rae, la première fois qu'elle avait sonné chez le sien avec une brassée de provisions et une bouteille de champagne, et qu'elle avait filé vers la cuisine !

« Tu t'assieds et tu te détends, avait-elle dit en posant les sacs sur le plan de travail.

— Qu'est-ce que je peux faire ? s'était enquis Roman en mettant le champagne au frais. Attention, hein ! Je ne suis pas le dernier pour préparer un super bol de nouilles chinoises sauce palourdes.

— Mmm… ce n'est pas ce que j'avais en tête », avait-elle pouffé.

Elle avait avancé les lèvres et l'avait embrassé, avec la langue. S'était pendue à son cou et avait pressé son corps contre le sien. Plus près.

« Ah, ça, c'est mon genre de cuisine, avait-il murmuré.

— Ne t'en fais pas. J'aime beaucoup ton dessert, avait-elle dit en essuyant le rouge à lèvres sur la bouche de son amant. Mais d'abord… (Elle s'était tournée vers les sacs de courses et avait tapé dessus du plat de la main.) Le poulet ! Je tiens à ce que mon homme soit bien nourri.

— Bon, d'accord, je ne vais pas me battre ! J'aime bien le poulet.

— Je sais ! »

Et elle avait ri.

Tout ce qu'il lui fallait pour préparer son plat de poulet frit avec du riz et des haricots verts frais était dans le sac, et en un clin d'œil elle s'était mise à l'ouvrage, frottant les hauts de cuisse et les pilons avec un mélange de sel, de poudre d'ail et de farine, équeutant les haricots et rinçant le riz. Et lorsqu'elle avait déposé le poulet dans l'huile chaude, qu'il s'était mis à rissoler et que l'odeur de la peau en train de brunir était montée vers les cieux, emplissant l'appartement de ce que Rae considérait, sans aucun doute, comme de l'amour, elle avait su. Elle avait su.

« Mince, bébé, ça sent bon, avait dit Roman en l'embrassant dans le cou tandis qu'elle retournait les morceaux de poulet, puis ajoutait un peu de lard dans les haricots. Ça n'a jamais senti comme ça chez moi. C'est Thanksgiving un mardi, ici ! Ma mère va t'adorer.

— Ah, avait fait Rae en se détournant de la poêle pour presser ses seins contre lui. Serait-ce une invitation à être présentée à la charmante Mme Lister ?

— C'est sûr qu'elle a hâte de mettre un visage sur ton nom. À force que je lui parle de toi, elle ne va pas tarder à monter dans un avion pour venir te voir de ses yeux.

— Tu lui as parlé de moi ? »

La bouche de Roman était un oreiller.

« Je lui parle tout le temps de toi. Elle sait reconnaître une perle quand elle en voit une.

— Et toi ?

— Un peu, oui ! C'est Gloria Lister qui m'a appris.

— Comment ça ? »

Il avait enfoui la tête dans son cou.

« Tu sais, mes parents sont mariés depuis presque cinquante ans, avait-il murmuré en déposant délicatement de doux baisers sur sa peau. Ça veut dire qu'ils ont connu la ségrégation, la lutte pour les droits civiques, deux guerres, le Wu-Tang Clan. Leur couple a survécu à tout ça. "Pour le meilleur et pour le pire, jusqu'à ce que la mort nous sépare", ils prennent ça au sérieux, et ça compte pour moi aussi. C'est ma mère qui fait tout tenir. Mon père est quelqu'un de bien, mais en réalité, c'est elle qui fait marcher la famille. C'est une chose que je respecte, et je crois que je suis prêt à vivre la même chose. Je vois cette qualité en toi.

— Le Wu-Tang Clan ? » avait demandé Rae.

Et elle avait ri sans plus pouvoir s'arrêter.

« Il est ferré ! » annonça-t-elle plus tard à ses copines Treva et Mal.

Comme toutes les jeunes femmes de leur âge, elles avaient été biberonnées aux romans de Terry McMillan et s'étaient fantasmées en Nina Mosley dans *Love Jones*, cherchant quelqu'un qui soit prêt à leur mettre « le blues dans la cuisse gauche et le funk dans la droite ».

« Comment ça, ferré ? » demanda Treva en levant les yeux de la carte pour observer les tables environnantes. Elles étaient au Shark, le bar bien connu que fréquentaient toutes les jeunes Noires célibataires nanties d'une carrière décente et d'une horloge biologique au tic-tac assourdissant dans l'espoir d'y croiser les meilleurs partis noirs de la ville. Comme d'habitude, les tables étaient majoritairement occupées par des bandes de filles, et cruellement dépouillées de ce qu'elles cherchaient toutes : des hommes beaux, bien habillés, décidés, en quête d'une vraie histoire allant plus loin que la simple rencontre sexuelle.

« Je veux dire qu'il a mordu à mon hameçon, expliqua Rae, tout sourire, en portant son vin à ses lèvres.

— Laisse-moi deviner, tu lui as fait la popote », dit Mal en se rajustant sur sa chaise.

Rae éclata de rire.

« Évidemment ! s'esclaffa Treva. Tu as fait quoi ? Le poulet frit, hein ? Ces mecs, ils peuvent pas lutter contre ça, je vous le dis, moi. Elle s'est défoncée dans cette cuisine comme si elle était à l'église ! »

Mal leva les yeux au ciel et but une gorgée de son cosmo.

« Je sais bien. Elle a déjà nourri tous les renois entre Flushing et le South Bronx, et ça lui a rapporté quoi, à part un évier plein de vaisselle sale ?

— Hé, mais j'aime ça, la cuisine ! se défendit Rae. J'ai toujours vu ma mère nourrir mon père, je sais qu'il apprécie qu'elle prenne soin de lui, et en retour il prend soin d'elle. Presque trente ans de mariage ! Elle a bien dû réussir quelque chose pour avoir ce mec génial. C'est le poulet frit et le gratin de macaronis, je vous le dis, moi ! »

Elle leva une main, et Treva tapa gaiement dedans.

« D'accord, mais qu'est-ce qu'il a de si génial, ce mec, à part qu'il aime ta bouffe ? » demanda Mal en croisant les bras pour attendre la réponse.

Rae soupira.

« Oh là là, pas la peine d'être si négative ! Roman est un mec bien. Il a un bon job, il est cultivé, il est adorable avec moi. Je dis juste que si tu veux un mec qui assure, ça ne me paraît pas absurde de lui montrer ce que tu as à offrir. C'est comme ça que ma mère a gardé son mari. J'ai vu ça de près.

— Voyons : donc il a un bon job et il est cultivé et sympa. Ça suffit ? C'est tout ce qu'on attend d'un mec ? C'est plutôt le minimum syndical, non ?

— Que demander de plus ? » protesta Rae.

Elle était de plus en plus agacée par cette conversation, qui revenait sans cesse comme un disque rayé entre elle et ses amies, et même avec quiconque s'intéressait un peu trop à la vie amoureuse des femmes noires.

« Oh, je ne sais pas, vivre ta vie, par exemple ? Être indépendante, avoir ce que tu veux et ce que tu mérites sans être enchaînée à un mec ?

— Un mec ? Enchaînée ? Parce que les histoires d'amour se réduisent à ça ? » Rae regarda Treva et eut un petit rire. « Le mariage n'est pas un poids qui nous empêche de voler. Dis-lui, Tree.

— Et qu'est-ce que tu en sais, au juste ? insista Mal en s'adossant contre sa chaise.

— Je sais pas, moi, toutes les statistiques prouvant qu'un couple réussit quand il y a un engagement ? » riposta Rae, énervée. Et elle déroula la liste : « Les couples mariés ont plus de chances de se constituer un patrimoine, ils sont en meilleure santé, leurs enfants font de meilleures études. Tout ce dont notre communauté a besoin dépend du fait que les hommes et femmes noirs s'entendent et se construisent une vie ensemble.

— Aux ambitions ! lança Treva en levant son verre.

— Ah, parce que tu es experte de l'amour chez les Noirs, maintenant ? la coupa Mal. On dirait un perroquet. Tu parles comme ces renois à la radio qui font passer les Noirs ayant un foyer solide pour des super-héros.

— Je veux ma cape, alors ! Mais putain, je ne comprends même pas ce que tu racontes. J'essaie juste d'entrer dans les trente pour cent de la communauté noire qui sont mariés et qui ont des enfants. J'essaie de faire partie de la solution, pas du problème.

— T'arrêtes pas de parler de ce que ça rapporte aux autres de se marier. Mais toi, ça va te rapporter quoi ?

— L'amour ! cria Rae. L'amour, Mal. Je veux être amoureuse. Je veux des enfants. Je veux un couple comme celui de mes parents. Je veux un homme qui veille sur moi comme mon père a veillé sur ma mère. Ça, c'est un homme bien.

— Tommy est correct, je te l'accorde », reconnut Mal.

Treva approuva vigoureusement de la tête.

« J'essaie juste de faire ce que je peux. Je vais trouver mon homme, fonder ma famille, et nous faire du bien à tous. Je veux être une bonne épouse et une bonne mère. Je n'ai pas à m'excuser pour ça.

— Ce qu'il faut que tu fasses, c'est voir s'il a pas un pote pour miss Grincheuse, là, pouffa Treva. Vu que tu sauves la communauté et tout.

— Cause toujours », rigola Mal. Puis elle se pencha vers Rae pour être clairement entendue. « Je vais te dire ce que j'en pense, moi. Quand est-ce qu'on va arrêter de faire comme si l'homme était le gros lot ? Tu es là, avec ton poulet et tes macaronis pour mettre le grappin sur ce mec. Pourquoi est-ce qu'il faut toujours leur montrer qu'on fera de bonnes épouses ? Je pense que ce ne serait pas mal que les hommes nous prouvent qu'ils feront de bons maris, pour changer. Je vous jure, il ne faut pas laisser ces bouquins et ces psys de la télé tout déformer. Tu ne veux pas viser plus haut que la moyenne ?

— Je veux juste être heureuse. Un poulet frit et une gamelle de haricots verts, c'est un petit prix à payer pour ça, je trouve », répondit Rae à mi-voix.

*2001, pendant l'automne*

Et elle en était là, au bout de quatre ans de mariage, une gamine de deux ans sur la hanche, un chiffon à la main, en train de calculer combien lui avait coûté ce bonheur qui n'en avait que le nom. Elle en fut frappée un samedi, après une longue semaine de travail exigeant aux studios et une série d'interactions avec Roman qui lui avaient donné l'impression qu'elle ne toucherait jamais son retour sur investissement. Elle s'efforçait de calmer la petite, à la fois épuisée et surexcitée. Roman enfila ses chaussettes puis ses baskets sans percevoir les poignards qu'elle lui envoyait avec ses yeux, droit dans la nuque.

« J'ai quand même du mal à comprendre en quoi passer quatre heures au squash un samedi après-midi serait une priorité, alors qu'il y a tant à faire dans la maison avant lundi, râla-t-elle en marchant de long en large dans le salon pour tâcher d'apaiser Skye.

— Le samedi, c'est le seul jour où je peux jouer avec Rob. Je ne sais pas pourquoi il faut qu'on s'engueule toujours là-dessus, Rae, répondit Roman, qui se leva du canapé et lissa son short.

— Parce que le samedi est aussi la seule journée que tu peux passer avec ta femme et ta fille !

— Rae, il y a vingt-quatre heures dans une journée. C'est toi qui choisis d'en passer quatre à récurer les chiottes et à astiquer des meubles qui n'en ont pas besoin.

— Parce que je choisis de faire le ménage ? Tu crois ça, vraiment ?

— La maison est propre, Rae. Regarde. Tu as un chiffon à la main, et tu t'apprêtes à épousseter des trucs qui ne sont même pas sales. Allez, quoi ! Pourquoi tu me prends la tête juste au moment où je m'en vais ?

— Parce que tu t'en vas, justement ! »

Roman ne jugea pas utile de répondre. Il empoigna son sac de raquettes et de balles, fit une bise à Skye et se dirigea vers la porte. Il bâilla.

« À plus tard. »

Rae le regarda sortir et refermer derrière lui. Elle resta sur place, à osciller d'avant en arrière, folle de rage bien sûr, mais aussi aux prises avec des conclusions difficiles. Il y avait certes eu des samedis après-midi, quand elle était petite, avant que sa mère ne lui ait transmis ses « talents », où Tommy l'installait sur la banquette avant de sa Cadillac pour aller « faire des courses ». Il passait à la Chemical Bank encaisser son chèque, puis allait régler ses factures chez Macy's et chez Sears, faisait peut-être un saut au magasin de bricolage histoire d'acheter un foret pour sa perceuse, un marteau neuf ou un autre outil quelconque.

« Je mangerais bien une pizza, disait-il ensuite, baissant la vitre et rajustant ses lunettes noires. Non, une glace ! Allons en prendre une au centre commercial. Quel parfum te ferait plaisir, ma belle ?

— Fraise ! »

Rae se tortillait sous la ceinture de sécurité : elle était toute petite, et le bord de la sangle lui entrait dans le cou. Mais jamais elle n'aurait imaginé s'en plaindre : elle était simplement heureuse d'être de sortie avec son père. Et heureuse, aussi, d'échapper à l'astiquage du buffet ou au passage de l'aspirateur dans l'escalier, deux tâches dont sa mère l'avait chargée très tôt, la préparant déjà à son rôle de ménagère.

« Fraise ? Berk ! disait Tommy en faisant une grimace dégoûtée. Alors que Dieu a inventé le parfum vanille-noix de pécan spécialement pour les cornets au sucre ?

— Mais j'aime la fraise, moi, papa ! » protestait-elle dans une cascade de rire.

Tommy poussait un gros soupir.

« Dis-moi au moins que tu voudras des vermicelles dessus. Ou des éclats de cacahuètes. Quelque chose. La vie est trop courte pour qu'on se contente d'une bête glace à la fraise. »

Chaque fois, ils trouvaient en rentrant une maison propre à manger par terre. Tommy sortait de sa commode bien rangée une chemise de bowling lavée et repassée – le maximum qu'il faisait pour ses chemises, lui, était de les jeter au sale –, prenait son sac de bowling, et allait se poster devant la voiture le temps que

LoLo ait rangé ses produits d'entretien, se soit changée, apprêtée un peu, qu'elle soit allée chercher son propre sac et qu'elle le rejoigne. Elle paraissait toujours fatiguée assise à l'avant, avachie sur le siège, regardant par la fenêtre, parlant peu.

La petite Rae aurait aimé que sa mère soit une glace à la fraise avec des vermicelles de sucre. La Rae adulte, elle, y voyait plus clair : LoLo était épuisée, elle le comprenait maintenant. Et en colère. Elle commençait à saisir pourquoi sa mère emportait son assiette dans la chambre du fond, pourquoi elle tenait à prendre des bains chauds, à se pelotonner pour regarder ses feuilletons et à s'allonger les yeux clos. Seule. À s'accorder une seconde de paix, à la fin de ses longues journées, pour se sentir simplement… humaine.

Rae ne voyait pas bien comment suivre son exemple. Où l'aurait-elle trouvée, cette seconde de paix, entre un mari qui ne gagnait pas sa vie, une enfant qui ne maîtrisait pas encore le pot, un emploi à plein temps et un intérieur à tenir seule parce que l'autre adulte de la maison trouvait ringard de se doucher dans une baignoire propre et de préparer les repas dans une cuisine nette et rangée ? Treva et Mal l'avaient alertée sur ce dernier point.

« Franchement, je ne comprends pas pourquoi tu nettoies après un homme alors que tu peux payer quelqu'un pour ça », lui avait dit Mal quelques mois plus tôt, lors d'un de leurs déjeuners (les seuls moments où elle pouvait voir ses amies, à moins qu'elles viennent à la *casa*, ce qui était rare car Treva n'aimait pas trop les bébés et Mal n'aimait pas trop Roman).

— Mais qui peut se payer une femme de ménage ? avait objecté Rae entre deux bouchées de sandwich au thon. Après les factures et la nounou, je n'ai pas de quoi payer une inconnue pour qu'elle vienne chez moi récurer les chiottes. Ça, je sais le faire moi-même, merci bien. »

Ce « Je suis nulle avec mon bébé et dans ma vie », cette sensation qui la tenaillait, ces doutes constants, cette perpétuelle insatisfaction de devoir jongler entre son travail exigeant mais désiré, son couple encore jeune et son bébé, lui donnaient la sensation de barboter dans le grand bain avec des jambes trop faibles pour garder la tête hors de l'eau.

Elle continua de fixer la porte avec la même expression que LoLo sur la banquette avant de l'Eldorado. Skye gigota et chouina un peu. Elle voulait descendre de la hanche de sa mère.

« D'accord, d'accord, mon bébé », dit-elle en la posant au sol.

La petite partit en courant, et Rae la regarda filer vers sa chambre. L'enfant alla droit vers son armoire, sortit ses baskets et se laissa tomber assise par terre ; elle essaya, non sans mal, de faire entrer ses pieds dans les chaussures jaune et rose à paillettes. Cela fit rire sa mère.

« Où vas-tu comme ça, ma chérie ?

— Dehors !

— Oh ! On va quelque part ? » demanda Rae, le moral un peu meilleur.

Skye savait ce qu'elle voulait ; Rae adorait son autorité, qu'elle avait déjà en venant au monde.

« Dehors ! » cria la petite.

Rae promena son regard dans la chambre et vit tout ce qui n'allait pas. Le panier à linge débordait ; le panier à couches était presque vide ; il y avait des livres et des peluches partout ; les draps avaient besoin d'être changés. Mais la petite voulait sortir.

Rae aussi.

« D'accord, ma puce, dit-elle en se baissant pour la chausser correctement. C'est parti. On sort. »

Trois heures plus tard, essoufflée d'avoir couru après Skye au parc, de lui avoir acheté une glace à la fraise dont le sucre l'avait surexcitée puis soudain épuisée, et enfin d'avoir monté les deux étages en portant la poussette avec la petite dedans, elle retrouva cette pesanteur, cette sensation de tout faire seule, aussitôt la porte franchie. Roman était encore en train de s'amuser ailleurs. La chambre de Skye – et toute la maison, d'ailleurs – était encore en bazar. Rae était de nouveau furieuse. Et elle n'en pouvait plus d'être tout le temps furieuse.

Elle posa Skye dans son petit lit, l'embrassa sur la joue, puis se releva d'un coup et mit les mains sur ses hanches. Elle ne voulait pas de ce sentiment. Elle ne voulait pas se disputer avec son mari et fulminer pendant le peu de temps libre qui lui restait le week-end, surtout sachant que Roman prendrait son petit ton blasé pour balayer d'un revers de main tout ce qui la contrariait. Elle n'avait plus la force de se battre, plus l'énergie de se laisser manipuler par Roman comme à chaque fois qu'elle lançait une conversation sur ses besoins à elle et ses défauts à lui. Elle fit donc ce qu'elle faisait toujours pour se passer les nerfs et qui, ironie du sort, était justement ce qu'elle lui reprochait de ne pas assez prendre en considération : le ménage.

Elle entra dans la minuscule salle de bains, pas tellement plus grande que les toilettes pour handicapés du bureau. Toutes les surfaces étaient encombrées par des crèmes pour la peau, le matériel de rasage de Roman, les brosses à dents, les produits de maquillage : un vrai fouillis qui bloquait presque l'accès au lavabo. La vasque et le meuble étaient couverts de petits poils laissés par son mari. Elle se brossait les dents ce matin-là lorsqu'il avait taillé sa barbe, et elle l'avait vu pousser les poils dans la vasque du tranchant de la main. Elle avait fait les gros yeux en regardant ces saletés puis son mari, mais il ne s'était rendu compte de rien. Il s'était essuyé les mains et il était parti. Rae soupira à ce souvenir et reporta son attention sur la douche : les joints avaient bien besoin d'un coup de spray antimoisissure. Quant au miroir, il était constellé de gouttelettes de dentifrice, à croire que quelqu'un avait voulu peindre une mauvaise copie de Lichtenstein.

Rae poussa un nouveau soupir, remonta ses manches et se mit à l'ouvrage : elle allait ranger le placard sous le lavabo pour faire de la place. Rien de compliqué. Elle se baissa et, sans vraiment regarder, ramassa les premiers objets que ses doigts rencontrèrent : une bouteille de shampoing, de l'huile capillaire, son sèche-cheveux, entassés en vrac. Elle posa le tout sur le meuble. Elle se pencha une seconde fois – toujours sans regarder – et pêcha une bouteille d'après-shampoing, un paquet d'élastiques à cheveux fantaisie qu'elle gardait pour Skye, et la petite trousse de toilette dans laquelle Roman rangeait leurs préservatifs. À la troisième exploration, sa main tomba sur quelque chose, plus loin dans le fond – quelque chose qui n'était ni un flacon, ni une trousse, ni rien de ce qu'elle s'attendait à trouver dans un meuble de salle de bains. Elle fit la grimace et se pencha plus bas. Ses genoux craquèrent quand elle chercha son équilibre, l'épaule et la joue plaquées contre le meuble pour tendre la main à l'intérieur. Elle supposa que c'était un des tee-shirts de Roman, ou peut-être un durag qu'elle aurait jeté là, pressée de sortir de la salle de bains pour retourner à ses activités. Elle était jeune et ne savait pas encore ce qu'il en coûtait de faire des suppositions – à quel point elles faisaient mal, en vous empêchant de vous préparer à l'horreur. Elle attrapa l'objet soyeux et le tira vers elle.

Un soutien-gorge.

Qui n'était pas à elle.

Elle en était certaine, car elle portait des soutifs pratiques et confortables – les pas chers qui étaient toujours en solde chez Macy's, sur le présentoir à côté du bac des lots de cinq culottes pour vingt-cinq dollars. Depuis ses presque dix-huit mois d'allaitement, elle faisait du 75 C – une promotion qu'elle avait accueillie avec joie, elle qui avait passé sa vie à prier tous les saints, depuis qu'elle avait lu *Dieu, tu es là ? C'est moi Margaret*, pour que s'arrondisse sa poitrine plate comme une planche à laver. Avant le changement, elle portait principalement des brassières de sport moulantes, comme les filles de TLC. En revanche, elle couvrait son ventre et nouait un sweat sur ses hanches pour essayer (en vain) de dissimuler ses cuisses épaisses et son popotin rebondi, qui avaient toujours du mal à rentrer dans ses pantalons alors qu'elle avait la taille menue. Elle était gênée par ses formes : LoLo y avait bien veillé. « Grosse comme tu es en bas, t'as pas besoin de chercher à te faire pousser les seins », lui avait dit sa mère le soir où elle l'avait surprise à faire l'exercice décrit dans son roman préféré : « Il faut, il faut, il faut des seins plus gros ! » Lorsqu'elle s'était fait prendre à s'inquiéter de ses seins, son cœur affolé de terreur avait battu si fort qu'elle en avait eu le tournis. Elle avait vivement baissé la tête, les bras le long du corps. « À partir de maintenant, la seule gymnastique dont tu as besoin, tu sais ce que c'est ? C'est de t'asseoir sur la moquette et de ramper à reculons. Ça aidera à t'aplatir un peu le derrière. »

LoLo avait dit ça comme si c'était un crime et une honte d'avoir les fesses rondes, et c'était donc ainsi que Rae voyait les choses, qu'elle voyait son corps. Comme s'il fallait le cacher. C'était dans le droit fil du message qu'elle avait reçu toute son enfance : elle était d'une génération qui avait passé ses années les plus formatrices – ces instants critiques où l'estime de soi commence à apparaître – à entendre que les fesses plates des pubs pour les jeans Jordache étaient la norme. Que traiter de grosses – donc de moches – les filles noires au fessier rebondi était la norme. Que mettre des tee-shirts XXL par-dessus son maillot de bain et nouer d'épais sweat-shirts ou des chemises de bûcheron autour de ses hanches était la norme. Que les jupes qui bâillaient sur les reins et vous comprimaient les hanches étaient la norme. Que les pantalons qui vous entraient dans la raie étaient la norme. Que faire des exercices pour aplatir ce fessier saillant, même quand la balance vous disait que vous étiez en fait en sous-poids, était la norme. Les fesses rondes devaient être cachées, pas célébrées. Et Sir Mix-a-Lot pourrait toujours les glorifier dans sa chanson « Baby Got Back », Roman pourrait toujours lui donner des tapes affectueuses sur le derrière, rien ne pourrait effacer en elle ces trois décennies de haine de soi.

Donc, non, ce soutien-gorge sexy qu'elle avait sorti de sous le lavabo ne lui appartenait pas.

Et à Roman non plus, apparemment.

C'est ainsi qu'elle apprit que son mari l'avait trahie. Ce fut aussi le moment où elle commença à ne plus l'aimer.

# 27

*Rae se trouvait sur la galerie de la maison d'enfance de son père, assise sur un de ces sofas d'extérieur à l'ancienne, ceux qui sont en tôle avec des découpes carrées et un fini poudré. Le sofa était bleu pâle, comme le ciel auquel il faisait face, et les soirs d'été, quand l'air était chaud et qu'il prenait aux cumulus l'envie de se montrer, on y était aux premières loges pour admirer d'extraordinaires couchers de soleil. Les mêmes que Tommy regardait quand il était petit, et sa mère aussi, et la mère de sa mère – là, sur leur terre qui appartenait de plein droit à la grand-mère de Tommy, où elle avait construit une maison, où elle avait reçu entre ses mains tous les bébés mis au monde par ses enfants. À l'époque, l'endroit s'appelait Lawrence Alley, à cause de tous ces Lawrence qui possédaient cette terre et qui y vivaient, l'arpentaient, la cultivaient, y élevaient des enfants. Qui y faisaient des affaires, aussi. Qui en tiraient leur subsistance depuis plusieurs générations. Cette terre, ces arbres, cette herbe, contenaient l'histoire des Lawrence – aux racines aussi vastes et colorées que ces couchers de soleil d'été. Tommy rencontrait sa fille en un lieu qu'il connaissait. Là où il se réfugiait, chez lui.*

*À présent, Rae souriait en regardant son père arracher un par un les pissenlits de sa pelouse et les tendre sous le nez de sa petite-fille.*

*« Un vœu ! » exigeait Skye.*

*Tommy ferma les yeux, sourit et chuchota quelque chose que seule la brise entendit, puis il lança :*

*« Un, deux, trois, souffle ! » Encore et encore, car les enfants de deux ans sont de grands partisans du « Encore ! », et les grands-pères sont toujours partisans du « Tout ce que tu veux, mon bébé. » Et comme Skye et Tommy ne faisaient pas exception à la règle, cela continua un certain temps avant que Tommy jette un coup d'œil à Rae et voie des ombres là où auparavant il y avait le soleil. « Allez, bébé, papi est fatigué », dit-il. Il posa une main dans l'herbe, l'autre sur son genou plié, et se hissa tant bien que mal en position debout. « Et toi, tu n'es pas fatiguée ? Sûrement que si.*

*— Non, papi, souffle ! lança Skye en cueillant encore un pissenlit. Un vœu !*

*— Oui mon bébé, un vœu. » Il prit la petite dans ses bras et se tourna vers sa fille. « Je souhaite que le soleil revienne sur les traits de ma Rae », dit-il avec un sourire.*

*Rae changea de position, et la peau de sa cuisse resta un instant collée au sofa. Elle fit la grimace, mais pas à cause de ce tiraillement, non. À cause de la douleur d'entendre son père demander ce qu'elle n'était pas prête à donner.*

*« Et si on rentrait préparer des sandwichs confiture-beurre de cacahuète ? Tu aimes ça ? demanda Tommy à Skye.*

*— Mmmmmm ! Cahouète ?*

*— Oui, confiture et beurre de cacahuète. Mais pour en avoir, il faut que tu rentres. Viens avec papi », dit-il en tendant sa main épaisse.*

*Elle y fourra sa menotte et rit en gambadant avec lui vers la galerie. Il la souleva à chaque marche jusqu'à ce qu'elle soit debout devant Rae, qui s'efforçait de faire bonne figure pour les deux personnes qu'elle aimait le plus au monde.*

*« Entre, chérie, je vais nous faire à manger », dit Tommy en tendant la main pour l'aider à se lever.*

*Il ouvrit la porte et posa les doigts dans le bas de son dos pour qu'elle ne trébuche pas en franchissant le seuil avec Skye. C'était un petit geste – la sensation de ses mains bougeant, se déplaçant, la guidant doucement pour l'éloigner du danger. Ça l'avait toujours réjouie que son père ouvre les portières, tire les chaises, sorte en premier de l'ascenseur pour affronter tout danger éventuel de l'autre côté des portes, et que sur le trottoir il se positionne entre elle et la rue pour qu'elle marche côté maisons. Le côté sûr. Cela avait un charme à l'ancienne. Le gentleman qui savait comment traiter une femme, oui, mais aussi le gentleman conscient que Malcolm avait raison de dire que les femmes noires recevaient trop peu de respect, de protection, d'attention. Pas elle, cependant. Pas sa fille. Pas tant qu'il était là. Avec lui, elle se sentait appréciée. Inestimable. Délicate, précieuse, assez pour qu'il soit prêt à prendre une balle à sa place. C'était exactement ce dont elle avait besoin ce jour-là : sentir la main d'un homme noir et fort dans le bas de son dos. Mais son cœur, lui, en demandait davantage. Les fragments étaient des échardes acérées qui tranchaient dans tout ce qu'elle avait jamais connu, dans tout ce à quoi elle s'était toujours fiée chez son père, chez son mari, dans sa relation avec les deux.*

*« Tu mérites le soleil, Rae », dit Tommy au moment où ils entraient. Il la fit doucement tourner pour qu'elle voie dehors. « Regarde-le. Je sais que tu es dans l'orage en ce moment, mais ma chérie, regarde vers le soleil. C'est comme ça que tu seras libre. C'est comme ça qu'un jour, boum, tu t'épanouiras. »*

*Tommy indiqua le soleil, qui montait la garde dans un ciel sans nuages d'un turquoise clair. Le regard de Skye suivit son doigt pointé.*

*« Boum », dit-il. Sa voix était douce, mais grave et ronde, comme un gentil tonnerre. Skye éclata d'un grand rire qui montait de son petit ventre, de plus en plus fort, tandis que Tommy répétait le mot : « Boum. » Un doux rire d'enfant. « Boum. » Un rire d'enfant. « Boum ! »*

Rae s'éveilla et se redressa dans le gros fauteuil moelleux du salon de ses parents. Ses yeux firent lentement la mise au point. LoLo était là, avec Skye sur la hanche. Elle chatouillait la petite, qui se pliait en deux dans des cascades de rire. Rae se frotta les paupières.

« Quelle heure il est ? demanda-t-elle en s'étirant. J'ai dormi longtemps ?

— Assez pour qu'on commence à avoir un creux, ma petite-fille et moi », dit LoLo en frottant son nez contre celui de l’enfant. Rae observait cette tendresse avec un mélange de curiosité et d’envie, et une pointe d’incrédulité. L’affection, c’était le domaine de Tommy, pas celui de LoLo. « Viens à la cuisine manger quelque chose. J’ai fait des sandwichs. »

Rae s’étira encore et passa à la salle de bains pour se rafraîchir un peu ; lorsqu’elle arriva dans la cuisine, LoLo avait disposé trois sandwichs sur la table, plus une tasse de lait pour la petite et deux sodas pour les adultes. Rae appréciait le geste, mais la nourriture avait un goût de sable et de colle sur sa langue. Elle n’avait rien mangé depuis la glace partagée avec sa fille la veille, avant la découverte du soutien-gorge et de l’infidélité de son mari. Elle avait alors préparé un sac de voyage à la hâte et pris le train jusqu’à Long Island, loin de Roman, loin de ses mensonges. Elle n’avait même pas attendu qu’il rentre : elle lui avait simplement écrit par e-mail que son univers entier s’écroulait et qu’elle n’avait plus la force d’essayer.

« Il faut manger, Rae », dit LoLo en regardant son assiette.

Skye s’essuya maladroitement la bouche avec sa serviette, ajoutant plus de miettes qu’elle n’en retirait, et montra du doigt le paquet de chips.

« Chips, mamie ?

— Ah ! Oui ma chérie, tiens.

— Non, non. Fini, les chips, intervint doucement Rae. Tu as assez mangé. Il est temps d’aller faire ta sieste.

— Nooooon, soupira Skye en secouant farouchement la tête. Pas de sieste, maman.

— Skye, c’est l’heure, ma chérie. »

La petite se laissa glisser de sa chaise et alla se jeter contre les jambes de sa grand-mère en répétant « Non, non ! », la tête pressée contre sa cuisse. LoLo la prit sur ses genoux.

« Ça ne fait rien, mon bébé, dit-elle tendrement. Tu vas rester un petit peu avec ta mamie.

— Tu t'adoucis avec l'âge », fit remarquer Rae.

LoLo eut un sourire malicieux.

« J'étais douce quand vous faisiez ce que je disais. » Elle embrassa Skye sur la tête et rit. « Et dure quand il le fallait. »

C'était une affirmation simple, bourrée à la fois de vérité et de mensonge. LoLo avait clairement été dure : facilement contrariée, prompte à distribuer les gifles quand il aurait suffi de gronder, sa main étant à la fois le juge, le jury et le maillet dans les procès expéditifs qui avaient lieu à la moindre infraction. La petite Rae voulait aider sa mère, et elle l'aimait, mais leur relation reposait sur la peur – une peur si intense que Rae marchait sur la pointe des pieds en sa présence, persuadée que si elle laissait ses pieds toucher entièrement le sol elle attirerait son attention : une faute serait constatée, et la rage se déchaînerait. « Va chercher la ceinture ! » « Va chercher une badine ! » « Viens ici tout de suite ! » Ces mots pendaient à ses lèvres comme ses cigarettes. Il suffisait à Rae d'être battue une fois ou deux pour comprendre les règles, et les conséquences qu'il y avait à les enfreindre ; faire ce qu'on lui disait et se fermer sur elle-même était autant une question de survie qu'un trait de caractère.

TJ, lui, était perpétuellement dans la transgression – et perpétuellement puni. Il se souciait bien plus de sa liberté que de son bien-être physique, et endurait presque joyeusement les raclées, sachant que lorsque ce serait terminé il retournerait à ses bêtises. Une fois assez grande pour comprendre ce schéma de fonctionnement, Rae s'était demandé comment faisait LoLo pour ne pas le voir. Mais elle s'était dit que sa mère frappait peut-être pour se passer les nerfs plutôt que pour le corriger. C'était cette découverte qui lui avait fait le plus peur. Pendant des mois, elle en avait eu des cauchemars paralysants dans lesquels sa mère tuait son frère : elle le massacrait avec une chaise, le poussait dans un escalier, et il ne restait de lui qu'un tas informe d'os brisés. LoLo s'éloignait alors, le visage peinturluré non pas de maquillage Maybelline mais d'une expression satisfaite. Longtemps, Rae n'en avait pas dormi. C'était terrifiant.

Tommy, dans l'ensemble, ne battait pas ses enfants, mais il ne les défendait jamais non plus contre la colère de LoLo. La rage de Rae à ce sujet était posthume, aussi intense que le dégoût pour son infidélité. Elle aurait préféré ne pas lui en vouloir, mais rien à faire, elle sentait que son père avait failli à sa promesse tacite de la protéger. La protéger de LoLo, de Tasheera. Elle n'avait ressenti ça qu'une fois auparavant, l'unique fois où il l'avait giflée.

« Tu te rappelles le jour où papa m'a mis une claque ? » demanda-t-elle à LoLo en approchant un quart de sandwich, sans la croûte, des lèvres de Skye.

La petite prit une bouchée.

« Oh, écoute ! Arrête un peu avec ce mensonge.

— Mais c'est vrai ! Tu ne te rappelles pas ?

— Je me rappelle qu'on a essayé de te taper deux ou trois fois, et que tu partais en braillant comme si tu allais te faire tuer. Ça faisait tellement rigoler Tommy qu'il a fini par te ficher la paix. Ce n'était pas si grave. »

LoLo rit à ce souvenir. Rae, non.

« Mais il y a eu une fois », insista-t-elle.

Ils vivaient encore dans le New Jersey, donc elle ne devait pas encore avoir dix ans. Son père était là, immense, massif, torse nu et ensommeillé, un filet de salive séchée sur la joue, et il la dominait de sa hauteur, l'air menaçant. Ni Rae ni TJ ne savaient qu'il avait enchaîné deux services et qu'il était rentré de l'usine à près de deux heures du matin ; ils savaient juste qu'il ne fallait pas faire de bruit quand il dormait. Ce jour-là, ils avaient tablé sur le fait qu'il dormirait assez longtemps pour que TJ ait le temps de rentrer de la supérette 7-Eleven, où il était allé acheter des bonbons.

Ce n'était pas Rae qui avait pensé aux bonbons : elle jouait aux osselets, par terre dans la cuisine – plus précisément, elle s'entraînait à en ramasser quatre d'un coup. Mais TJ était arrivé en parlant de Now and Later goût raisin et goût cerise, et de chewing-gums Razzles.

« Tout ce que tu as à faire, c'est de la boucler. Si papa se réveille, tu lui dis que je suis dehors, dans la cabane de jardin. Tu fais ça et je te rapporte les bonbecs, d'ac ? »

Rae n'avait pas posé de questions. Elle n'avait pas cherché à savoir où il avait trouvé l'argent ni pourquoi il ne pouvait pas attendre que leur père se réveille ou que leur mère soit rentrée des courses. Il y avait des Now and Later dans l'histoire, et c'était tout ce qu'elle avait besoin de savoir pour accepter d'être sa complice. Mais TJ n'était pas plus tôt parti que Tommy était sorti de la chambre, les yeux bouffis et la bouche pleine de questions.

« Rae ? Viens ici. »

Elle avait eu l'impression que tous ses organes se rassemblaient dans sa poitrine et prenaient la décision collective de sortir par sa gorge. Elle avait lentement ramassé ses osselets et s'était traînée hors de la cuisine. Elle avait traversé la salle à manger, traversé le salon, enfilé le couloir qui lui semblait soudain long comme une piste d'atterrissage. Elle aurait voulu s'envoler très loin.

« Oui, papa ? avait-elle dit d'une voix aussi innocente que possible.

— Où est ton frère ? »

Après une hésitation infime, elle avait plongé tête baissée dans le mensonge.

« Dehors, dans la cabane de jardin. »

Pendant la longue marche vers son père, elle avait passé en revue les conséquences d'un mensonge : il pouvait la croire, dans le meilleur des cas ; il pouvait la gronder, ce qui lui ferait certainement mal car elle détestait décevoir ses parents, mais au moins elle garderait son intégrité physique ; il pouvait la punir, peut-être en la privant de ses poupées ou de *L'Homme qui valait trois milliards* pendant deux semaines. Mais elle n'avait pas envisagé une seconde ce châtiment-là.

Une gifle puissante, assenée avec le gras de la main droite, en plein sur sa bouche mensongère.

« Tu crois pouvoir me mentir comme ça ? » avait-il crié.

Rae, stupéfiée que son père ait choisi la violence, était restée coite, les yeux écarquillés ; les pleurs étaient remontés peu à peu du fond de son ventre, mais étaient restés coincés quelque part à côté du cœur, là où tous ses organes étaient noués. Ils avaient fini par passer dans les fentes et remonter dans sa gorge : lorsqu'elle avait enfin repris son souffle, sa voix était revenue.

« C'est la seule fois où il m'a tapée, et il m'a dit que c'était parce que j'avais menti », raconta Rae.

Elle tripotait ses ongles, et les regardait plutôt que sa mère.

« Hum. Je ne me souviens pas qu'il t'ait tapée, mais je sais qu'il n'aimait pas les mensonges, dit LoLo d'un ton factuel.

— Mais il t'a menti, à toi, maman. Il nous a menti à tous. Pendant toutes ces années, il nous a menti. »

LoLo ne dit rien. Skye soupira et se pelotonna contre la poitrine de sa grand-mère. Elle faisait son possible pour garder les yeux ouverts, mais ses paupières clignotaient de plus en plus. Le sommeil finit par l'emporter. LoLo l'embrassa et la serra un peu plus fort dans ses bras, pour se réconforter elle-même plus que l'enfant.

« Tu ne penses pas que je le sais ? demanda-t-elle enfin.

— Je ne comprends pas comment il pouvait à la fois détester le mensonge et vivre dedans pendant toutes ces années. Il a brisé le cœur de ma mère.

— Il mentait pour le protéger, le cœur de ta mère, riposta aussitôt LoLo.

— Maman, avec tout le respect que je te dois, je ne comprends pas ça, dit Rae tout aussi vite. Il avait deux enfants d'une autre. En quoi ça protégeait ton cœur, ça ? Il te trompait. Tu étais l'amour de sa vie, et il te trompait. Je suis à ta place en ce moment, le cœur en miettes parce que l'amour de ma vie m'a trahie. Je sais ce que ça fait. Ça ne ressemble pas à de la protection. Ça n'en est pas.

— Écoute, Rae, il y a beaucoup de choses que tu ne sais pas ou que tu ne peux pas comprendre…

— Le mensonge de papa s'est pointé à son enterrement, je te rappelle. Et elle a fait ça même pas deux semaines après t'avoir appris à quel point il t'avait menti. Tu n'étais pas protégée, et moi non plus. Pourquoi tu le défends, nom de Dieu ? »

Elle se raidit, s'attendant à ce que sa mère réagisse sévèrement au blasphème, mais LoLo tout d'abord ne dit rien. Elle caressait le dos de la petite d'un air pensif. Puis, dans un souffle, elle murmura :

« C'est moi qui lui ai menti en premier. »

Rae eut un mouvement de recul, comme le jour où Tommy l'avait giflée.

« Comment ça ? »

Quelque chose montait en elle. La peur ? La colère ? Le dégoût ? L'appréhension ? Quoi qu'il en soit, elle n'était pas sûre d'être prête à s'engager sur ce chemin avec sa mère, pas sûre d'être prête à entrer dans les détails de l'histoire personnelle de ses parents. Mais voilà que LoLo posait la main dans le creux de son dos pour la guider vers une version de la vérité.

« J'ai fait croire à ton père, dès le début, que c'était lui qui ne pouvait pas avoir d'enfants. Je voyais qu'il avait peur, mais il est allé consulter toutes sortes de docteurs et il s'est fait palper, examiner, tout ça. Personne n'arrivait à lui dire ce qui clochait. Mais je lui racontais que j'avais des règles très régulières, que ça voulait dire que tout allait bien chez moi, que ça venait forcément de lui, et il m'a crue. »

Rae la regardait avec des yeux ronds, partagée entre l'envie d'entendre l'histoire et celle de ne rien savoir.

« C'était beaucoup de stress. Beaucoup de stress, continua LoLo en berçant Skye endormie. Tout ce qu'il voulait, c'était une famille à lui, je le savais. Et moi, tout ce que je voulais, c'était lui. Mais je… je ne pouvais pas lui dire… »

Elle écrasa une larme échappée des lacs qui s'étaient formés dans ses yeux, un geste qui envoya un coup à l'estomac de Rae. Si ce n'est lors de l'enterrement de son mari, LoLo n'avait jamais autant exposé ses émotions au grand jour. Sans même s'en rendre compte, Rae agrippa les côtés de sa chaise.

« Lui dire quoi ? »

LoLo inspira profondément et passa le pouce sur les boucles serrées de sa petite-fille. Elle enfonça le nez dans ses cheveux, inspira encore.

« J'adore son odeur, même quand elle rentre de l'extérieur, dit-elle. Elle sent encore le bébé pour moi, un vrai concentré de joie et de bonnes choses. C'est ce qu'elle est. » Elle la berça et la serra un peu plus fort. « Je n'imaginais pas pouvoir aimer un autre humain à ce point. Les petits-enfants, c'est comme un cadeau qui arrive dans le plus joli des paquets ; on l'ouvre, et c'est exactement ce qu'on voulait. Ce dont on manquait, aussi. Mais on ne pense plus au manque : ce n'est rien que de la joie, grande et ronde et pleine. La première fois que je l'ai prise dans mes bras, j'ai pensé : “C'est donc ça, l'amour.”

« Cette petite a apporté la lumière dans un monde de ténèbres, dit-elle encore en regardant enfin sa fille dans les yeux. Et je ne parle même pas de la nuit qui est tombée à la mort de ton papa. Elle m'a fait comprendre non seulement ce que j'avais perdu, mais aussi ce que j'avais réussi à trouver malgré tout.

— Je ne comprends pas, maman. »

Les yeux noyés de Rae lui montraient une image floue de cette douceur qu'elle n'avait jamais vue chez sa mère.

« À seize ans, j'ai dû avorter. Mon cousin me violait, et on avait conçu un bébé que je ne pouvais pas garder, dit LoLo, veillant à rester simple et directe en extirpant ces mots de son corps. L'infirmière qui a pris mon bébé, elle a pris tous les suivants avec. Elle a fait en sorte que je ne puisse jamais être mère. »

Rae réprima un cri, les deux mains plaquées sur la bouche, comme un personnage de film d'horreur assistant à une scène grotesque. LoLo continua : le robinet était ouvert, il coulait maintenant à flots.

« Ton papa voulait tellement avoir des enfants. Tellement, Rae ! À l'époque, quand on ne pouvait pas en avoir, les hommes ne voyaient pas bien à quoi on servait. J'ai fini par découvrir, pendant nos années de mariage, qu'il m'aimait et me voulait vraiment, mais au début, pendant des années, j'ai eu peur qu'il me quitte s'il apprenait que je ne pouvais pas lui donner ça. J'ai dû le convaincre que ça venait de lui, tu comprends ? Puis lui montrer qu'on pouvait avoir une famille autrement.

— Et c'est comme ça que vous nous avez adoptés, TJ et moi. » Rae essuya ses larmes avec ses poignets et joignit les mains sur ses genoux. « J'ai trouvé les papiers quand j'avais douze ans, tu sais. Ils n'étaient pas très bien cachés. »

Elle faillit rire. Le fait qu'elle ait su sans le dire pendant toutes ces années – ravalant ses questions, renfonçant le secret dans les recoins de son existence et de celle de ses parents – était une révélation bien pâle, comparée à la seconde vie de son père. La baudruche était enfin percée, mais il n'y avait eu aucun son. Rien que de l'air, s'échappant sans bruit du trou fait par l'aiguille.

LoLo secoua la tête et eut un petit rire.

« Euh, bon, ce n'est pas rien, tout de même, observa-t-elle, digérant le fait que cette partie de son secret était éventée depuis longtemps. Et tu n'as jamais dit un mot !

— J'avais peur d'en parler. J'avais peur de ce que ça voulait dire d'être adoptée, surtout quand j'étais petite. Je me rappelle avoir pensé que si je t'énervais trop, tu risquais de me rendre.

— Rae ! Quoi ?! Je n'aurais jamais…

— Maman, tu étais tout le temps en colère », la coupa Rae. Elle se sentait assez audacieuse pour oser dire la vérité à sa mère, maintenant, après toutes ces années de sentiments refoulés tout au fond, derrière la peau épaisse, le sang, le muscle cardiaque – la mémoire, aussi –, jusqu'à devenir l'étoffe même du clan Lawrence. Jusqu'à devenir indispensables. « Je faisais tout ce que tu exigeais. Je marchais sur des œufs avec toi, et parfois j'aurais même voulu être invisible pour ne pas te voir tourner la tête depuis l'autre bout de la pièce, crier à propos d'une chose ou d'une autre, et me donner l'impression que cette fois mon temps avec toi était écoulé. » Elle ajouta plus bas : « Je me rappelle avoir pensé que tu ne voulais pas de nous. Et si ma mère biologique n'avait pas voulu de moi, et si toi non plus… »

LoLo serra Skye plus fort et prit son temps pour trouver les mots. La vérité, le secret que Tommy et elle avaient gardé pendant trente-deux ans.

« Tu étais désirée, Rae. Quelqu'un t'a laissée sur les marches d'un orphelinat de Canal Street, à Manhattan, et quatre jours après on y est allés pour chercher une petite fille. J'étais en haut, et ton père est descendu voir au sous-sol. Il m'a dit qu'il y faisait tellement sombre qu'il voyait à peine dans les berceaux. Il n'y avait pas de lumière. Mais tu étais là, dans un coin. Tommy racontait que tu t'étais assise, que tu l'avais regardé et que tu avais souri. Ce même sourire que tu as aujourd'hui. »

LoLo tendit la main pour toucher Rae, lui effleura le bras du bout des doigts. Rae tressaillit, et se rendit compte alors qu'elle s'était entièrement repliée sur elle-même : les bras autour de la taille, les chevilles croisées, les genoux, les mollets entortillés dans une position impossible sous la chaise. LoLo retira sa main comme si elle avait touché une braise ardente.

Rae tâcha de retenir ses larmes, mais elles roulèrent quand même sur ses joues.

« Je sais qu'il nous aimait, maman. Mais toi ?

— Quoi, moi ?

— Tu m'aimais ? Et TJ ?

— Comment peux-tu douter de ça ?

— Regarde comment tu es avec Skye, maman. Tu ne nous as jamais vraiment embrassés et câlinés comme ça.

Parfois, la plupart du temps même, on avait l'impression que tu ne voulais pas de nous.

— J'ai bien fait mon boulot de mère, riposta LoLo. Je n'étais peut-être pas tout le temps en train de vous dire des "je t'aime" et de vous faire des papouilles, mais vous étiez nourris, vous aviez des habits sur le dos et un toit sur la tête. Qui t'a appris à craindre et à aimer Dieu ? Ne fais pas comme si je n'avais pas été une mère attentionnée. Tu as eu tout ce qu'il te fallait, et même parfois ce que tu voulais. Et tout ça, je l'ai fait parce que tu es ma fille. *Ma fille*. Quand ma mère est morte, mon père n'en a pas été un pour moi. Il m'a juste laissée mourir, et d'une certaine manière, je suppose que c'est ce qui m'est arrivé. » Puis, presque dans un soupir, elle ajouta : « Peut-être que je ne te l'ai pas assez dit, mais je te l'ai montré, pas de doute. Ça compte, Rae. C'est ma façon d'aimer. »

LoLo embrassa la tête de Skye, puis tendit de nouveau les doigts vers sa fille. Elle essayait encore. Pour Rae. Et pour elle-même. Cette fois, Rae la laissa poser une main sur son épaule. Cette fois, elle la regarda dans les yeux. Cette fois, elle vit une femme. Pas sa mère. Pas la femme de son père. Pas la ménagère hargneuse et violente, mais une femme qui avait eu la vie dure, qui s'était sacrifiée et avait protégé sa famille avec une férocité douloureuse non seulement pour ses enfants, mais aussi pour elle-même. Rae vit une femme très simple qui avait survécu à une vie extraordinairement triste et compliquée.

# 28

« Tu m'aimais ? »

Rae aurait pu s'abstenir de poser la question, ou au moins anticiper la réponse. Après tout, depuis deux ans déjà, LoLo lui montrait qu'elle avait changé aussi en ce qui concernait les conseils. Au lieu de jouer les marionnettistes, elle avait appris à rester à l'arrière-plan pour encourager sa fille, cette femme, mère, épouse, à faire ses choix et à s'y tenir, quoi que puissent en dire les autres.

La première fois que sa mère l'avait défendue à voix haute, Rae en était restée abasourdie, doutant d'avoir bien entendu. « Fichez-lui la paix ! » avait lancé LoLo à ses amies. Les taties Sarah, Cindy et Para Lee s'étaient entassées chez elle à l'occasion de son anniversaire de mariage pour lui changer les idées, l'empêcher de penser à tout ce qu'elle avait perdu et lui rappeler plutôt les bonnes choses : celles qui étaient nichées dans les souvenirs. Elles étaient douées pour ça, ses copines : des super-héroïnes qui se servaient de leurs superpouvoirs pour remonter le moral, encourager, conseiller. Rae ne l'avait pas perçu petite, mais les meilleures amies de sa mère lui avaient donné des leçons précieuses – des leçons de vie. En les regardant, elle avait appris la valeur de l'amitié, des espaces sûrs pour les enfants, et du rire. Elle adorait les embrassades de ses taties, leur approbation, leur authenticité. Et elles lui donnaient tout cela en quantité. Mais cette fois-ci, elle voulait juste qu'elles lui lâchent la grappe. Les histoires avaient commencé à la seconde où elle était arrivée en peinant dans l'escalier, sa fille de huit mois gigotant sous son bras gauche, un sac de couches et un chargement de jouets, plus des cadeaux pour sa mère, sous le droit. Skye, énervée et agitée, griffait son tee-shirt et écrasait les lèvres contre ses seins.

« Oui, oui, oui, ça vient, ma puce ! »

Rae avait lâché les sacs dans l'entrée. Elle avait filé tout droit vers le gros fauteuil du salon, juste à côté du canapé où étaient assises sa mère et ses taties. Des albums remplis de photos de leur vie ensemble, collées entre carton et plastique, jonchaient la table basse carrée devant elles, et elles en avaient aussi sur les genoux, grands ouverts comme leurs bouches rieuses.

« Ohhhh, la voilà ! Passe-moi ma petite-fille ! » s'était exclamée LoLo, bras tendus, en agitant les doigts vers elle.

Les joyeux saluts des taties avaient rempli la pièce.

« Une seconde, maman, elle a tellement faim qu'elle va piquer une crise si je ne lui donne pas le sein tout de suite », avait répondu Rae en soulevant son tee-shirt pour dégrafer le bonnet de son soutien-gorge d'allaitement.

Le calme était revenu en un instant. Skye avait gémi encore un peu en cherchant le sein, puis ventousé ses lèvres et sa langue au téton de sa mère et aspiré avec des bruits de succion, les paupières humides et lourdes de désir, puis de satisfaction.

C'était Para Lee qui avait parlé en premier.

« Ça lui fait quel âge, maintenant ? »

Rae avait cherché les doigts de Skye et s'était balancée pour la bercer pendant qu'elle tétait.

« Elle vient d'avoir huit mois. Je n'en reviens pas que ça passe aussi vite. Elle grandit tellement ! C'est comme si j'avais un nouvel enfant chaque semaine. »

Concentrée sur sa tâche, elle n'avait pas vu le regard vif que Para Lee lança à Cindy et à Sarah, puis à LoLo.

« Bientôt un an, et tu l'allaites encore ? s'était étonnée Para Lee, le sourcil froncé. À ce stade, elle a déjà les dents pour manger du bifteck !

— Elle pourrait au moins mâcher autre chose que le sein de sa mère, c'est sûr », avait renchéri Sarah.

Le sourire de Rae s'était lentement effacé ; elle avait cherché une position plus confortable dans le fauteuil capitonné, se flétrissant sous leur regard. Dans sa tête, elle prononçait un sermon enflammé : elle refaisait toute l'histoire de l'allaitement dans la communauté noire et des effets délétères du lait maternisé sur l'estomac fragile des bébés, énumérait les statistiques montrant l'intelligence, la force et la santé des enfants allaités et les avantages qu'ils tiraient du lait maternel, et demandait aux taties comment elles pouvaient s'offusquer alors qu'elles lampaient sans problème du lait sorti des pis des vaches. En réalité, elle s'était contentée d'endurer leurs critiques sans rien dire.

« Vous racontez n'importe quoi ! était soudain intervenue LoLo. Regardez comme elle pète la forme, ma petite-fille. Sa maman a bien raison. Elle a raison sur beaucoup de choses, si vous voulez mon avis. »

Ses amies avaient cessé de caqueter.

« Skye n'attrape jamais un rhume ; elle n'a jamais eu une otite. Regardez-moi ces cuisses potelées, ajouta-t-elle en se penchant pour les pincer. Elle a les cheveux épais et bouclés…

— Tu ne vas pas lui mettre des barrettes ? l'avait coupée Sarah. Vu comme ils sont épais, tu pourrais les peigner et lui faire des couettes ou quelque chose. Ils ont l'air secs…

— Sarah, ils sont très bien comme ça ! s'était énervée LoLo. Elle est mignonne comme tout avec ses cheveux au naturel. Et maintenant, laissez ma petite-fille tranquille. C'est le bébé de Rae, et elle l'élève très bien.

— Quand même, ça fait crépu. Enfin, c'est mon avis.

— Mais personne ne te le demande, justement », avait lâché Rae sans pouvoir se retenir. Elle l'avait aussitôt regretté ; sa mère l'avait mieux élevée que ça. Plus doucement, elle avait soufflé un peu d'air frais sur la situation devenue brûlante. « Je choisis juste de faire les choses différemment, c'est tout. Il y a beaucoup d'avantages à allaiter pendant au moins un an, et je ne fais de mal à personne en nourrissant ma fille avec le lait que la nature a justement prévu pour ça. Je ne tire pas sur ses cheveux parce qu'elle est sensible et que je l'aime bien au naturel, de toute manière. Je la trouve adorable comme ça.

— Moi aussi, Rae », avait dit LoLo en se penchant pour lui toucher le genou par solidarité.

Rae avait regardé la main de sa mère si tendre, puis sa mère elle-même, en faisant son possible pour masquer son étonnement.

Plus tard, une fois rassasiées de victuailles, de gâteau et d'amitié, chacune était retournée à ses affaires, et Rae et sa mère s'étaient installées sur le lit parental pour regarder une série pendant que la petite s'endormait. LoLo avait alors très simplement expliqué sa nouvelle attitude à sa fille.

« Personne n'a le droit de te dire quoi faire. C'est ton bébé. Tu l'élèves comme tu veux, tu m'entends ? Tu te fiches de ce qu'en pensent les autres, si ce n'est pas ce que tu veux. Ne l'oublie pas. »

Cette LoLo-là était une surprise : respectueuse, une vraie bénédiction. Si Rae n'avait pas été sous le choc de l'implosion de son mariage, elle aurait pu se laisser aller à comprendre, à accueillir avec joie la manière qu'avait sa mère de contourner les angles aigus. Mais ce dont elle avait le plus besoin en ce moment, c'était que LoLo l'éclaire de sa lampe, qu'elle lui donne le savoir qui l'aiderait à naviguer dans ces ténèbres et à retrouver le chemin vers la normalité, où les maris gagnaient leur vie, aimaient passer leurs samedis soir tranquilles avec leur femme et leur fille, et choisissaient activement la famille de préférence à tout le reste.

Il y avait à présent une semaine qu'elle avait quitté Roman, et elle n'y voyait pas plus clair qu'au moment où elle avait pris sa fille, rempli un sac de voyage et embarqué dans le train pour Long Island, pour la maison de son enfance. Elle était à la table de la cuisine, fatiguée, frustrée, triste, contrariée, tenant sur seulement quelques heures d'un sommeil constamment interrompu par des petits coudes dans son nez, des petits pieds dans son dos. Interrompu aussi par les souvenirs, dans cette chambre parfaitement préservée, sur ce lit où, adolescente, elle avait fait ses devoirs, lu et écouté sur son radio réveil les chansons d'amour sélectionnées par Frankie Crocker, en se lamentant que sa mère l'enferme telle une sorte de Raiponce couleur chocolat pour la protéger de la cruauté du monde. Toutes ces années plus tard, à trente-deux ans, devenue mère à son tour, elle était toujours coincée dans la tour, sans plan précis pour en sortir, sans même savoir si le prince en valait la peine.

LoLo s'activait gaiement devant ses fourneaux, en lançant de temps en temps les réponses aux questions que posait Alex Trebek, l'animateur du jeu télévisé *Jeopardy!* Elle préparait un dîner simple – côtes de porc, brocolis vapeur et compote de pomme – sans prêter attention à l'agitation croissante de Rae, qui tenait sur ses genoux une Skye fatiguée.

« Qu'est-ce que je dois faire, maman ?

— À propos de quoi ? » LoLo posa les deux assiettes garnies sur la table. Elle embrassa la petite et sourit. « Oh, mon bébé a sommeil.

— Mon mari m'a trompée. Il a trompé notre famille. Qu'est-ce que je dois faire ? Est-ce que je reste avec un homme qui a couché avec une autre ? Est-ce que je reste avec le traître, pour le meilleur ou pour le pire ? Mon père est mon héros, mais lui aussi était un traître. Est-ce que la trahison change quelque chose ? Le fait que Roman me trompe, est-ce que ça doit changer quelque chose à ma volonté d'être sa femme ? Qu'est-ce que je fais ?

— Je ne peux pas te dire quoi faire, Rae, et je n'essaierai pas. C'est ton couple, c'est ta vie. Ce qu'on a eu, ton père et moi, c'était ce que j'avais voulu, mais ce n'était pas parfait. Pas de quoi mettre ça sur un piédestal et te dire de faire comme nous. J'ai essayé de me conformer à ce que le monde attendait des femmes, et ça a failli me tuer. Il faut que tu trouves ce qui te convient, à toi, quoi que tu aies vu ailleurs. Tu te fiches de ce que veulent les autres. L'important, c'est de savoir ce qu'il te faut, à toi. Tu comprends ? »

Rae sécha ses larmes. Hocha la tête. Regarda sa fille.

« Elle est K-O, hein ? » dit-elle en se forçant à sourire. Skye se servait de son ventre comme d'un oreiller. « Complètement cuite.

— Je vais la coucher, dit LoLo en la soulevant. Je reviens tout de suite, d'accord ? Mange donc tes côtes de porc. Il faut manger, pour garder tes forces. »

Rae regarda sa mère emporter l'enfant dans ses bras, les petits pieds de Skye battant contre sa cuisse. À cinquante-cinq ans, elle était encore mince et ravissante. Elle s'était construit une bonne vie sans Tommy ; elle était devenue… quelqu'un de nouveau. Même la maison ne ressemblait plus au logis qu'elle avait partagé avec son mari. Quand Rae était petite, LoLo tenait à ce que toutes les pièces soient blanches, car elle avait la profonde conviction que la couleur convenait exclusivement aux coussins de canapé, aux dessus-de-lit et aux bibelots sur les étagères. Elle soutenait aussi que le mobilier du salon était réservé aux invités, pas aux gamins aux mains sales ni aux adultes pour qu'ils y paressent. En général, chacun se retirait dans son coin ; c'était la maison de LoLo, les goûts de LoLo, les règles de LoLo.

Mais dans cette même maison où elle vivait à présent sans Tommy, les murs éclataient maintenant de rouge, de jaune d'or, de bleu ciel, et le salon était devenu l'endroit où se retrouver, qu'on soit de la famille ou non, ami ou ennemi. C'était là que LoLo accueillait sa cour : elle y servait des verres et des amuse-bouche, y recevait le groupe d'étude de la Bible. Elle avait même acheté une télé neuve et l'avait placée de manière à pouvoir regarder des thrillers et de vieux westerns tout en pliant du linge ou en faisant sa sieste. Elle était le monsieur Loyal de son cirque personnel ; elle avait trouvé son mode de vie à elle, sa façon de recevoir, sa façon d'être, sans Tommy. C'était un bonheur à observer.

Rae pivota sur sa chaise pour mieux voir le mur de la cuisine, où LoLo avait accroché les photos de famille autrefois posées sur les étagères en verre du salon. Au centre, une vieille photo de Tommy, en complet écossais et col roulé vert, et LoLo, en jupe crayon assortie, tous deux regardant au loin, comme les gens avaient tendance à le faire sur ces clichés à l'ancienne réalisés au magasin Sears, avec la toile de fond colorée et le fini extrabrillant. Rae se dit que LoLo était belle, extrêmement belle. Grande et mince, comme un mannequin. Elle se rappela tous les moments passés dans les salons d'essayage avec sa mère : les tenues qu'elle enfilait semblaient toujours taillées sur mesure pour son corps longiligne. LoLo avait un faible pour les robes longues à large ceinture et épaulettes, dans lesquelles ses épaules déjà carrées évoquaient un cintre et sa taille déjà menue paraissait fine à un point impossible, presque effrayant. En revanche, elle détestait montrer ses jambes, ce que Rae ne comprenait pas car elles étaient longues et fuselées, absolument parfaites. Rien à voir avec les siennes. Rae se revit assise sur les bancs dans les cabines d'essayage de Macy's, regrettant d'être fichue comme une bouteille de Coca et non comme sa mère – jolie et parfaite. Tellement jolie, tellement parfaite.

Le picotement gagna d'abord son nez, puis ses yeux. Son père lui manquait, mais elle souffrait de ce qu'il avait fait à cette femme, de ce qu'il avait ajouté à sa peine. Elle décida que, à la seconde où sa mère reviendrait dans la cuisine, elle lui dirait qu'elle était belle. Elle lui dirait combien elle l'admirait, combien elle était reconnaissante de l'avoir, reconnaissante qu'elle soit venue la chercher et qu'elle ait fait d'elle sa fille. Elle lui dirait qu'elle ne méritait pas ce que Tommy lui avait fait, à elle, à leur famille. Qu'elle aurait aimé lui en vouloir à mort, mais qu'elle ne trouvait pas l'espace entre la colère et son amour intense pour son père – un amour sans limites, mais encore plus grand à présent qu'il n'était plus là. Elle voulait dire à sa mère que même si elle ne comprenait pas entièrement sa douleur, elle savait qu'elle souffrait, et qu'elle serait là pour elle. Sa mère, cette femme dont elle ne partageait pas le sang, mais qu'elle aimait profondément quand même.

Et à ce moment-là, elle sentit son odeur. Celle de son père. Aussi sûrement que s'il s'était trouvé juste devant elle, comme dans son rêve. C'était une odeur très particulière : l'after-shave dont il s'aspergeait les joues, le menton et le cou pratiquement tous les jours, qu'il se soit rasé ou non. Il adorait ce parfum. Cela sentait le néroli et la bergamote, avec un fond de rose et de kaki, et un peu de patchouli. Sensuel et noir. Noir comme quand on entre chez un barbier ou dans la salle de bains d'un homme noir un samedi après-midi. Cela aurait empesté sur un homme blanc.

« Maman », souffla Rae, si bas que sa mère l'entendit à peine.

Elle chassa ses larmes et se leva de la chaise. LoLo, à la seconde où elle eut franchi le seuil de la cuisine, s'arrêta net, comme si elle avait heurté une barrière invisible, et ferma les yeux. Elle inhala si profondément qu'elle faillit en tousser.

« Tu sens ? demanda Rae. Ça faisait un moment qu'il n'était pas venu, mais il est de nouveau là. Pour toi et pour la petite. Peut-être pour moi.

— Tu as mis l'after-shave de papa ? demanda LoLo, à mille lieues de ce qui se passait.

— Non, maman, dit doucement Rae. C'est lui. »

Elle regarda sa mère dans les yeux, sans ciller – ses pupilles exprimant exactement ce que LoLo devait comprendre.

« Il vient à toi ? Comme ça ?

— Parfois c'est son parfum que je sens, l'after-shave. Parfois, il m'apparaît en rêve. Un dimanche matin je me suis réveillée et ça sentait le foie de veau, impossible de s'y tromper. Je me suis levée et j'ai foncé à la cuisine, et tout était silencieux, vide, chaque chose à sa place. Mais ça sentait comme s'il était devant la cuisinière, en train de faire cuire un foie avec cette sauce que j'aime bien, et du riz. Son plat préféré. Je ne t'en ai pas parlé parce que je pensais… je pensais que tu prendrais ça pour de la sorcellerie.

— Tu sais bien que je ne crois pas à ces histoires de *hoodoo*. Ce n'est pas dans la Bible, et la parole de Dieu nous met en garde contre les fausses idoles…

— Maman, je ne contrôle rien de tout ça. Je vois tout le temps des choses dans mes rêves. Depuis toute petite. Simplement, je ne te l'ai jamais dit. Je pensais que j'étais peut-être maudite, ou que je péchais contre Dieu, parce que tu nous élevais pour qu'on pense comme ça. Mais tu sens son odeur, toi aussi. Comment la présence de papa pourrait-elle être malfaisante ?

— Laisse-moi terminer, Rae, dit LoLo en levant la main pour la faire taire. J'ai quelque chose à te montrer. Attends, je reviens tout de suite. »

Elle disparut dans le couloir et réapparut tout aussi vite, un petit sac blanc à la main. Elle passa lentement ses pouces dessus et resta plantée là, clouée au sol en lino que Tommy avait posé quand Rae était encore petite et qu'elle gambadait de l'autre côté du seuil en lui résumant l'intrigue de son livre préféré, *La Petite Princesse*.

« C'est à toi », dit-elle simplement en lui posant le sac dans les mains.

Rae le regarda avec curiosité, puis l'ouvrit. Ses doigts tombèrent d'abord sur la boule de cheveux. Elle la sortit et son corps se mit à la picoter, comme si un courant électrique réveillait doucement son organisme entier. Elle posa les cheveux sur la table, puis la patte de lapin à côté, puis la pipe. Elle réprima un cri en sortant le mouchoir et en voyant le tissu taché de sang entre ses doigts. Elle le laissa tomber sur la table, involontairement cette fois, les mains tremblantes, inclinant la tête d'un côté puis de l'autre pour mieux le voir entre ses larmes.

« Il y a encore une chose dedans », murmura LoLo.

Avec hésitation, Rae plongea la main dans le sac et en sortit le carré de papier brun. Elle le déplia lentement et lut l'inscription qu'il portait.

« Que… qu'est-ce que c'est ? »

LoLo chercha les mots que la peur – la peur de ce que Tommy penserait, de ce que Dieu penserait de cette chose – l'empêchait de prononcer depuis trente-deux ans. Là, devant le cœur grand ouvert de sa fille, elle trouva le courage.

« Ton père ne voulait pas que je te le montre, mais… »

Elle se tut.

« Maman. Qu'est-ce que c'est ? » répéta Rae, le cœur battant comme un tambour, en frottant le papier entre ses doigts et en contemplant l'écriture.

CE BÉBÉ
CE BÉBÉ
CE BÉBÉ
UNE VIE DOUCE, PROTÉGÉE ET PROSPÈRE

« C'était avec toi quand tu as été trouvée. » La parole, réprimée depuis presque trois décennies et demie, sortait maintenant à flots de la gorge de LoLo. « Je pense que c'est ta mère biologique qui l'a laissé pour toi. Tu vois, ça ? » Elle indiqua les mots inscrits en cercle. « C'est un vœu, comme une prière. Comme ça se faisait à l'époque, dans le Sud, chez ceux qui croyaient aux fantômes, aux racines et tout ça. C'est une requête.

— Une… une quoi ?

— Une requête. Une prière… pour toi, Rae. De ta mère, je pense, demandant que tu sois protégée. Je pense qu'elle voulait que tu l'aies avec toi. Je pense que c'est ce qu'elle espérait pour toi. Que tu sois protégée. » LoLo frottait les épaules de Rae en parlant. « Ton papa, c'était ton protecteur. Et le mien. C'est tout ce que je lui demandais, et il l'a fait. Il nous a protégées. Il t'a trouvée dans ce sous-sol et c'est lui qui s'est toujours démené pour que tu t'en sortes, même quand c'était moi qui te faisais du mal. Il ne voulait pas que je te donne ceci, parce qu'en ce qui le concernait, nous sommes ta famille et tu es née le jour où on t'a ramenée à la maison. Nous sommes tes parents. Rien de ce qui s'était passé avant ne comptait pour lui. Mais cette prière, cette requête, il a fait ce qu'elle exigeait de lui. Sa présence ici, en ce moment, me dit qu'il continue de le faire. »

Rae, bouleversée à l'idée que sa mère de naissance ait souhaité le meilleur pour elle, à l'idée de tenir ses cheveux et son sang dans la main, à l'idée que son père décédé soit là, dans la pièce où elle se trouvait avec sa mère, à quelques mètres de celle où dormait sa fille, partit en courant. Elle sortit de la cuisine et se rua dans la salle de bains, poursuivie par l'odeur. Elle claqua la porte et se laissa glisser sur le tapis encore humide de l'eau dans laquelle elle avait baigné Skye moins d'une heure plus tôt.

Au fil des ans, elle s'était servie de son imagination pour combler de couleur, de lumière et de grâce les trous de son histoire : *Peut-être que ma mère biologique était jeune et terrifiée, et qu'elle n'imaginait pas élever un bébé toute seule.* Cela avait été sa première idée. Parfois, il y avait des méchants dans l'histoire : *Peut-être qu'on l'a forcée à me laisser sur ce perron, parce qu'un parent refusait de l'entretenir avec son bébé*, ou : *Peut-être que c'était une femme battue et qu'elle craignait que son enfant soit entraînée dans cette violence.* Les histoires étaient aussi variées que les livres empilés sur l'étagère du haut de son armoire, mais sa mère de naissance en était toujours l'héroïne. Après tout, il aurait pu arriver tant de choses à un petit bébé sans défense comme elle ! Mais cette femme, elle, avait gagné sa place sur le piédestal que Rae portait dans son cœur, et elle s'y tenait à jamais, immobile, immuable, innocente, comme les petits anges de porcelaine sur l'étagère en verre de LoLo.

Maintenant, avec le sang de sa mère de naissance entre les doigts et sa propre fille au bout du couloir, elle estimait cette femme bien davantage qu'un objet inanimé ou un conte de fées prenant la poussière sur une étagère. Rae comprenait son humanité. Sa décision, en ce qui la concernait, était magnifique, altruiste, elle jaillissait de la douleur, du chagrin et, oui, de l'amour – un amour qu'elle comprenait désormais, car elle aussi avait porté la vie dans son ventre et elle ne pouvait concevoir la force, le courage et la volonté qu'il avait dû falloir à cette femme pour laisser sur un perron son bébé, son sang, le battement même de son cœur. Pour le laisser à d'autres : à LoLo et Tommy, qui l'aimaient profondément. À ses yeux, c'était le sacrifice ultime. Un miracle, pas différent du miracle de la conception – ce qu'il fallait pour que la semence rencontre l'œuf et que l'œuf se fixe dans l'utérus et que l'utérus fournisse les conditions idéales pour une nouvelle vie et que cette nouvelle vie trouve son chemin jusqu'à des bras aimants. Le sac était pour elle la preuve qu'elle était exactement à sa place.

Elle porta le papier à son cœur et inhala l'odeur de son père.

« Papa, tu me manques. Je t'aime. Je t'aime. Je t'aime et tu me manques et je t'aime », dit-elle.

Alors, pour sa mère, pour celle dont le sang courait dans ses veines, elle pleura à chaudes larmes.

# 29

Rae avançait tant bien que mal dans le wagon en portant à la fois Skye, son sac à main et le sac empli de briquettes de jus de fruits, de couches-culottes, de livres et de jouets, sans compter les en-cas variés que LoLo y avait fourrés en disant : « Il vaut mieux que tout ça parte avec la petite, parce que si ça reste ici c'est moi qui vais grossir. » Skye s'agitait, elle avait envie de marcher seule. Mais Rae ne voulait pas que sa fille touche quoi que ce soit : elle détestait le train et particulièrement la gare de Queens, cet affreux nid à microbes venus de tous les coins de l'État qui se déposaient partout dans les tissus, sur les murs et jusque dans l'air de ce lieu puant.

« Skye, ma puce, maman va te porter », dit-elle en la remontant sur sa hanche.

Le gros sac, qu'elle portait en bandoulière, glissa jusqu'au creux de son coude, pesant sur son bras et entraînant le sac à main, les deux étant déraisonnablement lourds.

« Marcher, maman ! » gémit Skye en se tortillant et en se débattant. Puis, changeant de tactique, elle se fit toute molle.

« Skye, chérie, je t'en prie, aide maman. »

Rae s'arrêta brusquement pour reprendre ses esprits – et sa fille, et ses affaires –, ce qui fut mal vu par les passagers derrière elle, déjà exaspérés par cette femme qui occupait toute la place avec ses sacs et sa gamine pleurnicheuse, comme ils le communiquaient par leurs soupirs exagérés et leurs yeux levés au ciel. Un gros Blanc aussi large que haut, qui en s'installant n'avait pas levé le petit doigt pour l'aider à hisser ses sacs pesants dans les compartiments à bagages, puis qui l'avait regardée avec impatience les redescendre à l'arrivée, en avait assez.

« Allez, vous, on se bouge ! » râla-t-il.

Rae, embarrassée et exténuée, s'efforça au maximum de dégager le passage, de se faire toute petite avec sa fille et ses affaires. De ne pas gêner. De ne pas être un fardeau. Cela faisait déjà deux heures qu'ils la regardaient tous : le gros Blanc ; la femme blanche assise à côté d'elles, qui avait tressailli et s'était ostensiblement tournée vers le couloir quand Skye, en jouant avec les boutons sur l'accoudoir, avait touché sa main ; même la jeune Noire stylée, assise un peu plus loin de l'autre côté du couloir, qui n'avait pas arrêté de se retourner pour regarder Skye s'agiter – comme le font les enfants de son âge – avec une expression… de dégoût ? De dédain ? Tout cela donnait la migraine à Rae, qui aurait voulu simplement disparaître. Ce n'était qu'un petit aperçu, pensa-t-elle, de ce que serait sa vie si elle devait évoluer dans le monde en tant que mère seule, avec sa fille et tous ses bagages. De ce que serait sa vie si elle devait se débrouiller pendant que les autres la fusillaient du regard, secouaient la tête et grommelaient en la bousculant pour passer. Comme si elle, femme noire avec un bébé et sans homme, était le problème. Le fléau.

Ces idées l'avaient empêchée de dormir pendant chacune des nuits qu'elle venait de passer, dans la maison de ses parents, à réfléchir aux paroles de LoLo et aux raisons de rester avec un homme infidèle – ou même avec n'importe quel homme, d'ailleurs. Elle était certaine que sa mère avait aimé son père, sa famille, mais à présent celle-ci reconnaissait qu'elle s'était acquittée de sa part de la vie de couple en échange d'une devise encore plus précieuse que l'amour pour elle et les femmes comme elle : un pacte qui avait bien plus à voir avec la stabilité financière et la protection physique qu'avec les contes de fées. Rae s'était demandé si les choses avaient tellement changé. Si la même logique s'appliquait à ses raisons de rester avec un mari infidèle qui lui avait tendrement demandé de rentrer à la maison, qui l'avait suppliée, suppliée encore, en lui répétant qu'il était le père de sa fille et que les filles avaient besoin d'un père dans leur vie. Cette dernière vérité, indiscutable à ses yeux, l'avait persuadée de vraiment prêter l'oreille à ses « Je t'en prie, chérie, reviens, tu me manques, j'ai besoin de toi, je veux retrouver ma famille » et de les retourner dans son cœur, oui, mais aussi dans les parties d'elle-même qui géraient la logique, la statistique, les données sociales et ce genre de choses. Une fois tous les calculs faits, elle s'était dit qu'il valait mieux ramener sa fille à Brooklyn et se réconcilier avec lui que se lancer dans le monde en étant noire, et femme, et mère, et seule. Et donc, elle en était là. Ce qui se jouait dans ce wagon, ces gens qui l'entouraient, qui s'agaçaient au lieu de montrer un peu d'empathie, tout cela acheva de la conforter dans sa décision.

« Pardon, désolée, pardon, dit-elle en s'écartant le plus possible du passage. Skye ! Arrête ! »

Elle attrapa vivement le poignet de la petite et le secoua un peu. Elle avait eu ce geste sur le moment pour attirer son attention, bien sûr, mais plus tard, lorsqu'elle se poserait seule et ferait le point sur sa relation avec sa fille et sur sa manière de l'aimer, de la traiter, de la tenir et de la considérer, elle devrait bien s'avouer qu'en la grondant dans ce train, devant ces gens, ce n'était pas du tout à l'enfant qu'elle s'était adressée. Elle se sentait comme un judas, trahissant sa fille autant qu'elle-même.

Quarante minutes plus tard, elle attendait sur le trottoir avec les sacs, le siège auto et la poussette, contrariée que Roman n'ait pas pris la peine d'arriver assez en avance pour se garer et la retrouver sur le quai. C'était tout lui, ça : ni attentionné, ni chevaleresque. Il n'ouvrait pas les portières de voiture, ne passait pas devant dans les portes à tambour, n'insistait pas pour marcher sur le trottoir côté rue afin de la protéger de la circulation, et ainsi de suite. Il ne songeait à l'aider à faire les courses que quand elle le lui demandait. Le matin, il avait même pris l'habitude de ne faire que son côté du lit, littéralement : il retapait son oreiller et remontait les draps de son côté à lui, mais pas de celui de Rae. Elle s'en était aperçue tôt dans leur vie commune et avait froncé les sourcils deux ou trois fois, stupéfaite.

« Pourquoi tu ne fais qu'un côté du lit ? » lui avait-elle demandé, moitié par curiosité, moitié pour dire : « Ça va pas, non ? »

Roman avait haussé les épaules.

« J'avais même pas remarqué. »

Le fait d'en parler ne l'avait pas empêché de continuer. C'était un comportement curieux auquel Rae n'avait pas trop prêté attention à l'époque. À présent, cela la mettait hors d'elle.

Ce jour-là à la gare, elle en était donc réduite à l'attendre sur le trottoir, avec sa fille, ses sacs et ses affaires, en regardant des gens venir en chercher d'autres. Bien sûr, elle savait que les New-Yorkais portaient sur eux une patine – une rudesse qui les laissait gris, fatigués, durs, sillonné de rides à l'extérieur. On n'échangeait pas de politesses avec les inconnus ; le temps, après tout, était aussi limité que la patience, et les échanges aussi inflammables que les attitudes, si bien que les gens ne faisaient que se croiser, étrangers les uns aux autres, hâtifs, pressés, uniquement préoccupés de se rendre du point A au point B.

On aurait pu penser, pourtant, qu'aller chercher un proche était un geste un peu à part. Que pour braver la circulation de New York et parcourir tout le chemin jusqu'à la gare, il fallait y être poussé pas seulement par une obligation, mais peut-être aussi par l'amour pour l'autre, qui pour venir à vous s'était aventuré dans un caisson métallique lancé à des centaines de kilomètres à l'heure sur des rails. Pour retrouver vos bras. Mais aux yeux de Rae, à ce moment, cela ressemblait plutôt à un enchaînement de gestes étranges, accomplis par des êtres durs et inflexibles. L'une après l'autre, les voitures s'arrêtaient le long du trottoir et accueillaient les nouveaux arrivants avec à peu près autant d'émotion et de considération qu'un taxi chargeant un client.

Les mères grognaient à peine un bonjour à leurs enfants, les bras le long du corps plutôt qu'ouverts pour les envelopper ; les femmes tendaient leurs valises à leur mari et montaient à l'avant, les lèvres pincées, pendant que les hommes faisaient claquer le hayon et remontaient s'installer au volant avec une tête d'enterrement, leurs effusions plus machinales que chaleureuses et sincères. Ils se regardaient à peine ; la nuque raide, ils gardaient les yeux fixés droit devant eux, leur corps ne bougeant que quand la voiture accélérait pour se lancer dans la circulation et les emporter chacun dans son coin, dans sa vie.

Rae se demanda s'il y en avait un seul parmi tous ces individus qui soit simplement… heureux. Si les familles n'étaient rien d'autre que cela, en fait : des hommes et des femmes qui à un moment donné avaient éprouvé une attirance mutuelle, voire de l'amour, mais qui l'avaient laissée se dessécher sous la dure réalité de ce qu'ils étaient vraiment au fond, une fois le vernis usé, une fois les yeux détournés des désirs pour se concentrer sur tout le reste. Les enfants. La maison. Le boulot. Les nécessités. La vie. Rae se demanda si c'était ce qui l'attendait. Elle se demanda si elle pourrait être aussi forte que sa mère, si elle aurait assez de cran pour survivre à sa vie de femme mariée.

Elle vit enfin la Toyota Corolla rouge de Roman approcher et se garer à la place de la Ford Escort qui emportait un couple aux visages fermés. Il annonça sa présence d'un petit coup de klaxon. Skye, qui venait enfin de s'endormir sous sa couverture, cramponnée à son chien en peluche violet, remua dans sa poussette mais continua de rêver, comme si le monde n'était qu'un vaste ciel bleu. Rae se força à afficher un sourire crispé.

Roman sauta de la voiture et se précipita, les bras ouverts, pour serrer sa femme contre lui.

« Ahhh, mes chéries », dit-il.

Rae resta raide comme un piquet ; elle ne voulait pas qu'il la touche avec ces mains qui avaient sûrement dégrafé le soutien-gorge trouvé chez eux, et elle voulait encore moins laisser entendre que son retour signifiait la fin des problèmes. Car ils en avaient encore.

« Salut », dit-elle sèchement, aussi froide et pressée que tous ceux qui étaient montés en voiture avant elle.

Comme sa mère les saluait autrefois, son père, TJ, elle.

« Mon bébé… Elle est crevée, hein ? observa Roman en soulevant la couverture pour voir sa fille. Elle s'est bien tenue, dans le train ?

— Ça a été. Elle s'est tenue.

— Bon, je vais installer le siège. Tu veux la sortir de la poussette ? »

Ils passèrent quelques minutes à travailler en silence, avec des gestes fluides : Roman fixa le siège auto à l'aide de la ceinture, puis se retourna pour prendre Skye des bras de sa mère. La petite, lourde de sommeil, se pelotonna aussitôt qu'il la déposa dans le siège et qu'il ferma le harnais sur ses épaules et entre ses jambes ; il s'écarta prestement pour permettre à Rae de disposer sur elle sa couverture préférée, avec le chien violet pardessus, puis de s'installer elle-même à l'avant. Il s'assit au volant, passa la première et accéléra presque avant d'avoir refermé sa portière. Ni l'un ni l'autre ne parlait ; elle ne trouvait rien à dire, et ce fut donc la radio qui fit la conversation. Ella, Billie, Sarah, Abbey, chacune débitant des demi-vérités et de gros mensonges à la place de Roman. C'était toujours vers elles qu'il se tournait, la musique dans laquelle il choisissait de s'immerger, quand il avait le cœur lourd. Rae le savait bien ; c'était cette playlist – un flot sans fin de vieux CD de jazz, empilés sur le meuble de sa chaîne hi-fi – qu'il écoutait en boucle à l'époque où Rae et lui s'étaient rencontrés, alors qu'il peinait à surmonter la rupture avec sa première femme.

« Pourquoi est-ce que tu écoutes toujours cette musique de mémés ? » lui avait-elle demandé lorsqu'elle avait commencé à le connaître suffisamment, après un certain nombre de dîners au restaurant ou chez lui.

Roman avait beaucoup de qualités qui lui plaisaient, mais il y avait quelques éléments auxquels elle avait du mal à se faire – par exemple le fait qu'il soit son aîné de quatre ans, ce qui lui paraissait, à elle qui n'en avait que vingt-six, très adulte. Limite vieux. Et il n'arrangeait pas les choses avec sa musique de vieilles dames.

« Quoi, tu n'aimes pas les reines du jazz ? s'était-il étonné. Ella, Sarah, Abbey Lincoln… c'est intemporel, cette musique.

— Mais c'est tellement, tellement… déprimant ! Elles ont une voix magnifique, je ne dis pas le contraire. Mais vraiment, elles ne sont pas joyeuses.

— Elles faisaient aussi de la musique joyeuse. Ça, c'est ce qui me plaît en ce moment. Leur musique correspond à mon humeur.

— C'est-à-dire ? »

Roman s'était tu le temps de réfléchir aux mots justes.

« Je m'imaginais qu'à cette heure-ci je serais marié et en train de fonder une famille. C'est ce que je veux, tu sais ? Avoir à mes côtés une femme bien, des enfants. Mon père dit toujours que sa femme a fait de lui un homme meilleur. Mon ex et moi, c'est terminé, et c'est bien comme ça. On n'était pas faits l'un pour l'autre. Mais ça me fait quelque chose, je crois, de ne pas avoir ce que je veux vraiment.

— C'est-à-dire ?

— Un amour rien qu'à moi. »

Ils étaient restés muets pendant qu'Abbey Lincoln chantait ce qui aurait pu être, ce qui aurait été, lui bougeant légèrement et faisant grincer le cuir du canapé chesterfield, elle le corps immobile mais le cœur battant la chamade, les yeux clos, écoutant et se concentrant sur sa mission, qui serait de donner à cet homme ce qu'il désirait. Ce qu'elle désirait. Peu après ce soir-là, il lui avait dit « je t'aime », et même si c'était rapide car ils ne se connaissaient pas depuis bien longtemps, Rae avait senti qu'il le pensait. Elle lui avait répondu la même chose, et elle ne tarderait pas à le penser aussi.

Roman appuya sur le frein, voyant que devant eux les feux arrière rouges emplissaient les quatre voies de l'autoroute. Le sifflement du vent contre l'habitacle diminua en même temps que la voiture ralentissait, ce qui rendit la musique d'autant plus sonore, plus nette. Rae connaissait cet air : « In a Sentimental Mood », Ella Fitzgerald, mélancolique. Roman baissa le son.

« Rae, chérie, je suis tellement navré…

— Stop, le coupa-t-elle en levant une main. Pas dans la voiture. Pas devant la petite.

— Elle dort, chérie. Et il faut qu'on en parle. Je vois bien que tu as besoin de vider ton sac.

— Ce n'est pas moi qui suis en tort, dans l'histoire ! » s'emporta soudain Rae. Elle baissa aussitôt la voix. « Je crois que ce que j'ai à en dire ne sera pas une grosse surprise, et de toute manière ce n'est pas à moi de prendre l'initiative de cette conversation.

— C'est pour ça que je m'excuse. Chérie, écoute-moi : je sais que j'ai merdé.

— La petite, insista Rae, les dents serrées. Pas de gros mots devant elle. »

Roman inspira un grand coup.

« J'ai fait une erreur, d'accord ? Mais ça ne doit pas être la fin de notre couple pour autant. Ça ne veut pas dire que je ne t'aime pas toi, nous, tout ça, fit-il en agitant la main en l'air. Nous.

— Drôle de façon de le montrer.

— Pour info, je n'ai pas couché avec elle. »

Rae pivota entièrement vers son mari, les yeux plissés.

« Ah, parce qu'en plus tu vas me prendre pour une imbécile, en plein embouteillage ?

— Je ne t'ai jamais traitée d'imbécile.

— J'ai trouvé un soutif qui n'était pas à moi dans… notre… salle de bains. *Notre salle de bains !* »

Sa voix, stridente, surpassa celle d'Ella et circula dans l'habitacle, dansant sur les bruits de la circulation et du vent autour d'eux, pour aller frapper les tympans de Skye. Celle-ci ouvrit brusquement les yeux. Ne sachant plus où elle était, où était sa maman, ce qui se passait autour d'elle, pourquoi l'ambiance était si lourde et grave, elle fondit en larmes.